Y0-AFT-358

ЦДЛ

ХОХМЫ ХАЛИФА ГУЛЯЛИ ПО МОСКВЕ,
ЕГО «ЧЕРЕПАХА» СТАЛА ФОЛЬКЛОРОМ.
А ПОСЛЕ «ЦДЛ», ДАЖЕ НЕОПУБЛИКОВАННОГО, ЕГО ВЫШВЫРНУЛИ
ИЗ СОЮЗА ПИСАТЕЛЕЙ И ПРЕДЛОЖИЛИ УЕХАТЬ ИЗ СТРАНЫ.

НО ХАЛИФ ОЧЕНЬ СИЛЬНЫЙ,
И МИР ЕГО НЕ ЗАБЫЛ.

Лев Халиф

ЦДЛ

Москва
ЦЕНТРПОЛИГРАФ

УДК 821.161.1
ББК 84(2Рос-Рус)
Х17

Оформление художника
Е.Ю. Шурлаповой

Халиф Л.Я.

Х17 ЦДЛ / Лев Халиф. — М.: Центрполиграф, 2017. — 542 с.

ISBN 978-5-227-06632-9

Лев Халиф – русский поэт, прозаик, автор знаменитого четверостишия «Черепаха», которое в 50-е годы стало фольклорным. «Черепаха» ходила в списках, ее цитировали в спектаклях Эдлиса и брал эпиграфом Юрий Домбровский, но неизменно снимала цензура, тем более если она шла под именем автора. Однажды «Черепаха» была напечатана миллионным тиражом на обложке радиожурнала «Кругозор». В роман В. Гроссмана «Жизнь и судьба» «Черепаха» попала уже как фольклор. В 1977 году Халифа буквально вытолкнули в эмиграцию. «ЦДЛ» и роман «Пролом» были написаны на чужбине.

УДК 821.161.1
ББК 84(2Рос-Рус)

ISBN 978-5-227-06632-9

Талантливо, горько, правдиво

Года три назад шел я по Ленинграду со знакомой барышней. Нес в руках тяжелый сверток. Рукопись Льва Халифа «ЦДЛ» на фотобумаге.

(С автором мы тогда не были знакомы. Знал, что москвич. А следовательно – нахал. Фамилия нескромная. Имя тоже не без претензии. Но об этом позже...)

Захожу в телефонную будку позвонить. Барышня ждет у галантерейной витрины. Вижу – к ней подходят двое. Один что-то ей говорит и даже слегка прикасается.

Я выскочил, размахнулся и ударил ближайшего свертком по голове.

Парень отлетел в сторону. Но и сверток лопнул. Белые страницы разлетелись по Кубинской улице.

И тут я, признаться, оробел. И так с государством отношения неважные. А здесь – милиция кругом... Ползаю, собираю листы.

Ловеласы несколько пришли в себя. Постояли, постояли... Да и начали мне помогать. Сознательными оказались...

Так книга Халифа выдержала испытание на прочность. Свидетельствую – драться ею можно!

ЦДЛ – это Центральный дом литераторов в Москве. Набитая склоками, завистью, лестью и бесплодием писательская коммуналка.

Дом, из которого выселили его лучших обитателей.

Где неизменно «выигрывают серые».

Где десятилетиями не хоронят мертвецов...

Герой или, вернее, героиня этой книги — литература. Фабула — судьба отечественной литературы. Сюжет — ее капитуляция и гибель.

Отношение к современной русской литературе у Халифа крайне пессимистическое. Ее попросту не существует. Есть талантливые прозаики и стихотворцы. Есть талантливые критики и литературоведы. А живого литературного процесса нет. Есть другой процесс. Процесс истребления русской литературы, который успешно завершается.

Хочется привести такую незатейливую аллегорию.

Допустим, у вас есть мать. Допустим, она проживает с братом в Калифорнии. Неожиданно брат сообщает:

«Мать в тяжелом состоянии».

Вы ему телеграфируете:

«Что с ней?»

Брат отвечает:

«Осень у нас довольно прохладная...»

Далее следует талантливое и подробное изображение калифорнийской осени. О матери же — ни слова.

Вы снова телеграфируете:

«Что с матерью?!»

Получаете ответ:

«Транспорт у нас работает скверно...»

Далее следует живое, правдивое и критическое описание работы транспорта. О матери же — ни звука.

И так без конца. Ни звука о главном.

Халифу можно возражать. Можно говорить о неожиданно (для третьих эмигрантов) полноценной литературе русского зарубежья. Можно говорить о подводных течениях в нынешней советской литературе. Размахивать внушительным и ярким «Метрополем». Все это можно...

Но у Халифа есть точка зрения. И выражена она талантливо, горько, правдиво.

«ЦДЛ» — это документы, лирические и философские отступления, хроника, анекдоты, бытовые зарисовки.

Не менее разнообразна и тональность книги. Здесь уживаются дидактика с иронией, ода с поношением, благодушная насмешка с язвительной колкостью, возвышенная лексика... с многоточием.

Юрий Мальцев («Вольная русская литература») справедливо указывает: «В своей экспрессивной метафорической прозе Халиф, несомненно, следует традиции таких поэтов, как Марина Цветаева и Осип Мандельштам».

Лично я расслышал здесь также и хитрый говорок Марамзина: «...Мы уезжаем, а вы нам вдогонку глаза свои посылаете...»

Можно вспомнить и напевы Андрея Белого. И карнавал метафор Юрия Олеши.

Действительно, единица измерения прозы Халифа — метафора, то и дело возвышающаяся до афоризма. Цитировать — одно удовольствие.

«...Этот, со стопроцентной потерей зрения, возомнил, что он — Гомер. Ему виднее...»

«...Спартак Куликов... Имя — восстание, фамилия — битва...»

«...Ударил кто-то бомбой в Мавзолей, но вождь остался жив...»

«...Дрейфус умер, но дело его живет...»

«Всякую колыбель — даже революции — надо раскачивать...»

Поначалу меня раздражала нескромность Халифа. Или то, что я принимал за нескромность.

Автор говорит, например, о заветной книжной полке. О книгах — шедеврах двадцатого века:

«...Тут и „Доктор Живаго“ Пастернака. И „Архипелаг ГУЛАГ“ Солженицына... Да и эта — моя — туда встанет».

Неплохо сказано?!

Поначалу я от таких заявлений вздрагивал. Затем не то чтобы привык, а разобрался.

Не собою любуется автор. И не себя так уверенно различает на мраморном пьедестале. Используя формулу Станиславского, Халиф не себя почитает в литературе. А литературу — в себе и других.

Этим чувством — преданности литературе, верой в ее фантастическое могущество определяется тональность книги.

И еще.

Я благодарен Халифу за несколько страниц о родном и незабываемом Ленинграде. За «Сайгон» и за «Ольстер». За «Маяк» и за «Жердь». За Вахтина и Шварцмана. За таинственного Лисунова и умницу Эрля. За нечасто протрезвляющегося Славенова и даже за Мишу Юппа. Книгу Халифа не только читать — удовольствие, но и в руках держать приятно...

Сергей Довлатов

Новое русское слово (Нью-Йорк)
1979, 16 декабря

ЦДЛ

Документы, лирические и философские отступления, хроника, анекдоты, бытовые зарисовки

Карлики в дверях и великаны — братья во кресте / Мы — Союза писателей член / Колизеи любопытства / Смертник слова / Великие творили натощак / Толчок в литературу / Столькорукий Шива, тебя бы в наш Союз / Осибирили / Сдирая с груди номера / Нация ищет свои таланты / Назвать — значит не быть / Вы говорите — время проходит... Глупцы, это вы проходите! / «Синтаксис» / Выездная редакция «ЛГ» на Западе / И вы не смоете всем вашим черным кофе поэта праведную кровь! / Человекобомб / По какой категории будете меня хоронить? / Я валюту везу в голове / Биография накаляет строку / С чучелом Земли под мышкой / Не бытие — битие определяет сознание / Бабушка-стюардесса / Все вы писатели на словах / Мы — с донорством, а к нам с вампирством / Из чего твой панцирь, черепаха? / Ленинград — самый подмосковный город мира / Ударил кто-то бомбой в Мавзолей, но вождь остался жив / Любую колыбель, даже революции, надо раскачивать / Давид и Голиаф / «Сайгон» / Переделкино / Иллюзия ненапрасных жертв / Пусть зрячие напишут одиссею! / Мы — интернациональная страна, здесь всем досталось / Выпердосы / Писателю сидеть положено / Сильные мира сего — ссыльные мира сего / Всеми правдами и неправдами жить не по лжи / Самогонщица патриотического кваса / Юрздрав / Лесоруб, он природу любит / Сдался... и издался / У меня есть собственное мнение, но я с ним в корне не согласен / ВОХРАП — Вооруженная Охрана Авторских Прав / Справа — пустыня, а слева? — мираж / Маяк — это же куда не надо плыть / Минные поля нравственности / И что бы такое дать тебе в зубы и что бы тебе пошло, как Черчиллю сигара? / Свобода творчества... Ее навалом, цензоров еще больше / Уже вздернут за голос / Автоматная очередь дошла бы куда быстрее / Вот она — современная русская плаха / Мама Родина, я целую тебя в рот! / И почему человек с выбитыми зубами не звучит так гордо? / Всю жизнь нас Европа с толку сбивала / Моноложка / Рекорд трагизма / Эпилог

Однажды в Москве на улице Герцена я увидел малыша, перебегающего дорогу в ЦЭДЭЭЛ.

Еще секунда и... Я бросился и выхватил его буквально из-под самых визжащих колес.

Я хотел было отшлепать мальчишку. Но он обернулся ко мне, разжал свои тысячелетние морщины и прохрипел: «Ты что, спятил?» Это был детский писатель Коринец.

И вдруг я понял, спасибо случаю:

ЦДЛ – ЦЕНТРАЛЬНЫЙ ДОМ ЛИЛИПУТОВ!

Три карлика в дверях. Как на засекреченном заводе.

Мини-диктатура. Мини-администрация! Уполномоченная принюхиваться к входящим писателям.

Кто ее уполномочил? Долг?

Правления... Правления... Правления... Неисчислимые правления... Даже в клубе – иерархия вышибал. Из числа писателей, забывших свое святое назначение – писать. Пусть без святости. Хоть как-нибудь.

Но какое там писать! Все хотят – управлять. Даже неуправляемым подтекстом. Который нет-нет да и проскользнет кое у кого.

Грызня у штурвала. Столпотворение. Подпиленное чувство когтя. Локоть, толкающий под ребро.

Мир да совет...

Нет мира под фикусами ЦДЛ.

Есть совет.

Да что он посоветует?!

Есть товарищеский суд.

Да какие они товарищи?!

Неимущие. Ни таланта и ни отчества. Ничего, кроме почерка. И то корявого и ученического. Затерянный в толпе подобных, незаменимый для анонимок и доносов — им они пытаются писать оригинально!

Все хотят быть писателями.

Врачи в писательской поликлинике и те перестали лечить — пишут.

Администраторы имитируют задумчивость — пишут.

Первый карлик ЦДЛ, кажется, родственник известного булочника Филиппова, который спекся в 1917 году. Помнит анекдоты про артистов — принят в Союз писателей. Анекдот!

Заготовители картошки, маршалы и генералы, малооплачиваемые инструкторы райкультуры и всяческие начальники, массовики и затейники, культуртрегеры и осведомители... Вся большая и малая номенклатура, вспоминальщики и вспоминальщицы, смутные веды и явные ведьмы — все кому не лень, кто хоть как-то умеет держать в руках и подслюнивать карандаш... Все прут в писатели.

Даже убежавший директор мебельного магазина и тот на Западе стал обозревателем, специалистом по советской литературе.

Сановник идет в литературу со свитой. Приближенные разбредаются по жанрам.

При всем кажущемся вавилонстве и неразберихе — здесь тем не менее четкий порядок. Как в казарме — субординация и чинопочитание. Попробуй здесь остаться самим собой!

В музыке надо иметь слух и знать ноты.

В футболе — ноги.

В живописи — глаз и набитую плакатами руку.

Владычица дум — ЛИТЕРАТУРА. Пара слов, сказанных исподтишка, и миллиарды во всеуслышание. Ты всего-навсего — ДОЛЖНОСТЬ, призрачность, дающая реальность жить безбедно. Всем, кроме родившихся поэтами.

Без единой капли риска. Без права удивить и, тем более, повести за собой.

Творчество без горения. Унылая самодеятельность.

Децибелы сотрясают воздух. И оседают на книжных прилавках, сквозящих стеклом магазинов-гигантов. Прогибая их многотонным пустословием.

И это Литература, бывшая когда-то Полем боли?

Энциклопедия человеческих страданий? Хрестоматия духовности? Крик и клич человеческой души?

Подземные и мутные потоки, спеленутые телефонным кабелем. Земля дрожит от никчемных разговоров... Ее пучит от засыпанных траншей.

Литературная канализация!

Подземные и мутные потоки телефонных словоизвержений... И летящая поверху паутинка насущного телеграфа... Вот твоя сегодняшняя эмблема — не госпожа Литература!

Глашатай литколлективизма — Маяковский сторонился давать свои стихи в альманахи. Ревниво пеленал свои железобетоны в мягкие переплеты отдельных изданий.

Великан боялся затеряться среди лилипутов. Немудрено! А тут царит — Мисс Совпис. Хоропись!

Со времен Маяковского этот муравейник увеличился в тысячи раз.

Ныне Литература — шапка по кругу — кто чем богат. «С миру по нитке» — кому-то рубаха! Одна на всех! Ситцевая, посконная или дерюжная — лишь бы красная! И боже тебя упаси — быть богаче других!

Диапазон восприимчивости писателя здесь вполне ограничивается насморком, схваченным в народе. Искра божья? Да мы — атеисты!

Вознесенье — куда?
Раболепье — зачем?
Гнуть талант свой — с какой это стати?
А вот и мы — союза писателей член,
С «чего изволите?» к красной дате.

Но его не сразу пропустят. Это в писатели попасть легче, чем в писательский дом.

Где страх пересиливает талант — дар уникальный, чудо, которое не советская власть дарует.

Бог ты мой, сколько же самоцветов здесь в блевотные лужи втоптано?

Сколько их, сломленных, и по сей день здесь гуляет?!

Карлики в дверях...

Стоит вместо бюста Шекспира — не краснеющий густо Шапиро. Посмотришь на него и воочию увидишь истоки антисемитизма. В лагере про таких говорили: «Композитор — оперу пишет»... Оперуполномоченному. Хлопотун!

Третий юркий — Бродский. Это он однажды не пустил пенсионера Микояна, еще не написавшего мемуары. Еле оттащили. Ну а сошек помельче, вроде всяких там Катаевых, он вообще без предъявления писбилета... не пущает. Взглядом дырявя, как компостером, долбит одно и то же:

— Член дома? Член дома? Член дома?..

— Нет, с собой.

ЦДЛ. Здесь вшибают в литературу и вышибают из нее. Здесь хоронят пышно. И заживо. Здесь шибает в нос сивухой и ухарством.

Попарно, взявшись за руки, по зеркальному паркету идут соавторы. И одиночки.

Скользко!

Идут, держась за одну фамилию, — однофамильцы.

Сколько их!..

Вот кто-то встал. Затих. Творит. Обмахивается ушами. Мозг его прокрустово ложе, где он мысленно сечет неумещающиеся головы сотоварищей повыше себя. Красные уголки его губ вздрагивают, и слюни густо текут по безмедальному лацкану его поношенного пиджака.

Скольких из нас он уже гильотинировал?

А этот — далеко не мечтатель. В свое время он поставил к стенке не одного нынешнего классика.

Лилипуты истребляли великанов.

37. Роковая цифра. Тройка — заколдована, семерка — священна (троица, семисвечник, семь).

37. В этом возрасте, как правило, уходят из жизни настоящие поэты.

1837 год. Погибает 37-летний Пушкин.

Сотню лет спустя тоже хватало трагедий!

ЦДЛ. Бывал ли здесь Осип Мандельштам? Или не успел?

В 37 — за декаданс —
этапом в Магадан-с...
Какой уж тут поэту выжить шанс?

Велимир Хлебников: «Мне 37. Люди моей задачи в этом возрасте умирают».

Хлеб русской поэзии... Сколько последышей — его поели!.. Кроша об свое беззубье.

ЦДЛ. Здесь Алымову понравилась песня «По долинам и по взгорьям». Вскоре автор ее — дальневосточный поэт — был оклеветан и расстрелян.

ЦДЛ. Здесь Павел Васильев надевал яичницу на голову Сергея Васильева и спрашивал: «Ну почему твои лучшие стихи принимают за мои... худшие?» И, покончив с глазуньей, хватал за бороду почтенного старца. Увлекая его за собой и крича:

— В белом венчике из роз
Впереди Абрам Эфрос!

Кто-то напишет в НКВД, что поэт стрелял в портрет Сталина. Вождь рассердится и прикажет расстрелять. Взаимно.

ЦДЛ. Кто-то кропает донос на Бориса Корнилова. Киршону легче, он уже в пути. Уже отдрожал. Уже схвачен. Отволновался и Пильняк. В отличие от Киршона, конечно же схваченный не за бездарность.

Давид Бергельсон, гуманнейший Перец Маркиш, беззащитный Лев Квитко... Короли Лиры, по крови Михоэлсы... Им еще жить да жить! Им еще надо побороться с фашизмом. Пережить его. И лишь потом принять пытки и пулю. Вместе со всем антифашистским комитетом. Так и не поняв — за что же их убили свои!

Мертвые остаются молодыми.

Благообразными, седыми, улыбчивыми ходят палачи.

Недавно умерший Смеляков, не смело помнивший друзей, так и не дождался времени рассказать правду. Уж он-то знал, кто кого ставил к стенке.

Не стало и последнего из «космополитов» — Федора Марковича Левина.

Литераторы, —
куда концы запрятали?

Есть в ЦДЛ стена-мемориал погибших на войне с фашизмом писателей. Но нет на ней имен тех, кто пал от рук собственных палачей, у которых фашистам — учиться и учиться!

Что-что, а редактировать свои летописи наши Пимены умеют!

История что пластилин — знай лепи «по высочайшему повелению».

Екклезиаст и Песнь песней, Откровения Моисея и Матфея... в общем, весь текст Ветхого Завета, который по праву принадлежит народу избранному, однажды перевели на другие языки. Этот день евреи считают черным днем своей религии. Исконно иудейское распространилось по всей земле.

Иероним, переведший Завет на латынь, — стал святым. Я не оспариваю святости его подвига, но меня больше потрясает легенда о 70 толковниках, которые переводили Ветхий Завет на греческий. Они сидели в своей башне, не сообщаясь — каждый в своей келье. Сидели до тех пор, пока 70 текстов не совпали слово в слово.

Так бы писали нашу Историю!

Книга Деяний — и та не закончена. Еще многое предстоит сделать человечеству. Но если даже Книга Деяний еще творится, то Книга нашей новейшей Истории — и не начата. И если ее напишут, то только не дома.

Историю нашу такой, какая она есть, нам не видать как своих ушей. Официоз не допустит.

Неприглядную, подчас страшную — ее скрупулезно создают те, которым, казалось бы, не до нас. Историю России фиксируют не в России. Летописцы ее — кто угодно, но только не мы. И не потому, что кому-то за нашими пределами больше всех надо. Просто должен восполняться пробел в Мировой Круговерти. Для полноты картины Жития человеческого мы — не последнее звено. Затянувшаяся пауза череду эпох не волнует.

Полстолетия — миг в мироздании, а для нас целая жизнь!

Потомки — они любопытны. Да и Время не терпит загадочных пустот и провалов. Забывчивые поколения здесь в счет не идут.

Когда-нибудь на досуге будут читать захватывающий детектив нашей Эпохи. К тому времени уже схваченной с поличным. И обрамленной в траурную рамку.

И, возможно, будут смеяться, как мы когда-то смеялись над Дон Кихотом. И лучшему из нас Чего-то и Как-то Написавших — присудят (посмертно, разумеется) премию — «За самый поэтический текст на самую страшную тему».

Не надо нагибаться над тем, что легко поднимается... на смех.

Надо писать, видимо, очень серьезно. И тогда будет по-настоящему смешно. По крайней мере, будет смех не всуе.

Плакал Сервантес, когда писал своего Идальго. Рыцарь Печального Образа... жизни! Хохочет человечество, его читая. Хохочет до слез. Хотя после ветряных мельниц случались трагедии и похлеще.

Письменный стол — колени, пододвинувшие чистый лист. Краеугольный камень, полирующий кровь. Обозримое поле... Всю жизнь идти — не перейти!

Стол письменный, операционный. Борьба за Человека.

Творчество — это прежде всего надсадная битва за Индивидуальность в стаде. Соавторство с Природой в наитруднейшем деле Вставания с четверенек.

Непохожесть, и Только она, должна стоять во главе угла... каждого письменного стола. Каждого, поставленного как трибуна. Каждого, вросшего, как плотина, против привычной инерции.

С высоты положено говорить неслыханно. Нагорная проповедь еще до ракет поднимала людей в небо.

Чудо – абстрактное слово. Но сопричастие с таинством возникновения его читатель должен ощутить в полной мере. Иначе какой смысл во всех наших Писаниях и Сказаниях?!

Сказать читателю нечто ему известное – это заведомо обречь себя на запанибратские с ним отношения. А это ни к чему.

Творец не ждет «спасибо» за то, что он такой вырос. «Спасибо» – это еще не взаимопонимание. Творца укоряют в излишнем самолюбии. Но себя он любит, как рабочий свой станок. Да и потом, если он любит себя, значит, он любит и себе подобных. Хотя они и не такие отрешенные, как он. Хотя они и живут в параметрах достижимых своих потолков. И в отличие от него куда более счастливы.

Вы – при деле, а мы на пределе.

– ...Вспоминать – это как начинать жить сначала. А ведь не хочется. Не такая уж это была жизнь, чтобы снова ее пережить. Вот если бы жил как хотел, а не как жить принуждали. Ведь выбор здесь невелик. Если не сказать, вообще нет выбора. Когда живешь нелепо и враждебно своим представлениям о жизни как таковой. Если жить, конечно, хочешь. Да и то – какие это представления! Что мы, жизнь другую видели! Так – догадка.

Раз не отмахнулся, зная, чего это стоит – от них отмахнуться. Два... И вот они уже считают, что ты согласился с тем, что их образец жизни – самый лучший. И поперла их прическа тебе на лоб. И полезла кольцами их шерсть на твою побритость. И, уж сидя, копчик свой начинаешь вдруг ощущать. Не бесплатны эти виляния, пригибания да промалчивания... Это вам – писателям-поэтам плевать на их указания. Вот ты, небось, писал себе в бумажную тряпочку. В отличие от тех, кто просто в тряпочку помалкивает. Ваш брат хитер. Свое дело туго знает. Пришла Муза, и вали ее на письменный стол. А вот теперь я тебя и спрошу, пожалуй, – ну и как – стоит эта дивчинка начинки? – спросил мой сосед.

– ?..

— Понятно. Профессиональная тайна. Ну хоть скажи — приятно с ней жить?

— Может, где-нибудь и приятно. Только не здесь, — отвечал я сквозь стену. — Здесь это называется — любовь с Божьим страхом. Может, это и обостренней, чем просто любовь. Но все одно — это связь с извращением. Проще писать чернилами. Тут все ол райт! И правил безопасности труда не надо. Да и какая это опасность — писать безлично. В случае чего, одно и оправдание: «Да что я! Я — как все». Затерялся в черных сотнях писателей, пишущих под диктовку, — и скрипи себе до второго пришествия, два раза в месяц жирно и прописью ставя свой псевдоним под фамилией, если она не звучна... И беря наличными. «Так сколько ты, брат, сберкнижек написал?» — вопрошает коллега. «Да уж скоро полное собрание сочинений выпускать буду», — отвечает ему без пяти минут классик. У всех послушников — келья. А у этих послушников — дворец. А ума — ну хоть бы легонькая палатка.

Другое дело писать не чернилами. Торопится почерк. Скрипит ему одному понятной азбукой. Ты никогда не видел кардиограмму творческого почерка? — Скачущий нервный озноб письма. Без оглядки назад. Будто все слова сгоняют в одну только сторону. Но все одно — царственный, неспешный почерк. Хоть времени — как никому — в обрез. Нет, пожалуй, он все же тороплив. Вот он взлетел на гору. Посмотрел — никого нет. И побежал дальше. Ему бы дойти. Добраться. Доползти до финиша. А какой уж будет этот финиш — не важно. Торопится почерк, с виду неудержим. Но охотник уже идет по следу. Как и следовало ожидать. «Первые читатели».

Взвизг упадающей линии. Снова с Красной строки. Слово скользит в недосказе. Ловит ртом воздух. Что же будет дальше? А дальше, — учуяв неповторимый твой след и всею пастью схватив щекочущий этот запах, отнюдь не чернильный, борзые нагоняют тебя на самой счастливой, на самой бьющей и ошеломляющей странице. «Хеппи-энд». А ты как глухарь, у которого все перекрыто песней — и слух, и зрение. Правда, потом ты аки лев вырываешь ее из лап. Но посмотришь, как родные твои трясутся, — и отдаешь. Полагая, что песня того не стоит, чтобы жизнь их ломать. Вот и получается, что нет в мире песни, за которую и умереть не жалко. Или, в крайнем случае, сесть в тюрьму. Но это только поначалу так кажется. Сам посчитай — сколько поэтов здесь село и умирало даже не сев — стреляли, как бешеных псов. И каких поэтов! Но в момент изъятия рукописи — со скрипом ли, с дракой, но отдаешь.

— И пишешь по новой? — видимо, воскликнул сосед. — Хотя уж тут вряд ли до новых работ.

— Тем более в чужой стол, — поспешил я добавить. — И какой еще чужой! Новая форма писательства — социалистическая — писать в чужой стол.

— Потрясти бы его — сколько творений великих нашли бы, — забил, как обойму в стену, сосед.

— Да нет, дорогой, их в кислоте сжигают, когда не в печах, — просветил я его.

— Какая-то толика, правда, ныне за рубеж попадает. Но это сегодня. А вчера — их песни играли только в одну лузу. А сами авторы — в гроб.

Так что лист бумаги — вот и все мое писательское счастье. И не знаешь, когда оно больше — тогда ли, когда уже испещрен. Или когда еще чист. Ибо тоже удовольствие к нему подступаться. Хотя какая это жизнь — привязанность к чистому листу обыкновенной бумаги. К этому минимуму пространства, куда глядишь завороженно в трепетном предчувствии, что вот-вот в это колеблемое бумажное окошечко и заявится всей своей вселенностью чудо. В отличие от всех чудес — рукотворное. Собственное. Раз и навсегда осмыслившее твою жизнь, будто ищущую свое русло. И потому плывущую по течению в чьем-то потоке. С кормежкой у чьих-то общих корыт, где так ощутимо чувство несвежего локтя и неподстриженного когтя. И когда ты явно не в своей тарелке. А где же — твоя? Да вот она — чистый лист. Отдушина и проклятье. Горечь и сладость. Горе и радость. Бумажное зеркало, где ты наизнанку. И действительно, там начинает тесниться пережитое. И без бинокля видящее наперед. Крича и смеясь сквозь закушенные губы. Замкнутый квадрат. Времени — по какую-то стрелку. Потому и мыслишь афористично. Жил бы, как ворон — триста лет, можно было бы говорить, как все. Вот и получается, что смертность поэтам на пользу — заставляет бессмертно писать. А уж в этом «раю» им сам бог велел торопиться — с их-то как бы запрограммированным самовыражением, не ведающим последствий и плюющим на них с высокой своей колокольни. Какая же это жизнь! Это, брат, уже житие, когда и впрямь над головой воспаляется эхо твоего собственного сгорания. Нимб, того и ждущий, чтобы упасть на шею и стать петлей. Потому что там, где ты привязался, как летчик-высотник, испытатель собственной судьбы (мы еще увидим, как этот лист сработает катапультой), никак не потерпят чьей-либо самостоятельности. Там индивидуальных авторств не признают. Ты еще только чешешь затылок в догадке, а тебя уже волокут на Лобное. Нет, это государство создали шуты, решившие стать серьезными. Более страшной шутки, чем СССР, нам уже не найти под небом. Кто и когда еще расскажет такой Анекдот? Вот только со смеху покатиться куда бы подальше и поскорей.

— Да услышь нас, сирот, Всемогущий Бог, у которых давно умерла мама-родина! — взмолился сосед за стеной.

Богу будет угодно помочь и в этой неслыханной просьбе. Услышит сирот. Правда, не всех. Хотя и сиротой здесь побыть не получится. Слишком уж внимательно тебя опекают. Тем более если так старательно уничтожили твоих родителей. И прародителей, если те успели подгадать к этому строю.

Однажды во время бомбежки какой-то ребенок попросил свою мать: «Мама, давай уедем туда, где неба нету!» — «Да всюду оно, мой мальчик». И ему расхотелось жить, — соседу говорю между прочим. И дальше скачу на своем коньке.

Нет, не к добру эта пагубная привычка контрабандного переноса своих замыслов на бумагу. Этих гашишей, чтоб словить кайф. Не к добру, — думал он уже сам по себе. На время забыв о соседе. Рано или поздно, а подошьют ее к Делу. Лучше, конечно, поздно, — тщетно думал он или мечтал. — Хотя они шьют свои дела куда резвее, чем я пишу. Правда, слово «пишу» тут несколько не точно. Но, как говорится, лиха беда начало. По мере успешности моего предприятия и будут видны результаты. Это тоже своего рода барометр — за тобою бдящая власть, — как мог, успокаивал он себя. Еще вчера относительно не стесненный в движениях. Когда считал, что дружба — понятие круглосуточное, и звонил-названивал по ночам. И донельзя знакомым голосом что-то говорил вдохновенно вскочившим спросонья. Пробуждая их в полном смысле этого слова. И шел себе дальше по ночному городу с распахнутыми настежь будками телефонов-автоматов. Шел, опустив голову, будто разглядывал тень свою под ногами. Не слышно бьющуюся лицом о мостовую. И явно не собираясь ее поднимать. И тогда его тень убегала в темь непроглядную. И он оставался один. Но стоило ему оглянуться, как за ним по пятам уже следовали остальные его тени. Менее рослые, но куда настырнее первой. Вперед забегающей. Так и лезущей поперек его — и куда?! Видимо, в отличие от всех живых и невредимых, ему в спину светило по нескольку солнц или лун. Не иначе. Даже в ненастье оглядываясь, видел — идут. А потом и оглядываться перестал. Постепенно привыкнув. Здесь — у самих себя победивших — каждый гуляющий сам по себе рано или поздно воскликнет: «Вот и у меня вырос хвост непобритый!» И попытается дверью его защемить. Но выйдет из дому, и снова за ним он виляет. Нет, здесь люди хвостаты. Тем более настоящие. Да он и из дома выходит, чтобы не лезли домой. Так-то — куда спокойней. Хотя все относительно. Будто говорят — «Твори, пока трамваи ходят!» (звучит как «воруй»). Но в том-то и смысл — что ничего не говорят.

Шел он пока безымянный, но вот стерегут. Значит, предчувствуют имя. Неотлучно следят, чтоб никуда от признанья не делся. Чтобы был под рукой, если что. «Давай-давай!» — подгоняют. Пока молча. «Это пока. Будет со временем и тебе кабинет, где окошко не ведает неба. Так блатарем сквозь зубы цедит его. Это для контраста — чтоб зажмурилась от яркого света твоя душа. После черных бетонов тюрьмы, в момент, когда ей к Богу настанет час отправляться. А пока — ходи! Работа, она веселей на ногах. Тем более с почетным эскортом. Висящим у тебя на хвосте...»

Хорошо, слава богу, что мы головою мыслим. Вот если б сидели на ней?!

Конечно, на всяческих ложах приятней писать, — рассуждал он, — как, впрочем, за всяческим столом застольничать. Столы, они больше для яств и цветов и догадливых секретарш молодых, понимающих с полуслова не только диктовку. И чему уж тут больше отдать предподчтенье — работе какой? Но сейчас, как мы видим, ему и тем и другим заниматься явно мешали. Сейчас он аскетом стругает мотив, поистине не вовремя начавшейся песни. Поистине не к месту запевшей в нем. Справедливо полагая, что она лебединая. Ибо здесь у поэтов тоже птичьи права. С той лишь разницей, что никаких перелетов. Хочешь не хочешь, а на месте холодном зимуй! И, как поется на всех госконцертах: «Не нужен нам берег турецкий и Африка нам не нужна!» В одном ее спевшие правы — поэт, как любой настоящий художник, еще до космонавта видел все это сверху — живот в портупеях широт и меридианов (тот самый, который человечество обхохочет, глядя на нас) — поверх которого малюсенькая, едва ли не усыхающая, головка смысла.

Э, если бы мы выглядывали прежде, чем родиться! Но не бомбардировщики нас рожают, а беспомощные матери. Одно и успокаивает — настоящее наше, в отличие от нас самих, родится в счастливой сорочке (к слову о дуализме — она и есть форма), когда сотворенное настолько удачно, что оно уже в завтрашнем дне. Хотя за него нас нещадно бьют сегодня. «Отчего же нас бьют сегодня?» — спросим, отвлекшись, и почешем затылок, как стрельцы на Лобном месте. Почешем затылок, а там уж топор. И место совсем не Лобное, а напротив — Заднее.

Жемчужина — боль устрицы. Но та хоть работает за створками своей раковины. Мы ж — в эмпиреях, где бьют нас, как птицу влет. Или в замках воздушных, которые взорвать ничего не стоит, как, впрочем, и каменные. «И заперся он в башню из слоновой кости...» Да из собственной кости башня его — сам он и есть обиталище всех своих катаклизмов, что, в мир вырываясь, становятся песней.

Где-то дом — моя крепость... Вы не пробовали, коллеги мои потусторонние, обдумывать свои произведения прямо на улице? И там же писать их с идущими по пятам читателями — еще не написанного, отводя их подальше от места, где уже написанное лежит — эдакие хрупкие листочки, которые когда еще станут (если станут) достоянием гласности. По пути спасительные телефоны-автоматы — две копейки — и весь разговор. Зашел — продиктовал. Пошел дальше. Отчеканил кусок, дымящийся на холоде. Опустил монету — и вот он в надежном месте (да где в этом гиблом месте — надежные места?). Писатель-скороход — километр-абзац. Художник — огранщик камня... на сердце. По мере залегания и драгоценного. Грани в границах дозволенных! Но когда ж это творчество было дозволенным? Нет, есть все основания назвать его песнью лебединой. То есть последней.

Попробуйте, коллеги, вот так попасти свой взгляд. Вот так попребывать свой ум. И не будет ваш ум ни разу бюллетенить, привыкший к свежему воздуху. Может, поэтому и здоров, как бык, ненавидящий красное, — чихавший на все опасности ум. Хуже, куда хуже работать в камере спертых тюрем. В духоте спрессованного человечества с немытыми пятками. И, боже мой, как же тяжко сидеть, когда и голова твоя что гулкая камера. И в ней почище тебя заключенный сидит — твоя лучшая книга.

...Вызревает потихоньку мелодия, забирая память в свой проворот. Со всем, что до срока держала. Что это — попытка наперед увидеть начало неведомого? И может быть, даже прекрасного. Отчего-то всегда сокрытого за горами пространства и времени. И еще такого дисгармоничного, как наше. Так и не узнавшего, на что же оно наконец отпущено и кому в первую очередь.

Имеющий время да задумается. А если еще и повезет, то и сам разберется в подарке. Уже в самом названии, несущем скоротечность. Успеть — не успеть? — вот что нас первым волнует. В то время как на не менее важный вопрос — «зачем?» — времени уже не остается.

Но движет, движет инстинкт, не берущий в расчет никакие вопросы. Будто птица летит, не сгибая привычный свой путь. Когда уже есть покороче дорога. И лезет, как дура, под выстрел. И какое уж тут бессмертие — одни только критики и знают. А может, бессмертие — это уход без оглядки вот в такой перекрут вот такого труда. Целиком без остатка. Когда и хоронить потом нечего. И кладбище (ну, иди сюда, клад, сокровище) — остается на бобах. То есть при своих.

Ну, и где твое бессмертие?

«Прячу, — ответил. — Пишу и прячу. Видишь — идут по пятам».

Краденое, что ли, что вором крадучись. Да мыслимо ли песню сокрыть! Она и лежа себя выдаст. «Мы пишем побелому, а жизнь — черновик. Но как же ярко тогда проступают строки! И что же, мне, их отдать — окунуть их в поганую речку Забвенья, что течет под Лубянкой?! Миг один — и будто никогда ничего не писал. Не касался пером до Жар-птицы, прилетевшей однажды к тебе, дураку... Хрен им в зубы! Пускай пожуют коллективом. А я пошаманю еще».

И как же хватает писать без оглядки. Вот так — на ходу? Откуда черпает?

Не будем задавать дебильских вопросов. Понятно — из себя. Вот где он находит слова не искусственной свежести и огранки, ничего общего не имеющие с продукцией кустарей — не одиночек, толпами трущихся задом о письменный стул и вот таким невеселым способом добывающих слово истинное и неповторимое? Где он находит слова первозданные в мире, где легче найти девственницу во всемирном профсоюзе проституток, нежели незаезженное слово? Ведь в отличие от своих собратьев, почесывающих себя пером и рьяных помощников наступить на горло не собственной песне, он даже поэтом себя не считал, пока в приговоре суда отпечатанным слово «поэт» не увидел. Никаких подтверждений легальных, кроме нелегального внутреннего «я». Никаких доказательств, что житель Парнаса. Разве что на земле без прописки и права писать. Нету книг напечатанных, а признание есть. Как же это понять? — вскинет бровью читатель. Родина знает своих подлецов и поэтов. Даже если они и ни строчки своей не сказали. Вот и ищет. Шурует. Шмоняет, и ноздри — до плеч. Между прочим, русские борзые — лучшие в мире собаки. Нелегальный внутренний голос... А уж где лежит он, мы пока вам не скажем. Лишь намекнем — у надежных людей, которых так мало, так мало... Как хороших поэтов.

...Шел человек и мычал, как абзац, что как челюсть, еще не проросший зубами. Ничего — улыбнется. И зубы покажет.

Пьем, пьем, и по миру некогда сходить. Не с кружкой для монет, а с душой для впечатлений... А отчего пьем? Текучка заедает, — жалуется наш брат. — А отчего заедает? — Однодневки кропаем, талант размениваем, на хлеб с маслом норовим заработать... Да на чаевые нашему швейцару. Приезжаю как-то к приятелю, смотрю — рядом с его хоромами дачка — пальчики оближешь! Пригляделся поближе, смотрю — стоит швейцар наш цэдээловский. Откуда, говорю, у тебя, дружок, такая дача? Да на ваши чаевые, отвечает. На ваши гонорарные... Вы люди с гонором, а я человек простой — мне бы чего-нибудь попроще. А сам такую модернягу отгрохал, что закачаешься!

Нет, хватит вычесывать череп, выгребать золотишко. Пора написать навсегдашечку! Пора словить кайф!.. «Пора, брат, пора!..»

Ну уж кукиш по локоть! — Не воскреснут бунтари, попросившие пощады.

«Хлеба и зрелищ!»

Но сначала хлеба. Потому что именно из-за хлеба возникают невиданные зрелища.

Русь! Вся твоя история — сплошная и нескончаемая хлебная очередь, вечно обраставшая голодным людом. Не раз вздымались в небо огненные петухи — излишек темперамента. Не раз хлопали выстрелы — хлопушки человеческого терпения. Но бывает, что хлеб становится зрелищем. И тогда он чреват революцией.

Хлеб родил ее у нас в семнадцатом. С бабьего роптания у хлебных лабазов.

Не откажись тогда ротмистр Кирпичников стрелять по взбунтовавшимся бабам и не побратайся с ними вызванная солдатня — мир наш выглядел бы по-другому.

«Хлеба и зрелищ!»

Колизей любопытства... Цирковые искусы. Где первыми клоунами были гладиаторы. Они смешили толпу нелепостью своей смерти. Их гримасы на много веков пережили их самих. Эти гримасы дали миру лицедейство.

Но это еще не театр. Настоящий — он случится позже. Когда разыгранная на полпланеты бойня будет называться «театром военных действий». Со своими режиссерами, с генеральными, вернее, генеральскими репетициями, миллионами актеров, массовкой, где участвует почти все забрызганное кровью человечество.

Игра не на жизнь, а на смерть. Целые народы, из поколения в поколение, играли — не наигрываясь. И падали с тайной надеждой подняться и снова играть.

Бутафоры не успевали менять декорации. Костюмеры — одеяния. Гримеры — гримировать под полюбившихся героев.

Лишь придворные суфлеры, «инженеры душ человеческих», успевали вовремя подсказывать... свои провокаторские реплики.

Вымарывались ремарки. Вставлялись новые. Сообразно времени. Переносились акценты. И ставились ударения. Благо было куда ударить!

При невероятной смертности своих героев — этот театр бессмертен. Потому что конца пьесы и поныне не видно.

Длится действо — лицедейство. С антрактами кратковременных передышек. В которых женщины едва успевают зачать новые армии игрового мяса.

Этот театр без зрителя. Для самих себя.

А может быть, с небесной галерки глядят на нас иксы, нам неведомые, и думают: «Вот развлекаются! Вот развлекают! Нет, что ни говори, а земляне — самые зрелищные существа во Вселенной!..»

Художник не в состоянии остановить действо.

«Остановись, мгновенье!» — этот лирический возглас ныне отдает ядерным взрывом. Именно одного мгновенья достаточно, чтобы остановить жизнь на земле. Этой вечно крутящейся сцене, монотонно чередующей свои театральные сезоны.

Остается надеяться на парадокс — чем смертоноснее оружие, чем глобальнее оно, тем меньше его перспектива на международных игрищах со смертью. Кому захочется испытать его на себе! Разве что вовремя убежать на другую планету. И это исключено — тут за границу своей области проблема вырваться!

Не остановить, а запечатлеть мгновенье — вот мечта художника в наш рациональнейший век, крохоборски подсчитывающий свои шансы. Работяга и приспособленец. Ничтожество и Бог. Выкручивающий душу и тело в неостановимом поиске хоть одного удачного кадра.

Ныне творчество — это съемка на бегу. Под шквальным огнем.

Нужен рост, чтобы увидеть.

Нужен глаз, чтобы ухватить. Нужен смертельный риск!

«Зачем этому миру дети мечтателей?» — спросил Олеша в рассказе «Вишневая косточка».

Он ждал ареста. Тогда все его ждали.

Раздобыл где-то жести лист. Выложил на него свои кровные рукописи и... поджег.

Повалил дым, будя заспанных пожарных. Но не блестящие каски уже рвались в его дверь.

Когда вошли, то увидели человека в трусах. Пляшущего вокруг костра. И приговаривающего одну-единственную фразу: «Я — первобытный человек!.. Я — первобытный человек!!!» Они вернулись на Лубянку без него.

ЦДЛ... Здесь он не пил. («В ЦДЛ? Да никогда!») Тогда он пил в «Национале». Мимо которого идут ходоки к мертвому Ильичу, отчаявшись пробиться к Ильичу живому.

Центральная улица столицы — бывшая Тверская, ныне Горького. Когда хижины объявили войну дворцам — сюда по горячке и поселились окраины. Но не долго здесь жили. Началась реконструкция Москвы, и опять их задвинули куда подальше. Здесь быстро решают — кому где жить.

Всю жизнь не толстяк. Не любивший пирожные «эклер», считая их гробиками с кремом. «В России, — утверждал он, — умереть с голоду невозможно. Надо ходить по базарам и пробовать. Правда, торговки прижимисты, но их следует позабавить... А что делать? Ведь нельзя бродяжить, как Горький».

Скобарихи долго гадали — кто этот чудак? Вроде не вор и вроде не попрошайка. Какая-то смекнула — чокнутый книжник!

Не дальше торговок судили о нем и на радио, куда он однажды принес свою сказку. Редактируя птичьи диалоги, редактор сказал ему, что его удивляет реплика воробья.

— А то, что птицы вообще разговаривают, вас не удивляет? — спросил Олеша.

Получил Юрий Карлович вдруг гонорар за книгу. Может, впервые в жизни обретя немелкие деньги. Встал он посреди Тверского бульвара и начал раздавать червонцы.

Люди шарахались от него. Недоумевали.

— Иди сюда, — кричал он кому-то, — не бойся! Я — не фальшивомонетчик! Я — Олеша... А, не знаешь... Ну, тогда ступай!..

Он роздал все. До единой копейки. Домой он шел счастливым. Вместе с женой — своей Суок, едва разыскавшей его. Да-да, той самой Суок, что была из сказки.

На Лаврушенском во дворе, где он жил, его видели копошащимся в мусорных баках. Вот он достал пару старых, кем-то выброшенных ботинок. Снял свои и примерил «новые».

— Как вы думаете, — спрашивал Пастернака Сталин, — Олеша не продастся? (Про Мандельштама он тоже его спрашивал.)

Малонаходчивый Борис Леонидович пробормотал: не знаю.

Вождь любил советоваться по ночам. Вскоре телефонный звонок разбудил Фадеева.

— Вот Олеша совсем опустился. Как — не продастся?

— Да нет! Что вы, товарищ Сталин!

— Значит, вы ручаетесь?

— Да...

— Раньше писатели пили от безнадеги, а почему они пьют теперь?

— От радости! — вскрикнул Фадеев.

Великие творили натощак.

По соседству с Олешей жил Булгаков. Там же, на Лаврушенском. В этом скопище имен и одинаковых кабинетов. Дом возвышался, как Олимп. Писательский дом № 17, где углем на стене: *«От бутылок до Бутырок — один шаг!»*

Здесь жили боги. Которым молились. Туда же подселяли и совсем иных идолов, чьи имена вызывали совершенно другой трепет. И тем не менее их селили рядом с Булгаковым, Олешей, Пастернаком — а вдруг научатся писать свои однодневки так же лихо, как эти пишут на века. Чем черт не шутит!

Коллеги по дому и соседи по литературе... Лилипуты... На сколько бронзовых голов они вознамерились быть выше?

Рядом текла Москва-река, сжатая набережными. Поблескивал гранит берегов, вздумавший увековечить вечное движение.

«Вы бы видели Булгакова, как он был счастлив! — рассказывал Юрий Карлович. — Голодный, без надежды и завтра быть сытым. Изящный, даже в подвязанных на носки галошах, он хохотал глазами... И было отчего. Бренная оболочка нищеты — это ею пытаются унизить бессмертную душу?!.

Лишь позже я узнал, что он закончил „Мастера и Маргариту"».

Когда после войны Олеша возвратился из эвакуации в Москву, квартира его была занята. Ему посоветовали написать в Моссовет. Ведь должны же возвратить! Но он не стал просить. Считая, что, когда он получал ее, — в то время он был писателем. А сейчас... Кто он сейчас?

До самой смерти он ютился у своего бывшего соседа и настоящего друга Эммануила Казакевича.

Мертвые сраму не имут, когда тут считает свои каждодневные тридцать сребреников вся долматусовская ошань — красносотенцы, спутавшие Великую Русскую Литературу с отхожим местом.

Толчок... в литературу. Вот они сидят орлы — в орлиных позах на своем коллективном толчке. И покрывают ее, когда-то великую, хором. Только самые рассеянные забывают при этом снять штаны.

Вечновчерашняя трусость. Оголтелая злоба ко всему талантливому. Воинствующая бездарность.

Гадюшник!

Открыть бы здесь Донорский Пункт Змеиного Яда.

ЦДЛ

Булгаков когда-то хотел взорвать ЦДЛ. Эту мечту-эстафету пока еще не подхватили. Динамит дороговат. К тому же заметно одряхлели члены Союза писателей.

Вот и выходит на поверку, что из всех ощутимых потребностей есть одна лишь потребность — Слова.

Сначала мычание музыки. Потом глухонемые знаки живописи. И, наконец... все выразившее и вобравшее, ярким громом грянувшее — Слово.

И слава богу, что этим даром наделены немногие. А то бы стоял в мире невообразимый шум. Как в ЦДЛ.

Буханка хлеба идейного — микрофон.

Ломоть брызгающих слюной обещаний...

Пугало на нескончаемом поле хлеба духовного — пропаганды. Пугало — напротив, зазывающее ворон.

Извечные вопросы русской нации: «Что делать?», «Кто виноват?», «Кому на Руси жить хорошо?»... без традиционного — «Быть или не быть?» — разве прижился бы в России Гамлет?

Маркс был серьезен.

Ленин уже улыбался. Даже подмигивал.

Сталин — смеялся... Если бы он сбрил усы — мы бы увидели этот страшный, тихий, без раскатов и обнажения гортани — смех.

Смех — смесь взрывчатая.

Коктейль низменных, утрамбованных в утробе инстинктов.

Раз по пьянке вождь всех времен и народов попросил Ираклия Андроникова — лермонтоведа и пародиста-самоучку — *папэродировать* немного. И в частности, показать его — величайшего — попросту, без нимба и лавра. В домашней, так сказать, обстановке. Приближенные уже приготовились посмеяться... И даже Берия встал на всякий случай.

— *Не смэю!* — промолвил Андроников, тоже с грузинским акцентом.

А почему, собственно, и не посметь? Нет, у нас даже хороший писатель далек от этой мысли. Мыслимо ли, говорит он, — смеяться над ними. Да еще талантливо? Что мне, жить надоело?

А действительно, как ему не надоело так жить?

Известный конферансье Алексеев однажды, ведя концерт в Кремле и видя необычных зрителей, воскликнул:

— Как приятно выступать против... правительства!..

Улыбнулся Сталин. Потом засмеялся. Тихо, чуть подрагивая позолоченными плечами. Запоздало прыснули приближенные.

Юмор не умер! Но где же вы — юмористы?

Булгакову не провели телефона. И со Сталиным он разговаривал прямо на улице... из телефона-автомата (просто из автомата говорить с вождем почему-то никто не додумался). В стекло кабины стучали монеткой. Дергали дверцу. Как всегда поторапливали... «Да не мешайте вы, черт подери! Я говорю с товарищем Сталиным». «И как же не стыдно вам так шутить!» — сказал ему кто-то из очереди. В иные времена на костер бы отправили утверждавшего, что он *разговаривал* с самим Богом.

Страшная страна, если Мастер, написавший «Маргариту» (так вначале назывался знаменитый его роман), пишет верноподданнический «Батум». Верноподданнический настолько, что даже привыкший к славословиям Сталин и тот засмущался и запретил эту пьесу.

Многометровый кабинет. В углу, далеко от окон, сидит маленький человечек...

«Оставь надежду, всяк сюда входящий!»

Немногие доходили до массивного сталинского стола. Вокруг которого не валялись кости обглоданных народов. И не висели гирлянды повешенных. И не курились костры принесенных в жертву его мнительности людей.

«Жизнь прожить — не поле перейти!» — говорят в народе.

Люди, проходившие не одно поле минное или просто простреливаемое кинжальным огнем, падали от нервных перегрузок. Едва дойдя до половины этого кабинета. Деятели литературы и искусства прямиком летели в обморок. Теряли в весе или, напротив, прибавляли, вдруг ощутив неудобство пролившейся фигуры.

«Слишком нервные люди пошли!» — удивлялся он.

Слишком нервные. А ведь когда-то не робкого десятка был российский народ.

Рассказывают, что на одном собрании Сталин сказал: «Я готов отдать делу рабочего класса всю свою кровь, каплю за каплей...»

Он получил записку: «Зачем же тянуть да чикаться, давай уж всю сразу».

Может, эта записка и подвигла его сразу пролить столько крови. Чужой, разумеется!

Щербатое лицо. Будто стена в расстрельных оспинах... Глухая стена.

Первый пэр Англии, грузный Уинстон Черчилль и тот вскакивал при появлении кратко объявленного Сталина. Вскакивал, заранее желая усидеть. Загадочная пружина подбрасывала великана вверх. Что это — гипнотизм всех и всего боящегося человечка?

Парадокс — мы дышим полно, когда нас держат за глотку. Честный писатель здесь пишет, облокотясь на Лобное место. Приспособив палаческую плаху под письменный стол. Чем опасней — тем прекрасней. Истинно мужское занятие. Полная свобода — и писатель задохнется в ней, как муха в вентиляторе. Полная свобода... Да он прежде всего не поверит в нее. Это слишком безбрежно и немыслимо. Абстрактно! Другое дело — свобода в себе. Свое крепостное, но право касаться пером сокровенного, взрывчатого, истинного, сокрытого за семью печатями в глубине людского невежества. Дар, он третий глаз посреди слепоты. Что сулит этот поиск? Быть может, ничего хорошего. Ни о какой другой свободе он и не помышляет, пока не кончит писать свою Книгу. Ему нужно сопротивление, когда он пишет. Но не тогда, когда уже написал.

Писательство и без того трудное ремесло, чтобы потом за него еще расплачиваться оставшейся кровью.

Написав о пылкой любви, он едва ли остается сам к любви способным. Написав страдальца из страдальцев — весел будет он, как никогда. Старо как мир — мы умираем в своих героях. Если они бессмертны. Оставляя в них свое лучшее, едва ли мы возрождаемся каждый раз. Но умирать за своих героев и не геройской смертью — это не лучшая награда за подвижничество писателей — слишком смертных людей.

Что-то все подались в Каракумы. И Платонов. И Булгаков. И Олеша... Партия бросила клич разводить там баранов. А при чем здесь писатели? А при том, что пусть уж лучше они стригут шерсть, чем с них самих снимать будут шкуру. А с другой стороны, под нещадным солнцем сталинской конституции вся страна скоро станет пустыней.

Длинный перечень моих грехов мне неведом. Он хранится в моем личном деле. О своих грехах я могу только догадываться. В деле также присутствуют наброски моего внутреннего «я» — попытка портрета или портрет. О себе же я еще не имею законченного представления. Графологи, имея в виду мой творческий почерк, знают все мои недостатки и достоинства. Мне бы вникнуть в мой собственный почерк. И хоть бы кто мне сказал слово истинное. Там оно — там, вдали от меня. За семью печатями от меня сокрыто все, что мне надлежит знать о себе самом. В первую очередь. Кроме номера моей машинки пишущей — единственно, что я знаю, — там столько наблюдений, замечаний, характеристик, даже описание моей походки. Нужные встречи и ненужные. Полезные и вредные — откуда мне знать? А там — знают. Нет чтоб написать сразу мне — обо мне. Нет чтоб прямо в лицо мне высказать, а не строчить мимо меня доносы, предупреждения, анонимки, намеки, сигналы, мнения особые и не особые, оценки, характеристики, отзывы, наблюдения. Но все, чьего внимания я удостоился, ни словом мне не обмолвились обо мне же самом. Видимо, заранее исключая мою признательность и благодарность. А сколько оброненного они подобрали! И конечно же не подобрели — слова, сказанные в относительном одиночестве. Признания, о которых уже забыл, а они там. Пристрастия и неприязнь... Все там. Все, что должно быть тут — во мне, у меня, при мне, — там. Мои потенции и слабости. Восторги и отвращения. Анализы и заключения. Рентген-снимки. Боль и удовольствие. Цифра дальности моего глаза. Степень прочности моих зубов. Детство. Юность. Молодость. Зрелость... Там — анфас и в профиль. Все, что я значу. Все, что я вешу. Все, в чем я силен и слаб... Нет, там обо мне знают куда больше, чем я сам о себе. И если случится встреча (настоящая, а не те примерки, что сейчас) — мастера допроса уже вполне могут закатать рукава. Иначе зачем вся эта скрупулезная подшивка? Разве она не создана для того, чтобы встреча была долгожданной? А знакомство — не шапочным? Когда надо, я появлюсь, что называется, гол. И на теле моем проступят нужные им кнопки. Распахнута папка, а там пришпилена моя собственная тень.

— Гляньте-ка на себя нашими глазами! Где вы найдете еще такое зеркало? Повернитесь налево! Где силуэт? Направо — тоже не видно. Вся ваша жизнь поймана в эту папку. Весь вы тут. А напротив стоит оболочка ваша. И как заправский дирижер — в клавир, допросных дел мастер глянет в папку. И как заправский дирижер, взмахнет рукой. И допрос зазвучит, как по нотам. Оказывается, как я прост. А я-то думал. Встреча... ее предвкушают. Ей радуются и не сидят сложа руки. Встреча... она готовится исподволь. Ее предваряют, боясь вспугнуть преждевременно. Куда спешить? Даже если видоизменишься — вот он ты!

Задолго до встречи случаются маленькие встречки. Несколько мимолетных встречек. Невзначай. Как там, например, в ЦДЛ, откуда и куда я был отпущен. Встречки, они как стрелки морщин от улыбки. Задолго до оскала встречи. Сколько надо набегать секундной стрелке, чтобы наступил час!

Творческие замыслы — под них предлагают командировки (кстати, заключение — тоже называется командировкой. Но это к слову). Замыслы, помыслы, вымыслы, промыслы... Берут и выясняют. В том-то и дело, в том-то и фокус — не берут, а выясняют.

«Над чем работаете?» — если не самая любимая, то самая частая фраза в писательском клубе — в этом уютном флигельке Госбезопасности. Прозорливцы, им надо все знать наперед.

«Что вы думаете по тому или иному вопросу? Поводу? Случаю? Ваше мнение?»

«Ваша точка зрения?..» «Ваши позиции?..»

Союз мертвых душ. Они давно на столе и под лупой. Полумертвые — еще слоняются по вестибюлю, но уже на пути на операционный этот стол. Живые... Их перечесть по пальцам можно, и они пугливы, как веки. Говоря о позиции того или иного, трудно в душу залезаемого, просто хочется им спросить покороче: «А ну, покажи свой окопчик! Что уж тут ходить вокруг да около. Все равно накроем!»

«Пора бы обсудить вас». «Пора бы почитать вам свое последнее...» Так младенцу в яслях и в детсаду замеряют рост — нормально ли развивается малыш? «Вы не участвуете в общественной жизни Союза!» А разве я заключал с вами союз? Будучи пионером, я не давал клятвы быть похожим на Павлика Морозова. Комсомольцем я не гарантировал, что буду походить на Павку Корчагина. А ныне, пребывая в беспартийных, мне вообще не хочется ни на кого походить. Разве что походить по белу свету. Вы уж сами боритесь за новый тип советского читателя (он и так тип подозрительный). Человек будущего меня вполне устраивает таким, каким он будет. Если будет. Лишь бы не совал нос из-за плеча, когда пишется. Да и планы мои намного скромнее трибунных и глобальных, но я и не лезу в закройщики нового мира.

Все это, разумеется, было высказано в академической форме.

«Резкость суждений — значит, может дать в морду. Если может — значит, хулиган» (в дурдомах ставят диагнозы куда резвее — «Ясность мышления — значит, дурак»). Это, видимо, первая строчка в моей истории болезни под кодовым названием «Личное Дело».

Темперамент — исходя из него лепят там твой образ. Кого куда определить в крайнем случае? Тихоню можно и в тюрьму. Буйного — сам бог велел в Дом сумасшедших. Но до этого еще далеко, хотя все тут под боком. Сначала надо сделать так, чтоб поверили. И не соотечественники — плевать на них! А свободные обыватели. Эта забота появилась относительно недавно. Вчера бы хохотали, если предсказать такое внимание к ним.

Провокация — старый, испытанный способ. Если наш брат попадает в тюрьму без ярлыка — он сразу становится мучеником. В отличие от дурдома, где якобы лечат, — здесь, мягко говоря, уже поставили на человеке крест. Тоже своего рода диагноз.

А где воспитательная работа? Куда смотрел Союз? И Союз смотрит в оба, штампуя ярлыки и провоцируя на случай таких обвинений. Если не хватает собственных сил — обращается за помощью в Главное здание. Там — доки по части помочь («Что вы суете чистый бланк?» И появляется выговор с занесением в личное дело. Это уже что-то).

Мне показалось, что меня оставили в покое. Выговорами я был не обижен. Редкие звонки — «Над чем работаете?». Еще реже — вызовы-телеграммы, приглашающие на бесплатные выступления в Фонд мира... Раз неизвестно, над чем работаю, — какие уж тут выступления. Еще не хватало, чтоб читал поверх унюхивающих голов. Да еще не литованное. На субботники и воскресники. На семинары... Также отчаялись звать. «Учение об этносе» и «белые пятна истории». А также вопросы войны и мира в свете марксистско-ленинского учения — миновали меня сразу же, как «неохватываемого». Голоса изаковых, бориных, зисей — были далеко за моими стенами. До меня не долетала критика «основных направлений современной буржуазной эстетики». Так же, как и анализы, мазки и пробования этой самой эстетики на зуб, на слух и на глаз...

Столькорукий Шива — тебя бы в наш Союз писателей — столько рук для голосования! Если глянуть на это сборище — всю жизнь сидят с поднятыми руками. А когда пишут на века? Год не был в клубе. Зашел — сидят все в той же позе. Все в том же положении. Тянут руки вверх, будто кто-то еще сомневается, что сдаются, капитулируют — и так, чтоб позаметней было. Зашел — и опять случилась маленькая встречка.

Секретарь по оргвопросам, бывший генерал-чекист — старый волк под овечьей шкурой дубленки (зимняя парадная форма совписа). Другой секретарь — с безбородым лицом скопца (здесь многие вообще не бреют свои бабьи лица).

И некто. Но не тот, что был раньше. Пришлый, хотя у нас своих навалом. Взять ли замзава инкомиссии Совписа СССР капитана КГБ В. Шесткина или просто секретаршу в Литфонде лейтенанта Мери. Всего ГБ лейтенанта, хотя и под полковником — Юрием Ворониным, бывшим резидентом нашей разведки в Англии. А ныне (говоря их терминологией) — на отстое — директором Литфонда СССР.

— Мы слышали — о декабристах писать собираетесь? Почетная тема... — начал нетерпеливый скопец, мокро улыбаясь.

«Не так почетная, как непостижимая — горстка, изменить Россию вздумавшая», — подумал я, а вслух поддакнул:

— Да, собираюсь.

(Вроде на письменном столе своем я их не видел — откуда они знают о моих замыслах? Вроде нигде о них не распространялся. Разве что в библиотеку заглядывал.)

(Вы не представляете, как трудно работать, — смотрел на меня чекист-генерал. — Это раньше стукач был выше предрассудка, который в молве безнаказанно пятнал именем доносчика жертвующих собой и преданнейших правительству лиц. Что бы без них правительство делало? Теперь он не патриот, а скорей из страха пошел подслушивать близких друзей. Без убеждений он ныне — самодеятельный и невежественный шпик.)

(А профессионалы? — также помалкивал я.)

(Есть, конечно, и профессионалы. Но они боятся, что скоро доносить будет некому. Сопьются вконец. И те, на кого доносят. И те, кому доносят. Плачут профессионалы. Боятся умереть с голоду. Ведь другого ничего делать не могут и не умеют, а к высокой зарплате привыкли! Тебя бы в их шкуру.)

(Не приведи бог.)

(Да скажи о любом человеке, что он стукач, каким бы кристально порядочным он ни был, — поверят. Вот тебе примитивный способ угробить хорошего человека. Беззаветно любящие его — станут сторониться. И вроде не верится, а черт его знает! Время какое.)

(Да не время — страна! — кричу я ему тоже мысленно.)

(Мне кажется, что и ты, брат, оттого ершист, чтобы и о тебе не думали: «А вдруг он того! Я знал хороших парней, покончивших с собой оттого, что не выдержали подозрений».)

— Вы, конечно, знаете, что говорил Владимир Ильич: «Декабристы разбудили Герцена...», — продолжал скопец.

(Он с этой фразою спит в Мавзолее.)

— ...Я продолжу свою мысль, если не возражаете...

(Не надо. Когда это ты свои мысли имел, дядя? Сейчас пойдет политграмота. Но на этом будеж не окончился. Кто-то проснулся еще, еще и еще. Но Россия спала и видела свои отсталые сны, пока какая-то сволочь не разбудила Ленина.) А вслух расплылся — весь внимание! И точно, как по нотам, повел он свой дискантом заостряющийся голос в дебри российской истории. Пришлось прервать:

— Вам и перо в... руки — такое знание материала!

— Да, кстати, у вас не было трудностей в сборе сведений о декабристах? — спросил бывший генерал-чекист. И откинулся в кресле. Отчего сверла глаз его как бы отодвинулись. Как Бенкендорф излагать изволит — Сведений. Наверно, думает, что попрошу пропусков гору в закрытые подземелья старых тайн.

— Я объехал всю их бывшую каторгу, и души их были рядом.

— Насколько мне помнится, вы — поэт. И доселе исторической темой не интересовались. Почему вас потянуло в этот трудный и очень ответственный жанр?

— И почему — декабристы? — как всегда, поддержал генерала в отставке скопец.

— Ну, во-первых, мне надоело читать прозу без поэзии. И я решил для себя написать сам. Во-вторых, мне было любопытно — почему до декабристов на Руси четвертовали, а их — повесили и осибирили? Прогресс! А тема прогресса — моя тема.

— Вы, конечно, хотите напечатать свою будущую книгу у нас? — ни с того ни с сего спросил некто. Обычно они не разговаривают. (Вот идиот, прямо в лоб катит! Дипломат.)

— А что, у вас уже есть свое издательство?

— Я имею в виду одно из советских, столичных издательств, — пояснил некто.

— Эта тема сугубо отечественная и едва ли, кроме России, будет интересна где-либо. Да и кто же откажется от соблазна напечататься у себя дома? Последние несколько лет мне не слишком везло — ни одна столичная книгопечатня не удостоила меня такой чести. Будто пишу не на родном русском, а на зимбабве и еще при этом танцую непонятный ритуальный танец. И вот-вот начну снимать скальп с усушенных от забот голов редакторских.

— Будем надеяться, что на сей раз вам удастся им понравиться.

— Будем. Хотя я мало в чем изменился. И моей рукой по-прежнему никто не водит. В этом трудном деле я пытаюсь разобраться сам. Ведь нам еще не вживили в мозг электроды.

— Мы бы вам помогли разобраться, если бы вы не пренебрегали советами старших товарищей, — сел на своего конька генерал — писательский маршал, ибо от него тут все и зависит, — а то на секции своей не появляетесь, — распалялся он понемногу, — в обсуждении книг своих коллег не участвуете, семинары не посещаете, на открытые партсобрания не ходите. Совсем оторвались от коллектива. Случись что с вами, вы — одиночка. И вам некому помочь.

— А что, собственно, со мной может случиться?

— Да мало ли что, — дал время себе подумать бывший генерал и настоящий чекист. И за всех нас хлопотун. (Да, когда все примутся за одного, я этому одному не позавидую, — кстати подумалось мне. — К общему письмённому столу приглашаете.)

— А один в поле не воин, — подвернулся под руку генерала-вдохновителя московских писателей некто. — Да и потом, страх одиночества превращает художника в конформиста. Он ничего путного не напишет.

Смотря какое поле. И смотря кто воюет, — подумал я (один в поле воет, когда он не один, а вот в таком коллективе), а вслух уточнил:

— Вы хотите сказать — попутного ничего не напишет?

— Я хочу сказать, — сказал он, заметно раздражаясь, — что художник остается во вчерашнем дне. И рассчитывает каждый свой шаг. Ему не до творчества.

Если бы я остался во вчерашнем дне — я бы с вами вряд ли сейчас беседовал. Страх страху — рознь. Есть страх за собственную шкуру, когда дрожишь от каждого стука в дверь, — это, я думаю, и о вчерашнем и о сегодняшнем дне. И есть страх — не успеть сказать Главного. Лучшего. Первостепенного. Вечного. И тут художник не дрожит за свою драгоценную персону. Но я не стал метать им бисер — хватит. Но что-то на эту тему все же изрек:

— Предчувствие того, что он не успеет, — вот в чем корень его страха.

— Все успевают, а он не успеет, — удивился скопец.

— Говоря о творчестве как таковом, вы, господа хорошие, упускаете сущий пустячок — не плановое это хозяйство. И тем более не коллективное. Мол, зачем рассчитывать каждый свой шаг, исходя не из гражданских позиций, когда можно идти в ногу со всеми гражданами, чей путь предопределен Историей? Так, что ли? Не у каждого идущего безопасная походка, — сказал я. — Мне лично опасно ходить вообще, а в строю тем более — всю жизнь кому-то наступаю на любимую мозоль.

Я поднялся и вышел. А они ушли за дерматиновую дверь — еще глубже к себе.

«Значит, для заграницы пишет», — решили две дубленки и одна шинель.

Помнится — декабрист Лунин пытался передать свою рукопись на Запад. Но там подкупило русское посольство типографа. Изъяло его послание. И уже тогда вконец придушила Держава несчастного. Неужели и тогда КГБ работал?

Чужую звезду легче нести, чем свой крест. Тем более в эпоху закрытых распределителей, когда жанр открытых писем непопулярен. Особенно там, где общительность больше трех уже заговор. Чуть ли не групповое изнасилование советской власти. Это в мире свободном наличие свободы творить так потрясает, как, впрочем, и полное безразличие к сотворенному. Это на Западе — пиши как хочешь и что хочешь. Поэтому непонятно, почему там спился Эдгар Алан По, просивший пристрелить его перед смертью. И здесь его биография просто врывается в русский сюжет.

Союз писателей СССР... История знает, как при слове «культура» хватались за пистолет. Эти тоже не за валидол хватались. На счету у наших почтенных чекистов прозы и поэзии столько загубленных жизней писателей настоящих, что вполне достаточно, чтобы их судили, как элементарных уголовников, отрывая от звучных засосов с их иностранными коллегами на пышных банкетах всевозможных детантов и прочих замириваний. Свободный мир не любит конфликтов. Известна неприязнь его к острым углам. Круглый стол — вот его любимая мебель (придвинем к нему и не менее жидкий стул).

Истинный писатель в России всегда был, есть и будет *смертником Слова*.

«У поэтов есть такой обычай, в круг сойдясь, оплевывать друг друга...»

Написавший эти строки явно имел в виду ЦДЛ — это стойло бескрылого Пегаса. Нет, здесь не пахнет конским навозом... Но парнокопытный перестук междоусобной драчки здесь налицо!

Этого не мог не заметить творец «Куклы» и «Храма» («Зодчие»), «Рембрандта» и «Федьки-коня», подслеповатый и застенчивый человек, никогда и никуда не выезжавший из Москвы и ее пригорода, — Дмитрий Кедрин.

В отличие от многих поэтов, он отличался уж очень тихой и спокойной биографией.

Начинал он ярко. Его хвалил Горький. Правда, тогда он хвалил почти всех начавших писать.

Потом по его почину будут и в степях искать мало-мальски грамотных, чтобы всучить им в руки писательский билет. Но это чуть позже пойдут Джамбулы.

В смутные времена, когда, казалось, все и вся вызывали подозрение, — к нему и комар не подточил бы носа.

Жил он в Тарасовке. Работал в многотиражке в Мытищах. По этой же ярославской дороге ездил иногда в Москву. Что случалось очень и очень редко.

После войны, когда родилась дочь, Кедрины получили комнатку, неподалеку от Бауманской улицы. Рядом с известным домом Васнецова, созданным по эскизам художника в виде богатырского шлема.

Рядом шумел базар. Гремели трамваи. А комнатенка плыла прямиком в седую старину.

Здесь и были написаны многие его классические стихи. Некоторые он обливал клеем и соединял друг с другом. «Атилла», «Инфанта» — чем они не угодили его самолюбию? Впоследствии расклеенные — они поражали законченностью и мастерством.

Античностью веяло от его стихов. Они были отполированы, как мраморные плиты.

Из этих узеньких окон, упиравшихся в какой-то склад-холодильник, он видел древность, смытую человеческим склерозом. Копошась в ее архивах памятных, он извлекал старые сюжеты. Сдувал с них пыль забвения и описывал заново. Наполняя их современной кровью. Накладок быть не могло — мало в чем изменилось человечество.

Писал он много. Отрешась от суеты. Ничего не требуя, хоть и жили впроголодь. Заботы о хлебе насущном взяла на себя жена. Ничем не попрекая своего не от мира сего мужа.

Человек, никогда и никому не причинивший зла, оказывается, вызывал у кого-то неукротимую ненависть и зависть. Тишина его кроткого нрава, способность писать, не знающая кризисов и пауз. Растущая популярность его чеканных строк — все это кому-то не давало жить. Застилая близконосое зрение злобой и неверием в себя. На примере талантливости всегда очевидна бездарность! Не умея научиться чуду — тупость утверждалась как могла. Поздно вечером, когда возвращался в Тарасовку, он был зверски избит.

Во второй свой приезд он был сброшен под поезд. Но зацепился за буфер меж двух вагонов. Кто-то увидел его, повисшего над рельсами, и остановил состав.

В третий раз — на площади Пушкина. Под тентом летнего пивного бара к нему подошли и попросили разрешения прикурить. И так подходили трижды. Он отдал им свои спички. Собрался было уходить. Его остановили и вызвались подвезти до дома. Доверчивый и ничего не подозревавший Кедрин сел в автомобиль.

Труп его нашли в Вешняках. Под платформой.

Несколько недель искала его жена. Соседи согласились присмотреть за малолетней дочкой.

Где она только ни была. Объехала все морги Москвы и Подмосковья. Кедрин как в воду канул. Вскоре в московскую комнатку, где жили Кедрины, приехали какие-то люди. Сказав, что они из Союза писателей, погрузили и увезли огромный ящик с рукописями поэта. А сам он в это время лежал напротив — через улицу, в помещении холодильного склада какого-то комбината.

Началось следствие. Подозреваемый в убийстве Кедрина завсегдатай ЦДЛ, сын какой-то окололитературной дамы, тут же исчез из Москвы. Появился он снова лишь несколько лет спустя, когда уже давным-давно заглохло так активно начавшееся следствие.

Поговаривали, что это был убийца, нанятый кем-то из маститых деятелей Союза писателей.

Спустя некоторое время вдова, поддержанная несколькими друзьями поэта, пыталась возобновить следствие снова, но тщетно.

Смерть Кедрина остается загадкой.

Под боком Лубянки и на глазах у ЦК и вдруг — еврейская Правда — издательство «Дэр Эмес». Рядом правительственная магистраль — улица Куйбышева (бывшая Лубянка). По ней они шастают туда и назад — из Кремля и обратно. И хотя идут на больших скоростях, все одно она им глаза мозолит. А ведь чего тут только нет — на Старой площади, где новые министерства с «Центросоюзом» в придачу. Бывший Китай-город. И чиновников развелось, как китайцев. Но ЦК плодился быстрее. И вот уже стал вытеснять свои министерства, как-то незаметно оккупируя их территории. Отныне это площадь всего лишь пяти синекур.

Ну а уж Правда еврейская (хоть и в красную тряпочку и втихомолку) — тем более ликвидации не избежала. В 1949-м разогнали «Дэр Эмес», учинив обычный и примитивный еврейский погром.

Время, невероятно чуткое к человеку... Какую бдительную надо иметь спину — всю дорогу стреляют из-за пройденного угла.

Пятидесятые годы... ЦДЛ. В трауре родимый.

«И куда ж ты пошел, кормилец наш... вперед ногами?»

«Вестимо куда — к тому под бочок».

«Так мы ж без Сосо лапу сосать будем...»

«Можно подумать, что он сейчас леденец сосет, — добавляет кто-то сбоку».

«А может, он кормится в распределителе. Он же у нас активный».

«Да нет, он только лезет в секретари... Да ну его к черту, что ты пристал ко мне с этим ублюдком!..»

«Братцы! Оттепель началась, — петушком возвещает еще один завсегдатай, не отдышавшись как следует. — Крошечный зад, а на солнце сидел. И стоило ему „дать дуба", как сразу же весна наступила... Вон уже и Пикассо выставляют. Так сказать, буржуазную живопись развешивают...»

«Сталина „выставят" позже. Как пить дать — уберут».

«Ты считаешь, что двум медведям в одной берлоге тесно?»

«Да нет, Ленинский уголок для некурящих. Да и потом, он же не коммунальный. А ведь какая заманчивая мысль — коммунальный Мавзолей...» — «Штабелями и в мрамор?» — «Вот именно...»

«*И жизнь пикасса и жить пикассо!* — сказал Савелий Гринберг, никакого отношения к ЦДЛ не имеющий. — *Был бы жив Сосо — дали б вам Пикассо — правда, есть другие Сосы, и они не допустят никакой Пикассы. Встанут поперек и скажут: „Не паблокачиваться и не припикасаться!.. И вообще, пошли вон — хоронить!..“*»

«С радостью!» — мы ответим. И пойдем давить друг друга. Наш народ потолкаться любит.

Среди писателей жертв не было. Писатели хоронили вождя издали. Правда, нескольким членам союза что-то и отдавили. Ну да впередсмотрящим фингал под глазом всегда полагался.

Народ визжал, рыдал и плакал. Милиция уже исчерпала себя, а он все пер и пер, подтверждая свою многочисленность (когда сидит на месте, он не такой великий). Вот тут бы ему слезки-то утереть да плечиком на Стену Кремлевскую и навалиться. В ту самую, что столько зубцов на него имеет. Хоронить — так хоронить. Вон сколько их там за Стеной осталось!

ЦДЛ. Из края вечных мерзлот потихоньку стали возвращаться те, кого здесь никак не ждали.

Сдирая с груди номера, воскресали похороненные заживо. Добрым глотком свободы освежая в памяти свои забытые имена. Опять обретали давно растоптанное человеческое достоинство. Ногтями выцарапывая его из мерзлой колымской земли.

После всего пережитого — каким же счастьем показалась им воля! Этот жалкий суррогат, именуемый российской свободой. Радуясь ей, они и не помышляли о мщенье. Они и думать забыли о своих живых до бесстыдства палачах.

Шли с ледовитых широт деды-морозы. Едва ли думая о сюрпризах.

Но память — о двух концах. И если у пытаемых она отбита, то у пытавших она, должно быть, свежа.

Ожидание разоблачения. Томительное ожидание с недобрым предчувствием беды. Час треснувшего благополучия. Еще вчера такого долговечного... Получка наоборот — день уплаты по векселям. Да еще каким!

Зал ожидания — ЦДЛ.

Даже трещина в надраенном паркете — и та казалась разверзающейся под ногами пропастью.

Ведь даже мертвые однажды восстают из могил, чтобы уличить своих убийц. А тут возвращались из смерти живые. Не с небес ждали трубный глас. Он чудился пониже, вырывающимся из-под земли.

Раздался выстрел Фадеева.

Тут-то и началось. Закрутилось и завертелось! Отделение жертв от Дела! Горят костры невидные — повальное уничтожение улик. Метлы скребут неслышные — заметают и зализывают кровавые следы. Подчищались пришедшие в себя от шока, до смерти (на сей раз — своей) напуганные подручные 37-х и 48-х годов. Заново укомплектованный аппарат Их Безопасности бессонно работал, как в дни кубинского или чешского кризисов.

А ЦДЛ тем временем пытался успеть осудить хоть одного. Предприимчивый парторг Сытин спешно начал организовывать вечера осуждения. Которые проходили, вернее, должны были проходить под лозунгом: «Виновников смертей — к ответу!»

Заволновалась писательская братия, призывая на свой нестрашный суд своих притаившихся было товарищей. Потянувших за собой далеко идущие нити...

Критик Эльсберг — первый и, пожалуй, последний виновник смерти — был исключен из Союза писателей. Он бы так не трясся, бедняга, зная, что его очень скоро восстановят в «почетном звании советского писателя».

Осудив одного, давали подготовиться следующему... Засуетился, стал неузнаваемо приветлив бессменный шеф издательства «Советский писатель» Лесючевский. Тайный рецензент книг репрессированных авторов. Это он обосновывал состав преступления в их произведениях. Его критическая дубинка, что называется, била наповал. Нет, не каштаны из огня таскал этот плюгавый человечек... Талантливые головы, надрываясь от рвения, — таскал он в огонь. Каким же строкомером пользовался он, определяя степень виновности в стихах и прозе? На сколько лет заключения потянула лирика Николая Заболоцкого? Вот и выходит наружу — не стихи, а смертные приговоры писали себе поэты Павел Васильев и Борис Корнилов и десятки других не менее талантливых. Да еще вдохновенно. Еще четверть века он ни за что отвечать не будет, пока с почестями не похоронят.

Не дожидаясь своей очереди, стал оправдываться Ермилов. Его призвали к терпению. Ведь еще не кончен диалог с предыдущим оратором... Потом далеко на Западе предостерегут: «Убийца Маяковского снова поднял пистолет...» Да он его и не опускал. Но тогда испугался.

Дальше испуга — дело не пошло. Вскоре «вечера» прикрыли. Куда-то делся не в меру ретивый и далеко не безупречный Сытин. На всякий случай решивший опередить события.

«ЦДЛ, — слезно жалуется бывший начальник МУРа, подробно описавший вскрытие бериевского сейфа. — Рукопись конфисковали. Мурмуары!..»

Рассказывают, что он частенько арестовывал нашего брата. Чтобы почитать свои опусы. В одиночных камерах многочисленных каталажек. Попробуй убеги!

Ныне вынужден читать в ЦДЛ, хватая за рукава бегущих выпить.

«Рукописи не возвращаются...» Пережил.

Но умер Гроссман, когда отняли вместе с черновиками вторую часть его романа «За правое дело». До этого на задней обложке журнала «Знамя» было объявлено, что скоро произведение увидит свет.

Увидело. Да не тот.

Труд, вобравший в себя львиную часть жизни, стал пеплом.

Писатель — не птица. Тем более — не Феникс.

Да мало ли невозвращенных и нигде не хранящихся рукописей?! Один сундук Бабеля чего стоит!

Повальный обыск... Нация ищет свои таланты. Свои умы палаты. Волнуется полковник сыска Бардин. Никогда они так не были опасны, как сейчас.

Трудно в наш век избежать соблазна и не назвать все своими именами. Не воздать по достоинству.

Женщины считают, что единственная возможность избежать соблазна — это уступить ему.

Названный перестает быть неизвестным. Но и назвавший тоже обречен. Назвать — значит не быть. Добровольно обречь себя на мучительное небытие. Перспектива. Но ремесло — сильнее нас. Да и где она — техника безопасности в нашей профессии?

Медузы Горгоны и вокруг гуляющие страусы. Со спрятанными головами... «Проходите мимо!» — так, кажется, называется инстинкт самосохранения?! Древние выражались определенней: «Вы говорите, время проходит. Глупцы, это вы проходите!»

Вон идет дед в трусах — часть природы. Идет себе по снегу... Опечатали старику пятки, чтоб не ходил, намекая на бедность российскую.

То ли долго проверяли. То ли сам созревал долго, но почтенного пушкиниста Гессена приняли в Союз писателей, когда ему исполнилось 90 лет. Неужто осчастливили старика, сразу омолодившего Союз писателей СССР. Ведь все принятые в Союз после этого старца невольно выглядят юнцами-вундеркиндами.

Середина пятидесятых. «Синтаксис» Алика Гинзбурга. Вот он первый наш «Самиздат»! И составитель его еще не кружит по тюрьмам. Но лиха беда начало. Тут за попытку лишь только подумать — сгноят. А уж если сказал — ну, тогда держись!

Не каждому Бог подкинул еще и бетона для пущей крепости — за свои слова отвечать. И кто бы тогда мог представить, что будешь таким ты выносливым, Алик. Щуплый на вид, а вот не сломить.

Хрупкие листочки, идущие из рук в руки, а на них... И какая ж армада на них навалилась, раздавившая стольких до нас...

Вот оно пульсирует на ладони — «слово не воробей». Это когда оно вылетит — не поймаешь, выпустил — и тебя уже ни за что из прицела не выпустят. Оно податливо, когда его пишешь, но с написанным уже не сладят топоры. Не все в этом мире играет на руку злу. Не слишком было бы жирно мракобесам и нашим и вашим, когда бы еще и слово, как автор его, погибало. На радость дружному их коллективу, в который так умеют они собираться. В отличие от нас — вечно разрозненных, мятущихся и нисколько не спаянных. А то и грызущихся между собой. А ведь с Неба проводка одна и та ж. И, казалось бы, чувство локтя... Да вот оно тут — всегда под боком... Чтоб в незащищенный поддых, когда ничего нет подлее удара с тыла. А может, оттого, что пишется широко, а потому и локти широко расставляем. Тогда только почерк от края до края. И вот она крайность — чем шире душа, тем места под солнцем друг другу — сплошная нехватка.

Да мыслимо ль это?

А может быть, ревность снедает — одна у нас Муза на всех? К кому же из нас она так зачастила, что хоть стой, хоть падай?

Однажды в бане я видел — голые дрались. «Шею намылить», наверно, отсюда пошло. Но вышли в предбанник. Оделись. И снова стали людьми (по крайней мере, до следующей бани).

«Вышли мы все из народа...»

Из любой ситуации безнадежной есть выход. Даже из СССР. И вот тут-то, пожалуй, мы к самой смешине подходим. Когда нам кляпом рты затыкают, мы вроде умеем друг с другом красноречиво молчать. Но стоит однажды вздохнуть нам свободно — как с выдохом нашим нечто такое летит, что загадка нашей души ну такая простая, что смысла нет называть ее нашей душой. Как умение молчать пригодилось — замалчивать песни, разумеется, не свои (а ведь вчера еще восхищали). И, напротив, молчать не уметь, когда их певцы, почему-то вдруг сразу чужие, петь начинают по новой, снова-здорово на свободу свою вырываясь.

А вот еще письмо издалека: «Мы тоже вышли наконец-то на волю. Вполне приоделись... И перестали поэтами быть.

Свой, казалось бы, в доску Гладилин, настолько свой, что можно спутать с гладильной доской, а приехал на Запад и стал ершист — неистребимая зависть совковая гложет. Наверно, „Свобода“ испортила — клеветник...

Или наш ненаглядный Маэстро — хозяин Азбуки нашей... Ну, вылитый аятолла! Старый хрен, как же он здесь мракобесит! Ты не знаешь, почему они все там так оборзели?..»

Вот приеду и тут же узнаю.

Это он начертает на обложке моего «Молчаливого пилота» — *«Русскую литературу должны представлять русские»*...

Так вот с какой стати здесь все, что на русском, показывают ему и наш ментор решает, кому, кого и когда представлять! (Поэзией здесь «заведует» другой нобелевский лауреат, но уже не в русских издательствах, не гнушаясь иногда «рубануть» и прозу.) Надо было схватить эту размашистую резолюцию за ее пышные кудри, но Эдвард Клайн, тогдашний шеф «Чехова», явно стесняясь, ее сразу же сжег. Да и первый вариант этой моей книги, пересланный тайно на Запад неутомимым Аликом, так и не был получен мной (верный клеврет, он все отсылал своему вездесущему шефу) — «Очень в ней ценный фактографический материал, — сказала мне его секретарша мадам Альберти, специально ко мне прилетавшая из Вермонта в Рим, — а посему у меня к вам куча вопросов...» Короче — пожертвуйте кто сколько может. Он, видите ли, очень к жертвам привык. «Но, мадам, я ж не его секретарша, чтоб тоже в петлю?! Мне кажется, его писанина того не стоит...» Вот когда стало на душе моей — «вонько» (если взять за основу это его не слишком душистое слово). Вот тебе и свобода — подумал я, и с какой это стати Запад запах Востоком? (Это сейчас Восток пахнет Западом, а тогда обетованный Запад нестерпимо Востоком пах, так нестерпимо, что хоть назад подавайся.)

Вот что значит сорваться с цепи.

«Ничего! — скажет Бах. — Вот наши придут, они нашим покажут!»

...До чего ж невеселые вести доходят до запертых дома. Говорят, перегрызлись наши друг с другом таланты. Потянуло их в стадо, от которого еле спаслись. Вот она в чистом виде — по родине ностальгия. Пародия на содружество вольных стрелков. Где на вольных хлебах начинают дележку уже не хлеба. Это дома, где ставня с решеткой, не хлебом единым он жив, человек. Натощак удивляет.

Олимпийцы не бегают стадом. И копыто не ставят, как новую обувь, тебе показать. Когда, смотря на каблуки для наступанья на горло не собственной песне, иногда задаешься непраздным вопросом: а есть ли вообще походка у них хоть какая-нибудь, да своя? Или только сугубо своим поголовьем ступать по земле и умеют?

Так неужто нас тянет к ним в стадо? Или это российская только черта?

О, бесчувственность когтя до локтя! Нам бы хоть четвертушку их выучки дружной – давить всех и вся... Да в том-то, казалось бы, наше счастье-несчастье, что в другом мы однажды были умелы. Что-нибудь одно в несовместимых сиих занятьях. Горло и петля – не одно и то же. Хотя и впилась. Но зачем же туже затягивать петлю на горле самим – у самих-то себя? В России почище найдутся умельцы. За всю-то историю двое всего с петли и сорвались. Между прочим, один из них был поэт.

...Первый «Синтаксис». Тогда мы только ставили точки над «и». И обнаруживали акценты. А ударенья... Эти летели в нас. Было куда ударить. О, пробитые черепа российских поэтов... В них История дует старую песню свою. Вот откуда взялось – «вечно ветер гуляет у них в головах». И при этом всегда забывают добавить – дырявых.

Первый-первый... Как давно это было. Сколько вод, газированных нашим удушьем, утекло-то с тех пор. Сколько слез (зачастую с глазами вместе). Сколько рук неподкупных разжалось (а назад – с монеткой не тот уж кулак) и перья свои побросало в эту вечно текущую воду забвенья.

Черновик, обеляющий нашу жизнь. Мы сначала живем свои строки. И только потом их пишем на память. На чью?

«Синтаксис» наш... Лионозово. Ходит-гуляет подпольный наш список. Слепок, схвативший все лучшее в нас. Это в старости мертвая маска.

Лионозово. Здесь на холстах Оскара Рабина расцветала помойка № 8. Здесь быт хоронил живопись. А живопись хоронила барак. Картина так и называлась – «Похороны барака» (как тебе ныне в парижских бароккак поживается, старина?). А рядом жил один помешавшийся автор. Он писал стихи и музыку. И еще он писал письма руководителям человечества от генсека до президента США. Одному он задавал вопросы. Другого спрашивал ответы. На одного он возвышал голос. Другого просил возвысить его. Не укрылись от его писем и послы суверенных государств.

«Выбранные места из переписки с друзьями».

Он требовал права писать. Пока не помешался вконец. После очередного курса лечения.

Что и говорить, Фортуна была к нему повернута далеко не аппетитным задом. Правда, когда она к нему повернулась передом, он не заметил разницы.

Однажды мы пришли к нему. Постучали в его мрачную дверь. Шаркнули шаги. Наверно, он прислонился ухом и ждал. Надо сказать, долго. Наконец дверь приоткрылась. И мы вошли. Он сидел без света и тепла.

«Почему?» — спросил я взъерошенного человека.

«А вдруг увидят свет в моих окнах и дым из трубы и подумают, что мне хорошо!..»

Вот идет мой товарищ и что-то в шапку ему барабанит. Значит, на улице прыгает дождь. И ему невдомек, что один он погоду имеет. Нет же, вернулся и зонт прихватил. И на него удивленно все тычут пальцем. Потому что дождь для него персонально идет, чтоб не зачах его урожай обильный. Чудак! О тебе же думает небо, а ты ему в морду зонтом... Иногда я просто отказываюсь своих товарищей понимать.

Семену Кирсанову заказали песню.

«Пристали, как с ножом к горлу, — вспоминал Кирсанов, — напиши!

— Не хочется.

— Напиши, ведь это выгодно.

— Нет, не выгодно.

— А что же выгодно?

— А то, что хочется...»

Эту роскошь — писать «что хочется» — писатель оставляет на самый конец своей жизни. Но не успевает. А почему бы пораньше не убежать на необитаемый остров... своего письменного стола?

Не получается. Со своими островами — куда ж потом на материк?!

И встает дилемма: запеть или запить?

Как тут пьют!

Правда, с этим борются. Выносят решения. Принимают меры. А в соседнем клубе братьев меньших — журналистов даже спрашивают при входе об уплате членских взносов.

Но все равно — пьют.

Алкоголые алкоголики — наилучшие представители нации. Их глотки пощадили Ниагару с ее знаменитым водопадом только потому, что она пресная. Хотя пенится, как пиво.

Хохлома иль Оклахома...
Пьется лучше только дома!

Рыцари закадычных омовений посреди юбилейных будней. Презревшие все праздники. Кроме единственного, который всегда с собой.

Пьяниссимо. Пьют тихо. Но только поначалу.

Потом вступают нижние регистры. И легкие, как шотландская волынка, начинают продувать уже очищенную от залежалых звуков гортань. И рушится плотина, уступая себя рисковой раскованности.

И снова пьют — с горьким умыслом выплеснуть себя вон.

Здесь пьют, забыв закусить и чокнуться. Ибо хрустальные души пьющих не выносят фанфар.

Пьют раскатисто.

Пьют главным течением, но не притоками и рукавами.

Пьют в голос. Ибо песнь — песней. Клин — клином. А лампада зрения горит на спирту.

Спириты... В горючих испарениях являются души безвременно усопших поэтов. Спившихся от зависти к Пушкину, Лермонтову, Байрону, Лорке, Гумилеву, Пастернаку, Мандельштаму и раннему Маяковскому. Забыв, что их убили. Бедняги, они завидовали их началу, но не их концу.

Пьют. Память не приходит на холодный глаз. Они пьют и вспоминают стихи великих — великой ценой заплативших за посмертную славу.

Сколько их пило и умирало посреди строки и стакана — молодых песенников, возжелавших быть народными, — морозовы, фатьяновы, блынские, анциферовы, харабаровы...

Только один, чья фамилия оканчивалась на удивленное «о», подавился не словом, а куском. Да другого жена задушила[1].

Не каждый был певцом. Но отличным пивцом — был каждый! Бывало, приберут покойничков и опять сядут пить. Но что-то вдруг зачастила проклятая... Пошла-поехала косить...

Смерть гребла всех подряд. Хороших и разных. Сановных и рядовых. Колю Анциферова не знали, в чем хоронить. Его знаменитые (в ЦДЛ) строчки: «Лежу в гробу я в белых тапочках...» всегда вызывали улыбку. Едва ли уместную у гроба их автора. Решили положить его в гроб в шахтерских ботинках. Благо, «когда-то добывал уголек».

Этот 72-й високосный был сверхурожайным. Особенно на поэтов. Год пошел по гробы. Не добрав одного или двух до своей цифры. Костлявая крепко вырубила отечественную поэзию. Юмористы умирали всерьез. Сатирики вдруг обнаруживали зубы. Скрипнув ими хоть напоследок. Многословные романисты едва успевали вспомнить чеховский афоризм — «Краткость — сестра таланта»... Умирали, и ничего за спиной... Даже эпитафии дрянной. Смерть с иностранным именем «регламент» обрывала строку. Полагая, что было достаточно времени, чтобы написать шедевр. Она была беспощадна. Вздернув, выстрелив, утопив добровольцев. Стариков она чинно хоронила в ЦДЛ.

Похороны стали буднями в ЦДЛ. Захлопывались гробы, как лифты с уезжающими вниз. Едва ли не каждый день. Такое ощущение — помедли чуть цэдэловские похоронщики — и набралась бы гора трупов.

Ротапринты шпарили шаблонные некрологи. Суетились метранпажи, тормоша редакторов. Замордованные редактора сквозили по этажам, пробивая даже фото по инстанциям. Как правило, из пяти — пять забраковывали.

---

[1] С. Дрофенко и Н. Рубцов. Что же касается жен — здесь они, как правило, переходят от одного поэта к другому... по наследству. Если их не «отбивают» друг у друга (как Евтушенко у Луконина). Наши советские Лауры... Начиная с секретарш секции поэтов, они уже никогда не выходят за пределы ЦДЛ. Разве что в Польшу увезут. Опять же в Союз советских писателей. Так, одна умудрилась быть женой около девяти поэтов. Другая — шести. Третья — пяти. И почти ни одной, которая бы задержалась на одном... истинно советском.

А тут еще не раз лауреатка, коммунистка и т. д. — задумала умереть с панихидой в церкви. А ведь такая убежденная была! Наверху еще не решили, как быть. И вот появляется наконец некролог с фотографией в траурной рамке. И все не узнают покойную... Оказалось — другую, живую еще писательницу отпечатали вместо мертвой.

«Прошу виновных не наказывать. Я в том возрасте, когда и со мной может случиться подобное...» — написала в «Литгазету» Анна Сакс.

Не беспокойтесь, коллега, — не накажут.

Крутится телефонный диск, проскальзывая номера навек замолкших телефонов. Все одно — хороших людей умирает больше.

Без друзей — хоть люби врагов.

Без врагов — хоть ссорься с друзьями.

ЦДЛ — свежие тени с еще не истлевшими рубахами. Еще не охрипшие от сырой земли голоса...

Однажды в самолете вместе с «Литературной газетой» выпал рвотный пакет. Я невольно улыбнулся их необыкновенной схожести. В один пакет заворачивают плохой вестибулярный аппарат. В другой, уже полный, чьей-то изнанкой окунают мозги непосвященных. Чье мировоззрение тут же скончается, опоздай хоть на день эта обертка.

И где они столько дегтя берут? И все-то они знают. И все-то им известно заранее. И еще не было ни одного всемирного авторитета, с которым бы они не поспорили. Не опровергли. Не подмочили, вывернувшись до слепой кишки и не выбросив на голову несчастного оппонента все экскременты, накопившиеся за неделю!

Что и говорить — в этом мире мудра лишь одна «Литгазета». Все в этом мире подплывает под объективы бывшего полковника КГБ Чаковского. Ни одна проблема не сиганет от него в сторону. «Литератор» всегда начеку. Ну как тут не подписаться на «ЛГ»! Где нашей жизни завы и Зивы, Зиси и Зуси и прочие дуси так и норовят наставить тебя на путь истинный. Где Пушкина пишут Глобы — не глыбы, а всего лишь камушки в его огород. Где вот уже столько лет не закрывают рот... штанами.

А ведь вполне могла быть читабельной. Как свое приложение — «Клуб 12 стульев»... Со знаменитой (но пока не опубликованной) Ленинианой. Которую, как и положено, возглавил парторг «Литгазеты» Олег Прудков (не путать с Козьмой Прутковым) — предложивший лучшие советские духи назвать *«Запахом Ильича»*.

Подбросил в костер сугубо ленинского юбилея не менее светлую мысль и ответсекретарь газеты В. Горбунов (не путать с горбатым Чернецким — «черным кардиналом» этой же газеты) — назвать также лучшее советское мыло — *«По ленинским местам»*. Эта идея родилась из дискуссии на страницах «ЛГ» — *«Так ли уж необходимо выпускать яичное мыло, если советскому человеку надо все тело мыть?»*.

И вообще, не пора ли диссидентов пустить на парфюмерные нужды? Гитлер, например, это делал вполне успешно.

Ходит слух, что это предложил зав. отделом писем неутомимый Румер (кстати, румор по-английски и есть слух).

Внес в Лениниану свою лепту и бессменный коллажист этой газеты Вагрич Бахчанян. Это его идея переименовать древний город Владимир — во *Владимир Ильич*. А также сделать часы-ходики, где бы вместо надоевшей всем кукушки выскакивал бы к народу Главвождь и скороговоркой выпаливал: *«Товагищи, геволюция, о необходимости котогой все время говогили большевички — свегшилась. Уга, товагищи!..»*

«Я волком бы выгрыз только за то, что им разговаривал Ленин», — как метко подметил В. Маяковский, слегка подправленный Бахчаняном, или попросту Бахом.

Надо сказать, идеи его всегда отличались рациональностью. Так, например, он предложил улучшить валютный запас страны. А именно — возить мумию нашего Тутанхамона по капстранам. Настоящие деньги, конечно, полились бы рекой Миссисипи. При этом расходов — никаких. Их десять штук, таких кукол.

И тут невольно вспоминается история эмиграции Левы Збарского — сына известного, засекреченного и невероятно личного ленинского бальзаматора. Также не вылезавшего из Мавзолея.

Однажды во время великой и многоотечественной войны они втроем — папа, Лева и Владимир Ильич — были отправлены в эвакуацию в тыльный, пыльный и давно уже не хлебный город Ташкент. И ютились там, по сути, все в одной комнатенке. Спустя 30 лет Леву долго не отпускали в Израиль по той простой причине, что Ленин, вполне вероятно, успел им что-то сказать.

Главрежу МХАТа Олегу Ефремову Бах предложил, пока не поздно, поставить пьесу Погодина «Кремлевские куранты» с труппой лилипутов. Или, на худой конец, просто пьесу *«Вечноживой труп»*. А еще лучше — фильм *«Женитьба Бальзамированного»*.

И вообще пора, — сказал Бах, — переименовать Мавзолей в *Мавзоленин*. А может быть, даже и в *Маовзолей*. Что мы — хуже китайцев?

Первый Красный (или, как у нас называют, Ленинский) уголок, разумеется, был где-то у Крупской. Эту догадку высказал однажды зав. иностранной прессой «Литгазеты» товарищ Марк Шугал (не путать с Марком Шагалом). Главный хранитель крамольных иностранных журналов, где не только голые бабы, но и оголенные провода идей, он запросто мог поднабраться от них и более взрывчатых догадок. Недаром он тщательнейшим образом заклеивал скотчем сплошь все страницы, оставляя только необходимую для перепечатки у нас. И ту обрамлял в черную рамку, чтобы лишнего не вылезало. Очень бдительный Шугалок (как его ласково тут называли. Кстати, древнейший романс «Наш уголок я убрала цветами» — это о нем) еще и бдил непорочную чистоту персонала.

И уж под каким именно из 12 стульев, но родились здесь знаменитые очереди:

«Очередь хороша тем, что она движет вперед».

«Сплотим наши ряды, и очередь станет короче!»

«Люди стали одеваться лучше, и очередь стала нарядней».

«Когда не будет очереди в Мавзолей, тогда вообще никаких очередей не будет».

В свое время и я, грешный, попытался участвовать в Лениниане, захватившей наши умы и сердца. И тоже внес рацпредложение — называть наших вождей *«Ваши ильичества!»*. А клуб и без того процветал, собираясь и дальше цвести двенадцатистульно, но мало-помалу стали разбредаться, кто куда, его стулья.

Бывший заместитель по юмору ныне вполне серьезно работает в журнале «Америка». Другой — в «Голосе Америки». Третий — просто в Америке. Даже бывший в «ЛГ» «шестеркой», выдававшей клей, — сам сейчас журнал издает (не путать с Перельманом, написавшим «Занимательную арифметику»). Пятый, шестой и так далее — тоже где-то процветают. Ну а бессменный коллажист — теперь уже коллажист бессмертный. Он уже в Истории, которая то с нами пойдет, то без нас. Так и мечется старушка, пока к рукам не прибрали, его коллажи транслирует западное телевидение, вызывая нездоровые эмоции как у врагов на родине, так и у друзей на чужбине (очень им недоволен Русский музей в изгнании в Монжероне. Того и гляди будет дважды изгнанником Бах).

Вот что значит школа.

Короче, выездная редакция «ЛГ» на Западе. А в авангард, как правило, высылаются лучшие.

И вообще, мне кажется, сила России не в том, что она может, а в том, чего не может Запад.

> У Пушкина был Бенкендорф, а у нас Бардин.
>
> *Из членосоюзописательских разговоров*

— Так где же ты все свое прячешь? — спросил полковник, окантованный голубым. А уж потом генерал почесал любопытство.

— Так где ж ты все свое прячешь? Куда свой талант закопал? — спросили хором его коллеги. Как в древнегреческой трагедии — слегка отступя. — Дал бы хоть почитать... — И потом опять наступая: — Так где ж ты все свое прячешь? — И так свои па повторяли, пока генерал не раздвинул пальцем усы.

— Дал бы хоть почитать, — сказал генерал, — мне доложили, что будет нам интересно.

— Вы странные люди, вам дашь почитать — и с концами.

— Так где же ты все свое прячешь? — спросили хором коллеги — сразу и не поймешь — чьи. Когда был отпущен домой — в Центральный Дом Литераторов, где была попытка настенной надписи: **«И вы не смоете всем вашим черным кофе поэта праведную кровь!».** — Дал бы хоть нам почитать — так сказать, взглянуть профессиональным глазом. Ну что тебе стоит — хоть нам покажи! Обсудим. Обскажем. (Оттащим...)

Чьи больше коллеги они — мои или их? А впрочем, какое мне дело?

События явно вошли в интерес. И снова я вызван был на коврик допросный. Туда, куда сами не ходят, а если попали — не чаят выйти скорей.

— Так где ж?

И так далее — снова-здорово. Только первым спросил уже генерал, окантованный голубым. А уж потом сам Феликс Железный с портрета. И честно сказать — надоел мне их пунктик-вопрос. И что я им дался? Сказать бы им правду, да ведь не поверят. Какой с этой рукописью случился позже конфуз, какой детектив, сообразно их любимому жанру, — переправил на Запад, а там ее нагло «зажилил» их же изгнанник, лауреат абсолютно не их государственных премий, да можно сказать, их злейший враг и в то же время, смотрика, их добрый союзник, явно не желавший, чтобы вышла злосчастная в свет, даже в Новом Свете, где что только в свет не выходит. Снова-здорово пришлось начинать, полагаясь на память.

«Старик, ты ею новый придумал жанр!» — восхищался мой друг Володя Максимов.

Я — жанр, а они ей и там и здесь пытались придумать судьбу. Для начала не книгу, а автора взяв в переплет.

— ...Так где же, ты наш несравненный, заначка твоя?

— В самолетах, — сказал я, — чтоб быть поближе к народу, летящему в светлую даль. А то, что ему непонятно, — в леталках повыше, чтоб к Богу поближе. Глядишь — при случае и возьмет его щедростью здесь написанное. Ввиду невозможности здесь напечатать, хотя не уверен, что он все подряд читает. Представляете, если каждая искра божья начнет ему выдавать на-гора!..

— Все шутите?

— Все шутит.

— Шуткует...

А самый начитанный из них произнес всей величественностью рта и крупностью подбородка:

— Вот я созерцаю и вижу — подначки. А мы о чем спрашиваем — о заначке.

Вот я все внимаю и слышу — издевки. А ведь мы умеем из вас вить веревки.

Вот вы нам изволите свой юморок. А мы вас в больничку без лишних морок.

Вы нам — уколы сентенций. А мы вам — уколы под хвост, — вдруг сошел он на житейскую прозу. И больше к высокому слогу не лез.

— В больничку его! — зашумели чинами мои собеседники. — Ишь какой одночлен — коллектива не хочет, чтобы, взявшись за руки, дружно поднять ее на должную высоту.

Вот кого поднимать — я не понял. Наверно, ее — неподъемную и отечественную.

Почему б не поднять. На смех. А то, что ее вдохновляет, — и того легче — пушинки легче там лежит. Совсем младенец от усушки.

— ...Вот я к вам взыскую, взываю — беритесь за ум, гражданин поэт и союза московских писателей член! Не то хуже будет, — наверно, решил припугнуть генерал. Дождавшись, когда все умолкнут.

— Да что с ним возиться — в больничку его! Подумаешь, цаца! Там быстро подлечат... Писатели — все того! — и сколько-то пальцев виски засверлили. Спасибо — свои.

Но дальше угрозы дело пока не пошло. Кто-то расстегнул меня лихо и выложил на стол мое членство союзописательское. Решили проверить — на месте ль оно. Квадратик картонный — всего ничего. Не талисман, но на первых порах защита. Так как писателей členосоюзных нельзя было брать без особого на то разрешенья. Я такую инструкцию от наших пьяниц слыхал. Говорят — их даже домой, не вяжущих лыка, возили, чтоб нечаянно не арестовать. Дабы пресечь нежелательность слухов. Я, может, поэтому и вступил в члены СП, не будучи членом партии самой членской. И самой партийной, где даже женщины члены. Из двух зол по жадности выбирают — большее. Из двух членств по необходимости берут — наименьшее. Что я и сделал. Главным образом затем, чтобы было выгнать откуда. Ведь если писатель — член союза и, скажем, натворил такое, за что по головке не гладят, — его ведь гонят сначала из дружного и привыкшего гнать коллектива. А уж потом, только потом сажают. Или другой какой стеной окружают. А если он просто писатель. Да еще неплохой. И что-то из ряда вон выходящее пишет. И гнать его соответственно неоткуда — беднягу сразу берут в переплет. И тут уж он света не взвидит, как и ему насолившая — книга.

У меня ж оставался окопчик штрафной. У меня есть плацдарм к отступленью. Передышечка. Творческий отпуск — подумать. Раз они меня сами признали. Раз приняли в свой союз, поскольку нельзя не принять меня было. Очень был очевиден в умении слов. Тем более на фоне классиков (серей не придумать), каждый день выходящих в тираж. Что, ей-богу, не делает чести поэту. Пусть всемирно известному пока лишь себе одному.

Поначалу должны меня выгнать. Суетятся. Готовят пинок. Давайте-давайте — плевать я хотел. Это еще не беда. А ну, предположим, и выгон, и арест. Что ж получается — вора — за кражу. А писателя-профессионала — за книги? Что скажет общественное мнение? Не наше (у нас только общественные уборные пока) — а там, где оно еще что-то может. Опять скажут — нет прока в своем отечестве. Опять в их отечестве черт знает что!

Нет, вроде и на сей раз не берут. Чего-то боятся, хоть и привыкли на все свое презирательство класть. И снова я был в ЦДЛ отпущен. Туда, где шуруют домушники от литературы в специальных своих кабинетах. И готовят мне выгон. Потому что в главном их доме взяли с меня подписку, что явлюсь я сюда — в виде исключения. А прочие, кто вызван меня осудить, никак не возьмут в толк — зачем меня принимали? И как могли допустить? И кто же сделал такую промашку? Ведь надо ж такое — сквозь столько-то сит и проверок и в каждом углу стукачей — и на тебе — влез к ним крамольник. К тому же крамолу свою читать не дает. Зачем принимать в наш союз такого? Ведь явная глупость и в обостренную бдительность, можно сказать, плевок.

Глупые люди, да затем, чтоб узнать — где свое сокровенное прячу. Да вот не вышло... пока.

Травля в печати — еще не травля. Вот когда приглашают побеседовать по душам — вот тут смотри в оба! Отравят. Как Володю Войновича. Или сядешь на стул, как художник Жарких, а он с ипритом. И выбежишь, как ошпаренный. Или угостят конфеткой, как в свое время Сталин Горького. Еще надо быть осторожным, когда ловишь такси. В них иногда инкассаторы ездят. Так художник Попков остановил его было на вполне оживленной улице... И получил пулю в лоб. А пьяный инкассатор, протрезвев, получил благодарность. Поезда тоже не слишком надежный транспорт — очень даже кидают под них. Опять же небезопасно держать нитрокраски дома — еще заживо сгоришь, как Евгений Рухин, тоже художник, и неплохой. Правда, это не менее рискованно, чем собственные рукописи — вот так на виду — держать дома (в секрете их еще опасней держать. Обязательно в погребок заглянут, в пороховой, и уж тут неминуемо в воздух взлетишь). Смотри, чтоб не отдавили пяту (ахиллесову) идущие по пятам.

Ну и, наконец, в собственный подъезд, как мы позже увидим, также входить смертельно — того гляди долбанут по голове, будто на ней написано, что она талантливая.

— ...Ну что — сладил с тараканом! — бывало, говорила мне моя бабушка, когда еще не летала. — И почему Бог не дал ему крыльев, чтоб он от тебя спасся? — больше возмущалась она, чем спрашивала. Она была всей своей сутью летуньей. Она просто помешалась на идее летать. А Библию так вообще считала сплошным руководством к полетам. Там ведь все, кому не лень, ангелы. И все летают. О, бабуся моя, бабуся... Ей бы только в полет! Вот дедушка мой, этот, напротив, был сугубо земным человеком. Террорист, между прочим, — заметил сосед мой вскользь. — Однажды пошел он к вождю на прием. Выстоял живую очередь к мертвецу. Все же лично был знаком с ним, да и начинали вместе. Увидел его и ахнул. Так изменился. Стало не по себе. Выбежал. В глазах темно. Облокотился на стену... А она оказалась кремлевской.

Кстати, о бомбистах. Был у нас в дурдоме человекобомб. Что уж он там копил в себе, какую лучистую энергию, но очень верил во взрывчатую силу накопленного. Вынет, бывало, яичко не простое, а золотое (вечно красил его лозунговой краской) и грозит: «Вот сейчас разбегусь и как шарахну — весь мир к чертовой матери расколю!» И начинал клевать головой, отсчитывая предстартовые секунды... Но в этот момент обязательно кто-то успевал подбежать и обмочить незадачливого человекобомба. «Ой, опять мой запал обмочили!» — кричал несчастный, поджимая под себя свою отталкивающую ногу. А потом ложился плашмя и плакал бесслезно — он всегда держал свой порох сухим. Но назавтра подсыхал, и все начиналось сначала.

Нижний Новгород имени Горького.

Тихий Дон имени Шолохова.

Ялта — все здесь имени Павленко... (кроме домика Чехова).

ЦДЛ имени Фадеева.

Остальные мелко плавают пароходами. В океане любви народной. Кто куда желает воплотиться помимо письменного стола — в пароходы, города и прочие дела!

Звякнула белая гантелька телефона на просторном столе Руководителя писателей России. Но ее не принято схватывать сразу же. Есть секретарша. Другое дело — черный аппарат-вертушка. Не трубка — двуглавая гиря. Выжимают ее стоя. Хотя это не видеотелефон и можно было бы так не волноваться. Но вертись, вкручивайся в нее! Недаром же вертушкой прозвана.

В России начальства боятся все. Без исключения. Особенно писатели. Хотя им сам бог велел, чтобы их боялось начальство, как правило трусливое.

...Звон этого телефона еще долго звенит в голове, тяжко прессуясь к переносью. Мгновенно вспоминаются все грехи и мелкие пакости. Все «кабы чего не вышло!» и «не всплыло ли чего?!»... А может, к носу — неуплаченные партвзносы? Так ведь слаб человек — с деньгами трудно ему расставаться так, за здорово живешь!.. В крайнем случае отнесут за счет странности всех творческих работников. Хотя и скажут при этом, что «коммунист чокнутым быть не может в отличие от всех беспартийных»... А где наша не пропадала! — и тогда уже робко черную трубку берут.

Но это, слава богу, звонил не черный. Заглянула секретарша:

— Вас с какой-то судоверфи спрашивают. Соединить?

Он поднял легкую, как все белоснежное, трубку.

— Привет со стапелей! — забулькало в ней. — С вами говорят комсомольцы энской судоверфи.

— Какой судоверфи? Да, впрочем, не важно... Я слушаю вас. «Небось опять жалуются в „Фитиль“», — лениво подумал главный инженер человеческих душ. По совместительству ведающий «Фитилем» куда надо и кому надо.

— Дорогой Сергей Владимирович! Мы, ваши с детства читатели, просим вашего согласия назвать нашим самым любимым именем новый трансатлантический лайнер-гигант!

— Да что вы, дорогие... поскромнее бы...

— Значит, в принципе вы согласны?

— Да как-то неудобно... вон Пушкин теплоходом ходит. Пришвин — баржей, а Лев Толстой — танкером. А Бунин так вообще прогулочным катерком. А какой писатель! Уже можно (вернее, разрешено) сказать — великий русский писатель! А тут сразу международно и трансатлантически... К тому же надо согласовать, утрясти, увязать, провентилировать. Там, наверху. Субординация, понимаете ли...

— Да что вентилировать! Речь идет о самом любимом, к тому же живом! И вообще, большому кораблю — большое плавание! В общем, лады?!

— Лады-то лады, но не в обиду вам я все же проконсультируюсь.

— Да сколько угодно!

Через неделю просили подтвердить согласие. Ибо лайнеру-гиганту пора бутылку об нос разбивать.

Еще через неделю выяснилось, что лайнер-гигант уже назван вопреки единодушию комсомольцев. Но ничего — кораблей много. Строим быстро, добротно и, слава богу, недешево. Есть еще один — не хуже и тоннажем не меньше — турбодизель-электроход экстра-класса — не тихо, а громко океанский корабль!

Вскоре выяснилось, что со стапелей сходит катамаран-великан на подводных крыльях.

— Вы уж будьте покойны, дорогой наш товарищ Фитиль! Мы от своего не отступимся! Мы своего добьемся! — урезонивали комсомольцы пунцового от счастья баснописца и детского писателя, чьи книги, можно сказать, оставляют в детстве и в душе которого уже начинало штормить приятное волнение с обязательными приливами творческих сил. И без того плодовитый, он стал писать просто без удержу.

— Может, не на подводных крыльях, а, ребята?! А то намек, знаете ли, на всяческий подтекст узрят. Давайте лучше по старинке — бескрылый корабль. Я уже и библиотечку из своих новых книжонок приготовил для капитан-салона. Чтоб знал экипаж, под чьим именем ходит!..

— Без крыл так без крыл.

В обещанный день позвонили, что корабль будет. Уже подплывает под сроки сдачи. Назовем! Только надо подождать немного.

— С нетерпением жду!

Наконец раздался жизнерадостный звонок в нетерпеливую душу главного писателя России.

— Корабль назвали Суворовым (что великий полководец подавлял Пугачева — об этом у нас не заикаются даже настоящие заики. Растянутость программ нашего телевидения — тоже в немалой степени зависит от них... И это в век-то скороговорки).

Прошел месяц. Отчаявшийся ждать и уже начавший было сомневаться педагогический академик, и без того с дефектом речи, разволновался и сам позвонил на верфь. Сказали: позвоним завтра (видимо, очень долго выражал свою мысль, а людям работать надо).

Позвонили через неделю. От лица многочисленных читателей-почитателей, поклонников и поклонниц, зрителей и зрительниц поздравили его и себя с одержанной победой. После стольких мытарств дали, наконец, корабль. Дали, черт возьми! Дали, кровь из носу! Увенчали! Правда, это не танкер, а всего лишь сухогруз. Но сухогруз – не дерьмовоз! Да и название-то какое – «ФИТИЛЬ»!.. Еле уломали начальство. Чуть ли не до ЦК дошли. А своего добились. Мы думаем, – подвели черту комсомольцы, – что один из авторов текста когда-то петого госгимна, а также главный редактор «Фитиля» и вообще дядя Степа не будет противиться этой оказанной «Фитилю» чести. Сухогруз так сухогруз! Тоже красиво! Не по внутренним же речкам – по морям-океанам плавать будет! Конечно, танкер больше бы подошел. Но больно огнеопасное название! В отличие от «Фитиля», танкеру гореть ясным огнем не пристало.

– А как же быть с библиотечкой?! – заикнулся было многолауреат, пишущий для детей и по-детски, не забывающий и взрослых осчастливить.

– Пусть лежит. До лучших времен, когда и Вам самим тоже подберут корабль по достоинству. Посмертно, разумеется. А что будут на нем возить? Пока неизвестно. В зависимости от тоннажа. К тому времени все емкости, как никогда, под отходы пойдут. Много нажрали!

Кто куда желает воплотиться до того, как спалят тела?
Прижизненная забота о духе – она первоочередна.
Стоит Пушкин на площади его имени.
Маяковский тоже без места не остался.
Гоголь вот без площади – ютится на бульваре.
Горький – у Белорусского вокзала. Будто на Капри собрался.

Следующая — «Аэропорт», — объявляет водитель. Кто встанет у «Аэропорта»? Ведь здесь живет столько писателей!

Толпа претендентов на какой ни есть, а памятный камень.

Площадь или площадку? Бульвар или улочку? А увековечь!

«Наплевать на бронзы многопудье, наплевать на мраморную слизь...» — это, как говорится, в кино, а в жизни, вернее, после жизни кому не хочется стать добротным и каменным. Или, в крайнем случае, — бронзовым. Или гипсовым. Или, на худой конец, из папье-маше. Помозолить глаза своим, пока живым, читателям. Потом следующим, и так до скончанья веков. Пока люди опять не залезут назад — на дерево.

Читатели — они народ странный. Вот Вольтера — то в помойку труп сволокли, то откопали — и в мрамор. Кнута Гамсуна закидали его собственными книгами. Шолохову — так по почте отсылали. Представить только, сколько почтовых составов день и ночь пыхтело по пути в Ростов! Евтушенку — в оркестровую яму сбросили. Только присыпать забыли. Вылез.

Другое дело — когда стоишь на ногах крепко, глыбой придавливая свою же собственную душу, в любопытстве лезущую из-под земли.

Толпа претендентов с прижизненной славой. Или хотя бы слушком. Ведь слава — она со слушков высвистывается.

Толпа — одинокая в понимании своей значимости. Легко представить, что начнется, когда начнут отбирать кандидатуры!

Правда, нужна маленькая формальность: чтобы встать — надо умереть сначала.

Кто кого опередит? Ведь на финишной прямой в свет иной не идут нос к носу.

В писательской поликлинике врачи начнут торговать врачебными тайнами — кто чем болен и кто когда может отдать богу душу, вырвавшись тем самым вперед.

Правда, есть запрещенный прием — удар самоубийства. Но этим не проведешь! Себяубийце не то что памятник, но даже простенькую могилку и то заполучить невозможно.

У нас, за редчайшим исключением, самоубийц и близко не хоронят рядом с бывшими людьми.

Так что придется умирать честно. Соблюдая живую очередь. Пропуская вперед тех, у кого заслуг поболее, хоть и таланту поменее.

Если даже душа еле в теле — терпи! Придет и твоя очередь! Это раньше считалось, что умереть — проще простого. Не тут-то было!

Что будет! Что будет!

Книжные магазины опустеют. Книги разберут — их написавшие. Завалят ими Моссовет и прилегающую Советскую площадь.

К станции метро «Аэропорт», вплоть до аэровокзала, будет ни пройти, ни проехать. Приблизительный участок под икс-памятник оцепят и застолбят. Чтоб иногородние, чего доброго, не понаехали. Ведь писателей ни много ни мало, а за 8 тысяч давно перевалило. И каждый в душе если не Пушкин, то по меньшей мере Колас.

Что будет! Что будет!

Графоман... Он во всех областях творчества. Даже в пении (кстати, безголосость — первый признак его). Ну а уж в области той, откуда он сам происходит, его вечно хватало. На карандаш наскребет любой огрызок. Раньше ему хоть можно было сказать: «А ну, не тронь гуся!» А если тронул — «Вставь-ка перышко ему назад!..» Ныне он вечными пишет. И с него как с гуся вода.

«И звезда звезду хотит сглотнуть...» — задирает в небо он глаз завидущий, без парашюта на землю его опуская. И сразу такая жижа вокруг.

Их две категории — графоман печатающийся и графоман не печатающийся. Этот наиболее надоедлив. В зависимости от занимаемого им положения в обществе даже воинственен. Пользуясь властью, он не преминет ею злоупотребить (мы уже знаем, как начальник МУРа арестовывал нашего брата, чтобы почитать ему свои опусы). Если же он просто штатский — все одно одолеет. И поставит тебя перед необходимостью слушать его. Либо кидать в окно. Как правило, он тяжел — все написанное держит при себе. А это тонны и тонны.

Если представить себе графически все написанное графоманом, это будут нескончаемые тараканьи бега, легко перемахивающие континенты и неостановимые никакими катаклизмами. Земноводная жизнь с заглушкой бумажной в жабрах давно уже всплыла вверх животом, а бумаги все одно не хватает. Рьяно пишет наш графоман. А потом еще и читает как оглашенный. И тут уже мир оглушенный – как рыба кажет капитуляции белый живот. В Америке он стал уже захватывать пассажирские самолеты. Благо на них летают актеры – есть кому почитать его продукцию вслух. Да и вмещают уже, слава богу, народу столько! Опять же, есть послушать кому. Не прыгать же вниз.

И тем не менее графоман народу ближе профессионала, ибо это и есть народ, балующийся литературой без отрыва от производства...

– Вы знаете, моей песне поставили памятник, – сказал Михаил Рудерман, автор знаменитой «Тачанки».

И я живо себе представил: где-то в степях Украины стоит гигантская гранитная колымага. А вокруг круглосуточно гремит его песенка. И счастливые туристы спешат, бросив свои города и веси, страны и континенты, загоняя уже наполовину сдохших лошадей оседланного ими транспорта, стремятся увидеть воочию все четыре колеса этой небывалой творческой удачи.

Три Пегаса, запряженные в пулеметную тачанку. Вот уже полсотни лет везут они своего певца. Написавшего свою лебединую песню еще в молодости. Такой езде позавидовал бы сам Гоголь! Не он, а стареющий Миша гоголем мчится на птице-тройке. «И летит мимо все, что ни есть на земле, и, косясь, постораниваются и дают ей дорогу другие народы и государства... Какой русский не любит быстрой езды?!»

Из-за боязни упасть с этой чудо-тройки автор единственной песни ни грамма спиртного не пьет в ЦДЛ.

Но пил здесь и за него, и за себя, и за многих других – другой Михаил – Светлов. Так и не попавший в свою Гренаду (все пишут до горизонта. А ты, босяк, пиши за горизонт!).

Он же — цэдээловский «крокодил», который в отличие от журнала был зубаст и острил без цензуры.

Добряк-бичеватель... Даже внешне чем-то схожий с Вольтером. Полумесяц лица — нос и подбородок, бегущие навстречу друг другу... И прорезь рта — копилкою острот.

Он шутил, даже умирая: «Ты знаешь, босяк, что это за аллея? Это Моргенштрассе. В конце ее — морг. Кстати, принеси мне пива. Рак у меня уже есть. И вообще, выньте, Яша, хер из зада, я же не Шахерезада».

А его светлость граф Толстой, который Алеша. Он же гражданин (когда надо) — как пил!

Однажды в Ташкенте, выйдя из дому, я увидел, как имя его приколачивают к фасаду нашей улицы. Правда, ее по-прежнему звали Почтовой. Почему утолстили именно нашу улицу? Наверно, все остальные были уже переименованы.

Но в Ташкенте все же жил Алексей Толстой. Во время войны. Жил широко в голодно жмущемся к базарам городе.

Как-то он устроил скандал местному начальству, не снабдившему его вовремя сливочным маслом. Здесь его почитали как лозунг — «Все для фронта, все для победы!»

В отличие от Льва Николаевича, вегетарианца, этот Толстой едва ли постился.

Из всего написанного им и о нем я вижу только картину Кончаловского, написавшего его завтракающим.

Случилось так, что знаменитый натюрморт, пылающий красными окороками, ожил воочию в наиголоднейшее мое время.

Несколько мальчишек — мы пришли тогда к Толстому то ли просить его выступить у нас в школе, то ли сами почитать ему свои стихи.

Старинный особняк. Дверь с медной дощечкой. Замысловатой вязью выведено: «Гр. Толстой».

Почтенный старик с пышными бакенбардами и в ливрее. Справившись — кто мы? — проводил нас в гостиную. И сказал, что его светлость граф изволит завтракать.

Кто-то из нас поправил надменного старика — «Не граф, а гражданин!». Почтенный вспыхнул и, чеканя каждое слово, едва сдерживаясь, произнес: «Кому гражданин, а кому – его светлость граф».

Появился сам хозяин. Широким жестом пригласил в столовую. Велел принести приборы. И пододвинул каждому из нас по хрустящей белоснежной салфетке.

Стол не умещался в узкое отверстие зрачка. Громоздясь невиданной, разве что с картин фламандцев сошедшей сытостью. И это посреди голода... Гастрономы военного времени, с забитыми фанерой витринами. С давкой за поджаренными воробьями. Могли ли они идти в сравнение с толстовским завтраком?! Копченое мясо, только-только снятое с крюков, лесным костром попахивающее... Гуси-лебеди подбоем своих крыльев стыдливо прикрывали свое фарфоровое ложе. Даже селедка и та, как фараон, лежала запеленутой в своем хрустальном саркофаге. Сиги и влажная от томления осетрина... будто дышат ржавые с дымком бока... Где-то на самом краю стола возвышалась церквушка русского самовара. Ее золоченый бок смешно вытягивал наши лица. И без того нелепые на этом пиру...

...Острый нож в руках Толстого запотевал, погружаясь в душную мякоть свиного окорока. Отрезая нам сочащиеся розовые куски, он небрежно отбрасывал их на свежеподжаренный хлеб.

Плебей – пробует. Граф – ест.

Куда упирается потолок вкусовой гаммы у привыкшего есть покупные с добавлением мяса... котлетки?

Веками выверенное меню бедняка! Хлеб да каша – пища наша!

Пусти его в царство утонченных гурманов – предпочтет привычное с детства, испокон века знакомое. Только было бы хлеба поболее...

Другое дело – граф. Этот даже в стране провозглашенного равноправия должен есть по-графски. Вековая привычка. И тут уж ничего не поделаешь!

С каждым кусом толстовского бутерброда, казалось, густела кровь, притормаживаясь в аорте и венах. Пока липким сиропом не застревала в маленьких тупичках капилляров.

Горящие глаза растапливали щеки. Ощутимо теплели скулы... Красные капельки кетовой икры взрывались во рту... Не всплывшие косяки — жертвы человеческого нетерпения...

Бочонки американского хлеба. Он поднимался из вспоротой жести, ноздреватой мякотью освобождаясь от сжатия.

Ароматы заокеанских пекарен! Как мало напоминал он наш — мокрый от недопека, колючий от мякины, замешанный, как саман, ногами, крохами выдаваемый по карточкам — хлеб!

Однажды на банкете в Кремле А. Толстой доверительно рассказывал Сталину про парижскую жизнь. «Гастрономия — французское слово... Ну а девочки... Если б вы знали — какие там девочки!..» Но, спохватившись, вдруг испугался и на всякий случай понес белоэмиграцию за ее упадничество и продажность. Но и после этого испуг не прошел. Напротив, усилился. И тогда он хлопнулся оземь бесчувственно пьяным.

«Увезите домой этого милейшего человека! — сказал Сталин тут же подскочившим охранникам... — И, ради бога, не уроните его по дороге...» Но едва его те водворили на сиденье тотчас подкатившего автомобиля — мгновенно очнулся. Пригладил свои редеющие волосы. И, улыбнувшись шоферу, сказал: «Ничего, дома доужинаю».

— Хотите, расскажу вам новый анекдот? Вчера придумал. И, не дожидаясь нашего поспешного кивка, Толстой стал рассказывать:

«Околица деревни. Тишина. Хруст снега под чьими-то ногами. Все явственней приближающиеся шаги. Стук в окошко.

— Кто там?

— Я...

— Кто ты?

— Да я, Глашка, Иванова дочь...

— Косого, что ли?

— Ага.

— Чего тебе, Глашка?

– Сито.
– А зачем тебе сито?
– Да батька в творог насрал!»

ЦДЛ... Смотрит Толстой с портрета. Что-то с трудом вспоминает. Я же много лет спустя напишу «Натюрморт»:

Лежит еще не сжеванная снедь,
Отбрасывая тень живым на радость.
Любая худоба счастливей рядом с ней
И хочет сытой энергией покраснеть
С чужими румянцами рядом.
Отбросив в пальцы дрожи жажд,
Прикрывши наготу тарелок голых –
Творит художник непочатый жанр,
Рисуя первозданный голод.
И не традиционные провалы щек
Слабеющей выводит кистью –
Он, не обедавший еще,
Рисует гимн костей,
С которых каплет мясо,
И глухарей с кроваво-красной рясой,
Салатов пёстрые ковры,
Хрустящие подглазья рыб,
Капканы блюд с примерзшей в сале птицей,
Салфеток накрахмаленную зыбь,
Глотков протяжный звук...
Еды неотвратимый принцип
Шевелит сны у самых его рук.
Палящих глаз протяжный жар,
Подернутый дымком чужих бифштексов,
Ожогом губ – котлет горячих ржавь,
Голодных утр пустынное нашествие...
О, бездонное небо несжаренных птиц,
О, всех океанов несваренная уха,
Неуемная жажда пить,
Не умеющая стихать,
Ваши краски познали крик,
Пропахшие рукой –
Познали свежесть...
Шрапнелью рыбьей позолоченной икры
Капельки утра брезжут.

Вынет этот стих редактор «Совписа» Егор Исаев – любимец партии и ленинский лауреат, поставит минус и скажет: «Теперь я понимаю, почему художники пишут натюрморты. Голодные — они тем самым утоляют голод». Нет, не случайно он потом будет кур разводить.

«Помогите Грину. Писатель умирает не столько от туберкулеза, сколько от голода. Организуйте подписной лист среди писателей...» — обратились в РАПП друзья автора «Алых парусов».

Не помогли.

«Пришлите двести похороны Грина», — телеграфировал сам Грин, наивно полагая, что хоть похоронные пришлют.

Не прислали.

«По какой категории будете меня хоронить?» — спросил как-то Светлов своих будущих похоронщиков.

«По первой, Михаил Аркадьевич. По первой...»

«Это сколько?» — полюбопытствовал он.

«800 рублей. А обычно — 300».

«Знаете что, похороните меня обычно, а разницу дайте сейчас».

Да, в жизни деньги нужнее.

«Понимаешь, босяк, — говорил, бывало, Светлов, — деньги как талант — нету так уж нету...»

ЦДЛ... Сюда приходил Борис Ковынев. Автор когда-то известной «Лодочки» *(Пьянствуют в складчину ветер и вода!..)*, всю жизнь проживший на микояновских котлетах (в которые по праздникам добавляют немного мяса), вырученных женой в обмен на ее донорскую кровь.

Поэт поначалу обласканный и нарочито забытый.

Перед смертью выпустили небольшую книжку его стихов. До конца не убедившись, что он мертв. А он возьми да напиши новые:

> В какой-нибудь четверг иль понедельник
> Я, может, Байроном проснусь!

Но умер, к сожалению, безвестным.

Обычно после четвертьвекового молчания выпускают в свет стихи уже с того света.

Как испугался однажды, увидев книгу такого же молчальника Рюрика Ивнева. Слава богу, жив!

Безымянные откровения... Эмоциональность, не подкрепленная громким именем. В то время как громкое имя может обойтись за счет прошлых и давно пропитых успехов и суховатой констатации очевидных вещей (козел, козел, а козье вымя дает доход и кормит имя).

Крепостные мастерства — они всю жизнь несут свой крест. Не делясь его тяжестью ни с кем и не переваливая ее на чужие плечи. Несут, как правило, натощак. Братья во кресте, они так долго несут свой крест, что сами навечно врастают в него. Он и посмертно одиноко высится над ними, застолбив место, откуда надо продолжать их тяжкий путь.

Пастернак утверждал, что «дарование учит чести и бесстрашию, потому что оно открывает, как сказочно много вносит честь в общедраматический замысел существования. Одаренный человек знает, как много выигрывает жизнь при полном и правильном освещении и как проигрывает в полутьме».

Медвежьи углы. Урочища. Заимки. Наши крупные города... Освети их ярким светом. Выдержат ли его? Или заранее зажмурятся?

Самодумы их принимали, как выгоняли.

Потому что они дышат кислородом, не сцепленным с рыбьей водой соцреалистических аквариумов.

ЦДЛ — если собрать все искры, все проблески, все пяди во лбах. Всех умов палаты — приземистые и просторные, свободные и арендованные за плату. Если собрать киоски саморекламы и ярмарки тщеславия. Желаемое и действительное. Всю мощь и немощь колдовства и реализма и свалить все в кучу — ни один археолог, каким бы пытливым он ни был, не разберет ни слова, ни места, ни эпохи этого странного порождения.

Олимп ЦДЛ... они липнут
Еще пока,
Но сколько их там, на Олимпе,
Носит зад для пинка!

Здесь когда-то выговаривала свои стихи Золушка русской словесности Ксюша Некрасова. Куда более классика красившая нашу поэзию. У нее и озеро лежало, «как блюдечко с отбитыми краями». Две тонкие книжки только стихов. Одна, изданная незадолго до смерти. Другая — после. Как ее едва слышный голос предостерегал наши лбы от «плевков кокард».

Как в воду глядел здесь, увидев въявь предчувствие своей смерти, Володя Львов...

> Не водопады смертоносны,
> а неподвижные пруды.
> Стоят нахмуренные сосны
> над белой гибелью воды.

На месте Храма Спасителя — в бассейне «Москва» его утопили «христовы мстители».

Блаженные... Бескорыстные служители беспартийному Богу Творчества! Разные и одинаковые в одном — вечно униженные нуждой. Как здесь легко быть бескорыстным!

Здесь, как, впрочем, и всюду, не приносят прожиточного минимума ни строки вдохновенные стихов, ни проза, отвечающая замыслам. Своим, а не чужим.

Родина — запаханное место в поле. Там место, где ты родился.

Родина — это место, где человек пытается стать счастливым.

Чтоб на могильной плите оставить оптимистическую надпись.

Родина — это купель, из которой выплескивается мятущаяся душа человеческая, пытаясь слиться со всей Вселенной. Нетерпимость творца к пределам. Вырывание с корнем якорей... Родина — первая точка отсчета.

— Здесь частые дожди,

Значит, раны болеть мои будут.

А в Африке солнце... — сказал мой товарищ — поэт Лучанский.

— Значит, проблема тепла решена. И не нужен этот плюс электрификация, — согласился я с ним, — там уже коммунизм!

Вечно замерзающий в своей бездомности, посреди высоких холодов Москвы.

Вечное перо — желание писать. Ломкий, нервный почерк — умения писать. Два бумажных мешка, набитых рукописями, — неразлучные в его многолетних скитаниях. А поверх стихов — лежит аккуратно сложенный, изрядно вытертый спальный мешок.

Этот человек не надумает жениться никогда. Денег на двуспальный ему не хватит.

Не хватит ему скоро сил даже переводить иноязычных поэтов на русский язык. Пожирающая сердце поденщина обескровит его вконец. И он будет отдавать свои собственные строки, вынося наверх листа чужие, ему неведомые имена.

— Такой жизни не хватает на собственные! Лучше отдать старые и получить возможность написать новые стихи... — скажет он однажды. Очередной раз выгнанный из снятого им сарая на окраине.

Паспорт шагреневой кожей — всегда оставалось прописки в обрез. И вечно надували его те, у кого он селился. Там, где не спрашивают паспорта, деньги берут вперед.

Он не мог постоять за себя. Впалогрудый и болезненный. С нарывающим от недоедания лицом. Точно рассчитывающий свои слабеющие силы.

Для полного счастья ему вполне хватало ста граммов сливочного масла и двух городских (когда-то французских) булок в день. Этот рацион он выверил на себе не однажды.

— Понимаешь, какие нечестные люди! Деньги взяли, а пришел ночевать — удивились и выгнали вон!

И мы шли коротать ночь на давно облюбованный чердак большого теплого дома. Стоящего в центре Москвы — на Большом Гнездниковском. Вспугивая уже ночевавших там проституток.

Заурчит мотор. Два буйвола вздрогнут на капоте минского самосвала. Тяжко стронется с места махина. Оставляя в душе Юры Лучанского горький дымок.

— Мне бы полсилы его, — шептал он, — и я бы такое вывез!

Он очень боялся под землю. Даже в метро. Где надписи «Выхода нет!» дополняли и без того растущую изнутри безысходность.

Как он теперь минует подземные пешеходные переходы?

Как переходит? Если он жив!

— Я бы хотела, чтобы ты потерял свои стихи. Все до единой строчки, — пожелала мне киевская поэтесса Лина Костенко, — и все, что вспомнят потом, это и будет настоящая поэзия! Тогда ты станешь истинно народным поэтом!

— Если следовать твоему принципу, то все сгинувшие вместе со своими стихами стали популярными в народе поэтами?

— Нет, я имею в виду уже известные стихи...

— Тогда зачем их терять? Хорошие поэты и так здесь потеряны.

— Я имела в виду — издать книгу из запомнившихся стихов. Вот это будет книга!

— Я не слишком полагаюсь на чужую память.

— Да, но у тебя есть право...

— Какое может быть здесь у поэта право, кроме водительских прав, если он в состоянии купить автомашину?

— Да... мне запретили даже собственные стихи провезти через границу... Сказали, что я не имею права... Обыскивали. Это так унизительно!

— А ты бы сказала — не трудитесь искать! Я валюту везу — в голове!

> «И от удара пошли в глазах моих пятна.
> Социализма, пятна родимые...»
>
> *Со слов пострадавшего*

> «Я ему по морде, а он не встает...»
>
> *Из докладной*

— Поездом хотите умотать отсюда или самолетом?

— Это который вперед летит — в коммуне остановка? —

И даже в ушах загремело. И будто увидел, как гремит на

стыках-стуках «Столыпин» наш. Вот он сначала порожняком саданул сквозь всех здесь живущих. Железный оставив след. А назад пошел с нами. Эх, держава-паровоз под винными парами... Так сколько под шпалами нас лежит — человек человеку братьев?!

— Нет, я полечу самолетом, пожалуй. — Но это потом я скажу. Спустя, как штаны на таможне, значительное время, чтобы голым предстать на последний их обыск. А пока мой сосед утверждает, что не так поют они свою старую песню — «Наш паровоз вперед лети — в коммуне остановка».

— Да не в коммуне остановка, а — кому не остановка? Вот тебе. Еще как остановили. И всем остальным, кому не по пути. И кто поперек пути. И кто вообще непутевый, как я, к примеру. Я уж не говорю о тех, кто не подхватывает ее и срок хватает.

— Должен же хоть кто-то и на насыпи стоять, — сказал я, — уж хотя бы потому, чтобы на него сваливали все недостатки самого бесчеловечного строя. И вешали дохлых кошек уже только колеблющей воздух советской пропаганды, пытаясь хоть как-то объяснить уродства и ненормальности советской жизни. Скоро тюрьмы наши будут прозрачными, чтобы сподручнее было показывать на наши родимые пятна. Совесть там и прочие предрассудки. Вот пятно вдохновения, к примеру, — целый экран... Родимые, нам никак нельзя без них. В стране, полным шагом идущей к коммунизму (знаешь, почему полным шагом? — штаны только спереди), — даже неурожай и стихийные бедствия есть следствие буржуазной несознательности отдельных землепашцев и синоптиков, так и не научивших природу мыслить по-ленински. Хотя, как утверждает газета «Правда», — стихийные бедствия и прочие катаклизмы — это опять-таки удел их, а не наш. Если, скажем, разлилась река Уссури, то она конечно же затопила китайский берег. Хотя он намного выше нашего. Ураганы идут только в американскую сторону. Может быть, оттого, что у нас им нечего делать. Но что характерно — такая Богом оберегаемая земля, а хлеб покупаем на опустошенной. Нынче наш хлеб пахнет прериями. Да и вчера с легкой руки Нансена мы его откушали. И завтра, дай Бог его побольше Америке, — не забудет дорогу на нищий наш стол. Хотя кто, как не мы, может противопоставить Западу редкостное умение туго затягивать пояса. Вечное затягивание поясов, эта затянувшаяся манера носить штаны, чтобы не походить на пузатых буржуев, — наше первейшее отличие от прочих беспартийно живущих на земле людей. Конечно же не умеющих так дружно и по команде урезать себя в самом необходимом во имя чьей-то абстракции, тупой утопии и бесящегося с жиру ханжества.

Вот они — в очереди. Здесь сколько людей, столько и очередей... И все в Мавзолей. Сквозь него выдается здесь хлеб насущный (ныне американский, как раньше, с тушенкой). Вот хлопнул бы Запад — хрен вам, а не хлеб! Вот врезал бы Запад по столу своему обильному — хватит, милейшие, по мавзолеям таскаться. Свой бы пора иметь! Глядишь, и проснется очередь. Может, вздрогнет.

Но вернемся к родимым пятнам.

Индивидуальность. Самобытность. Эрудиция. Оригинальность. Своя, ни на кого не похожая манера мыслить, где вообще-то мыслить строжайше запрещено, а тут еще — оригинально! Человек, обладающий этими редчайшими в наше время качествами, — что леопард на фоне тюремной стены. Так он, родимый, пятнист. Если же еще к этому прибавить его желание быть независимым. И жить в человеческих условиях (что вполне естественно для нормального человека) — тут уж тем более в глазах-дырках своих партийных погонщиков он будет сплошным пятном, едва ли выводимым. Тут уж надобно его выжигать каленым железом, несчастного. Что вполне успешно и делают вот уже шестьдесят лет.

Да и как же иначе? Ведь по логике вещей (а человек здесь — вещь самая легкодоступная), да и по самой сути советской власти — человек человеку — волк. Да еще пятнистый, если взять за основу его родимые, присущие капитализму, пятна. Так как же может он, матерый волчище, живший при буржуазных там свободах, капитализмах, царизмах (или родители его — все одно гены) — и прочих надругательствах (с их точки зрения) над бедным человеком, — тут же превратиться из хищника в агнца святого с красной звездой во лбу. Только объяви ему, что живет он отныне в новом, наконец-то наступившем, царстве свободы. Где само уже слово «товарищ», казалось бы, должно лишить его клыков и родимых пятен. И превратить не просто в человека, а в человека с большой буквы. В пример всему остальному человечеству, все еще пребывающему в невезении. Когда еще наступит для него новая заря самой счастливой эпохи?!

Нет, батенька, этот процесс долгий! – это сказано еще до Мавзолея.

И, засучив рукава, они стали чинить этот самый процесс. А точнее – процессы. Социалистическая пятновыводиловка показала себя куда эффективней прочих, явно устаревших химчисток. Русскому и иже с ним народам перестало грозить вырождение. Вот разве что полное уничтожение, когда, не дожидаясь старческого маразма и полного идиотизма, он, что называется, молодым останется в памяти у изумленного человечества, так и не постигнувшего смысл этого дружного харакири.

Обрати внимание – они сразу же перешли на «ты». «А ты записался?», «А ты почему записался?», «А ты донес?», «А ты отдал?»... Всех, кто не желал панибратства и требовал, чтобы называли на «вы», даже посредством плакатов и лозунгов с непременным пальцем в глаза, – уничтожали без разговоров. Как, впрочем, и тех, кто снял перед ними шляпу и попросил буденовку. Этих, правда, чуть позже, но тоже уничтожили. Потому что сколько волка ни корми – он все равно в лес тянет. Вот и пригодились пословицы. «Волка ноги кормят». Это когда люди пытались спастись, перемахивая через флажки загонов, которыми их обложили куда плотнее, чем волков. Стали появляться новые – «Не жалей волка, от него нет толка». «Волка бить, что водку пить – одинаково приятно». «С волком каши не сваришь»... Можно подумать, что ее сваришь с большевиками! Когда им еще Запад подкинет крупу. И так далее. Кладезь народного юмора пополнялся на эту тему молниеносно. «Работа не волк – в лес не убежит». Лишь много позже изменят на – «Работа не жид – в Израиль не убежит». Короче – валили в партию – партиями и живых и мертвых. Без разбору.

Не было времени разбираться. Все боялись, что капиталистическое окружение, памятуя о своих христианских принципах, вдруг да вмешается и прекратит эту человекодавильню. Главное — поднять массы... И бросить их на произвол судьбы. Это было бы не самое худшее. Но их стали бросать в известковые ямы да в безвестные могилы колымских мерзлот. Их бросили в коммунальное скопище, дерущееся из-за куска хлеба. Представь себе катающихся в глубине своего падения. Представь себе копошащихся в грязи антропосов, над которыми так долго думал Бог. Этих венцов творенья, гордостей вселенских, долбающих друг друга по гордому профилю и шарящих очки, чтобы написать донос. Едва ли мы — его самые лучшие мысли.

— И это когда все цивилизованные люди давно уже пользуются пистолетом, — вставил сквозь стену сосед. — Кстати, коммунисты и сегодня еще кое-где вбивают гвозди в затылок. Вечно им не хватает цивилизованного оружия. Все по старинке — в морду... И почему у них лицо называется «мордой», даже когда это не морда, а лицо? «Поверни морду к стене!» — самая ходовая их фраза.

— Еще они его называют — «хавальник», — сообщаю ему сквозь бетон.

— Тебе не кажется, что коммунисты — самые отсталые люди на нашей планете? — вдруг спросил он, будто с неба упав. — И всюду они себе подобных выискивают. Вот сидит, скажем, в Африке кто-то на дереве, почесывая свои кокосы и посасывая свой банан... Так нет же — зовут под свои знамена, сами едва-едва обретя штаны. Или едет своей дорогой пустынник на верблюде. И знай натирает о кошму свой к небу вздернутый минарет (у бедуинов такая традиция есть — сплошь себя мозолить)... И поет о том, что видит. А так как он ничего не видит — степь да степь кругом. А точнее — сплошная Сахара на тысячи километров в любой горизонт. Эдакий пляж... без воды, — то песня его, как легко догадаться, без слов.

Так нет же — в хор приглашают, чтоб вместе с нами пел: «Партия — наш рулевой!» Ну на хер ему наш хор?

Бывший богоносец, а ныне знаменосец, охмуренный боем вечно праздничной пропаганды, как же прозябает наш, отрезанный от человечества, народ! А может, правильно, что отрезанный. Или думаешь — обогатит мир своим прибавлением к нему? Хотя нет. Новый Закон о Гражданстве — всех подряд считает своими подданными. Все — россияне. Даже если они и не россияне вовсе. Даже если и родились где-то и Россию отродясь не видели. Даже в самом страшном сне. Достаточно, что предок когда-то здесь жил. Это не что иное, как уверенность наших новых правителей в том, что каждый родившийся здесь однажды — уже навеки отравлен дымом Отечества. И по праву принадлежит к этому неповторимо пахнущему месту. До последнего своего колена. Даже если и не угорел.

— Мы позже узнаем — как он мир обогащает, — чуть было не заглянул я в будущее. И продолжал, будто не в стену, а с пользой для дела. — Вот уж истинно — битие определяет сознание.

И пошло-поехало наше добровольно-принудительное житие-бытие. И вот уже, окрепнув, не без помощи доброго и набожного Запада, наши новые рабовладельцы с кукишем вместо семи пядей во лбу стали не просто бить, а бить и приговаривать... к различным срокам. С непременным поражением в правах. Будто еще остались какие-то права у здешнего человека. Памятник только им умудрился остаться. Да из новых, может, кто поколений. Но пятна, родимые пятна капитализма, что микробы, продолжали лететь к нам через железный занавес. К нам, родившимся уже в советское время. Не часам бы его показывать, а западному телевидению (лупа времени... на что ее наводят?). О генах правители наши еще не имели ни малейшего представления, но догадывались — «Яблоко от яблони недалеко падает...» Хотя генетика, эта буржуазная наука, была запрещена. Прямо эпидемия. От пятен не было спасу. И партия, не покладая рук, продолжала бороться с этими позорными пережитками прошлого. Так и норовящими подмять под себя будущее. Надо добавить — светлое. Ибо так отчетливо было видно — что нас ждет впереди.

Росла, как никогда, индустрия чисток. И выросла до масштабов внушительных. Весь мир в состоянии почистить. Тем более сверху так он пятнист.

Сегодня, исходя уже из генетических предпосылок, хранители партийных риз наконец-то поняли, что человек неисправим. Сколько его ни уничтожай, а все одно — не по-партийному жить хочет. С присущими ему человеческими слабостями. Как-то — есть и чтобы не было государственной диеты. Одеваться покрасивей и просторней. И необязательно с туго затянутым поясом. Напротив — и отпустить пора. Сколько можно ходить с перетянутой талией? А главное — хочет иметь свое мнение, наглец. И не то мнение, что в ЦК занафталинено, а именно свое, наконец-то проклюнувшееся сквозь шестидесятилетний шлак пустых и ничего не значащих слов. Ибо голова, как справедливо понял человек, не только для шапки ему дадена. Как, впрочем, и сердце не только для партбилета. Вот только нашего брата автора живописущего еще не понимают. Полагая, что нам пошли впрок их былые и настоящие казни. Ну никак не желают понять — по причине, что нас они лучше всех воспитывали.

Так кто же ныне человек человеку?

Конечно же волк... Если он не в стае единомышленников. Где уже человек человеку — товарищ. И не просто товарищ, а уважаемый товарищ... волк. Другое дело — какой волк человеку товарищ? Да еще уважаемый?

А как же с позорным наследием прошлого? Неужели уже закрасили его красной краской и пятна исчезли? Новая историческая формация — советский народ, «чей адрес — не дом и не улица, чей адрес — Советский Союз»... И без пятен? Да что он, хуже других?

Да уже свои родимые появились. Вон как вылезают сквозь кумач (и не от стыда) — вон как лезут — свои, ни на что не похожие. Ни у кого не заимствованные — новоотечественные, советские. Куда более отчетливые, чем когда-то, — пятна социализма. Черные, надо сказать.

— Да, — говорит сосед, — моя бабушка, повидавшая мир, тоже говорит, что такой жизни, как у нас, — нигде больше нет. И быть не может. — Его единственная бабушка летала стюардессой. Бабушка-стюардесса... Это было нечто новое в авиации. Ну да ведь у нас вообще все не как у людей. Чего уж тут удивляться. — Зато меня почитают за маленького, когда я говорю, что моя бабушка — стюардесса. Ведь все стюардессы, как правило, ассоциируются у всех почему-то с молодухами с неимоверно большим бюстом. Чего у бабушки моей давным-давно нет в помине. Она утверждает, что женщины у нас под старость — всегда далеко пойдут. «Вот видишь, и я наконец-то стала стюардессой. С 1900 года мечтала, когда впервые увидела самолет... Да и первый мой любовник был авиатор (так тогда называли летчиков)...» И еще моя бабушка говорит, что эти олухи нас всю жизнь будут кормить. А наши вожди при этом еще будут капризничать. Вот почитай газеты, скажем, русские за рубежом (они сюда попадают в кое-какие учреждения) — «В государственном департаменте и теперь преобладает мнение, что советский глава не согласится на встречу в верхах...» — Черным по белому сказано. А ведь куда справедливей, если бы там было напечатано, к примеру, так: «Вчера в Вашингтоне закончились (наконец-то!) — пятидесятилетние и бесплодные переговоры между американским президентом и советским лжепрезидентом». Ан — нет! Все толкуют. И заметь — чем больше вы, крамольники, над ними смеетесь здесь, тем серьезнее говорят с ними там. А ведь клоуны, каких еще цирк не видел.

— Как же ни к чему? — возражаю я. — Эти безусловно бесплодные для Запада переговоры привели отсталую и нищую Россию в ряд супердержав — себе же на голову мощным танком... с неба. Я не хочу сказать, что она и сейчас не отсталая и не нищая. «Каким ты был, таким остался», как поет народ с голодухи. Но танк-то — хорош! Да и не сравнить вчерашнего захватчика — с сегодняшним. И все благодаря чему? Родимым пятнам капитализма. Им — родимым. Это их не белым хлебом единым Кремль живет.

— Эксперимент социализма. Не знаю как кому, а мне он уже надоел, — сказал сосед через стену.

— Опыт погибать, у кого он есть? — отвечаю ему.

Не хлебом единым (по карточкам или без) жив и человек советский. Юмор доходяг, он еще больше юмор.

«Здравствуй, племя младое, незнакомое!» — сказал Поль Робсон. А племя ему сразу загадку: «Залетная, певчая, на черных яйцах сидящая и вообще — веселая птичка. К тому же друг Советского Союза — и кто ж это к нам прилетел? И вообще тетя Дуня басом лучше поет...»

Газета «Гудок». Здесь работали когда-то знаменитые одесситы — Ильф, Петров и Олеша. И сегодня нет-нет да прорвется юмор.

Читаем — *«Круглые овощи — круглый год!»* А вместо шапки *«Москва-Сортировочная» — «Москва-Сортирочная»*. Что, конечно, неправда — сортиров в Москве можно по пальцам пересчитать. Это тебе не Париж писсуарный.

Или любимая сумеречная и бульварная газета москвичей — «Вечерка»[1]. Особенно задняя ее часть — «Разводы»: *«Гражданин* ГАДЮКА В.И., проживающий в Москве по улице Красногвардейский Тупик, дом № 8, кв. 197, возбуждает дело о разводе с *гражданкой* ГАДЮКОЙ В.В., проживающей там же...» И вдруг — «ЛЕТАЙТЕ САМОЛЕТАМИ АЭРОФЛОТА В НИЦЦУ!» Это рожденному-то ползать? Да еще в Ниццу — в самую что ни на есть заграницу?!

По-моему, тут наборщики напутали что-то. Или скорей всего забыли к Ницце добавить всего лишь тройку букв. А впрочем, все понятно — задняя часть газеты. И добавлять не надо. Советский человек и не такие кроссворды может читать.

Тридцать сребреников. Тридцать три — возраст для распятия. Тридцать семь — самое время погибнуть великим поэтам. Библейская семерка и русская тройка — и вот она — смерть!

[1] Все газеты наши, как правило, находятся на бульварах — «Вечерняя Москва» («Вечерка») — на Чистопрудном. Там же «Московская правда» и «Московский комсомолец», «Советская культура», вечно кочующая, но не перестающая быть бульварной. «Литгазета» на Цветном. Там же «Литература и жизнь» — ЛИЖИ (и как можно тщательней!), ныне она «Литературная Россия». «Известия» — на Рождественском. Рядом — их приложение «Неделя» с «Неделькой». (До чего же любят у нас ласкательно непотребное называть.) Тут же «Челочка» (это где стригут малышей). «Гвоздик» — детская сапожная мастерская. Наверняка где-то есть поблизости и «Поносик» (это где им делают клизму). «Павлик» — первый наш гитлерюгенд («Я папочку своего, который в колодце спрятался, ни за что не выдам!»). И так далее.

Троица. Триста лет Романовых. Тройка. Трешка. Трояк. Третий — лишний (когда не на троих). Нет, что ни говори, а тройка — любимая нами цифирь (троянский конь сюда тоже годится). Трибунал, где обязательно трое — один знает — чем, другой — зачем, а третий — как (ставить к стенке). Трехглавая Фемида — грозная Фима с двумя попками-заседателями. Осталась тройка со времен Гражданской Резни. Осталась тройка, пышно именуемая — Народный Суд... (раньше хоть был нарядный — в париках и мантиях, да и присяжные были вполне прилично одеты).

— Я случайно здесь, — сказал сосед мой.

— А я нет. Это Бог ткнул меня носом. Я всегда был подслеповат. И вообще, мне кажется, долго в цепях нас держали, как поют ветераны. Интересно, что это были за цепи, если вспоминая о них — поют? И как ты думаешь — закончилась Гражданская война или еще идет?

— По идее она и не должна прекращаться. Или вы думали, дав быдлу власть, оно будет дискутировать с вами? — вопрошает кто-то в голове бесчисленной и уже мертвой колонны. И заклинает: «Дальние потомки наши, не приведи бог вам отведать эту свободу по-большевистски!»...

Отведали. Оглянись — за тобой не одно поколение топает.

Ночь. Где-то далеко сгорал черный воздух. Такой ценой отвязывался от земли. Но зарево полыхало недолго. Горизонт подергался еще немного и утих.

Едет народный судья в командировку на Запад. Мы тоже можем поехать за границу. Если не сидим. В отличие от заграничных туристов мы поедем без визы и загранпаспортов. Ужгород... Чем не Венгрия? Калининград... Чем не Германия? Курилы... Чем не Япония? Выборг... Чем не Финляндия? В Польшу, Румынию — пожалуйста! Львовы и всякие там Молдавии... Вот в Америку бы! Может, когда-нибудь поедем и в Америку, Северную ли, Южную — без разницы.

Доверчивость. Потом преступная доверчивость. Потом сверхдоверчивость. И, наконец, фанатизм. Ему тоже нужно учение. Вожди-фанатики. Слушатели. Маньяки, часами репетируют перед зеркалом свои истерики. Уж не затем ли, чтоб потом на Западе издавали их? Если не в состоянии заткнуть им рот, то заткните хотя бы свои уши!

Дураки никого не боятся. Никого... кроме белых халатов. Когда профессор с мировым именем плачет, как ребенок, и причитает: «Больше не буду!»... Вспомните это на Разрядке вашей. Когда хамелеонить не умеющих отъединяют от доброго имени и хотят ими напугать вас — оглянитесь на свою доверчивость. Она добавляет им срок. Глазея на респектабельность потемкинских деревень и задирая головы на сталинские небоскребы — троньте любую трещину на советском фасаде! И она обожжет вас криком. Сколько их — только политзаключенных? Одних политзаключенных. Совершенно одних.

Вам кричат, что Россия — маяк. Штормуйте, держась за Россию! Равняйтесь на Россию! Поближе к России! Но маяк — это же куда не надо плыть. Это же предостережение.

Едет китаец, смертник. В чемодане два килограмма чистого, как слеза, урана. Везет из Европы первый китайский уран, явно втайне купленный. Едет, облучая всех вокруг. Улыбаются ему встречные — китаец в Европе! Так и умрут с улыбкой. Спешит китаец — Мао нужен уран...

Призрак коммунизма по Европе бродит.

Едет народный судья в командировку на Запад. Грядет судия с двумя заседателями на веселящийся Запад. Едет судить? Да, но в порядке обмена опытом. Нет, это еще не выездная сессия народного суда Советского района.

«Почему бы не помочиться на Крещатик?» — подумал трижды лауреат сталинской премии драматург Суров, приехавший однажды в Киев по делу. Он опустил штаны. Вышел на балкон центральной гостиницы и стал орошать головы изумленных киевлян.

Народ терпим к своим писателям. Народ любит своих писателей, даже если за них пишут другие, специально нанятые для этой цели люди. Но гегемон не уважает, если на него мочатся лауреаты, да еще на центральном проспекте столичного города.

Поднялся естественный переполох. В номер уже рвалась перепуганная администрация, поддержанная общественностью и милицией.

Делегация писателей Москвы, которую возглавлял Суров, запершись, сидела в своих номерах, пристыженная и напуганная до смерти.

— Так и побить могут! — опасался не менее известный, чем Суров, писатель, тоже лауреат.

Позвонили тогдашнему президенту Украины, тоже драматургу, Корнейчуку.

— Не трогать! Буду сам! — в панике крикнул драматург-президент и очень скоро приехал к месту происшествия.

Сурова едва уговорили открыть дверь. Умоляли извинить за вторжение. Помогли натянуть штаны и увезли, едва ли протрезвевшего, в местный Большой театр. Он должен был в этот вечер вручать сталинские премии.

Как-то уехал отдыхать Кривошеин — истинный автор суровских пьес. И не сообщил адреса. Готовящий к постановке очередную пьесу, уже заранее выдвинутую на соискание сталинской премии, — МХАТ попросил Сурова дописать одну сцену. Он сел и дописал. Все ахнули!

Вскоре Анатолия Сурова выгнали из Союза писателей. Оставив ему регалии, квартиру и дачу.

Писатели любят кино, особенно итальянское и чтоб в главной роли был Его королевское высочество Антонио Флавио Фокас Непомучено Де Куртис Гальярди герцог Комнин Византийский, короче — знаменитый комик Тото. Вот он настоящий неореализм — король и шут в одном лице. Вот где смех побеждает власть. И как же хорошо, когда властвует смех. Это несравнимо с тем, когда над тобою смешная власть, к тому же не понимающая юмора.

Веселое было время. Вокруг толпились упитанные музы и в воздухе не наблюдалось присутствия высших сил, но зато на сцене ЦДЛ тогда шли комедия за комедией.

Не успел затихнуть скандал с министром культуры Г.Ф. Александровым и компанией, надо сказать теплой, так мило растлевавших девочек-балеринок, как вдруг, будто гром среди ясного неба, — случилось грехопадение непорочных секретарей Союза писателей. Отцы морали, блюдущие чистоту партийных рядов, менторы и нравоучители молодежи среди бела дня, рядом с орденоносным Союзом писателей — устроили публичный дом на неполную дюжину коек. Правда, контингент был не ахти грамотный в вопросах любви, и коллектив следовало бы увеличить. Тем более Литфонд охотно предоставлял для этой цели квартиры. Да кто-то, видно, не утаился. Слухи обросли фактами, и дело пухло шлепнулось на стол партийного бюро.

Кочетов принес справку, что он импотент. Сафронов — тоже раздобыл документ, не делающий ему чести. Удивительноносому Симонову припомнили заодно осечку его нюха с Дудинцевым, ведь оплошал, бедняга! Но ввиду того, что он уже проходил по делу подобному вместе с Г.Ф. Александровым, — делать нечего — отпустили с покаянной.

Но мораль восторжествовала. Женщин в ЦДЛ стали пускать ограниченно, соблюдая осторожность на случай новых «литературных связей», да Куприянова, одного из незадачливых «бандерш», выговором наказали.

Нюх и ветер взаимосвязаны. Куда подует ветер, туда бежит и нюх. Бдительность партбюро должна исключать даже малейший насморк. Потеря обоняния — профессиональная травма. Сколько соглядатаев раньше времени ушло на пенсию?!

И тем не менее человечество никак не может предупредить свои ошибки.

Жил-был парень на нашей улице. Он полюбил девушку. Дело шло к свадьбе. По какой-то причине расстроился их союз. Видимо, родители невесты отговорили свою единственную дочь выходить замуж... за ассенизатора.

«Ах, значит, вам не нравится, как я пахну?!» И он подогнал однажды к знакомому дому свою машину. В окно полуподвала, где жила со своими родителями бывшая невеста, вставил шланг до верха наполненной цистерны и отпустил ручку сброса.

Долго пахла наша улица его профессией. Выйдя из тюрьмы, говорят, он стал парфюмером.

До чего же изобретательно неудовлетворенное самолюбие! Как предприимчивы маленькие люди, мстя за свою неполноценность!

Если бы англичане в свое время обласкали Маркса — не было бы марксизма. Ну что стоило напечатать безвестного журналиста?

Какой-то умник (а может быть, даже и сам Черчилль) снял Антанту с обескровленной России. Подсчитав, что, завшивленная и голодная, она на ближайшие сто лет неконкурентноспособна. Да и сама домрет.

Ленин больше мстил за повешенного брата, чем верил в социализм в нашей отсталой стране. Хотя интеллигенция ненавидела царизм не меньше.

Если бы Илья Чавчавадзе похвалил стихи семинариста Джугашвили и не выгнал бы его, посоветовав заниматься лучше политикой, чем поэзией, не было бы Сталина, вырезавшего прежде всего интеллигенцию своего грузинского народа. Не забыв, конечно, и другие нации.

Если бы Шикльгрубер стал просто актером в простом драматическом театре, не было бы драматического театра Второй мировой войны, уничтожившей 50 миллионов человеческих жизней.

Говорят, бесноватый Адольф велел возить в клетке несчастного еврея-режиссера, не взявшего его однажды в театр. Чтобы вся Германия видела негодяя, отрицавшего актерский талант у фюрера.

Не исключено, что на том свете, встретившись снова, Гитлер спросит беднягу: «Вот видишь, что ты наделал?»

На случай атомной войны мы под Рязанью будем прятаться от бомбы. И будешь ты подземным, ЦДЛ!

Один карлик померил по себе потолок. 2 метра 50 сантиметров. Достаточно! Умер. А все еще строят по нему.

Надоело упираться головой в пределы!

Если пресса держится на трех китах — секс, политика, убийство, то Литература держится на честном слове.

Было бы идеально — соединить этих трех китов в одно чудо-юдо: Мужское начало в творчестве. Плюс убийственная ирония. И никакой политики.

Я лично за такую Литературу.

Но здесь она — не церковь и от государства никак не отделима (хотя, бог ты мой, как же опекается здесь православие!).

Политика отвлекает писателя. То жгут его книги. То его самого в шутовском колпаке волокут на площадь. Или непублично на дыбу вздергивают.

Политика мешает писателю. И он вынужден близоруко отмахиваться от нее. Не умея быть политиканом, а умея быть только самим собой.

Мудрый в книгах, он, как правило, неумел в общественной жизни. Индивидуальность хороша в творчестве. Но не в стадных проявлениях иезуитства.

Жанр заявлений, объяснительных записок, заступнических писем...

Творец, как любой нормальный человек, не пройдет мимо, если на улице бьют женщину. Естественно, он заступится и за безвинно погибающего и отнюдь не посчитает это подвигом. Так, по крайней мере, мне кажется.

Кабы по улице шла мадам Демократия... и кто бы ее обидел?!

Но она у нас невидимка. Как же за нее заступиться?

Творчество — жанр куда более продуктивный, чем писательство... заявлений.

Истинное творчество — здесь писатель заступается за все человечество: свое и заграничное, будущее и прошлое, настоящее и все еще нуждающееся в защите от... людей.

Здесь его позиции ясны. И ему не надо задавать вопроса — кто он? Как это нередко делают с нашим братом, пишущим больше заявлений, чем книг. Хотя, повторяю, заявления нужно писать тоже.

Быть художником настоящим... Да уже одного этого ему с лихвой хватает. Вон Прометея орлы загрызли, а его заели комары.

Говорят, мы здорово пишем.

Мы — с *донорством, а к нам* — с *вампирством.*

Не надо спрашивать, кто он по убеждениям. Какими философскими категориями он мыслит. Какую веру исповедует.

Он должен исповедовать человечность, и только ее. Он должен исповедовать свой дар. И если он от Бога – значит, Бог поверил в него. Это его призвание. И это его гражданский долг, если хотите!

Рост его предопределен самим Создателем – он должен быть выше вер, философий и политик...

И пусть пласты его выдержки рвутся от нетерпения, потому что ему многое надо успеть сказать. Выдержка – это не другая сторона стремительности. Тут едва ли сдержать темперамент, если есть что сказать! Да еще умея сказать это здорово!

Биография сама по себе накаляет строку. Личность, и только личность должна всходить сквозь нервную торопливость самобытного почерка. И чем нетипичнее, тем лучше.

Так что не надо называть подвигом естественное отправление художника – писать. Честность в этом деле должна быть чем-то обычным. Как нос на лице.

Так сколько надо гражданского мужества на такую огромную страну, как Россия?

Здесь мы мужество почему-то путаем с честностью. Может, оттого, что она нетипична и выглядит донкихотством среди носов по ветру, этих ветряков с их вечной жаждой ветра в свои мельничные крылья! Есть ли личность в уже написанном?

Будет ли она в только пишущихся произведениях?

Если в мире кто-то в состоянии увидеть это – наше дело не так уж плохо! Значит, все же интеллигенция следит за этой вечно падающей Пизанской Башней Духовности. Тем самым она снимает с повестки дня извечную проблему – непризнанный писатель. То есть непонятый или непонятный писатель. Будто писатель тем и занимается, что примеривает маскарадные маски.

К слову, о личности.

Еще Пушкин писал: «Гений и злодейство – вещи несовместные».

Бедный Сальери. И по сей день оправдывается. Вот уже сколько веков.

Тень неприятия витает не только над ним. Люди поталантливее его и более заметные в своих эпохах не принимались человечеством. Видимо, в них поначалу побеждал иной инстинкт, куда более живучий, чем бескорыстное творчество.

Кому не хочется быть понятым? Но только при одном непременном условии – не пошевелить и пальцем, чтобы изменить себя в написании. Нужна равнозначность зарядов – писательского и читательского. Отдающего и берущего. А то мы иногда ведем себя, как шлюзы.

Я – выпустил пароход. А читатель все еще держит воду. Не умея мне довериться.

Чего боится? Ошибки? Так ошибки таланта тоже поучительны. Анкета моя чиста, как девственная совесть, моя прабабка не служила даже в конной полиции. И я, в отличие от монахов, не плачу за бездетность. И вообще, чтоб покататься друг на друге, нам не понадобится колес.

– И откуда вы такие беретесь?

– С неба попадали. А может, это когда-то повешенные срываются? У нас страна чудес. У нас все может быть.

– Что это ты при параде? Или пришел кого хоронить?

– Да вот на Запад съездил.

– Ну и как?

– Попросили показать свое творческое.

– Что, прямо так и попросили – «Покажи-ка нам свое творческое личико!»?

– Почти так.

– Ну и как – показал?

– Пришлось.

– Да не тяни – дальше-то что было?

– Ну, говорят, на такое лицо обычно надевают кальсоны. Или, как минимум, трусы.

– Значит, не понравился Западу?

– А Запад – тебе?

– Да видел я его в мебели и в обуви, то есть в гробу и в белых тапочках.

Это почему же не в тоге шествует Платон Сократович Афанасьев? «Волосы дыбом. Зубы торчком — старый мудак с комсомольским значком»[1].

А вот идет автор эпиграммы: «Бескультурен, как Урин...», в свое время подравшийся с Тендряковым за право первому помочиться на парапет американского посольства в Москве. Это он позже организует «Глобус поэтов». Вот помочится и организует... А потом плюнет на одну шестую его и эмигрирует — не тот зал в ЦДЛ для творческого вечера дали. Обещали Большой, а дали Малый.

И полетел он с чучелом Земли под мышкой... Объединять всех поэтов нашей планеты под свою прическу.

Когда-то Урин-патриот, ныне уже в Нью-Йорке их объединяет. Говорит, что нашел новую и вполне уникальную форму чтения стихов, располагая их в зависимости от обстоятельств — то в виде звезды, то свастики, то креста, то могендойвида.

Слышал новость — Хикмету жену умыкнули. В стихах своих ее возжаждал. Затосковал. Вот и пошли навстречу поэту читатели чуткие. Привезли. Предварительно выкрав, конечно, а она не нужна. Другая уже есть, молодая, как верба...

— Какой он веры, помимо, разумеется, марксистской?

— Туляковой.

— Но он же не туляк, а турок.

— Чудак, Вера Тулякова у него жена новейшая, а также соавтор. И он ей очень верит. На ней и скончался. Прекрасная смерть, не правда ли?! Так что старая жена не нужна ему в полном смысле этого слова. Примчалась, а он у нас в ЦЭДЭЭЛЕ лежит.

— Помнишь, у Есенина, «Никогда я не был на Босфоре...»?

— И я тоже. Кто б догадался меня похитить туда.

— Наши умеют похищать только оттуда. Кстати, а как умыкнули-то?

— Ну, это просто — вышла в море на яхте своей прогуляться. Всплыли и цап-царап.

[1] А. Безыменский.

– Да не может быть, чтоб подводные лодки у нас всплывали.

– Когда надо, всплывут, хотя, конечно, подводная лодка, она должна под водой находиться. На то она и подводная. Но если надо – всегда появится. И уж, естественно, не затем, чтоб спросить: «А вы не знаете, как проехать в Рио-де-Жанейро?» Так что не плавай даже пешком – выловят. Они-то потом вынырнут, а вот ты – ни за что...

– И кто сказал, что мертвому ничего не хочется? Так и поверил, чтоб даже курить не хотел. А уж выпить... Вот разве что женщину не желает...

– Это почему же?

– Рядом лежит.

– Что нового?

– Да вот новую повесть накатал.

– Ну ты даешь, прямо Катаев. Белеет парус одинокий. А ведь пора бы и покраснеть.

А с этим просто невозможно рядом стоять. Всю жизнь ел людей поедом, а вот теперь страдает отрыжкой.

– Посмотрев фильм «Война и мир», я перечитал одноименный роман. И понял, до чего же плохо писал Толстой!..

– Конечно, было бы лучше, если бы Бондарчук написал этот роман, а Толстой бы его экранизировал.

– Я видела во сне – ваш муж жаловался, что вы не приходите к нему на могилу.

– Врет! Была вчера. И как ему только не стыдно?!

ЦДЛ... Кого что волнует.

– Как вы считаете, Петр Первый побрил бы Маркса?

– Самсону Далила власы удалила...

– Что вы говорите!..

При помощи оптимистов и остроумцев весь мир с улыбкой расстается с прошлым.

А мы?

Улыбаемся. И с прошлым не расстаемся. Оно на много лет вторглось в наше настоящее. Неплавно переходя в наше будущее.

Суждено ли нам с ним расстаться? Если суждено, то — когда?

Не Пушкин, но жалко, — говорю, — вот еще один уехал. Даже упирался в аэропорту и рыдал несчастно. Будто кто его, как Буковского, увозил. И как же трогательно он потом напишет:

«Я умер там и не воскресну здесь...» (Запад имеет в виду). И тем не менее повез свой труп возить по заграницам.

Ладно прозаики, а поэтам там нечего делать. Иностранцы... Они слишком на другом языке говорят. Это я очень скоро пойму.

Поэт уезжал в четыре ночи. Оглянулся на место, где столько лет жил. Неслышно скользнули на черных балконах чьи-то нечеткие тени. Это жены украдкой вышли его провожать. Чужие.

Белый платочек у глаз вечно плачущей памяти. «Когда я вернусь?»

Никогда. Встретимся в Риме и обнимемся напоследок.

Они делают все, чтобы мы уезжали — кто куда, а уехав, не возвращались.

Если в небесное царство входят нищие
духом, представляю, как там весело.

В. Набоков

— Когда б Земля затормозила, с нее бы сбежали, как из России, разреши им рвануть оттуда, — заметил кто-то сверху.

— Напротив — надо увеличить скорость Земли, чтобы раз и навсегда покончить с бегством, — заключил второй, будто ведал переселением душ.

Небесная инспекция, не иначе, — подумал я, когда бетонный потолок моей камеры осветился каким-то радужным светом. На фоне которого плевок тусклой лампочки и вовсе растерся.

— И что бегут... И что им не сидится на месте?..

— Да гляньте, какие тюрьмы у нас, господа! Да и что человеку сидеть на одном месте вкопанным, когда он так любопытен! — кричу я им в серебристое брюхо. — Это вам хорошо. Это вы — в своей тарелке. А нам — не приведи господь где!..

— Вам везде будет плохо. Вы — не от мира сего.

— И что б не попробовать! А — вдруг!.. — продолжаю кричать им.

И снова их как не было. Улетели за тридевять неб. Везет же людям. Или не людям?

— А хотел бы ты, чтоб тебе повезло быть какой-нибудь космической таракашечкой или еще каким осеглазым и винтоносым и вот так прилетать сюда? — спросил я соседа, потрясенный посещением инопланетян.

— Хотел бы, — без заминки ответил он, — только фиг бы я сюда прилетал.

Это уж точно. Мы ж не от мира сего...

Когда и кого это осенило — назвать людей, что-то смыслящих в небесной механике слов, существами не от мира сего? Будто действительно они пришельцы. Тогда — откуда? Где этот мир сей, где они якобы прописаны? И за какие такие грехи в таком случае их поперли оттуда в мир этот, отчего-то проклинающий их на чем свет стоит — только за то, что имеют обыкновение уходить от суеты этого мира. Отключаться и видеть поверх чьей-то близорукости. Йоги стоят на голове. Говорят, что так они куда прочнее ощущают землю. В отличие от тех, кто просто ходит на голове, а устав — на нее садится. Свою ли, чужую — значения не имеет. И едва ли кто замечает подобные пустяки. Чего не скажешь о не от мира сегодняшних. Их-то очень даже замечают. И почему-то всегда стараются отправить куда подальше, словно они и впрямь — нежелательные иммигранты, только непонятно откуда. При этом находятся люди, которые им еще умудряются завидовать. И это в мире, настолько рациональном, что любой из них покажется нищим, разве что не просящим подаяние. Да и когда еще он бросит шапку на тротуар. Конечно, по-своему они счастливы. Ну, например, умением запросто передвигать горизонты, как устаревшую мебель. Или обращать рассеянное внимание окружающих на невидимые миру слезы. Исходя, быть может, из того обстоятельства, что даже невидимые слезы не к лицу человеку. По себе знаю, как невмоготу, когда плачут люди. Особенно в Мавзолее. Только и успокаиваю себя, что это загримированный смех. Как в цирке, когда коверный ревет в три ручья, а все хохочут. И мне еще думается, что они плачут там от радости — наконец-то убедились, что лежат на месте, кто раз и навсегда отучил их смеяться. Правда, второй валяется где-то рядом, в отличие от первого, в стеклянном гробу, чье дело, как тело, как ни в чем не бывало гуляет себе по стране. Как по кладбищу. Усугубляя привычную опасность проживания в ней и в сопредельных европах и азиях. Особенно тяжело опять же им — не от мира сегодняшним. Как же их ловят в те недолгие часы, когда они в свободное от работы время опускаются на грешную землю. Как же их ждут! Так, возможно, ждали во время войны десант диверсантов. На которых была все же каска (а не просто лоб, ненадежнейший шлем мыслителя). Зад тянул их к земле. Эти, напротив, рады уйти куда подальше или куда глаза глядят. И не для того, чтобы быть выше всех, как здесь принято считать, исключая космонавтов, которые у нас причислены к лику святых, а чтоб с ума не сойти. Потому и витают в своих эмпиреях.

Если глянуть реалистически — жизнь их далеко не сказочна. Но это потом мы глянем реалистически.

И вот, живя как бы там. И очутившись в силу необходимости здесь. И не просто очутившись, а стремительно упадая сверху вниз, что само по себе уже чувствительно. Они как бы забывают напрочь (видимо, из-за своего возвышенного и продолжительного отсутствия) все неудобства своей земной жизни. И невзирая на то, что им тут же напоминают о ней, — восклицают: «Как же прекрасен мир!»

Это может сказать только человек не от мира сего.

Как скажет американец: «Я готов тебе построить мост даже там, где нет реки...» Хотя эта поговорка и претит его врожденному рационализму, допускаю, вполне может его построить там, где он не нужен. Поначалу.

У нас тоже создали министерство культуры, и не одно, невзирая на полное отсутствие ее как таковой. И в этом отношении мы тоже, как американцы, строившие мосты над сушей. Потом, правда, они их приспособили как эстакады для развязки своих многочисленных дорог. У нас же пока министерства не у дел. Или, мягко говоря, работают не в полную силу — культ-то есть, а вот ...уры еще не хватает. Хотя все творческие союзы страны не покладая членств создают ее изо дня в день и пишут за себя и за того парня (ныне у нас принято и за погибших когда-то работать), а все одно, народ отчаялся спрашивать — когда ее выбросят? Хотя все еще очередь с ночи за ней занимает (правда, сюда его еще и сельскохозяйственные культуры манят, которых у нас почему-то тоже в обрез). Один балет и пляшет. Выделывает Петипа, когда не гопака выкаблучивает. Но это не для труженика показуха. Да цирк медвежий еще на уровне мировых стандартов (за что медведям спасибо). Тоже где-то по заграницам шастает и рыло свое не кажет. А если кажет, то редко — какой навар с соотечественников? Что с них взять? У них не то что доллара — рубля порой не сыщешь. Одна только песня с пляской имени Фрейлехса-Пятницкого — местечкового еврея когда-то, надевшего русскую красную с петухами рубаху и научившего советского человека петь и плясать (за короткий срок разучился, бедняга). Другое дело, что петь и под чью дудку плясать?

Ну, насчет «что петь», тут поэты-песенники всегда помогут. И под что плясать — композиторы посоветуют. Они всегда на подхвате. Музыкальная шкатулка их ЦДЛ — дом на Миусской, всегда к вашим услугам. Да и в журналах теплится моча не только Лебедева-Кумача. Опять же есть на что перекладывать их всенародные песни. У нас народ выносливый. И не такое еще слыхал.

Соловьи седые и не седые, просто соловьи или соловьи-разбойники, поселясь в этом вечно трезвонящем доме, прежде всего попросили партию правительства утяжелить по возможности стены. Уж как их звуконепроницали, а все одно слышно. Хочешь не хочешь, а украдешь. Мелодия сама свороваться просится вместе с «рыбой», то есть с текстом вместе. Текст-то черт с ним, он всегда одинаков, а вот мелодия все же разнообразится иногда. То классики выручают. То презренный Запад какой-нибудь шлягер подбросит. Короче — получается, что дом этот более или менее удачной мелодией на всех и живет. А каждому хочется спеть именно свою песню. Кстати, новая песня — это хорошо забытая старая. Взять, к примеру, «Катюшу» Блантера — чуть ли не госгимн государства Израиль. Потому и не госгимн, что вовремя уворовал Матвей (уж как его там по матушке?) эту очень старую еврейскую мелодию. Спасибо, что хоть «Хаву Наталью» оставил. Или его же вальс «В лесу прифронтовом» — был немецко-фашистским вальсом, а стал трофейным и блантеровским (во всеядный!). Не случайно же у нас за двух Моцартов битых одного Матвея Блантера дают. Когда принимают пластиночный бой.

Вот Соловьев-Седой с рахманиновскими тактами, не целиком спертыми — еще куда ни шло. Бывают у нас и стеснительные авторы. И если уж берут чужое, так хоть меру знают. Но и они ее потом теряют, и всему виною — стены. Правительство, правда, посоветовало еще и матрасами рояль закрывать. Не помогает. Песня хоть и малый жанр, но риск большой. Напропалую воруют. И правительство разводит руками.

«Ну, тогда не взыщите, что песни у нас все до единой будут как одна...»

«Ничего, так даже лучше — народу легче запомнится, — сказали вожди песнеписцам, — главное, чтоб песня была нескончаемой. И тогда она никогда не будет старой. А уж репродукторы погромче мы всюду повесим. Над каждым селом. Глухой услышит. Мы ведь тоже, „как подругу, родину любим свою!“...»

— Ты не о них, а о нас пиши, раз писатель. А то все вы писатели на словах, — однажды осмелился кто-то из зала (провокатор, наверно).

Не на словах, а на нарах. Старый признак, если слово — дело. Слово, породившее дело... с тесемочками. Личное, пока есть лицо.

«Писатель на словах»... Хорошо было первым. Когда слова были первыми. Не захватанными. Не затертыми миллионоусто и миллиардократно. У художника – свежие краски. У писателя – старые слова. Всю жизнь заставляет звучать их по-новому, переплавляя в своих камерах сгорания, будто они железные, эти камеры, а потом граня и оттачивая (отвечать за них будет позже). Какую энергию раскрепостили эти слова? Кого пригвоздили и кого осчастливили?

Делать слова – нехитрое дело. Вот если эти слова переделывают все на своем пути (да не эти, что висят на заборах, вокзалах, мостах, домах многоэтажных, закрывая окна и воздух. Вдоль и поперек всей страны Советов – слова, слова, слова, будто застрявшие чьи-то пустые дыхания. Будто кто-то отчаялся убедить словом, сбросил с горы его материал и пытается хоть эхом его докрикнуть). До чего же емкое определение – «писатель на словах». Сколько тысяч писак оно уничтожает сразу. Раз – и нету, будто землю побрили.

Свободные профессии... Какие они свободные! Скрипят что-то и вякают. Деятели, чье приспособленчество мало смахивает на героизм.

Он перекрестил его могилу, усыпанную поверх казенных цветов живыми, принесенными просто людьми, просто читателями. Он стоял поодаль, не единственный в мире изгнанник, нобелевский лауреат. Его появление на похоронах Твардовского заклинило и без того скрипучее колесо этой невеселой процедуры, насторожив и без того перепуганных писательских секретарей. Привыкшие к любому незапланированному проявлению недовольства, избегая показываться на людях, по *букве* инструкции разрабатывая любую операцию, будь то похороны или просто собрание, они всегда чего-то ждут. Явно преувеличивая в окружающих способность протестовать.

И тем не менее Солженицын, сам того не ведая, смешал ряды пришедших хоронить поэта. Немногие из начальствующих писателей отважились приехать на кладбище. Достаточно нанервничались в ЦДЛ, куда посмел заявиться этот одиозный изгнанник, только и ищущий повода продемонстрировать свою одиозность. У могилы в непролазной толпе провожающих и просто любопытных стояли только те, кто в обязательном порядке должен был находиться до конца, представляя официальный коллектив московских литераторов.

Партийные писатели мгновенно отступили подальше от гроба на случай, если Солженицын подойдет и встанет рядом.

Беспартийные, перемигиваясь, сжираемые любопытством, придвинулись поближе, заприметив на всякий случай пути к отступлению.

Кто-то спросил одного из них: «Какой из них Солженицын?» Тот, побелевший от страха, громко, чтобы все слышали, крикнул: «Что вы! Я не знаю такого писателя!»

Туристка из Западной Германии, оказавшись случайно на похоронах, тихо сказала спросившему: «Я вас понимаю... Мы тоже пережили нацизм».

Один-единственный раз пришел я в «Новый мир» к Твардовскому. Положил ему на стол пачку своих стихов. И, не слишком веря, что он их напечатает, полюбопытствовал: почему он печатает, как правило, средние стихи в отличие от хорошей прозы? На что Твардовский ответил, что прозу он понимает меньше, а за стихи его бы били больше.

Мою подборку он прочитал при мне. Обычно он делал это дома. А не при авторе, сидящем над душой. Прочитанные стихи легли в две пачки. По мне хоть левую, хоть правую – все одно было бы не худо напечатать. Потом он соединил обе пачки моих стихов и вернул мне.

– Почему вы не пишете поэмы? С вашим талантом да с колокольным бы звоном въехать!

– Я бы ограничился бубенцами.

– Да нет, я серьезно. Вот здесь, – и он ткнул в мои стихи, – есть все для написания поэмы. И не одной. Густо пишете! Но зачем себя втискивать на малую площадку стихотворного жанра? Я признаю поэмы! Только в них, как на столбовой дороге, разгуляться можно. Пишите поэмы! Вы сможете! Или повествовать не хочется?

— Если мне захочется повествовать, я прозу начну писать.

— И то резон, — откинулся в кресле Твардовский.

— Тогда, кстати, у меня будет больше шансов у вас напечататься.

Сейчас, когда я пишу свою первую прозу, Твардовского уже нет в живых. Отлученный от журнала, он спился и умер, да и будь он жив и стань редактором снова — все одно не смог бы напечатать это.

Смотря в зеркало, не каждый видит свое имя.

Лев — царь зверей. Не умеющий спрятаться среди грызунов.

Его именем нарекали бесстрашных. Только при львиной гвардии сильные мира сего могли спокойно спать.

Льва рисовали на гербе фамильном. Он становился эмблемой державной и реял на флаге не одного государства.

Человек явно завидовал льву, нещадно истребляя его или неволя.

Лев не бреет свою волосатую челюсть. Но он и не сидел на дереве, как человеческий предок.

Неспроста завидует льву человек!

Как часто не львиное — людское сердце мяукает при одном лишь упоминании тишины и довольства. Да и дрессировке царь природы поддается куда легче, чем царь зверей.

В союзе писателей Грузии, в старом особняке на улице Мачабели, на втором этаже перед кабинетами секретарей — стоят чучела льва и тигра.

Наконец-то найден символ советского писателя!

— Кацо, почему ты не пишешь стихов? — спросил шофера такси Галактион Табидзе.

— Батоно, для этого надо знать что к чему... И талант врожденный — тоже необходим...

— Э-э-э, кацо, Леонидзе пишет, Чиковани пишет, Нонешвили пишет, и Карло, и Мурло — все пишут! Почему ты не пишешь стихов?..

Сам он умел писать стихи лучше всех в Грузии. Великан бородач — он выбросился из окна на мостовую, разбившись насмерть.

Силуэт его присыпали мемориальным песком. Газыри на груди у кавказца. Протезные пули вместо настоящих когда-то. Форма одежды — национальная, а содержание?

Носил мужчина только оружие. Ныне хозяйственная авоська и возможность не связываться с соседями — дороже всякой обидности. Сбегал в магазин. Накормил детей. Вымыл посуду. Постирушечку затеял. Шарфик жене связал к Восьмому марта. Теперь сидит и мучается — а вовремя ли придут месячные?

— Я понимаю, что мир наш — смешанная группа хищников — львы и гниды. Но это не значит, что они должны быть на равных. Я за демократию, но раздельную, — сказал мой сосед.

ЦДЛ хочет признанья. От натуги скрипят глаза... Это когда-то считалось высшим кощунством — под твореньем своим ставить имя свое.

Певцы безымянных сказаний и саг... Бояны-гуслепевцы да лирники — праотцы гитаристам тоже длинноволосым, гомеры несчастные, сколько б вы запросили за свои бессмертные вирши, когда б вы глянули в гонорарные кладовые наших нынешних классиков?!

— ...Вы читали «Сильные духом»? — Всплыло чье-то непомочившееся лицо.

— Да это что!.. Вот я вчерась написал поэму о любви. Так отныне и навсегда эта тема мной закрыта как в русской, так и в мировой литературе. Все — глухо! Лирикам больше делать нечего... В этом мире лирики нынче безработные...

— Поздравляю... Это ж надо ж!..

И впрямь блестящий поэт. Блестящий от пота. Настороженно шевельнул ушами. Сегодня он был попросту — не в лаптях.

— А я имел видение, — пискнул завистливый кто-то.

Вскрытие покажет, кто из них значительней. Вот кого раньше вскроют? Как консервную банку... сильную духом.

— Вы посмотрите, кто к нам приехал! Наш дорогой иностранный гость!..

Раньше в России всех иностранцев независимо от их национальности называли «немцами». Немец — немой, т. е. не понимающий по-русски. Теперь мы, слава богу, различаем их.

— Вы только посмотрите, кто к нам приехал!

Дакроновая тень скользнула по испещренному автографами стечению двух стен. В этом огороженном пространстве ныне молочный бар. (ЦДЛ конечно же борется с пьянством.)

Я смотрю на иностранца и не вижу привязи на его ноге. Даже обрывка. Свободно передвигается и явно уверен в себе. Ему не надо отвечать за собственные слова. Его не посадят в тюрьму. И я подумал — как выгодно отличается наш писатель там от их писателей — здесь! Ему не надо просить за коллег-политзаключенных.

Да, хорошая штука — свобода! Чтоб оценить это, надо сначала пожить в России!

Воспалительный цвет празднества. Красен юбилеями ЦДЛ.

Сегодня в честь пушкинского дня ангела банкет для Дубельтов и Бенкендорфов, Булгариных и Гречей...

Будет весь цвет Литературы нашей и «Современник» тоже. И театр партийного Петрушки...

А при чем здесь Пушкин?

Из незваных гостей хороша только Слава одна. Слава — другая сторона Забвения. Вдруг повернувшаяся к тебе лицом... Желтый, как электрический свет, идет восставший из небытия.

Кто бы это мог быть?

Вынимает барьерный пистолет Лепажа... И падает замертво вновь.

Приходят вчерашние люди, а мы — сегодняшние — мгновенно отбегаем в детство. Будто пущены часы назад. И планета хочет все переиграть заново.

Кому не нужна эта фора? Этот новый шанс? Мы сильны задним умом. Все мы мудры задним числом.

Назад сбегает всяческое время, облачное и без теней, солнечное и пасмурное, черное и красное, схваченное и ускользнувшее. И кто-то снова проигрывает свою дуэль. И кто-то снова ляпает, не подумав, глупость, точно так же, как вчера.

Мы добегаем до своего детства, а планета вновь проигрывает свою пластинку. Иглами полюсов проскакивая фальшивую борозду. Без дураков, всерьез. Неужели и впрямь решила начать все сначала?!

Ай да матушка-Земля! И снова, как когда-то, у моего поколения впереди целая жизнь!

А пока я опять оказался в своей трижды проклятой школе. Вот опять нас вывели на пыльный старый двор. На деревьях давным-давно лопнули кукиши почек. Им распускаться можно.

Быстрорастворимый кофейный рассвет. В Азии Средней даже утро смуглое.

Время голодное, а тем не менее нужна Канализация. Кто-то переваривает, а мы копай!

«Сегодня, — сказал военрук, — мы будет копать от забора и до... обеда».

А вот Эйнштейн не мог соединить Пространство и Время.

Как-то я опоздал на урок зоологии. Войдя в класс, я попросил разрешения сесть на свое место. Но преподаватель, продолжая урок, не обращал на меня никакого внимания.

Кончив объяснять, педагог встал и произнес:

— А теперь перейдем к ослу... — И, обращаясь ко мне, добавил: — Садитесь, молодой человек!

— Осла я послушаю стоя.

Класс от удовольствия хлопнул крышками парт... Я был исключен из школы.

Поэзия... Ты ей всего лишь щелку глаза, а она тебе взамен целый мир.

До чего же отчетливо представлял я себе будущее! Если бы у моей интуиции была рука — я бы пожал ее с удовольствием.

За стихи я был исключен вторично. Мне явно не везло с образованием.

Но зато, когда я начал писать стихи, посыпались предложения:

— Продай фамилию под псевдоним!

— Продай замысел!

— Но я не умею замысливать стихи. Они у меня пишутся уже готовыми.

— Продай хоть строчку... Ну хотя бы вот эту: «*Манекены лучше нас одеты!*»...

— Самому нравится. Да и какой смысл продавать породистую лошадь на мыло? Сам посуди — перетрешь в кашицу для беззубых...

— Ведь все равно не напечатаешь. Я бы переделал и протолкнул.

— Поймают с поличным. Меня узнают.

Потом воровали, не умея украсть. Но я был спокоен. Цензура — всегда на месте.

Потом цитировали, забыв назвать мое имя.

Но напечатать — не удавалось. Трудно было напечатать мои стихи даже под чужой фамилией.

Повезло только одной «Черепахе» — четыре ее строчки кочевали по книгам прозаиков и даже вставлялись в пьесы. Безымянно. Но стоило кому-нибудь авторизовать эти стихи, как их тут же снимали. Юрий Домбровский взял их эпиграфом к своей книге «Хранитель древностей». Предложили немедленно убрать. Потом он поставил их к «Лавке древностей». Но тут прикрыли лавочку!

Одному Юрию Трифонову удалось напечатать эти стихи с моим именем. Прямо посреди своего рассказа о герпетологах. Правда, к моему имени добавлено было слово «кажется». Когда я спросил его — а почему «кажется»? — он пояснил, что герой, декламирующий эти стихи, вообще сомневающийся человек.

И хотя в издательстве «Советский писатель» «Черепаха» появлялась раза четыре под обложками разных авторов, из моей книги эти мои стихи в этом же издательстве все же выкинули.

Спустя десятилетие мне удалось наконец во второй уже книге напечатать:

— Из чего твой панцирь, черепаха?
Я спросил и получил ответ:
— Он из пережитого мной страха,
И брони надежней в мире нет.

Листая верстку моей первой книги стихов «Мета», рассыпанной очередной раз цензурой, председатель идеологической комиссии Ильичев наткнулся на эти стихи и спросил:

— А это что, с юмором? — И, многозначительно помолчав, добавил: — Вот жалуются, что бумаги не хватает. А сами четыре строчки на отдельном листе печатают. Преступная расточительность! Безобразие!

Проблема с бумагой у коммунистов была всегда. Во время испанской гражданской в тридцатых Пабло Неруда (тоже хорошее падло) выпустил книгу стихов ура-патриотизмов... на бумаге, переработанной из франкистских знамен. А Миша Вершинин, ворвавшись на победных танках в Прагу в сороковых и первым делом первую попавшуюся типографию найдя, под дулом автомата заставил набрать свою книгу стихов... Сразу нашлась бумага. Пару очередей в потолок. И все дела. Тогда еще не было его знаменитой песни «Москва — Пекин». Это где «Сталин и Мао слушают нас». А то б перестрелял славян несчастных от нетерпенья. Слава богу, что еще не прославленный был. Задолго до него, когда с легкой руки Горького и Дзержинского уголовный мир тоже подался в писатели и поэты, а бумаги, естественно, не было, Павел Железнов, осужденный за убийство, но тут же ставший поэтом, — свою первую книгу стихов «От „пера“ к перу»[1] не постеснялся выпустить и на туалетной. Сам Горький пальцем мазал на ней и ничего — классик...

Помню, я тогда ошарашил Ильичева, радеющего о бумаге.

— А вы знаете, вот уже несколько лет издательство «Советский писатель» дарит мне ко дню рождения заново отпе-

[1] „П е р о“ — нож (*блатной жаргон*).

чатанную мою книгу в одном экземпляре. Четыре художника готовят обложку и шмуцтитулы. Десятки корректоров читают верстку и сверку. А сколько редакторов получают зарплату, редактируя меня? А набор? Сколько стоит каждый раз набрать мою книгу стихов, пусть даже в два с половиной печатного листа? А потом рассыпать и снова набрать? Мне просто неудобно принимать такие дорогие подарки. Поистине из-за своей малотиражности нерентабельны поэтические книги! Или, как говорят, убыточны!

— А где взять бумагу? — все о том же спрашивал командующий идеологией.

Вскоре, запыхавшись, появились и главные редакторы выпускавшего меня годами «Совписа». Кажется, на сей раз книга выйдет не в одном экземпляре.

Я настаивал на включении ранее выброшенных цензурой стихов. «Без этих пятнадцати, включая „Черепаху", нет смысла выпускать меня в свет!»

Но здесь меня не спас даже ЦК КПСС.

Цензор Голованов — маленький человечек — оказался могущественней даже партийного Синода. Он сказал, что если я буду настаивать на этих уже однажды изъятых стихах, то он опять рассыплет мою отчаявшуюся выйти книгу.

Инструктор ЦК, которому поручили проследить всю эту катавасию, развел руками и сказал, что здесь никто не в силах что-либо изменить.

— Позвоните председателю Комитета по печати, — посоветовал я, — раз уж мне в кои-то веки патронирует Идеологическая комиссия в лице самого Ильичева...

— Я не имею права выходить на него. Да и вряд ли он меня послушает. Безопасность государства — превыше всего.

Этот услужливый клерк станет ректором Литературного института и Высших литкурсов. Возглавит приемную комиссию Союза писателей и будет одним из ведущих литературных критиков. Заместителем самого Ива Гандона — председателя Всемирной ассоциации критиков. Правда, ему однажды взыщут за то, что он назовет меня в числе пяти интеллектуальных поэтов России. Вот где куются кадры!

Проходя по коридорам власти с расширяющимися от этажа к этажу ковровыми дорожками. С урнами, постепенно из железных становящимися мраморными. Мимо отделанных красным деревом кабинетов с увеличивающейся роскошью. Я обратил внимание на фамилию «Романов». Среди прочих фамилий на медных дощечках эта брала числом. Какой же смысл был однажды свергать Романовых? Если опять их засилье?

Удивительно, ну до чего ж поразительно к месту подчас фамилии!

Командует бывшим Петербургом Романов. А редактор «Звезды» в этом городе Холопов.

У нас критика и впрямь презерватив, в котором бьется уже прорвавшийся живчик. Она бдит. Предохраняет, чтобы, не дай бог, не забеременело общество какой-нибудь светлой мыслью. Еще повзрослеет, сорвет свои слюнявчики. И выйдет из своего затяжного полувекового детства. И вот вам Президент Всемирной ассоциации критиков (пока литературных) — Ив Презерватив. Чья парадная фамилия «Гандон» у нас звучит просто неприлично.

Казнин... Уж не Правосудие ли? Так оно и есть! Член Верховного суда СССР.

В литературном институте имени Горького, в этой кузнице писательских кадров, мечтающих о сладкой жизни, работает доцентом В. Безъязычный. Где ж ему, как не там, работать!

В журнале «Иностранная литература» — В. Бессловесный. Наверняка где-то работает и Бессовестный. Или Бессовестных, как бы намекая, что он не один.

Дорогами в Москве командует Придорогин (начальник ГАИ).

Именем «Правды» судит о живописи Членов. Бедная, и здесь ей не повезло!

Секретари горкомов и обкомов КПСС сплошь Тупицыны.

Даже администратор в Большом театре — Беатрисса Кувалдина.

Точнейшая символика.

ЦДЛ. Похоронщик писателей – Арий, то есть – смерть.

Редактор журнала «Здоровье» – Могила.

А редактор журнала «Овощеводство», помнится, был товарищ по фамилии Помидор.

Нарочно не придумаешь.

Интересно, кто редактирует журнал «Гинекология и акушерство», единственное место, куда можно сунуть стихи о любви?

И кто сидит в ОВИРе?

Конечно же Неотпускалкин. И еще Израилова.

Партийные Волковы и беспартийные Зайцевы. Смирновы, Тихоновы и ни одного Желябова.

А впрочем, ударил кто-то бомбой в Мавзолей, но вождь остался жив.

«Друзья, пока свободою горим...» А ну, веселее, друзья, вы горите или не горите? Теперь все вместе – раз, два – начали!

И ничего, что хор шарахался от взмаха дирижерской руки. И ничего, что торопился – баланду, небось, давно разнесли по камерам. Все одно Пушкин звучал у них дерзновенно и молодо.

Любую колыбель, даже революции, надо раскачивать.

В окна ленинградского Дома писателей глядит «Аврора», имеющая опыт разносить в пух и прах дворцы. Даже холостыми выстрелами.

Писатели, даже лояльные, всегда должны быть под прицелом. Тем более в этом городе, когда-то славившемся революциями. Хотя бывший хозяин Ленинграда Толстиков сказал, что «третьей революции не ждите! Не будет!».

Будучи в Ленинграде, я зашел в этот дом. Попал на вечер переводчиков. Меня попросили прочитать что-нибудь из братских поэтов.

Я выбрал в памяти гумилевский перевод и начал читать. Полагая, что это польстит ленинградцам.

На сцену выбежал какой-то шустрый человечек. И, пытаясь оттолкнуть меня от микрофона, стал взывать к залу:

— Мы не затем пятьдесят лет назад расстреливали мятежника Гумилева, чтобы сегодня в наш юбилей читать его, пусть даже переводные, стихи!

— А как же быть в таком случае с телеграммой Ленина? – спросил я человечка. – Ведь он так хотел спасти этого поэта!

— Если бы хотел, то спас.

О, святая простота! Она всегда обезоруживает.

Франко ведь тоже хотел спасти телеграммой Лорку. Почему-то всегда эти спасительные бумажки приходят поздно. Слишком поздно.

В Ленинграде, в этом самом подмосковном городе мира, есть дом, где полюбившегося гостя угостят любимым блюдом Николая Гумилева – яичницей на помидорах. Но главное, здесь покажут несколько тетрадей поэта, чудом спасенных. Это последние его стихи. Написанные за несколько часов перед смертью. Нет, это не стихи о рабочем, в которых он предсказал свою гибель.

Это были другие стихи. Эти святыни дают здесь читать только из своих рук. Они повествуют о жизни, которой ему оставалось в обрез.

О нем можно говорить без конца. О нем можно говорить до тех пор, пока он не заговорит сам. Но он уже никогда не заговорит.

Читаешь безвременно ушедших с этой земли, и даже собственная молодость кажется долголетьем. Но с годами холодеет сон, приближая вечные мерзлоты смерти, – думаешь ты, как бы извиняясь за то, что еще живешь.

Когда-то литература уходила под землю. Мерзлую в несколько метров. И пробивалась песней лагерной, блатной, народной. Она на время отставляла в сторону свои привычные жанры. Без карандаша и бумаги, она пела у колымских костров. «Держи язык за зубами!» Держи литературу в памяти!

ЦДЛ

> Почему все лучшее в нашей жизни случается на второй день после нашей смерти?
>
> *Марк Поповский*

— Диктаторы приходят и уходят, а народ остается, чтоб новым было куда приходить. Вот так и к моей прабабке однажды пришел Халиф на час, а остался на всю жизнь.

— Да, надо сказать, фамилия у тебя — что надо. У других и псевдоним не потянет на такую. — И, порывшись в своих иудаистских познаниях, он тут же рассказал мне ее историю, а заодно и о краже.

«Хейлаф» — так у древних евреев назывался кинжал для закалывания жертвы. Надо думать, не человеческой. А впрочем, не исключено, что и людей, как барашков, резали тоже. Обычно держал его как бы верховный жрец. Седовласый и мудрый. С твердой рукой и вообще мускулистый. Надо думать, что это был глава — отец или дедушка клана, рода или еще какого семейства. Короче — это был не дряхлый старик, если наколупал столько. И жил по меньшей мере два, а то и три поколения. Потихоньку род его деятельности становился священным. Старик был деятельным (а род его рос и рос) и царственным. Со временем это занятие, торжественное и возвышенное, стало титулом, который и сперли нечистые на руку арабы. Позже они будут курочить еще и гробницы своих фараонов, как истые атеисты, мочась на их гнев. Очень уж им понравилось это, отливающее сталью, не ломкое и звучное имя. Посреди непрочного мира, сыпучего, как песок, лишь где-то у горизонта спекшийся в стеклянную полоску. Бог, наверно, на звук именно этого имени и кинул в тебя свою искру... А вот мне судьба кидала только нелепости. Одну краше другой. И он рассказал, как его более или менее добрый дядя, служивший на хлебокомбинате месильщиком ног и вор каких мало, кидал ворованный хлеб на звук. «Ку-ку» — и тут же кидает. Время было голодное, и семья только и ждала его попаданий. И дальние и ближние родственники только и делали, что шли и шли сюда, будто в Мекку. Словно дядя был ее заведующий. Однажды он, как всегда, через забор высоченный, да еще с колючей проволокой поверху, подкинул свою буханку – ржавую, ржаную и свежую. И угодил ему прямо в голову. Доброта убивает насмерть. Хлеб был тогда сырой и тяжелый. Еле выжил малец, с голодухи шатающийся по дворам. И певший популярные тогда песни по такому случаю объявившимся голосом. Открытый перелом черепа. Не говоря уже о сотрясении всего организма.

– Ты не представляешь – сколько было нелепостей в моей жизни! – продолжал рассказывать сосед. – Во-первых, ни один контролер общественного транспорта не верит, что я частично безногий. Каждый раз для полного убеждения они пинают мой протез. И спрашивают: «Не больно?» И видя, что мне действительно не больно, идут дальше. И заметь – я попадаюсь к тем же самым недоверчивым, пожалуй, самым недоверчивым, уже в силу своей специальности, людям. Я отработал нехромающую походку. И теперь хожу пешком. Мне надоело это битье в мою ногу. Пусть даже неживую. В собесе, где выдают (вернее, выдавали) мне крохотное пособие, поскольку я не инвалид войны, каждый раз спрашивают – а не жил ли я, случайно, в Ленинграде во время той самой Отечественной? (Это так они Вторую мировую войну называют.) Я представил им документы, что родился, вырос и возмужал в столице нашей родины. Только здесь и можно, между прочим, жить и мужать. А они мне: «Нет, вы лучше получше вспомните, а может, вы все же были в Ленинграде во время войны? В особенности нас интересует период блокады». Они подозревают, что я съел свою ногу. Посолил и отгрыз. А может, студень-холодец из нее сварил. Кто меня знает?! Идиоты! Я же в то время был мальчик. К тому ж абсолютно безвольный, да и нога у меня была тогда маленькая. Вчера на допросе мне приписали участие в давних чьих-то волнениях. Опять же в городе Ленинграде. Там лет десять–пятнадцать назад несколько шутников залезли ночью на Медного Всадника и натерли висюльки коню-красавцу. Уж чем они там натирали неодновековую патину, но потрудились отлично. Утром на фоне еще более потемневшего Петра Великого, оскорбившегося не меньше советской власти, – весь город, тоже когда-то Петров, купался в лучах. Но уже конской славы. Зрелище, в общем, было не пасмурное. Наконец-то улыбнулось Петра и большевиков творенье. Все еще окруженное блокадой голодной. Есть по-прежнему нечего. Разве что в юбилей той самой героической подкинут чего пожевать.

Но это еще семечки. Я предчувствую самую нелепую нелепость, которая вот-вот случится со мной. С самого первого дня со мной случается что-то нелепое. И не просто нелепое, а из ряда вон нелепое. Да и не только со мной, но и с моими родственниками. Их тоже преследует рок-шутник.

Буквально за несколько дней до получения пенсии персональной разбилась моя бабушка-стюардесса. Моя любимая бабушка-ветеран. Можно сказать, бабушка нашего Аэрофлота. Ну, дядю-кормильца, того давно посадили. Так же как и тетю, его вдову. Я уж и думать забыл о них. Так же как и о других посаженных родственниках, никогда не промышлявших на хлебозаводе, умевших честно добывать свой хлеб. Другое дело — его и в этом случае нет. У нас же кроме побед — ни хрена не имеется. Что-нибудь одно — либо победы, либо обеды.

Да, кстати, вчера я нашел зеркало, будто себя нашел. И обрадовался, как ребенок.

Любовь к детям у него была не случайной.

Если верить окружающим, он был человек необычный. Мужчины утверждали, что он парень-рубаха. Женщины, им вполне доставало одной его внешности. И так считали, что красив до неприличия. И так беременели в его честь. О чем он не всегда догадывался. И тогда они ему говорили: «Я беременна, хотя и временно, но это не значит, что ты не будешь платить мне вечно...» «Что тебе подарить, красавица?» — спрашивал он. «Подари мне что-нибудь из денег. Ласки стоят того», — отвечали они ему неизменно. Да он и сам каждый раз допускал, что любой малыш на улице может вполне оказаться его любимым и не единственным сыном (он уже имел сына от чьей-то жены). Как и любой старик, на скамейке спящий, имел все шансы оказаться родным отцом.

«Безотцовщина я, безотцовщина, а вдруг это мой папа! — часто думал он, глядя на чью-то старость, безучастную и беспомощную. — А вдруг это мой родимый, изрядно помятый жизнью и будто упавший с неба...»

(Вполне допустимо, если мужчины идут непременно вверх, а женщины вдовствуют чуть ли не с первого дня своего замужества.)

Поэтому он всегда давал детям конфетки, хотя обожал их сам. А старикам, хоть и сам от усталости с протеза валился, уступал место — пусть поспят.

Хромец с безупречной походкой, что только усугубит потом его поиск. Сколько угодно людей в этом мире хромает на что угодно. И при этом то же незаваливающееся скольжение по жизни. Попробуй найди моего хромца на просторах свободных (где-то есть же они без стен). Другое дело — вот он здесь — за стеной. Да и толща ее — пустяки — всего-то несколько средневековий.

1956 год. Венгерские события. На вокзальные перроны сибирских городов выходят студенты с цветами, ведь восставших погонят в Сибирь. Молча, переминаясь с ноги на ногу, ждут эшелоны. Незадолго до этих событий, поначалу, как всегда, студенческих, клуб Петефи в своем журнале «Уй Хэг» (естественно, закрытом после подавления восстания) печатает подборку моих стихов в переводе Ружены Урбан, однажды побывавшей в Москве. Тогда же мои стихи (в ее же переводе) появились в газете «Северная Венгрия» (приятно осознавать эту свою пусть малую, но причастность). Лиха беда начало — и отечественные волнения грядут. Явно подтаивает грим верноподданничества, явно пошла на убыль эта уже полувековая симуляция любви всенародной, любви падучей с пеной у рта и с обязательными конвульсиями самых неискренних приветствий. То же происходит и со стихами в нашем невеселом краю. Где стихи бывают либо *лягавыми,* либо *нелегальными.*

Флейта позвоночника... Когда-то в нее дул и Маяковский (это потом он фанфарную выбрал трубу). Но в данном случае речь пойдет о позвоночнике другого поэта — Давида Петрова, который не в пример великому и бесхребетному, чтобы выжить в невыносимой советской солдатчине, куда он был буквально схвачен вместе с другими нелояльными ленинградцами (и не только ленинградскими студентами, хотя и кончал мединститут), — пошел на рискованную, болезненную и небезопасную операцию со своим позвоночником и доказал, что он действительно ненормален по тем советским стандартам, где вполне нормально быть ничтожеством, но никак не порядочным человеком, а уж поэтом, да еще честным (вот он в чем ныне талант упакован), — и того смешней.

— Нас гнали в Башкирию в наспех сколоченных телятниках, — рассказывал Давид, — и мы были в малоотличимых от арестантских роб гимнастерках. Еще никто и никогда не видел таких интеллигентных рекрутов. Мне, как врачу (в данном случае военному), надлежало пресекать любую симуляцию. Это в основном и натолкнуло меня «закосить» самому. Так невмоготу мне было. Все одно мы живем, чтобы врать, и врем, чтобы жить. В нашем больном обществе самые здоровые люди — это алкаши и сумасшедшие, ведь от любой мало-мальски стоящей строки эти невесть откуда взявшиеся «ценители» обязательно впадают в колотун и начинают крутить у виска, и без того мелкого, пальцем, как бы торчащим из их здоровья. Так что, можно сказать, я им правду поведал о своей аномалии и согласился на пункцию из своего позвоночника. Мне было больно, а потом смешно, оттого что мне удалось убедить их, что я сумасшедший...

Тут поневоле будешь Давидом, когда Голиаф на носу.

50-е годы. Ленинград, а вообще-то Питер, мы ведь жили там по старинке. По-человечески жили. Лучшее из всего мною написанного случилось именно в этом городе, куда я приезжал к своим друзьям.

Окно в Европу, а если посмотреть из Европы? — давно уже без окон живем, находя иные отдушины, всею сутью своей задыхаясь.

50-е... Как же лихо тогда начинал Голявкин. Детский писатель. Во взрослого не пошел.

«Парадиз», «Горожане», «Крыша»... Литературная Москва еще на дереве, как на колу, сидит, догладывая партийные директивы. А здесь уже сбросили шкуры. Все ж великая Русская отсель пошла. Здесь воздух сырой, с комарьем, со ждановщиной, но какой вдохновенный. Да вон и классики, как живые, стоят.

Питер — терпитер...

— Олежка Целков оформляет спектакль по Хэму — левой, а правой пишет свое. И Боря Вахтин переводит древних китайцев, но с летчиком Тютчевым говорит. И еще есть маленький Боря, но друг наш большой.

Нет. Недурственно мы начинали. А здесь ведь только начни.

По ночам же нам светит белая осень. Где-то Черная речка пошла пузырями гнилья. И мосты над Невою вдруг встали вполне по-ночному. Да мы и так на другом берегу.

Покуда хватит на руке нашей пальцев — считаные-пересчитаные будут друзья.

Мы жили тогда на одной широте — широко. И меридиан один и тот же по нам проходил. Везде незаметный, а здесь точно обруч под ребра.

Соузок Союза... Быть им у нас не получалось, к счастью, никак. А может, к несчастью? Так это же как посмотреть.

Здесь я написал своего «Молчаливого пилота». Сначала стихами. Потом он станет романом. И тоже начнет поворачивать круто мою и без того не тихую жизнь, ну никак не вмещаясь в привычные нормы и формы.

В поезде, идущем в этот город, я познакомился с Анной Ахматовой. Ехал «зайцем», и она меня укрывала. Пили коньяк и читали стихи через всю протяжную ночь. Может, оттого и была такой трассирующей сквозь непроглядную темень многоспальная наша «Стрела». И лишь только потом на перроне конечном мне ахнут — с кем же я ехал! «С у-у-у-ма сойти!» — сказал я друзьям и расцеловал старушку (как же прекрасно без билетов-то ездить!).

Это портретов Ленина — по сотне в глаз — «Правильной дорогой идете, товарищи!», а великую поэтессу хоть бы разок публично не высекли, а показали в нашей ленинско-сталинской, будто снова-здорово татаро-монгольской, России. Увы.

Питер, и как же об тебя он ноги вытер!

Всю дорогу страна великанов балует своих лилипутов.

Москву меньше жаль. Всегда была купеческой и суетливой. Со своими Филями — филейной частью своей. А вот Петин град, хоть и красным навозом заляпан и вонь беспросветная — в Смольном вечно что-то смолят... А все одно — державное теченье.

Да и нам везло — всякая сволочь нас стороной обегала. Лишь однажды после стихов, что читал в «Промкооперации», где иногда очень кратко читать дозволяли, — под конвоем в московский экспресс посадили. Выселили из колыбели революций и куда — в столицу, где их отродясь не бывало.

Но я в Петроград возвращался. И мы забирались в чащи подальше. Уходили получше вглубь. То в досточтимый Достоевского город, то в Блоковский, то в Гоголевский Петербург. И уж, конечно, в Пушкинский забредали, где шпиль да гошпиталь и Мойка еще не помойка. И если уж очень захочешь — сам выйдет тебе навстречу о том о сем поговорить.

Мои путеводители не лгали. Мои проводники свой город знали.

Но заглянем в ЦДЛ. Нынче он у нас полевел. Всей своей отъезжающей частью.

А впрочем, еще успеем.

Лень глянуть вверх, а там живут художники. А под ногами? Здесь живем мы. С асфальтом поверх головы.

Дерево в верхних кронах шебуршит самолюбием. Но эти ветви быстро обрубают. Деревья — неказистые столбы, лысые и неприветливые, вдруг начинают зацветать по весне. Лезет трава, дырявя асфальт. Ее стригут, а она лезет.

1956 год. Начало Малой Садовой. Эта улица параллельная Большой Садовой, которая соединяет Большой Невский проспект и улицу Ракова.

На углу Малой Садовой и Невского находится Елисеевский магазин. Этот угол на малосадовском жаргоне называется «жердью». Наверно, оттого, что главную витрину магазина огораживает медная труба. На которую удобно облокачиваться.

Елисеевский магазин — главный снабдитель алкоголем. Рядом кафетерий с прозаическим названием «Кулинария». Одно из тех редкостных мест в Ленинграде, где варят самый лучший кофе. В этой «Кулинарии» и возник в 1956 году центр уличной литературы.

Мое поколение — Глеб Горбовский, Иосиф Бродский, Женя Рейн, Костя Кузьминский, братья Танчики (их называли Христианчики), трагически погибший на охоте Леонид. Аронзон (уж не сам ли на себя поохотился?). Потом идут — алкогольный учитель, в прошлом философ — специалист по Востоку Виктор Хейф. Длиннющий, тощий человек, незаменимый собутыльник, умевший организовывать самые дикие пьянки на 20–30 персон прямо на улице, при этом абсолютно не имея денег. Он любил повторять: «Хейф всегда презирал толпу».

Следующим идет — Лисунов, по прозвищу Колдун. Брюви подбриты. Лицо дьявольское. Мефистофель. Совбитник с тогдашней своей подругой Машей Неждановой.

Витя Горбунов (или Вл. Эрль). Это ему принадлежит воскрешение обэриутства. Он собрал о нем огромнейший материал. Все о Хармсе — это мозаика из... пылинок развеянного праха. Однажды в Союзе писателей ему дали выступить. И он читал с 6 до 12 ночи. Мог бы читать и дольше.

Все мы пишем перед смертью, даже если умирать не собираемся. Не знаю, как у кого, но меня всегда не покидало чувство, что я пишу последние стихи.

Тема лебединых песен моих современников. Какая у кого последняя?

Аронзон писал:

Где роща врезалась в песок,
Кормой об озеро стуча.
Где мог бы чащи этой лось
Стоять, любя свою печаль.
Там я, надев очки слепца,
Гляжу на синие картины.
По отпечаткам стоп в песках

Хочу узнать лицо мужчины.
И потому, как тот, ушедший,
Был ликом мрачен и безумен.
Вокруг меня сновали шершни,
Как будто я вчера здесь умер.

Пророчески?

Борзая, продолжая зайца,
Была протяжнее «ау!»,
А рог трубил одним — «спасайся!»,
Другим — свирепое «Ату!».
Красивый бег лесной погони
Меня вытягивал в догон.
Но, как бы видя резвый сон,
Я молчалив был и спокоен.

Яичница, яичница скворчит на сковороде... Это Михаил Таранов, по прозвищу Юпп. Тогда он был поваром. Поэт-повар — это что-то новое. Тем более что в сытом теле едва ли гнездится талантливость.

Юпп — поэт от чрезмерного здоровья, но не от болезней, каковыми считает он большинство других поэтов. Но тем не менее страдает и Юпп, не имея учеников.

Дети, видели вы где
Жопу в рыжей бороде?
Отвечали дети глупо —
То не жопа — рожа Юппа.

В Москве он читал свои стихи под джаз в кафе курчатовцев-физиков.

Однажды он пришел в Московский Литфонд за единовременным пособием. Но его попросили сбрить бороду. Сколько дадите? — спросил Юпп. — 500 (старых). — Согласен, — и сбрил.

Потом идет третье поколение 60-х годов. «Сайгон» — кафетерий на углу Невского и Владимирского проспектов. Помимо богемы ворье, фарцовщики, алкаши и проститутки.

Почему «Сайгон»? Так, с чьей-то легкой руки (есть еще «Ольстер»).

Его облюбовали бывшие питомцы клуба «Дерзание». Здесь пребывал весь Невский.

Николай Биляк с винегретом кровей — поэт высокой культуры. Духовная сила «Сайгона». Одним словом могущий остановить проходящую мимо толпу. В армии через месяц после его появления взвод не пошел голосовать. Восемнадцатилетнему Биляку повезло. Он чудом спасся от трибунала.

Ширали, Славко Словенов, Б. Куприянов. Хирург Веня Славин — импровизатор. Энергичный, как вулкан.

«Хотите 10 гесхальских сражений?»

> Бог Иудеи час пробил.
> Вот входит легион Девятый.
> Меж скал Гесхалы дай нам сил.
> Иуда Маковей крылатый
> Строфу из псалма возгласил.

Он стеснялся, что импровизирует. И всем говорил, что пишет.

> Иуда меч плашмя не держит,
> А только к небу острием...

Виктор Кривулин. Юродствующий Евгений Вензель, уличный Меркуцио.

> Мой отец — еврей из Минска.
> Мать пошла в свою родню.
> Право, было б больше смысла
> Вылить сперму в простыню.
> Но пошло... и я родился.
> Непонятно, кто с лица.
> Я, как русский, рано спился.
> Как еврей, не до конца.

Гена Трифонов и Петя Брандт.

Если Мало-Садовая некоторое наследие обэриутства, «Сайгон» — более классическая форма. Здесь мало алогизма и парадокса. Здесь больше ортодоксальности, возведенной в куб. Иными словами, в понимании конструкции стиха.

Это почему-то считают новаторством. А это всего лишь хорошо понятое старое. С новым настроением. Это почему-то считают смелостью. А это просто честная работа.

Пропадала, как всегда, свобода. А здесь жили сами по себе. Им не нужно было печататься. Им важно было не порвать с духовным прошлым.

И все же ниточка вела к обэриутам. Было когда-то такое Объединение Реального искусства. В бывшем институте Истории Искусств, основанном графом Зубовым... в момент прихода большевиков к власти. Граф даже дом свой отдал под это дело. Там преподавал Ю. Тынянов, учились В. Каверин, Е.Г. Эткинд, Шор, переводчик Левинтон. Отсюда вышли Хармс, Введенский, Заболоцкий, Олейников.

Потом институт разогнали. Питомцы его исчезли. Многие глупо погибли. Кто-то, то ли Олейников, то ли Введенский, во время войны вышел из поезда в момент эвакуации. За пачкой папирос. Подумали, что он хочет остаться, и расстреляли.

Ленинградские мансарды в районе Пестеля, Литейного, Белинского, Кирочной. Нежилой фонд, там живут художники... Лиговка... Все это связано с «Сайгоном». В Ленинграде нет человека, имеющего хоть какое-то отношение к искусству и не знающего, что такое «Сайгон». Во всяком случае, молодежь. Уж она-то знает, что это такое!

Нет в Ленинграде и такого милиционера, который бы не знал это кафе. С ним боролись. Выносили столики. Но стояли его посетители стоически. Радикальным способом у властей ничего не получалось. А может, получалось? Где-то и как-то все же перерождался «Сайгон». Богему разбавляли воры. Попахивало притоном. Фарцой. Липли шлюхи, что мухи на столики...

Стойло «Сайгон», но все оставались в нем. Невзирая ни на что. Все, однажды к нему пришедшие. Потому что он был ленинградской Ротондой. Или хотел ею быть.

Злачное место. Проклятая тема. И все же что-то в нем есть. Завсегдатаи бывают в нем по 5–6 раз на дню. Тут одновременно поселились и нечистая сила, и Господь Бог. «Джентльмены из Подмосковья» (потому что «Сайгон» под рестораном «Москва») — так называлась первая статья в официальной прессе.

Нет Малой Садовой. Остатки ее влились в «Сайгон». Битый-перебитый, но еще живой.

Инстинкт выживания духа вопреки всему. Вопреки перерыву посреди дня. Вопреки убранным столикам. Вопреки построенным вокруг кафе. Вопреки клеветонам, облавам... И все же травился он тем, что с ним не связано. Что-то происходило. Неуловимый дух тления витал над ним. Но тянуло туда по-прежнему.

Юродивый монах Витя Колесников, кривоногий добряк, ездивший по монастырям России, он возвращается в «Сайгон». Как и Славко Словенов, состоящий из одного профиля.

Шла сюда «леди-скульптор», созданная для плоти, Кармен. Чувственная... особенно весной. Только-только начиналось солнце, а она уже шоколадная... Однажды она пошла к Богу. И стала схимницей. Бездомное существо с жуткой и несчастной судьбой. Это тоже «Сайгон».

Здесь поэт Гена Григорьев мыслит свою жизнь как пьяную песню... А художника Гарри Донского спрашивают: Почему у всех женщин трудная судьба? — Понимаешь, старик, — отвечает он, — по натуре они все провинциальные барышни. И поэтому мыслят свою жизнь романами. Нам к этому трудно привыкнуть. Потому что мы свою жизнь мыслим скетчами.

Вечность этого места в полном отсутствии корысти. Здесь жизнь и тут человек! Прощай, «Сайгон»!

Что-то подобное начиналось и в Москве. Союз молодых гениев — СМОГ. Но СМОГ ничего не смог. Самоутверждение. Завоевание Москвы... А здесь даже вилять не велят! Гонят туда, откуда приехал. Если получат чуть меньше, уже мученики. Если б перед ними стояла проблема пельменей, они бы кричали, что умирают прямо на улице. Но вернемся в ЦДЛ. Хоть и дюже надоел.

ЦДЛ — хоровод бесполых теноров... Так и хочется тут всех поздравить с Международным женским днем! Самым древним праздником на земле. Второй по древности день журналиста. Тоже наидревнейшая профессия.

«Научитесь страдать!» — взывал Достоевский.

«Чем?» — хором отвечает ЦДЛ.

Не пройдя свой «Мертвый дом», а на воле вечно не проваливаясь в долговые ямы, можно ли стать писателем?

Нет, прежде надо, чтоб у позорного столба над головой сломали шпагу. А уж потом пусть ломают копья над твоим творчеством, да и вообще, что такое успех, не дымящийся глубиной провалов?!

ЦДЛ. Литературовед из Сорбонны. Вот уже два года пытается понять нас. Как будто здесь — в ЦДЛ, обложенная лешими и ведьмами, нетопырями и кощеями, схоронена пресловутая загадка русской души.

Этот парень явно не Стендаль, которому недоставало сорока тысяч штыков, чтобы иметь собственное мнение.

У себя в Париже на вопрос: «Ну, как там в Москве?» — он ответит просто, не задумываясь: «Да как у нас!»

«А что ты все время оглядываешься?» — удивятся его любознательные друзья.

А что касается ностальгии. Здесь тоже тоскуют по родине... которая будет. Без нас.

Когда кухарка уже направится государством. Насытится, навождится, наглавенствуется вдосталь. Когда между серпом и молотом не будет свисать сосиска человеческого пальца. А на местах, засиженных Мухиной, придумают что-нибудь поновее. Когда обломаются наконец зубцы стены кремлевской. И будут лилии, как на месте Бастилии. Когда дети не будут против отцов. И большинству до смерти не захочется совершенно другого отчества. Когда наступит день великих дел. И разгонят ЦДЛ — Центральный дом лилипутов. С его неимоверно низкими микрофонами, высокими амбициями и носами по ветру.

Вот палач берется за перо...
Паралич бы ему в ребро!
А вот идёт сволочишко,
голосишко с волосишко...

А вот стукач — командировка между строк...

Еще скользит Кирпотин. Вдосталь евший и вдосталь пивший — о Достоевском пишет.

Говорят, у него душонка,
как мошонка у мышонка.

Мы — умы,
А вы — увы.

Говорит здесь на мир взирающий из-под столика Коля Глазков. Навряд ли зная «Мы» Замятина:

Я на мир взираю из-под столика.
Век двадцатый — век необычайный.
Чем он интересней для историка,
Тем для современника печальней.

Как будто еще не изобрели письменности — ходят изустно в народе стихи, которые вряд ли напечатают при жизни нашего поколения. Ходят по свету строки, забыв своих авторов, минуя строгие запреты появляться в общественных местах. Так нетрезвых не пускают в метро. Так «посторонним вход воспрещен». Туда, где заседают. Всенародно и закрыто.

Ходят строки. Живут без прописки. Нелегальные навсегда. Беспризорники в облавах... Быть бы живу — не до славы!

Встречаются и анонимные. Строки-намеки.

За них немудрено и заработать сроки.

Но, как правило, это дань моде. Типа «Мы все лауреаты его премий!»... (Имеются в виду сталинские.)

Поздносовестливые и покаянные. Это зачастую не самобытные письма манеры. Их друг от друга не отличить. К счастью их писавших. Да и безопасней так и спокойней!

Случись бы сейчас свобода, и объявилось бы по нескольку сот авторов на любую из этих анонимных, пусть даже и безликих, строк.

В чем и зачем нам каяться, если мы все писали сами? Если мы зафиксировали на бумаге себя такими, какие мы есть? Что требуют от нас — отказаться от написанного? Так и это бесполезно — написанное нам уже неподвластно, да и не принадлежит, став фольклором. Да и грош цена словам, которые можно взять назад.

Боясь всю жизнь, писатель Ямпольский зашифровал свои рукописи. Он умер, так и не успев оставить ключ к их прочтению. Когда и какой шифровальщик разберет его письмена?

Мой старый товарищ Владимир Максимов, один из очень немногих, писавших здесь открыто. Зачем же стесняться своей честности? Ведь каждый делает то, что он не может не делать.

«Если можешь — не пиши!» — требовал Лев Толстой. Но какое же преступление — мочь и не писать!

Я живу в Сокольниках, неподалеку от того самого двора, который посреди неба. Живи Максимов на старом месте — были бы мы соседями.

Двор посреди неба... на улице Шумкина. Сколько раз я бывал здесь! И старуха Шоколинист еще пересекает его, наверно. Самая живучая старуха из самой страшной книги Максимова, круто повернувшей его жизнь.

Покосившиеся строения, наклонившиеся к сносу. Типичный уголок слободской Москвы, мастеровой и трудолюбивой, но однажды вышедшей на огромные митинги и уже не вернувшейся к работе, без которой себя не мыслил русский человек...

Свыше полувека митингует народ русский, вместе со своими окраинами. Митингует, агитируя самого себя. Теперь уже сидя. Каждый на своем стуле. Каждый на своем месте. Заседает в отличие от вчерашнего стояния на ногах. «В ногах правды нет!» — гласит русская пословица. Да и в стуле ее — не больше, особенно если он с гербом. Советский народ... Одна половина стоит под ружьем, а другая — сидит под ружьем.

Идет самоагитация, крикливая, чтоб все слышали и все загорелись этой безудержной, самоопьяняющей идеей вселенского погрома. А думает пусть Пушкин, у него голова без фуражки, а помогают пусть ему интеллигенты. И вкалывают студенты. Пусть возводят братские ГЭС и дороги в... никуда.

Самый привилегированный класс — класс агитаторов давно уже скомпрометированной идеи всеобщего равенства. На охрану которой брошены несметные армии соглядатаев с невиданным по мастерству аппаратом подавления.

Гении демагогии с танками наперевес!

«Партия — не дискуссионный клуб». Это уж точно! Такая партия никакой дискуссии не выдержит. Никакие катаклизмы не в состоянии потрясти эти устои. Кроме одного-единственного Слова. Даже не слова, а буквы — одной-единственной буквы закона, закрепившего свободу не абстрактного слова, а легальность его.

Если бы в нашей стране чтили хотя бы один-единственный пункт конституции — «свобода слова и собрания» и люди научились бы им пользоваться — даже слепцы увидели бы всю нелепость этого порочного нагромождения, громко поименованного «Народная власть». Лопнул бы мыльный пузырь, ставший со временем и не без помощи извне — железобетонным. Взорвался б, забрызгав землю зловонными остатками былого сверхмогущества.

Алгеброй выверяют гармонию. Что приложимо к этому преступно негармоничному строю? — Слово правдивое и громкое, застрявшее в горле истлевших в земле поколений. Пытавшихся высказать его однажды. И поплатившихся за это жизнью.

Чудо, свалившееся с небес, все поставившее с головы на ноги?

Нет, бесплатная свобода не нужна. А платить за нее не хочется. Однажды уже пытался русский человек добыть свободу — дорого она ему обошлась. По сей день платит.

Нет, свобода, она неведома русскому человеку, как головная боль неведома крестьянину. Стреноженные кони с развязанными ногами еще долго скачут, не веря, что они уже свободны. Овцы не выходят за нарисованную черту когда-то ограждавшего их загона.

Когда хамы взяли власть и уничтожили не согласных с ними, верша погром еще на своей территории, они не допускали мысли, что будет инакомыслие. Они едва ли думали о честных одиночках, которые посмеют выступить против большинства, хорошо усвоившего, что партия — не дискуссионный клуб. Тут надобно не убеждать, а побеждать. А там видно будет.

Серая масса, хоть и цвета серого вещества мозга человеческого, но, увы, — не мозг. Но даже при наличии своей явной глупости, они точно рассчитали — в ближайшие столетия никто не вякнет. И действительно помалкивали. И помалкивают. И в будущем будут хором молчать, считая, что посреди жующего зверинца не много скажешь — разорвут. Инакомыслящие... А остальные — мыслят ли они вообще?

Какая разница у нас между левыми и правыми? Левые боятся справа. Правые боятся — слева. Двусторонняя трусость. Может быть, много у нас инакомыслящих, но мыслят они втихую, про себя, заглушая свои невеселые мысли разговорами про счастливую жизнь. «Вот ведь она — за окном!» — кричат они, чтоб слышали соглядатаи.

Оттого на 260 миллионов только сто вслух и явно инакомыслящих. И то эту цифру я беру с опережением в надежде, что их станет больше. Здесь, а не там, куда они уехали инакомыслить вслух. По мнению большинства молчащего и даже во сне не кричащего, они не более чем лезущие на рожон донкихоты. Чья обычная честность воспринимается здесь если не провокацией, то самоубийством.

Зачес привычных мыслей и дел... Попробуй-ка скажи против шерсти, для пущего человекоподобия подбритой там, где надо.

Интеллигенция до поноса трусливая, да пьяный вдребодан рабоче-крестьянский класс, непонимающе хлопающий глазами в люльках патрульных милицейских мотоциклов. Ему бы поспать на лавочке, пока будут защищать его человеческое достоинство те немногие смельчаки, невесть откуда взявшиеся. Ему хотя бы во сне их увидеть — жертвующих во имя его будущего и настоящего.

Овцы... не выходят из загона. А люди, никогда не знавшие элементарных демократических свобод парламентаризма, только они могут допустить культ любой, даже никчемной личности. Каждый потянувший вожжи станет их погонщиком. Каждый, даже с усохшей рукой.

Кстати, чем мизерней личность, тем масштабней культ.

Чудес не бывает, но если бы они и были и люди увидели свалившуюся на них, так — за здорово живешь, свободу, они бы не сдвинулись с места. Оцепенели бы. Хотя пролетарию кроме своих цепей терять нечего.

Но прежде всего надо научить когда-то оскопленную нацию пользоваться своим словом, так громко ей дарованным и гарантированным Конституцией.

Словом, возвращающим зрение — слепым. Словом, выводящим из оцепенения. Словом, доходящим до слуха даже замурованных глухо, в стране, где и рта не дают раскрыть.

Традиции русской литературы. Она веками воспитывала гуманность и любовь к ближнему. Великодушие к убогому, юродивому, несчастному... Воспитывала вопреки черной неблагодарности и плевкам в лицо писателей или просто заступников.

Человековидение писателей, порождавшее жалость и боль за себе подобных, и не только в своем отечестве, становилось их словом и делом. Выше которого и представить трудно.

Солнечные россыпи душ на холодной и суровой равнине русского климата... Несчастье ближних надрывало их голоса, оттого и слышные. Расширяло их сердца, оттого и огромные.

По кандальной цепи поколений это передалось и в настоящих россиян. В тех немногих, как и вчера отмеченных Богом.

Ничто неизменно в этом мире. Просто в толпе труднее отыскать Пушкина. А в коммунальной сутолоке — Толстого, плюнувшего на назидания и ставшего Салтыковым-Щедриным.

Ничто неизменно! По-прежнему функции спасения исключенных из правила одиночек приходится брать на себя Западу. Потому что наши народы не в состоянии заступиться за собственных сыновей и дочерей. Благо этих одиночек немного. И этим задача спасения несколько упрощается.

Детство! Затянувшееся детство... Папа Док или папа Джо. Римский папа или папа Вова... Сплошные папы посреди круглого сиротства. То один отец нации тянет за бороды сквозь узкое окно в Европу. Спустя пару столетий другой папа посчитал, что «Петруха не дорубал», и потянул Россию назад в Азию (будто она в Европе жила). По-своему решив извечный спор славянофилов и западников.

Вот и таскают, родимую, из стороны в сторону каждый, кому не лень. И трещит по швам скатерть земли русской, проваливая в свои рваные края и славянофилов — патриотов русских, говорящих по-французски и марширующих по-прусски. И западников, чье исподнее пропахло религиозно-патриархальным ладаном. А роднит тех и других извечное неприятие всего иноплеменного, иноземного, иноязычного. Однако это не мешает и тем и другим идолопоклонствовать перед всем иностранным и по сей день. Плюхаются лбом с высоты великорусского шовинизма, подтверждая извечную истину: чем посредственнее, тем надменнее! Неистовые «исты» — марксисты, троцкисты, маоисты, фашисты... А где человек?

Старые и новые «измы» — социализмы, нацизмы, либерализмы... А где идеальное общество?

Два мира стараются по возможности не замечать уродств друг у друга. Договариваются взаимно блокируемые союзы, закрывая глаза на вопиющие расхождения.

Разрядка напряженности... Без парадного фрака это выглядит значительно проще и далеко не возвышенно. Разрядка — это разрядить пистолеты друг в друга. И по возможности быстрее. Желательно навскид. Ибо целиться — просто нету времени. Только пистолеты нынче далеко не дуэльные. Слишком велика отдача, так и планету столкнуть недолго. А где еще в мироздании найдешь такую терпеливую?

...Просвистанные милиционерами улицы... Уксусный запах каких-то красилен... и зеленеющие вдали Сокольники. Неухоженные и еще не ведающие иностранных павильонов. Со скрипящими качелями и вечно не смазанным «Чертовым колесом».

Мы идем с Владимиром Максимовым по лучевым просекам этого, когда-то дремучего парка к партизанским засадам где-то прячущихся пивных ларьков. Из-за деревьев выходит какой-то старик и предлагает нам свою очередь за пивом. У него явно нет денег. Встав вместо него, мы конечно же угостим его за находчивость. Спереди из кармана старика торчит соленый огурец, а сбоку топорщится граненый стакан на случай импровизированной выпивки. Ну, кто ему не нальет ему положенных ста грамм? Не старик, а сама предупредительность!..

Надо отдать должное сокольническим алкоголикам, собирающимся утром у закрытых еще магазинов. Каждого осторожно ступающего по земле человека, обросшего и несчастного, с глубоко запавшими глазами, явно страдающего в поисках похмелья мученика, здесь подзовут и нальют спасительную сивуху для пущего оживления души.

Солидарность все пропивших и все спустивших с себя людей. С мелко дрожащими руками и вечно воспаленными белками глаз. Людей, глубоко несчастных, оголенных, как зачищенные провода...

...Пересыпая свою хрипловатую речь французскими словами, старик представился нам, быстро обтерев несвежим платком свою видавшую виды посуду:

— Штабс-капитан добровольческой армии Лавра Георгиевича... кавалер, смею добавить, — полный кавалер Георгия... честь имею! Надеюсь, вам ведома история России, молодые мои друзья? Разрешите... — И он пододвинул к одному из нас свой стакан.

Мы налили ему водки. Он выпил, пожевал губами. Затем проглотил пиво. И сказав, что за стаканом зайдет позже, собрался было уходить. Но мы попросили его остаться, если он, конечно, не торопится. Очень уж нам понравился этот старик.

— Дело в том, что мы историки и нам страсть как хочется вас послушать!

Мы не слишком покривили душой. Чего-чего, а всяческих историй нам тогда с Максимовым хватало! Мы в них попадали легко и быстро (недаром мастер провокаций — ЦДЛ).

Заголубели глаза бывшего штабс-капитана. Почувствовав в нас благодарных слушателей, он покрылся румянцем, зарделся, как девица из благородного пансиона.

— Как же, как же, разумеется, расскажу! — сбивчиво начал он...

Мы выпили еще, пока не трогая его огурец.

Старые люди... они не оглядываются — они пятятся в свою память. Втискиваясь в нее, ощущая похолодевшими лопатками щербатые стены своих вчерашних расстрелов. Там они могли остаться молодыми. Но судьбе угодно было ткнуть их в старость. Спокойную и равнинную, с ровным течением остывающей крови. Иногда лишь дергающей сердце короткой вспышкой вдруг промелькнувшей жизни. Прожитое не отпускает плечи. Едва отпустив — оно опять наваливается. И так все время, пока человек не уйдет в него с головой.

Это самообман, что мы живем в настоящем. Мы остались там!.. И он поворачивал нас в те далекие времена, когда он был в нашем возрасте. Защищенный своей молодостью. В России, треснувшей надвое, разверзшейся да так и оставленной зиять несомкнутыми половинами.

Боже упаси вас заглянуть в эту пропасть! Боже упаси!..

Как баклан с перевязанным горлом, не умеющий проглотить пойманную рыбу, старик то и дело тянул шею, тяжело перекатывая кадык. Судорожно глотая слюну. Дергалась обтягивающая скулы кожа. Будто соскакивала с выпирающей кости. Слегка подтаянная под глазами...

Сколько б крови ни пролил русский человек, всегда останется капля, в которой он унесет свою родину. Всю — необозримую и непостижимую, до последней травинки, щекочущей память, до последнего колоска, тиранящего сердце.

Они бежали из России. Пытаясь прижать неохватное. Сыпучая плоть родины — все, что осталось на дне их ладоней, — невзрачная горстка земли. Негромкая утешительница в будущих их скитаниях.

Они оставляли беспомощных предков своих, вобравших поглубже кресты на своих могилах. Дрожь земли закипала гулом грядущих орд.

Они оставляли будущее Родины своей. С настоящим в придачу. Сколько легло их, не добежав! Сколько убежавших — возвратилось!

Видно, давно он не трогал прошлого. Неостановимого, как несвертываемая кровь. А коснувшись — не мог остановиться.

Давно стемнело. Захлопнули пивной, наскоро сбитый ларек. Разошлись его разноликие обитатели. А мы стояли у одноногого потрескавшегося стола и слушали его — свидетеля и участника величайшей русской трагедии. Все еще толкающей впереди себя свои разрушительные круги.

Кровавое бегство. Унижение. Свалка фамильных гербов... Пересыльные лагеря, пересыпанные тифозными вшами. Горечь посыпанных нафталином русских слов на днище захлопнувшихся Словесностей... Врастание в чужие берега... Оборванная строка летописи.

— Нет России нигде. Ни там, ни здесь! — заключил старик. — Нет и быть не может!

Где твои певцы, белоэмиграция? Какую родину тебе еще нужно? Родина, она еще родит народ! Но от кого?
Пусть зрячие напишут Одиссею!
...«Вы говорите, время проходит!»

Они проходят сквозь стены легко,
только пропуск покажут...

— А знаете, здесь все философы отказываются от своих концепций, — поделился своими наблюдениями мой генерал. — Только один допрос с пристрастием — и концепций как не бывало. До чего же не убежденные в своем деле люди, — явно не симпатизировал философам старый чекист. — Сколько же их прошло через мои руки, пока Партия меня не перебросила на писателей. На этот ответственнейший участок идеологической работы.

— Ну и как писатели? — не удержался я «поболеть» за коллег. — Небось из своих творческих «я» туалетную бумагу крутили?! Кстати, сейчас модно подписывать на ней международные договора.

— Это как же? — поинтересовался генерал, невероятно любознательный мужчина.

— Ну, раньше на платочках, чтобы начхать. А теперь и утереться можно. Прогресс! Утерлись и пошли дальше. «Нам с вами не по пути, господа капиталисты!» «А как же договор?» — воскликнут бедняги. «А так — был да сплыл». И на импортный унитаз подозрительно чистым пальцем укажут.

— Вы лучше скажите — на что жить собираетесь? Ведь вас давненько уже не печатают. А теперь и переводы как пить дать отберут.

— Когда к писателю не идут, — перебил я его, — не печатают и заведомо на молчание обрекают, при этом замалчивая, как свои собственные преступления, игнорируют, пугают, шантажируют и морят голодом – он от этого не перестает быть писателем. Есть такая в народе фраза: «Положил я на вас с прибором!» В данной ситуации можно добавить – «С письменным».

– Да, с вами у нас все понятно.

– Да, ясность – вещь хорошая, – согласился я.

– Будем считать, что это последняя наша встреча, – сказал капээсэсовский генерал-куратор – писательский папа (не римский, но лубянский) как для круглых сирот, так и для идиотов круглых. С каждой встречей такой с меня отлетали бумажки-права, явно уменьшая возможности жить в этом мире. Я становился как бы меньше. А он громоздился и рос, становясь как бы больше. Я еще на ступеньку вниз. Он еще на ступеньку вверх. И еще норовил встать мне на плечи, как маленький. Тело его лезло из кожи – куда? Куда ты растешь, дядя, поочередно превращаясь то в указательный (прямо с плаката) палец, то во впритирку поджатый хвост? Конечность послушная, и что это перед моим носом так тобой размахались? Как же стараешься ты туловищу подражать! Да ведь и оно от головы далече. Да и где она – голова у этого всадника, что верхом на стольких нас?

Указательный туловища, чуть обрубленный, чтобы торчком. Вот чем в меня государство тычет. А как ведет себя эта конечность! Будто в одной кобуре у него смерть для меня, а в другой – для себя бессмертье. Всеми одинаково причмокнет земля, уж поверь, волосатый! И лезущим спать на помойку, чтоб было теплей. И ночующим поуютней. Останется вилла модерн, но с русским коньком на крыше, и даже не вздрогнет, когда обвислую плоть ее постояльца три метра земли перекусят. Даже Маркса не сможет достичь – червяком поползет поискать его бороду.

Разройте немного земли, и вы увидите – ползают черви. Это души красных ищут отца своего. Демократка земля – одинаково лопает всех. Да и мыслимо ли ей разбираться среди скопищ таких? Пусть на небе ломают голову – кто есть кто среди тех беспартийных, чья душа в состоянии выше трех метров подняться и уйти, притяженье порвав. Одного схоронят от посторонних глаз на участке заброшенном. Другого — на виду — на отличном. Опять-таки, это отличие для еще живых. Все равно ими одинаково причмокнет земля. Вот кто сколько выгадал от прожитой жизни? Вот кто сколько и чего оставил, разумеется, кроме дерьма? Скажем, просто чистое место, к примеру. Подтер за собой, чтоб другие не вляпались. Перед тем, как отправиться в мир иной. Сразу видно, интеллигентный человек. Или так ушел, не беспокоясь — что о нем скажут. Или припрятал до лучших времен свою Венеру Милосскую, как Агесандр из Антиохии на Миандре, чтобы потом нашли и ахнули всем человечеством — будь то рукопись истлевшая, или кукиш, вынутый из кармана, или мемуары, чтоб сразу к потомкам без посредников, хитрец! Или оставил потомков побольше, едва ли не всех красавиц страны сделав матерями-героинями, чтоб хоть таким вот способом дольше жить.

Дольше жить — это, конечно, стоящий аргумент. Или сыто жить и в роскоши. Но это еще не значит жить дольше. Нищих куда больше, значит, именно нищие дольше живут. Другое дело — как можно жить в стране, над которой смеются? И если уж издали смех разбирает, на нее глядя, то что же творится, когда ты вблизи и когда ты посмешище сам, да еще с таким обостренным и развитым чувством улыбки, когда и песчинка смешного тебя рассмешит, не то что сам анекдот-государство, специально, чтоб люди рыдали от смеха — там, за стеной, а слезы выступали — здесь, у смешащих?!

— Вы — опасные люди. Ваша фантазия не имеет предела, — сказал генерал.

— Это уж точно — когда мы спускаемся на землю с небес, где витаем, — нас ждут.

Боже, какой же у нас, пишущих, недостаток страшенный — еще и устно метать бисер. Ладно — письменно — не все же свиньи, но устно? И где? Кому? А главное — о чем? Я уж не говорю зачем.

— Ну кто поверит, что в Госбезопасности бьют? Сейчас мы — другие. Да и потом, у нас есть наш суд, который не чета буржуазному. Подавайте, если мы в чем-то не правы.

— Кстати, один мой коллега пытался это сделать, — попробовал я возразить, — вы ему выбили ребра и сломали зубы, будто одно растет из другого. Но ваш, я подчеркиваю... И ваш суд не поверил ему. Тогда он показал рентгеновский снимок, заодно «вскрыв свою черную подпольную суть — анфас и в профиль», отчего прямо аж взвизгнули в суде — не могли сдержаться. И когда справились со своими эмоциями, сказали: «Ну что ж, вполне фотогеничное ребро, но оно не ваше. Вы — жалкий жалобщик и клеветник в придачу и, значит, бесхребетный человек. А у бесхребетного человека не может быть ребер. Вы лучше скажите — как у вас с головой? Теперь она, небось, только для шапки годится?!»

Но гляжу — он опять заглотнул свой голос на нужную высоту. И продолжал как ни в чем не бывало:

— Крайность всегда нежелательна. А вы не хотите нам помочь, чтобы обойтись без нее? Мы не можем допустить, чтобы вы безнаказанно смеялись над нами, да еще через враждебные нам рупора. Обхохатывать нас мы никому не позволим.

— Берите рупор в руки и обхохатывайте нас. Кто вам мешает?

— Мы слишком серьезным делом занимаемся, чтобы еще иронизировать по поводу своих подследственных. Вот что — есть выход! — вскричал он...

Границы Советского Союза настолько протяженны, что можно наверняка найти тысячи тысяч выходов, тоже мне удивил.

— ...Уезжайте-ка подобру-поздорову! Скатертью дорожка! — И он сложил свои пухлые ладошки клином, как бы намекая, что самолет — самый лучший в этом случае способ убраться восвояси. Ногти его отливали синевой, будто и впрямь разрезали небо.

— То есть — катись на все четыре стороны? — переспросил я, прямо-таки не веря такому подарку.

— Вы же, кажется, еврей, вам сам Бог велел ехать в Израиль (все-то вам евреями кажутся).

— Трудно еврею вырваться из СССР в Израиль, — говорю я ему, — но когда он туда приезжает — ему уже ехать дальше некуда. А куда девать инерцию? Я же не в состоянии буду остановиться. Столько лет сидел на цепи и нате — приехал. И потом, там еще не решили — должен ли Израиль быть и лучше, и гибче (египче), а Египет — израильче? Нет, это тоже не выход, — разочаровал я его, — хотя это и очень заманчиво — сорваться с цепи.

— Ну, сколько ваших коллег уже уехало, и ничего — живут. А многие даже и от испуга оправились — вон какие смелые, не то что здесь, трепетунчики! Прямо растут на глазах.

— Вот именно — на глазах. Смысл-то какой уезжать, если вы нам свои глаза тут же вдогонку?

— «Везде хорошо, где нас нет» — гласит русская пословица. Не правда ли, мудрая? — спросил он.

— Но где вас нет? — вот в чем вопрос, — отвечаю.

— Да работаем потихоньку, — скромно заметил он, — за вами нужен глаз да глаз. Творческие работники — черт-те что творите! Глаз да глаз, — повторил он. И добавил: — Бровь да бровь, где глаз — как партизан в лесу, — стали мы уклоняться от приятнейшей темы — «А не рвануть ли отсюда?».

На все лицо вопящий прыщ. Далее шли две ягодицы мясистого подбородка и лезущий сам себе в задницу нос. А поверх — не видящие всего этого две щелки глаз непонятного цвета и назначения. И к тому же безбровых. Потому что сразу же начиналась прическа, уж порядком полысевшая и плашмя лежащая на черепе. Застегнутый на все пуговицы (так они скрывают свою шерсть, чудовища) — он откинулся, дернул на себя стол многоместный, порылся где-то в его потрохах, запустив туда руку по локоть, и вынул кипку нетронутых бумаг. Разложил их пасьянсом ближе ко мне. И предложил вынуть наугад одну-единственную в гладком конверте с окошечком посередине.

Как школьник на выпускном экзамене, я потянул билет. Вернее, предбилет — израильский вызов с печатями разноцветными, новенький, чистый, еще без моей фамилии, но с «родственником» в конце.

— Предкам-то твоим, — а потом поправился: — «вашим» такой поблажки не было. Ну да ладно! — И он стал заполнять его, зная заведомо мои анкетные данные. — Конечно, все это чудовищно! Вас бы не высылать, а к стенке ставить. Родина не прощает.

Будто он уже переговорил с Родиной по телефону. Что-то еще бормотнул, поскрипывая пером или креслом. А я думал: конечно, внутренние пороки должны иметь свою внешность. Чудовище должно выглядеть чудовищем, каким бы неприглядным оно ни было. Тем более если оно живет среди людей и за их счет. Или люди в его обществе уже перестали быть людьми? Мол, сами едва ли красавцы, чего уж тут замечать, тем более примелькавшееся, привычное. А если внимательно приглядеться, так и вполне терпимое, лишь чуть и вылезающее из-под форменной фуражки с двумя костями крест-накрест и черепом Дзержинского посередке.

Художник пытается ухватить это явление за скользкую суть. Спешит, пока его самого не схватили. Но жизнь явно обгоняет его удивительную фантазию, подсовывая ему все новые типы, один краше другого. Природа вкупе с Социализмом еще и не такое может.

Интересно, где этот генерал откладывает яйца? Ведь где-то же он их кладет на черный день? Или, может, он просто швыряет их не глядя и куда попало? Или, скорее всего, сам сидит на них, нахохлившись, как клушка. Это в сказках легко находили кощеевы яйца и так красиво оскопляли зло. Лишь потом интересуясь степенью его неравнодушия к чужой крови.

Лубянка – учреждение семейственное. Видно, у них есть специальный гадюшник. Свой персональный змеиный питомник, засекреченный, как наборный сейф. И там они загодя заголяются для выведения потомства, разложив по чинам и рангам, а скорее всего по полочкам, свое драконово семя. И в чем-то эта быль даже смахивает на сказку – здесь явно не обходится без красных девушек. Наверняка загоняют сюда лучших, чтобы самим выжить, а подыхая – продолжиться. Наверняка породистых, чтобы смахивали на людей их будущие змееныши.

Таблица размножения... выучили назубок.

– Все мое при мне, – вдруг выдаст он государственную тайну.

Вот и прекрасно. Выкладывай, выродок. Наступил и твой черед завопить от боли! Но тут меня конечно же стошнит...

— Обратите-ка внимание сюда! — покажет он на дверь, ухмыляясь, — она знает, как и что зажимать. Ведь даже курица, если отнять у нее яичко и сунуть его под косяк, и то закудахчет. А человеку — каково ему, бедняге? Ведь неприятно, когда ему таким вот способом показывают на дверь!

Представляю — сколько в нее скреблось несчастных, вопя и стеная. Говорят, даже Кадар — нынешний премьер венгерский, и тот не глядит на свою мошонку и пальцы с тех пор, как побывал в учреждении этом.

— ...Мы к вам еще терпимы. В другое время...

— В другое время, — не дал я ему договорить, — после собеседования сразу же давали инвалидность, или гроб, или срок — в лучшем случае, для полного осознания и уяснения происходившей беседы. А сегодня — что уже беспокоить герб, чтоб серпом по мошонке, а молотом по голове... Сегодня есть психушки верхом на прогрессе и менее стерильные тюрьмолагеря с псарней по бокам, где еще по старинке используют автоматы, а не шприцы. Но все дело в том, что втихую уже стало трудновато заталкивать туда нашего брата. А сами мы, как раньше, не маршируем за проволоку. А волочь нас на глазах у всего, пусть даже не изумленного, мира — несподручно. Вот и просите, как милостыню, — уезжайте-ка, пожалуйста, от греха подальше! Ничего — скоро и в ногах валяться будете. А может быть, вы сами всей конторой и с вождями под мышкой в персональную катапульту и — счастливо нам оставаться?! Это вам — перевертышам — беглецам с портфелями с ноги эмигрировать. Выбрал виллу подороже и попросил политическое бомбоубежище. Тем более когда у вас чин бенкендорфный — есть что порассказать на Западе про восточные ваши дела. Ну, к примеру, можно написать книгу «Тысяча и одна ночь в пыточной камере, или Моя Шехерезада, оказавшись без зада, наконец-то заговорила». Гарантирую успех. Ну а мне, не умеющему лгать безбожно да еще с гирей русского языка на языке, поэту без малейшего инстинкта самосохранения... Нет, я, пожалуй, еще побуду немного дома. Хотя какой же это мой дом, где меня из него гонят и хозяйничают, как вши в голове. Я, правда, не такой уж патриот России, чтобы меня насильно тянуть в самолет. Но самому тем не менее не хочется вышагивать к трапу.

— Это вам последнее наше предупреждение. Понимаете — последнее.

— Да что у вас предупреждений, что ли, не хватает? Да одолжите у китайцев. У них этого добра сколько угодно...

Между Суково и Внуково не слишком взрачное на вид — Переделкино стоит.

Просто народ, сходя с электрички, идет налево. Писатели же — направо. Здесь их лоно природы. Но это так — шушера. Классики ездят обычно автомобилями Белорусским шоссе. Народным писателям с народом ездить как-то не очень хочется. Тем более без охраны. И дачи у них, соответственно, персональные, а не какой-нибудь Дом Творчества, где каждый только и думает — как бы ее сотворить... мягкоголовую, что стоит трояк. А уж третий всегда найдется. Здесь чем выше забор, тем персональней собор (обязательно какая-нибудь символика на крыше, как минимум петушок).

Если окончательно углубляться в Переделкино, непременно попадешь в Баковку, знаменитую своей презервативной фабрикой. И конечно же дачей Пастернака (кому — что, многие рвутся именно глянуть, как делают эти головные уборы), стоящей как бы на границе между миром писательским и миром, как бы желающим, чтобы писателей было поменьше. Но учитывая из рук вон плохое качество баковской продукции, Переделкино, как, впрочем, и вся российская держава, потихоньку приумножается. Писателей уже не счесть. А неписателей — тем более. Но если просто люди в силу своей многочисленности сжимаются на утлых квадратах своих коммунальных метров, писатели — напротив, даже при минимальном приплоде своих домашних животных — удваивают, а то и утраивают свои владения.

Скажем, ощенилась сука ошанинская (я ничего не имею против этой суки, только удивляюсь, как она с ним живет?

Но это, как говорится, ее личное дело) — так вот, сразу же попросил, пес, дачку помассивней и побольшеэтажней.

Видимо, что-то появилось на свет и у Веры Инбер. Рабочие спешно расширяют и ее теремок («избушка, избушка, стань к ним всем задом, а ко мне передом!» — ни в какую не хочет ведьма в трубу вылетать). «Товарищ песатель, есть закурить?» — спрашивает с виду трудящийся, весь струящийся (здесь всех именуют песателями, и немудрено — их тут свора). Курнули. Разговорились. «Сам Вера Инбер — мужик ничего, но жена у его, ох и сука!»...

ЦДЛ — прихожая Литературы.

Аванзал. Здесь выдают авансы. Шансы. И место под солнцем... Литфонда. Здесь подбивают бабки. Подводят итоги и друг друга под монастырь партийных ханжеств. Здесь из искры раздувают пламя. А из мухи делают слона. В две щеки здесь дуют в искру Божью. В свет ее возможный. Или след простывший. Веруя всем коллективом. Но во что же дуют вместо искры так неистово атеисты?

Божьи искры атеистов на поверку оказываются угольками злобы.

Тлеет ЦДЛ.

Тлетворчество.

В трибуны табунами, как в мясорубки, опускаются ораторы. И разбрызгиваются по всему залу. Маскирующему свои выходы...

В один зал входит. Из другого выходит.

ЦДЛ — нарисованный вход в возвышающий нас храм.

Здесь с лестницы дубового зала когда-то упал князь Константин. И сломал ногу. А сколькие здесь сломали головы? Это потом забронзовеют. Блестящим металлом залатают им пробоины. Поставят туловище на постамент повыше. И все будет чин по чину.

ЦДЛ — кто из великанов цел?

— Костик! Посмотри в окно. И не оглядывайся! Смотри внимательно и развивай свою любознательность! Пестуй свою сосредоточенность, сынок!

— Я уже привык — это родителям моим хочется поиграть друг с другом, — говорит Костик, — я смотрю в окно и вижу: в таком же тесном доме напротив Леночка Бабашкина тоже в окне торчит. Тоже развивает свою любознательность. И пестует свою сосредоточенность. Значит, и ее родители шалят в это время. Все родители — шалуны!..

ЦДЛ просторен. Здесь смышленого пасынка можно поставить в дальний угол. Когда элитчики — похотливые карлики идут переспать с Литературой. Это ее в 1934-м насильно выдали замуж. И за кого!.. И громко крикнули: «Горький!» Веселая была свадьба.

Однажды в древней Спарте изнуренные долгим боем воины послали в город гонца... за подкреплением.

Каково же было их удивление, когда вместо новых бойцов они увидели едва державшегося на ногах старца.

— Ты кто? — спросили его спартанцы.

— Я подкрепление.

— Ты, верно, смеешься над нами, старик?! Или ты один сможешь заменить тысячу молодых вооруженных воинов?

— Да, смогу, — ответил им старец, — я — поэт.

И он запел про то, как ворвутся враги в город. Как будут насиловать жен и дочерей. Как кровью обагрятся ступени древнего храма. Потому что под кипящие копыта лошадей захватчики кинут младенцев. А матери в горе будут сами взывать о смерти. Закричат старики и старухи, беспомощно прикрываясь от занесенных над ними мечей. Стон расплавит камни...

Когда поэт закончил свою песнь — оставшаяся горстка воинов кинулась на врага и победила.

Победила, хотя врагов была тьма.

И я верю, что все было именно так, а не иначе. Потому что Поэзия, если она настоящая, способна во сто крат умножить силы и возвеличить дух человека.

Поэзия врачует трусость, наполняя ее дряблые жилы пламенем смелости. Ее подвиги неисчислимы. Когда она не инфантильна, она гладиатор. Ее мудрость цвета пламенеющего сердца. И грустно мне думать о будущем, если его поэзия будет не такова.

Я родился в 1930 году невдалеке от выстрела Маяковского. Родился в Красноярском, вернее над Красноярским холодным краем. Родился неожиданно в самолете близ какого-то населенного пункта, что едва не кончилось трагически для всех, бывших на борту.

Едва родившись, я стал моральным должником людей. Символика судьбы загадочна!

Я не оговорился — «невдалеке». Подобные выстрелы слышны за многие тысячи километров. Поэт — не скорпион, он не должен себя убивать. Мог бы подождать лет пять—семь, и это сделали бы за него другие.

Я ни в коей степени не усматриваю в своем рождении эстафету. Тем более из мертвых рук. Но первый, кто подтолкнул меня к моему призванию, был именно Маяковский. Ранний и яростный. Ранимый, с набрякшими болью стихами. Других, ничуть не хуже его, поэтов знать тогда было просто невозможно. На их из-под земли идущие голоса громоздилась иная, тяжеловесная, без высоты, — поэзия.

Глыба, распавшаяся на осколки. Поэт, разменявший себя на низкопробные лозунги типа «Нигде кроме, как в Моссельпроме!»... («В любую погоду ношу по году!..» И микропористая подошва в полстены. Кто из нас не кормился такими вот агитками? Эта моя, небось, по сей день висит.) Трагедия его — самая злодеянная. Она дважды трагедия, если вообще правомерно взять за единицу смерть. Слишком много в России убили поэтов, чтобы еще поэты здесь стрелялись сами.

Позже я учился у многих, пока не наступил день самостоятельных уроков, когда можно учиться у самого себя.

То ли холод надоел моим родителям, то ли вечная страсть к перемене мест моего отца, но вскоре мы перебрались ближе к солнцу. В среднеазиатской республике и прошли мое детство, война, унесшая моего отца, и моя юность. Прошли многие увлечения (я даже учился петь), но не прошла одна только страсть — писать.

Я много ездил по стране. Был репортером, рыбаком, землекопом и путевым рабочим. Работал сезонами, кочуя по бескрайним, но огороженным просторам. Это мне давало больше стихов, чем хлеба. И это приближало меня к его величеству Творчеству. Самому неблагодарному и самому радостному на земле...

Учиться поэзии бесполезно. Можно научиться только слушать себя. Видеть мир афористично и суметь это выразить! Таких волшебников в мире немного. Мыслить образно — дар наиредчайший в первозданнейшем виде. Один такой поэт стоит ста тысяч пусть мыслящих, но обычных писателей. Пусть искусных занимательщиков, но всего лишь мастеровых. Пусть глубоко мыслящих, но всего лишь философов. Или просто умных, по-своему способных и талантливых, но обычных людей.

Поэт не затеряется среди них. Если даже его загримировать под их скромность. И платить ему столько же, сколько им. Ни больше ни меньше. Но они поблекнут от его соседства. Потому что он, сам того не желая, выходит из их ряда. Потому что он непостижим в способности видеть этот мир так, как его не видят другие. Потому что чудо, возникающее в его голове и сердце, неподвластно даже всесильному анализу даже более разумных существ, чем люди.

В каждом поэте с рождения сидит мастер, уже наученный тайнописи чувств. Нигде не преподадут этого волшебства. Тем более в Литературном институте имени Горького. В эту студию горького опыта я однажды не был принят, не пройдя их творческий конкурс.

— Да я ли один?!

Пришел туда однажды прямо с фронта поэт. Назвался — Иона Деген. И, не слишком волнуясь, начал читать:

Мой товарищ, в смертельной агонии
Не зови понапрасну друзей,
Дай-ка лучше погрею ладони я
Над дымящейся кровью твоей.

Ты не плачь, не кричи, ты не маленький,
Ты не ранен, ты просто убит,
Погоди-ка, сниму с тебя валенки,
Нам еще наступать предстоит.

Реакция была однозначной. Реакция всегда и всюду однозначна.

Впервые я выступил всесоюзно в 1956 году в Москве. Тогда было модно напутствовать молодых поэтов. Моим крестным стал Назым Хикмет. Человек, увидевший въявь страну, из-за которой он двадцать с лишним лет кружил по тюрьмам. Из-за которой он двадцать раз приговаривался к смерти. И которая так и не дала ему подданства — слишком уж очевидным было его прозренье.

Преклоняюсь, великий мастер,
Что ты негнущ,
Как эвкалипт.
Нас на «Х» осталось мало:
Христос, Хайям, Хикмет, Халиф.

Поэт пожелал мне доброго пути в литературу. Но он не дожил до выхода моей первой книги. Хотя за 8 лет она могла бы выйти 8 раз... И без нажима Назыма. Добрый путь оказался долгим. Помимо долгоиграющих пластинок есть долговыходящие книги.

8 лет я искал разницу между корундовой иглой и пером цензора. Мое открытие разницы не слишком веселое. То, чего я избежал в раннем детстве, — постигло меня в зрелом возрасте — обрезание свершилось. Когда я дарил свою книгу — я извинялся за это. Даже после подобной хирургии книга не задержалась на прилавках. Малорадостно! Хотя и понятно. Это где-то не спеша развивается художник, минуя один за другим свои неторопливые периоды. Розовые да голубые (безоблачно голубые). В привычной своей безопасности он достигает, наконец, своей зрелости, где более четкие краски... и неостановимо идет в зенит.

Здесь вся жизнь в одной книге, издающейся годами, которую к тому же нещадно кромсают. В книге, выходящей в свет... вперед ногами. Что-то, видимо, остается после редакторской плахи — мертвая, а все ж голова.

Не бывает пианиста с половинчатыми пальцами. Не бывает певца с полуголосом. Назым Хикмет считал, что за первую книгу стихов поэт должен получить кроме гонорара минимум 8 лет тюрьмы. За взрыв общественного спокойствия. За возмущение устоявшихся норм. За дерзость. И если я избежал подобного дебюта, то, может, оттого, что здесь возмущаются впереди народа редакторы. И еще потому, что здесь только перенимают турецкую систему оплаты поэтического вольнодумства. И, слава богу, пока не сажают по горло в дерьмо, как это делали турки с внуком паши и потомком Домбровского — с известным поэтом и беглецом Хикметом. У нас, благодарение богу, с поэтами обходились гуманней — их расстреливали. Сейчас смертную казнь заменяют мнимым сумасшествием, ссылкой или высылкой. В зависимости от таланта. Или пожизненным забвением.

В российской таблице литературных ископаемых я не значусь.

О мертвых не говорят плохо. Молчат. О живых молчат, чтобы не говорить хорошо. Потому что говорить плохо о хорошем писателе — это то же самое, что петь в его честь аллилуйю.

Едва ли я стал обтекаемым, но критика огибает меня. Помалкивает. Не пишет больше фельетонов типа «ХАЛИФ НА ЧАС». Забыв добавить — звездный. Опыт прошлых разносов срабатывал наоборот. Люди тянулись к разруганным книгам. Разруганный, напротив, становился популярным. Желанным. Так создавались обоймы поэтических имен, сгодившихся разве что для однодневной эстрады. Ныне тишь и благодать — на поэзию наплевать! Умный классику читает, а живым не доверяет.

«Ни дня без строчки!» — этот крылатый лозунг Олеши годится сегодня разве что для портного. Литератору, да еще честному, строчить в угоду... Тут уж лучше пальтишки шить.

Это мечи можно перековать на орала. Но сначала нужно отнять мечи.

Я отношусь к тому поколению, которому если не больнее всех, то нужнее всех было разоблачение культа Сталина. Жаль только, что не до конца!

Сразу резче сдвинулись и окислились понятия лозунгов, вчера еще принимаемых всерьез. Вчера еще высоких. Стали значительно мельче черты на ликах вчера еще обожаемых пророков. Потускнели и поблекли верноподданнические маскарады. На время кончилось детство. Впадая в которое у нас не выходят до самой смерти. Детство. Но невинное ли оно? О, тут не без корыстного иезуитства!

Иллюзия ненапрасных жертв... Она была непродолжительной. Ее развеяли в живых шестьдесят семь миллионов мертвых.

Неприкрытый срам жизни. Как притупляет наш вскрик оголенность чудовищного факта! Что мы, не подготовлены и на нас эта мясницкая с неба свалилась? Знали про эту бойню — не первый день живем. И не с краю. Или дорого стоила жизнь наших предков на этой земле? Да с молоком матери мы впитали ее низкую цену. Все одно опешили, услышав. Пережили. И вновь защитили свой слух. Как ни в чем не бывало. Уже не трогает. И это стало обычным. Подавайте другие трагедии!

Чем больше жертв, тем они безымяннее. И чем больше их, тем их меньше и меньше жертвами считать станут. Так вот она — вторая фаза этой бойни. Она и задумана с расчетом на защитный рефлекс человека. Миллионы — их оплачут враз. Не над каждым же будут заламывать руки. Омертвеют живые от гигантского перечня мертвых. Надоест им о них вспоминать. Самим жить хочется. А под топором этого Примера — дважды желанна жизнь. И здесь мясники не ошиблись.

Надо отдать им должное — знали Россию. Христиане отмщения не требуют.

«Убить человека — трагедия. Убить миллионы — это уже статистика». Ныне палачи — психологи. Да неужто так прост человек?

Маркс холит бороду. Ленин слушает «Аппассионату». Гитлер кормит птичек. Сталин курит трубку... мира.

Идиллия!

Как ты страшен — черновик бесклассового общества!

Мы в любви отнюдь не робкие.
Сколько ее под шестым ребром.
В нас такую любовь воспитали к Родине,
Что женщинам — только остатки скребем!
Микрофон — коллективное ухо моего поколения...
Сколько нас, ушастых, покалечили!

Великие гипнотизеры, отсекшие от нас весь мир с его еще далеко не оконченной цивилизацией. С его не менее человеческой правдой и бессмертной культурой. Верили они сами в то, во что заставляли фанатично верить нас? Все познается в сравнении. Нам не с чем было сравнивать нашу жизнь. Чье средневековье длится столько? Наш пуп земли боялся сравниться даже с заштатной окраиной. За нашими границами простиралось капиталистическое болото. И наши утки были самыми нырковыми в мире.

Посредственные агитаторы, и они туда же! Размахивают кнутом, подгоняя свою паству как ни в чем не бывало! Будто ничего не произошло!

За мутным воздухом партийных богослужений все явственней проступала Великая Железная Стена. Она ржавела изнутри от кровавых десятилетий. Когда чуть-чуть приподнялся этот железный занавес — мир увидел небывалую трагедию. Такое Представление, что самые страшные мракобесы человеческой истории с ее кострами и крематориями показались кустарями, лилипутствующими у подножия наших Голгоф.

Приехав в 1953 году в Москву, первое, что я увидел, — это низко осевший Мавзолей.

Красная площадь показалась мне куда красней, чем во времена Ивана Грозного. Когда изрубленных москвитян запросто солили в бочках. Или вешали над обеденными столами в их горницах. Исправно следя, чтобы их семьи обедали каждая при своем покойнике.

В эпоху массовых репрессий, зверств и убийств подобное внимание к семье казненного было бы просто технически невыполнимым. Каждая вторая семья в многолюдном народе оплакивала своего «врага народа». Целые народы были сами себе враги. Мы — интернациональная страна, здесь всем досталось. Тогда наши вожди еще не знали классический образец «козла отпущения». Знают ли сейчас? Мучительно думают. Ищут. Сталинские усы лезут на лоб. Становясь подозрительно густыми бровями...

Так к Поэзии, этому когда-то олимпийскому состязанию, прибавилась и осознанная необходимость говорить правду. Талантливая совесть — дар бесценный.

Двадцать веков доказали, что человек может абсолютно все. Все ему подвластно. Даже немыслимое. Но если можно научиться управлять космическими кораблями, то никак невозможно управиться с неуправляемым подтекстом, этим вечно ускользающим от цензуры злом.

Первопричину творчества, поднявшую человечество с четверенек, пытаются вогнать в загоны повиновения. К счастью, это напрасный труд!

С каким удовольствием сегодняшний мракобес плюнул бы в лицо Первопечатника.

С каким удовольствием размозжил бы он талантливую голову первонапечатанного поэта. Если бы смог отмотать назад время!

Когда-то из знаменитых черепов делали кубки. Поистине вино ударяло в голову! И поныне пьянит.

За четверть века я выпустил две, лишь две книжицы стихов. Разумеется, сильно отредактированных.

Первая вышла спустя год после «Манежа» — разгрома (какого уже по счету) так называемых абстракционистов.

Вторая 7 лет спустя, в 1971-м.

А вот когда выйдет третья? Будем надеяться, при жизни.

Вероятнее всего, это уже будет книга не стихов. У Поэзии много жанров!

Что лучше — долгожданная книга, выходящая в свет в Новом Свете, но автор при этом света не взвидит (даже Старого)... Или наоборот — автор, наконец-то вышедший в свет (любой, безразлично), но книга его, естественно, света не видит (также любого), поскольку он уже не в России — с точки зрения свободного Запада, и не на Западе — с точки зрения несвободной России?

Вот дилемма так дилемма.

Брехт считал, что сильные мира без него все же чувствовали бы себя увереннее.

Меня больше волнует самочувствие людей, желающих увидеть наш мир менее покладистым.

К нам редактор бдительней родителей! Вот он прошел, как молодость. Мимо. Прошелестев вырванными страницами чьих-то покромсанных книг.

Он и с насморком унюхает крамолу.
Побереги, держава, драгоценный нос!

Считается, что редактор — это то, из чего не выросло писателя. Но бывает он и тем, из чего вообще ничего не выросло.

Вот идет, подтверждая это невеселое открытие, самый настоящий лилипут. Жалость к его вечно детскому росту сразу же отметает его непомерно строгий вид. Он ни много ни мало заведует (и представьте — ему завидуют) переизданиями в Гослитиздате. Иван Иванович — так зовут его — вершит судьбами не запомнившихся с первого раза писателей. Это он выносит на обложку их малозапоминающиеся имена. Ему одному ведомо — кому остаться в памяти народной, а кому — необязательно.

В равной степени это относится и к настоящим авторам. Как правило, мертвым. О живых, да еще хороших, говорить здесь преждевременно. Их еще и по одному-то разу не всех издали!

Непомерно огромный кабинет с затерявшимся в углу человечком... Сюда с надеждой взирает ЦДЛ.

Сюда идут гуськом, стесняясь своего роста, просители-писатели. Ломая шапку... и спину.

Цирк. Паноптикум. Подчас кажется — опрокинув свои спиртовые банки, выскочили на свет Божий безмолвные актеры анатомического театра. Вписываясь в ансамбль ЦДЛ. И нисколько не выделяясь среди его обитателей.

Вот кто-то подкатил на своем инвалидном «лимузине» — коляске. Таланта нет, как отрезало... трамваем.

Вот прокатился большеголовый карлик-уродец. Кажется, и я с ним в одном творческом союзе?!

Фонарь — ЦДЛ. Кто только не летит на твой свет!

Пьет вздорожавшую водку нивх — представитель вымерзшего или вымершего, как мамонт, народа. Далеко отсюда на его белобезмолвной родине — камлание шамана с колечком сквозь ноздрю. А на Имане, в соседней, выродившейся, но вырядившейся народности, где кругом вода, и сегодня еще хоронят людей на деревьях.

Черное пиршество птиц, рвущих покойников. Банкет!.. Окраина отечества. Далеко за впечатляющим фасадом «Новопотемкинской деревни». Ительмены, селькупы, юкагиры, нганасаны — все эти тунгусы с русскими фамилиями...

Окраина многолюдного человечества... Где-то в авангарде достигшего Луны и бог весть еще до чего дойдущего. Но с силою вытягивающее хвост какой-то звериной отсталости.

Пьет нивх вздорожавшую «столичную», а рядом прием в честь очередной слаборазвитой литературы. То ли негры... то ли турки? То ли папуасы имени Миклухо-Маклая? Кто-то[1] заглядывает на строго оберегаемый банкет и поет:

Не нужен мне берег турецкий,
И Африка мне... не нужна!

— Что ты так хорошо рассказываешь! Ты напиши, возьми и напиши! — горячо убеждает коллега коллегу.

— Вспомнить страшно.

— А ты — скрепя сердце...

— С таким-то сердцем — разве что завещание только писать.

Заводя мечтательно глаза, кто-то произносит свое заветное: «Вот стою я — Колька Букин, у Букингемского дворца...»

Кто-то мелко трясет плечами, будто старается осадить свою вылезшую душу.

[1] Геннадий Снегирев — детский писатель, получивший за эту песенную цитату строгий выговор с занесением в личное дело.

Идет не Байрон, а другой, еще неведомый хромой.

Да у кого она на месте – душа!

Женщина, близко к сердцу прижавшая судьбы литературы нашей... Матрона, праматерь успехов и провалов. Кто только здесь не был? Не лоно, а мемориальный музей...

А вот и ее дочка! Я думал, до чего же плохо воспитан. Так и хочется тронуть ее за коленку. Не тронул. Традиция. «Вы плохо воспитаны», – сказала она.

Идет поэт. Сегодня у него сразу две радости – родился сын и жена не знает об этом.

Вот идет Дармоедов – человек, всю жизнь объясняющий свою фамилию.

А это поэт, испросивший разрешение быть смелым. Такие беспартийные вернее партийных! Вожди духовные с душком...

Как дожди идут вожди, задирая заграничные штиблеты и держа свои «ронсоны» на золоченой привязи к брюкам. Вот снимет их и тогда даст прикурить!

Колотит кто-то себя в грудь, назад вбивая женское начало. Стихи выдают в нем отличную поэтессу.

Потрясает бюстом актриса... Зачем ей быть актрисой, если она уже женщина?! Плачет актриса – уставшая от освещения кожа...

И отмирает кожа наших взглядов.

ЦДЛ... Здесь создатель «Мойдодыра» и «Тараканища» (удивительно, как это усатый генсек не заметил наисаркастической усмешки-издевки?) – свой до дыр Корней Иванович Чуковский был встречаем неизменным вопросом: «Почему, когда вы пишете хорошо, то подписываетесь полностью „Корней Чуковский", а когда плохо, то сокращенно – „Корнейчук"?»[1]

Грибачева здесь не грех спросить – почему у всех прическа как прическа. А у него прическа из... ушей? Хитер как лис. А вот в отличие от лиса – лыс. Не потому ли лыс, что

[1] Кстати, настоящее имя Корнея Ивановича – Николай Корнейчуков, но как в воду глядел, его изменяя.

всегда лез... Кому только не прислуживался. Где только не терся. Вытерся... Дерьмократ!

На стенах храма — автограф хама.

Литература! Кто только не хочет увековечить себя на твоем отвесном берегу? Скалы пестрят надписями, как скамейки. «Здесь был Вася».

Вырезая ножичком дату, кто-то притуляет еще и Петю. «Вася плюс Петя — талант». Соавторы!

Если наука — кладбище гипотез. Клад замыслов — ЦДЛ. Здесь замысливаются строки. И сроки. Здесь вспыхивают и угасают биографии.

Отсюда обычно едут стреляться писатели в свои пригороды. Как Дима Голубков, с виду такой благополучный. Сюда приносят они свои «издранные» произведения. С невероятно оптимистическими фотографиями на обложках. А потом вздергивают себя в коммунальных туалетах, предварительно прикнопив записку: «Прощайте, кунаки! Желаю вам умереть красиво!»

Здесь пропивают свои первые и последние гонорары. ЦДЛ — извечное правдоискательство. Выяснение — кто есть кто? Борьба за право называться первым. Хотя бы в пределах ЦДЛ.

Смеляков спорил с Твардовским, утверждая, что именно он первый поэт России.

Твардовский спорил с Кочетовым, что писателю помимо веления партии и сердца надо бы еще иметь хоть какой-то талант. Кочетов уверял, что талант не обязательно. Было бы веление! Вокруг помалкивали смирные люди.

В любом жанре Смирновых — на выбор. Марковых, под маркой писателя, тоже. Под одну обложку лезут сотни. Тысячи. Как под единственное коммунальное одеяло в холода. Ажиотаж. Один за всех. Все — за одного. И все — против всех.

Таран коллективного творчества. Извечное советское «Даешь!».

Стереотип писателя. ЦДЛ — штамп. Схожесть друг с другом чудовищная. Не говоря уже об однофамильцах. Под одной и той же фамилией ходят по двадцать с лишним писателей.

Такое ощущение, что ЦДЛ экспериментирует с подопытными на приживание. На безличие. Пробует. Запускает, неистово вкручивая их в орбиту вокруг бедных многочисленных читателей. Может, хоть один западет. Кто есть кто?

Один считает, что он Блок. До мужицкого поджога. Еще не написавший свои «Двенадцать». Другой, явно не патриот, Лорка. Третий истинно по-русски хочет быть Есениным. Следующий, со стопроцентной потерей зрения, возомнил, что он Гомер. Ему виднее...

Никто не хочет быть Джамбулом. Или, на худой конец, Бровкой. Вот разве что Кафкой — рисково.

Кто первый? Первых много. Тут бы выяснить — кто второй? Да и отсчет надо вести с другого конца. Чтобы признать одного талантливого, скольких бездарей потребуется перечеркнуть!

Семеро одного — ждут! Потому что семеро одного жрут.

Писатели по призыву. Когда-то сбросившие с корабля современности ненужный балласт всечеловеческой культуры. Засучив рукава для новых деяний.

Невежественные и бездарные... Чему они научились за полстолетия? Ныне «активно делающие литературу» — писатели по путевке комсомола. Посконные и сермяжные, добавившие к своему привычному быту телевизор. И библиотеку непрочитанных книг. Они постигли толк — как надо жить не впроголодь. Жить бесплатно. Но писать не научились[1]. Полвека надувают они гигантский дирижабль пустословия. Из поколения в поколение дуя кислым воздухом. Принужденно читая по бумажке для них написанные кем-то

[1] Да и читать тоже. Ныне модны домашние библиотеки под цвет обоев. Так и стоят запаянные в целлофан. Иначе пыль собирают. Ибо ныне только пыль и собирается в библиотеках. Ну а у самых верноподданных мы найдем еще и более уникальную библиотечку — «Избранное для избранных» с номерным тиражом. Эти книги стоят в тюремных рубашках. Неизбранные за них срок хватают. И тем не менее их ищут. Тут и «Доктор Живаго» Пастернака. И «Архипелаг ГУЛАГ» Солженицына. «Все течет» Гроссмана. И «Большой террор» Конквеста. «Чевенгур» Платонова. И весь Авторханов. «Солдат Иван Чонкин» Войновича. И «Верный Руслан» Владимова. «Москва—Петушки» Ерофеева. И «Светлое будущее» Зиновьева... Да и эта — моя — туда встанет.

пограмотнее, ничего не говорящие слова с высоких амвонов своих вороньих съездов.

Буханки микрофонов раскрикивают по миру тысячекратно размноженные их эха. И паузы тишины страшны.

Литература — фанфара. Барабанный бой... заглушающий свист шпицрутенов. Междуюбилейные паузы — белый снег, не оглашенный птичьими базарами... Чистый снег... Но вот опять, подминая под себя слух, свистя и громыхая по накатанной железной колее, несутся один за другим вихляющие из стороны в сторону, ничего и никому не везущие порожняки...

У кого-то отнять благополучие — это как получится!

Но отнять, вырвав вместе с рукой, отмеченное провидением перо, видимо, мало. Им надо еще уметь пользоваться. Видно, недаром живут наделенные даром!

Не умея научиться чуду — бездарность утверждалась как могла.

Простота, низведенная до простачества.

Пустота со знаком качества.

Китаянки недоумевают, как это европейские женщины целуют своих возлюбленных, ведь у них такие длинные носы!

Массовый писатель недоумевает, как это можно писать не так, как пишет он. И можно ли вообще писать не призывы и не воззвания, не лозунги и не высокопарную и громкопафосную трескотню?

Он презирает поэзию вообще. Прозу вообще. Драму вообще. А главное — автора, изволившего быть самобытным, не как все, уродившегося урода, посмевшего быть не похожим. В мире, не им завоеванном и не для него отстоявшемся.

Почерк, по его коллективному мнению, должен быть у всех одинаков — машинописный.

Да что писатели! Может ли просто человек жить не так, как живет бригада коммунистического труда, жалкая пародия на человеческие отношения? Может простой смертный, в отличие от бессмертного художника, думать не исподтишка, а вслух и не так, как принято? Любить не как следует, смеяться не над тем, на что указуют?

И сын полового. И сам половой. И псевдоним — маскхалат — Полевой. Серенький или зеленозащитный. Как на войне.

Да меж нами вечно война. Они «50 лет в струю». Мы же против течения.

Вот он сидит и кутузовским глазом редактирует «Юность». Но не тем полководческим, а другим, закрытым.

И редактирует не столько журнал, сколько чью-то молодость. А то и свежую кровь покупает.

Принесла, к примеру, девица в ягодицах повестуху «Золото». Покрутил в руках. Повертел. Девица так себе. А повесть ничего. «Знаешь что, — говорит ей интимно, — материалец хороший. Продай! Я из него защитную шинельку сошью». И отвалил ей целых 15 тысяч. Та аж зарыдала от счастья, всю жизнь считала только чужие деньги. Кассиром в банке была. И повесть конечно ж про честность, как деньги не воровала. А напротив, сквозь все испытания их пронесла (купить-то на них в войну все одно ничего не купишь).

И снова-здорово «Повесть о настоящем человеке», прямо-таки его монопольная тема. Потому что такие повести здесь издадут без зазрения совести.

И вот уже и рецензия появилась:

> «Хоть имя автора и уважаемо,
> не все то „Золото", что у Ажаева»...
> Короче — читайте графомана другого —
> «Золото» Б. Полевого.

Из каждого профиля что-нибудь да выпирает. Вот колхозник, здесь явно угадывается серп, у рабочего в руках так и видится молот (это пока он не стал писателем, у которого, как правило, выпирает язык, почему-то всегда шершавым языком плаката. Но это на работе, а в ЦДЛ он просто высунутый и не в меру усталый на плече язык, когда-то дар Божий и не менее Божественное откровение).

ЦДЛ — здесь все профили, а если анфас, то промелькнет и заметишь опять только профиль очередного выпердоса[1].

[1] Выставка передовых достижений, и слово «выпендриваться», безусловно, отсюда пошло.

— И что они сигают вниз? Такое ощущение, что специально для выпрыгивания этот дом построен. То жена Ошанина, то дочь Андроникова, то дочь Алигер, то муж Юнны Мориц, то Илья Габай. Вот Гена Шпаликов, тот повесился...

— Да в разных домах они жили. Разве что на одном этаже, чтоб сразу и наверняка свалиться...

Писатели... «Они у нас допрыгаются», — сказали в ЦК.

ЦДЛ... Общественный интим... Публичное одиночество... Леденящая тишина осуждения...

Человек не может жить без людей. Но и с людьми он жить не может. Если общество не гарантирует ему добровольности[1].

Вот он, эталон нужного партии человека, выдвиженец и ханжа, холуй и слизняк — материал, взятый с деревенских завалинок, не испорченный интеллигентским скепсисом — прямолинейный и тугодумный, жадный до дармовщины простолюдин!

Сидит эдакий Васятка у себя на кухне в трусах по-домашнему и на баяне разучивает песню Пахмутовой про работу и заботу. А жена тем временем подшивает крахмальные подзоры к высокому, как Парнас, ложу. Запершись, чтоб супруг ненароком не завалился в кровать среди бела дня.

Из грязи да в князи. Ныне хамы в рамах, в замах и в «зимах». Вчера он бараки и драки переименовывал во Дворцы Культуры. А сегодня на писателей брошен. Новейшая аристократия... Она как десант. Голову задрать не успеешь — без передыху летят.

---

[1] Однажды в Интернете мне попался 8-й номер журнала «Новый мир» за 1997 год, где в рассказе моего старого приятеля Олега Ларина «Ехала деревня мимо мужика» я с изумлением прочел следующие строки: «Как говаривал мой давнишний знакомый Лева Халиф, **умерший недавно на Брайтон-Бич** (выделено мной. — *Л. Х.*), человек не может жить без людей, но и с людьми он жить не может...» Это я и по прошествии стольких лет не оспариваю, но никак не могу согласиться с безапелляционным утверждением, что я умер, да еще на Брайтон-Бич — месте как нельзя лучше подтверждающем вторую часть этой моей процитированной фразы.

Ему бы лаптями щи хлебать, а надо заморские вина лакать.

Ему бы землю пахать, а надо умниками руководить.

Вызвал писателей «на ковер» и отчитывает почтенных, как мальчишек нашкодивших. А ведь среди них и девяностолетние есть. Что-то про нескромность им выговаривает... Да уж истинно талант есть самая большая в мире нескромность. Другое дело — скромный талант.

И вспоминается пушкинское — «И черт догадал меня родиться в России с душой и талантом!» Веселье, нечего сказать!

Семинары и самовары... Открой краник, и побежит водичка, когда-то качавшая флибустьерские бригантины. Таившая штормы и прятавшая белые брызги чаек. В отчаянии цеплявшихся за волну...

Пейте кипяченую воду, и вы не заболеете... Романтикой!

Запресневел ЦДЛ.

Вот идет лев русской поэзии Анатолий Заяц. Сверкая молодой плешью, он восходит над столами. И тело его по мере приближения к столам принимает форму фужера.

А это Гамзат Козловский или Козел Гамзатский, в общем, что-то ступает.

А вот идет Турсун-заде. Мал Турсун, но зато заде большой. Самостоятельно не входит. В Литературу. Подталкивают и конечно же турсуют.

Гении, как известно, всегда ходят парами, Еврипид и Аристофан, Шекспир и Бен Джонсон, Пушкин и Гоголь, Эйзенштейн и Чаплин... Да и не гении — тоже, Ильф и Петров, Масс и Червинский, Дыховычный и Слободской и так далее. А уж братья, те и подавно: Жемчужниковы, Стругацкие, Тур. Бывает, даже и не братья вовсе, а все равно как вылитые близнецы: пишут так, что отличить невозможно, эти тоже, естественно, ходят парами. Но странно, когда среди попарных бывает один как два. Вот, к примеру, присел писатель, соединивший в своей фамилии сразу двух антиподов. На одном стуле сразу умещаются и знаменитый Шолохов, и печально известный Синявский. Эта фамилия хороша на случай очень резких перемен... Шолохов-Синявский... Какая из двух ему больше нравится?

А этот из далекого Ташкента, когда-то хлебного города. Ступает по-кошачьи. Осторожно. Это не его участок охоты. Зовут его безобидно — Ростислав Гузь. Он автор нашумевшей (в детских садах) книжки стихов «Я иду и за маму держусь. А кто его знает, ведь это же гусь!». И вообще всякий смысл здесь отскакивает, как с Гузя стихи.

А вон и Вадим Земной с даром небесным ну до чего ж отвратительно писать стихи!

А вот идет поэт-полицай, в свое время хорошо помогавший немцам. Славы захотелось. Выступил по телевидению. Опознали. И «загремел».

Все полицаи у нас непременно становятся уважаемыми людьми. Так, в Одессе начальник Угрозыска стал народным депутатом. Искал преступников. Но потом нашли и его.

Вот идет критик известный и маститый. На воротах его дачи к страшному объявлению «Во дворе злая собака!» кто-то приписал: «К тому же не принципиальная».

Слово творит чудеса. Говорят, что, когда на одном московском кладбище появилось красочное объявление: «Граждане, подметайте свои могилки!», обитатели этого заброшенного погоста по ночам действительно устраивали субботники.

Идет все забывший и все простивший писатель. Вернувшись домой из двадцатилетнего заточения, он, едва прикрыв за собою дверь, спросил: «Мне никто не звонил?»

Поэтесса усатые ноги. Еще поэтесса, прикрывшая грудью все амбразуры... телекамер.

«Юлия Цезаревна, ну подвиньте чуть влево свой пышный бюст, и тогда Цезарь Солодарь поставит вам плюс». Сегодня он, сука, всех фотографирует.

А это человек, усидевший не на одном родео политических скачек. Мистер Усидчивость! — Человек, ощутивший судьбу под собой. Схвативший ее в тиски своих железных ягодиц. В Америке преступник с таким задом, ненароком сев на электрический стул, замкнул бы всю энергосистему этой высокоразвитой страны.

А это счастливец... сменивший свой писательский билет на отрицательную характеристику.

Начнут евреев скоро бить в России. Из зависти, что могут уезжать!

— Вы Якут? — спросил я прекрасного артиста, абсолютно не помышлявшего об отъезде (тогда о нем даже самоубийцы не заикались).

— Нет, еврей.

И я сказал:

— Еврей якутом еще может побыть какое-то время, а вот якут евреем — никогда.

— Почему? — спросил прекрасный артист.

— А он, в отличие от еврея, никогда не посмотрит на мир *округлыми* от удивления глазами.

А вот течет Сергей Островой — полоска водянистая стихов, окруженная сушей. «Я в России рожден, — говорит, — родила меня мать...» Врет. Таких поэтов матери не рожают. Сама Партия их плодит. Бывают, разумеется, и по старинке рожденные.

У бывшего поэта — старого хрена Тихонова (есть еще не слишком молодой Тихон Хренников, почему-то их всегда путают) — сгорела дача. Хороший повод оправдать многолетнее молчание («борьба за мир» не оставляет камня на камне ни от мира, ни от поэта) — так и есть, сразу же пустил слезу: «Ну все. Абсолютно все великонаписанное дотла сгорело...»

Раз иду к иностранцу в гости. Вхожу в подъезд. Сидит милиционер: «Куда идете?»

— Вы, наверное, хотите спросить: «К кому?»

— Ну, к кому?

Называю имя.

— Сейчас узнаю — ждут вас или не ждут, — нехотя отвечает милиционер.

В это время сверху послышались чьи-то шаги.

— А ну, спрячься пока! — вскочил он и стал заталкивать меня под стол.

И что ты думаешь — залез. И сидел там, как в окопах Сталинграда, хоть и лауреат бывшей сталинской и вполне знаменитый писатель. Привыкли мы, черт подери, подчиняться власти. Спасибо вызволил мой иностранец. Это он, как нельзя кстати, сверху спускался. Будто почувствовал.

ЦДЛ. Воскресник. Здесь в писателе воскресает сознание своей полноценности. Пригодности людям и... зверю.

Добровольно-принудительные мероприятия. Организованная интимность и сжатое в кулак единодушие — это не про нас.

Субботники и воскресники — величайшая сплоченность всех жанров.

«Поможем — кто чем может! Все как один выйдем на уборку зоопарка!»

Зоопарк соседствует с Союзом писателей. Не будем спорить — где больше порядка. Но отрешенная тоска заневоленных зверей в чем-то схожа и с нашей тоской по пампасам. Но когда писатель кричит — «Хочу в пампасы!», ему не верят. В отличие от зверя, чье желание быть на воле — само собой разумеющееся. Ему сам Бог велел быть на воле. И тут никто не сомневается в правомерности его исконного желания.

«Дайте простора!», «Снимите ошейник!», «Будьте так добры!» — так бы заступилось за нас зверье, будь оно немного поразумнее.

Так что с будущей благодарностью мы идем подметать зоопарк. Судя по объявлению в ЦДЛ, прозаики собираются у львов. А впередсмотрящие мемуаристы — у единственного жирафа. Поэты — у зайцев. Где собираются критики — еще не решили. Но, видно, у пресмыкающихся — им самое место. Переводчики будут чистить клетки экзотических животных нерусского происхождения.

Тут даже комиссия по работе (читай — борьбе) с молодыми и та переиграла свой лозунг: «Дави щенят, пока слепые!» на «И зверье, как братьев наших меньших, никогда не бил по голове».

Та часть писателей, которая по тем или иным причинам не может присутствовать на этом мероприятии, — должна немедленно внести свой однодневный заработок (как минимум) в отделение Краснопресненского госбанка. Номер счета также указан в крупноформатном объявлении.

Замешкавшись, звонит домой сам партвожатый. Так и вижу кукиш его лица, устремленного в телефонную трубку. Будто ваял его однажды скульптор собачий, с аппетитом обкусывая, как бы убирая все лишнее с глыбы, да переусердствовал, сукин сын, — не хватило ему чувства меры.

— Ну а как вы? — спрашивает меня ответственный за мероприятие партийный вождь отчаянно трудного участка идеологической работы (парторг ЦК по ЦК — есть и такая должность!).

— Я решил внести сразу весь свой годовой заработок, — бодро отвечаю, — что уж там — гулять так гулять!..

— Ну зачем же так много?! Годовой, конечно, можно пожертвовать, но только в Фонд мира.

— А мне без разницы, что годовой, что однодневный. Все едино ноль целых хрен десятых. Вот сумма, которую я заработал за этот високосный год. В нынешнем и того меньше. А в юбилейный и сказать стыдно!

— Ну тогда, может, бесплатно выступите. Так сказать, шефски!.. Хотя нет. В таком состоянии и при таком заработке вам выступать не стоит.

Это уж точно.

Воскресник.

Чем может помочь писатель? Книгой?

Нет. В данном случае это слишком незначительный вклад. Здесь требуется нечто посущественней.

Воскресник. Кто-то воскрес. Беседуем. Ну как там — вдали?

— Рай эвакуировался повыше. Сначала залетели слухи. А теперь и сами пожаловали. Космонавтика!

— А в Аду? Небось тоже энергетический кризис... И недожаренные грешники разбегаются по своим земным привычкам?

— А у вас?

— А у нас Парнас! ЦДЛ.

Чтоб никто воскресать не смел.

Нет, человек здесь просто находка для партии и правительства. А точнее, для очередной партии правительства. А если он паче чаянья еще и мыслит, ну тогда ему тем более нет цены. И не будет. Именно он-то и не может пожаловаться на отсутствие к нему пристального внимания.

Скажете — миллионы, и неужели все учтены? Но возникает и не меньшее удивление — миллионы, и неужели все человеки?

Тут, разумеется, у власти свои представления о человеке как таковом. Власть долго не мудрствует. Если человек по-своему мыслящее существо, в том-то и беда, что мыслит по-своему. А не по-государственному. То есть как надо.

Кто-то преуспел и перестал мыслить вообще. Счастливец! Кто-то еще только преуспевает. Тоже несчастным не назовешь. А кто-то не хочет преуспевать. И вот с этим-то типом людей и происходит основная и титаническая работа, рассчитанная, как и у Гитлера, — на века. Будто человек при таком к нему отношении живет дольше букашки. И убивать его надо обязательно массированной техникой. Без должного прогресса могущей, не приведи господи, устареть. И тут бы ему, несмышленому, по-людски помочь власти, так о нем пекущейся. Не мешать ей. А он только прибавляет работы. И нет ей конца. О, эти люди мыслящие, да еще по-своему! Никак не берущие в расчет своих сородичей, с высунутыми языками помогающих власти. Понимающих власть. С полуслова. Потому что полных слов она не имеет. Отдающих ей себя и детей своих. И не щадящих живота своего, дабы укрепить ее жало, и без того, по самые ноздри, в нас воткнутое. И тем не менее у власти хватает забот.

Скажем, писателю положено сидеть. Где сидеть? Это решит партия правительства. Быть ему убитым или только битым? Тоже решает она. Ему, писателю, не надо ломать голову, и без того обремененную. Правительственные органы на то и органы, чтобы органически и всячески способствовать, поправлять и направлять именно в русло. Из которого они вытекают в таком невероятно большом количестве. Ткни пальцем, и попадешь в орган — печати или карающий. Или просто сующийся в твое глубоко личное. Что-что, а органов у нас хватает (я извиняюсь за нежелательные ассоциации). Тут тебе и орган имени Максима Горького, пополняющий Союз писателей имени Льва Толстого и именуемый Литературным институтом. Их всего два на всем белом свете. Второй в Восточной Германии. И слава богу, что два. Иначе бы мир был наводнен сотнями Достоевских и Гете, Гоголей и Шиллеров, Чеховых и Кафок. План этих двух литературных кузниц выдавать на-гора по меньшей мере сотню писателей в год. Не считая тысяч поэтов (и чтоб непременно негодяев отпетых), критиков с глазами на критинический реализм, переводчиков, этих перевозчиков из пустого в порожнее — не столько братских, сколько бл...ких литератур. А также почему-то шекспироведов и конечно же драматургов (при этом — никаких драм!).

Там учат писать созвучное советской эпохе. Самой под диктовку писанной. Там учат творить, но не из ряда вон выходящее. Пишут, как правило, сообща, чтобы удобнее было подглядывать — что и как пишет сосед. И даже кто как сосет карандаш вечный — тоже важно, а вдруг его повело в сторону от магистрального пути совсоцреализма. И тогда его сообща поправляют учителя. Зачастую гэбэшники, никогда в жизни не бравшие пера в руки, а если и бравшие, то не затем, чтобы писать. Тут надо учесть, что филология и литературоведение, особенно русское, — любимая специализация подручных зондеркоманд, заглядывавших в свое время в рот уже удушенным в газовых камерах. И бывших дипкурьеров. Запад здесь тоже не составляет исключения. В России основное и решающее значение для получения такой должности имеет наличие полицейского стажа. Даже глухой, как сибирский валенок, надзиратель в захолустной тюрьме или палач в центральной, эдакий хмырь с обрезом (длинным стволом не попадешь — смертники головой мотают), может со временем стать профессором русской словесности. Не очень изящной в наше время.

«Труд — дело чести, славы, доблести и геройства». Благодаря труду обезьяна стала атеистом. А Шолохов — писателем.

За сорок лет своего существования Литературный институт имени Горького выпустил на тот и на этот свет такое количество писателей и поэтов, критиков и переводчиков, песнеписцев и драмоделов, шекспироведов и просто литработников, что просто удивительно, что их не знают на Западе. Правда, в России их тоже не знают. Но зато благодаря им Советский Союз стал самой читающей страной в мире, правда всего того, что предлагает партия правительства и правительство партии (сбить бы из них хоть одну партию, да в их же лагеря!). И уж не важно, как читающей — по слогам или залпом. Что предложат или что сам достал. Пушкина или Достоевского, Щипачева или Кочетова и прочих Шекспиров бездарности. Этих слуг народа, у которых в слугах народ, то и дело норовящий ухватить между своих побегушек из-под полы, почитать запрещенных. То есть талантливых авторов.

Живых или мертвых — не важно. А вот слуги его, как и положено слугам, неграмотны и невежественны, как министр культуры СССР, когда-то ткачиха и ничего, говорят, баба. А уж потом салтычиха и самодурка, которая прямо-таки умерла от обиды, когда ее слегка пожурили за миллионорублевую дачку. Вот Софронов — Геринг советской литературы, устроивший не одну Гернику в душах читательских, в отличие от мадам министра выжил, когда ему тоже обратили внимание на архитектурные излишества его хором. А гениальный Андрей Платонов был дворником в Литературном институте. Обратите внимание, не профессором, а дворником. И ютился там в подвале, пока не умер с голоду. А Михаил Булгаков, написавший «Мастера и Маргариту», попутно бедствовал и познал все прелести недожизни, как Хлебников, Грин, Цветаева, доведенная до петли, Ахматова, Олеша и другие, не попавшие в лагеря, как великий русский поэт Осип Мандельштам. И сегодня их книги — кандидаты в костер. Как, впрочем, и сегодняшних авторов, если они выходят — выскальзывают за рубежами России советской.

«Свобода творчества». Между прочим, у пауков в банке и то больше демократии.

А вот не слишком торчащий, напротив, прячущийся орган — колючая проволока цензуры, идеологическое ситечко с тысячекратным пересечением, где эмблема не только ножницы, но и карающий меч Революции. Не то что слово — эхо его не проскочит. Цензоры носят у нас кортики, как адмиралы. И если у них насморк — они получают больничный лист. И справедливо. Как иначе унюхают они крамолу? Непонятно только, зачем уж так обижать недоверием советских писателей — самых преданных подручных партии правительства. В большинстве своем это такие хронические холуи, что вождям, которые у них всегда на устах, уже скоро не на чем будет сидеть. А уж лежать в Мавзолее — тем более. И так острым как бритва языком напрочь срезана их наиболее выдающаяся часть фигуры. Которая всегда и везде, обязательно и всенепременно обращена к народу. И в первую очередь к писателям, языкатым уже по долгу своей профессии. Этот срез, мне думается, не что иное, как след наших отчаянных сатириков. Они у нас самые бойкие. Они у нас всегда впереди. Это только так поначалу кажется, что они сзади. Это если сверху на них смотреть. Да это естественно — трон, он ведь не для головы предназначен. Не головой же на нем сидят! Одно только и вызывает недоумение — отчего тронные речи испускаются не его величеством мягким местом? Будем надеяться в новой, последующей конституции и это учтут.

Нет, никак не пойму, почему оскорбляют советских писателей таким вопиющим недоверием? Кто еще трудится так, не покладая... языков? Даже на пенсию не выходят. Правда, за вредность берут... молоком... Материнским молоком Матери-родины. И где твоя былая грудь, мамаша?

Но, с другой стороны, нализавшись вволю, и пососать не грех!

Одноликие. Этих сразу видно. У них если не шапка на воре, то просто горит во взоре. Вот двуликие эти, придя с работы, преображаются, прячут язык за зубами. Отдыхают. Пришел. Переоделся и стал другим человеком. И не узнать.

Будто это не он пять минут назад с высунутым языком в верхи пробивался. И не его поставили в очередь — жди! Ишь, какой прыткий! Тут посолидней тебя ждут, когда выглянет хоть малый кусочек нашей отеческой ласки, которая без устали заседает...

Ох уж эти с двойным дном. Или и нашим и вашим! Или с двойной жизнью, как вам будет угодно. Тоже по-своему двужильные, хоть и с двойными подбородками. Кстати, раздвоение личности у них начинается именно с подбородка. Тоже чем-то напоминающего то, что они с таким усердием вылизывают. И не только по праздникам красным. Их подбородок как бы намекает, что одного седалища им конечно же мало. Это существенная деталь. По ней безошибочно можно узнать советского литератора. Его лицо как бы расходится. Как бы разрывается меж двух миров — отвратительным, но желанным западным и любимым, но ненавистным восточным. Двойственность их натур очевидна. Здесь все двоит. Он и соавтор. Он и двоеженец. Или двоемужец. Он и двойняшка-близнец... с кем-нибудь. И не по вине родителей. Не говоря уже, что пьет двойное виски-водку, вдвойне превышающее норму западного алкоголика. У него, естественно, две автомашины. В одной он возит рукописи в издательство. В другой — возит тоже рукописи, но чтобы спрятать в лесу, невдалеке от своей дачи, щедро подаренной ему государством. Закапывает он их, как правило, надежно. Навсегда. Так, чтобы и самому не найти. Вот просто литератор (тот, кто с единственной жизнью) — этот не умеет прятать. Его писания находят сразу и без труда. И тогда его единственная и без того непрочная жизнь под угрозой. Хотя было бы справедливей, чтобы угрожали хотя бы одной жизни из двух того самого — с раздвоенным подбородком, к тому же двойным. Тому самому с двумя седалищами для большей творческой активности. Которому к тому же мало одного для вылизывания. Подавай ему сразу все коллективное руководство, которого в России отродясь не было.

А вот лечебный орган, именуемый у нас просто и звучно — «Дурдом», где тебе мозги вправляют.

Но вернемся к просто писателю.

Обычно он диктует машинистке. Но это было до нашей эры. Ныне писателю диктуют самому. Он может, конечно, вскочить возмущенный. И тогда ему говорят: «Сиди уж!» И он сидит. У нас только дураки вскакивают и садятся уже куда прочнее, чем сидели раньше.

Дома для умалишенных, но талантливых литераторов — это те же дома творчества, где ты, что называется, привязан к письменному столу. И что же не написать шедевр?!

Что касается остальных профессий — они тоже не возлежат. Тем более в лагерях. Но писатель здесь прямо-таки родится с клеймом на седалище. Да и немудрено, самая сидячая профессия в России — это писатель. Только так он доходит до нужной кондиции. Если вообще не «доходит», то есть не «дает дуба».

Места заключения, злоключения и прочего новоиспечения... Каждый — знай свое место! Каждый — знай свой инкубатор, где всемерно для Всемирной высиживают птенцов-головорезов, уже как бы заранее наказанных. За одного битого ныне уже трех небитых дают. Вместо двух когда-то. За одного убитого в лагерях — пятьдесят рублей. И гроб с кирпичом семье. За одного стреляного воробья и двух нещипаных орлов не жалко. Это пока они орлы — до первого «бокса» обычной тюряги. А потом они станут либо стреляными, либо застреленными воробьями. Или какой другой птичкой. Поначалу Красины, потом они больше — крысины. Или как минимум — Смирновы. Всех национальностей и фамильных окончаний.

Граф ли с моноклем,
Мерин ли сивый...
Сколько в России Смирновых!
Смирные люди в России.

Но есть же святые? Есть. Но иуды преобладают. Но есть же стоики. Есть. Куда им деться? Но больше — историки, внимательно изучающие опыт этих самых стоиков. И вообще историю российского государства. Стоики больше сидят. Правда, не плачут даже под похоронную музыку. Хвала им и честь!

Есть еще «западники» — русская се ля ви — это тебе не французская житуха! И сравнивают их баррикады с нашей кремлевской стеной. «Их бастилии не наши Лубянки!»...

Конечно, коль всем народом там сидим. И нелишне добавить — дружно свой срок отбываем. Главное — все у нас поэтапно. Всему свое время. И место. Одному куранты бьют его последний час. Другому — только начало. Кого-то еще сажают. А другого — уже *ложут*. Кого-то высылают. А кого уже выслали.

А все это вместе называется — «дружная семья народов». *«Нас не трогай, и мы не тронем, а если тронешь — спуску не дадим!»* Кому? Тюремщикам?

«Нам песня строить и жить помогает...»

Что строить? Тюрьмы?

Но есть же левые? Есть. Они ходят по обочине справа. Как правые, тоже на цыпочках, слева. Тех же, кто выходит на дорогу, — давят под аплодисменты толпы. Правда, она сейчас уже хлопает только глазами. И то прогресс!

А все это вместе называется: «единство партии и народа», вроде бы не урода. Вот разве ссыльные, эти, пожалуй, и смелые, и сильные. Чем дальше их высылают, тем сильней они и смелей. Чем глубже в чужбину, тем больше мужчина. Нет, что ни говори, а сильные мира сего — это ссыльные мира этого. И здесь бы не спутать с нашей ссылкой вчерашней, где выжить в бескрайней и бессрочной мог только действительно сильный человек. Когда замена одной ссылки другой едва ли меняла положение ссыльного. Когда ощущаешь себя ссыльным, но почему-то не высланным. Приговоренным к ссылке, но так в нее и не попавшим. Потому что вся необъятная страна Советов (и врагу не посоветуешь тут родиться) сплошь и рядом место для отбывания наказания. Вот только за что? Какая же это ссылка?

Вот только на сорок седьмом году своей жизни я могу сказать: да, они меня наконец-то выслали. Привели наконец-то свой приговор в исполнение. Теперь я за пределами их безнаказанности. Формально, конечно. Вот когда я смогу сказать, что я ссыльный. Под надзором или нет? Навечно мое изгнание или временно? Но это уже ссылка настоящая.

— Главное, выйти на осевую, — сказал мне мой друг, абсолютно не вяжущий лыка. Ибо пил за всех ее пить пугливых. Почитая за грех первородный, если она, проклятая, останется вдруг. Или прикоснется девственный кто! Друг мой очень болел за непьющих.

— Главное, выйти на осевую. Ты мне правый глаз подержи. И мы быстрехонько выйдем.

При этом на спидометре было давно уж за сто. И город сбегался на нас посмотреть, красивых. С двух сторон прижимаясь к ветровому стеклу.

— Ну, прижми же мне правый глаз!.. И я тебя, как вождя дорогого, доставлю... «Спи, младенец мой прекрасный, баюшки-баю. Тихо светит месяц ясный в мавзолей твою!..»

И мы ненадолго заняли правительственную полосу.

И действительно, вскоре домчал меня друг мой до дома. Прикоснулся к звонку дверному. И тут же свалился, как мертвый. Вот что значит рефлекс.

Главное, выйти на осевую.

«Прошу выдать и разрешить мне ношение горячего оружия, ввиду проживания на даче.

Офицер в отставке писатель *Кочетов В.А.*».

Разрешили. Надо же ему отстреливаться от любимых читателей, то и дело его стерегущих. Хоть одно доброе дело сделала Охранка — из этого пистолета пустил он себе пулю в лоб. Очень даже было с чего.

Но это, так сказать, одиночные выстрелы. Кабы совесть у них объявилась, грянул бы залп. Погромче. Крыши с белокаменной бы снесло, случись однажды у них угрызение совести. Но не могут они себе этого позволить, хотя очень много им дозволялось. Например, присутствовать, когда герои их доносов на их глазах погибали. Писатели, они всегда любопытны. Первым попросил разрешения глянуть хоть одним глазом на пытки Александр Павленко. Двумя разрешили. И стоял автор «Счастья» до чего же счастливый.

И пальцем не давал сомкнуться портьере... И смотрел... Ну разве не кайф – смотреть, как вышибают талант у коллеги! Да еще так утонченно и с блеском.

На дверях ОВИРа появилась надпись: «Славлю отечество, которое есть, но трижды – которое будет!» *(Вл. Маяковский.)*

«Это что же получается, – недоумевает овировский сторож, стирающий надпись, – сделали революцию здесь, а сами жить в Израиль?»

– Скажите, «бл...дь» литературное слово?
– Конечно. Более продажной шлюхи, чем литература наша, я не встречал.

Ответ на записку из зала

– «Что делать?» – спрашивал Чернышевский. И я спрашиваю – что делать? – недоумевает мой сосед по камере в Лубянской тюрьме – хромец лет тридцати. – «Кто виноват?» – спрашивал Герцен. И я спрашиваю – кто виноват в том, что мы так живем и жили и будем жить? «Быть или не быть?» – вопрошал Гамлет, как русский в своем привычном занятии – задавать вопросы и плевать на ответы. И я задаюсь вопросом: быть или не быть мне живым и здоровым тут, где только и ждут, чтобы я вытянулся в гробу по стойке «смирно». И даже в этом случае уместился в их низкорослые мерки. Как правило, получается, что ты выше их на голову. Вот если ты выше их и на ногу, или на руку, или еще на что-нибудь – тогда ничего. Терпимо. Не страшно. Но не приведи господь, на голову – тут если не сразу, то все равно укоротят и положат по стойке «смирно».

«Зачем я это сделала?» – часто спрашивала себя моя мама. И я тоже недоумеваю – зачем она это сделала – родив меня на свет? Ведь тогда разрешали аборты. Более того, их даже поощряли – голод был несусветный. «Чего тебе надобно, старче?» – спросил кто-то, тоже из классиков.

«Чего ты хочешь?» – обратился к нам Кочетов. Тоже вполне конкретно обратился и застрелился, потому что ему не понравилось то, чего мы хотим.

– Слушай, будь классиком и задай свой вопрос. Классики обязательно должны задавать вопросы. А то я ума не приложу, как жить?

– Всеми правдами и неправдами жить не по лжи! – посоветовал то ли Александр Исаевич Солженицын, то ли Вагрич Акопович Бах, когда отваливал на Запад.

– Все шутите, а художник должен...

– Конечно, – перебил я его, – художник – должность должника. Но кому? Естественно, художник заложник от шнурка и до макушки. Но чей? Знаешь что – никому и ничего не должен художник. Никому и ничего он не должен, как дождь. С той лишь разницей, что его не молят. Он идет и не идти не может.

– А как же «гражданином быть обязан»? – спросил сосед.

– Это когда «словам тесно, а мыслям просторно»? – поинтересовался я.

– Вот именно, – ответил сосед, как всегда потирая свой бритый череп.

– А знаешь, почему словам тесно, а мыслям просторно? – спросил я его, недавнего учащегося.

– Да нет, не задумывался как-то.

– Отечные слова – долго на ум приходят, – просвещал я его, – а мысли, наоборот, – усохшие, так как ждали их долго. Нет, брат. Литература – не дура. Ей не граждане верноподданные нужны, а, напротив, – объективные и рисковые люди с искрой Божьей во лбу, вместо звезды. Она – Песнь Песней и Нагорная Проповедь одновременно, поднимающая людей, даже тех, кто подняться отчаялся, а не самогонщица патриотического кваса. Но, если уж кого она приговорила к осмеянию, тому хана. И здесь ей сам Бог поможет. Потому и шутим, брат, все потому же. Да и как же иначе можно жить? И где – в Анекдоте! В до чего же Пошлом Полицейском Анекдоте! Расскажи – и шар земной со смеху покатится в иную галактику, где конечно же воздух чище. Вот смеху будет. Там. А слез от него – здесь.

— Шутки, шутки, а полмира встает по его побудке, — заметил он. — И это уже не смешно.

— Отчего же — смешно, и даже очень. Да кто здесь не обхохотал бы себе всю бороду и не стал бы Салтыковым-Щедриным, тоже бороду имевшим, так сказать, не голым сатириком будучи. Потому что более анекдотичной жизни трудно придумать. Тут бы только и покатиться со смеху и без сатириков, лишь оглянувшись вокруг себя. Оглянись вокруг себя — кто ж так нагло гребет тебя? И при этом щекочет усами. О, терпеливый великий товарищ Народ, да одного огляда и достаточно, чтобы заплакать от смеху. То сифилитик с бороденкой чахлой пристроится сзади. То жалкий карлик с усами (карлик, карлик, а как отодрал великана). То безусый да беззубый, отрастивший брови на губы. Не иначе тому в подражание.

А может, народ смеется, плача. А мы думаем, что он плачет и совсем не смеется. Он и в Бога заповерил всем своим идолопоклонством вчерашним, полагая, что здесь даже Бог — шутник. Надо же, допустил такое.

Вот и верит — он же всю эту трихомудию и разрушит смехом вселенским. Не без нашей, конечно, помощи.

И сверкнула белая манишка его улыбки парадной, хоть и был он в потертом пиджаке.

Неужели мы кричим, только родившись, чтобы потом всю жизнь выражать свои слежалые мысли шепотом? Или нам, как брудастым сукам в Лондоне, уже удалили голосовые связки?

— Конечно, — отвечает сосед, — нам, как последним сукам, кастрировали голос. Как в Китае, стерилизацию провели, но только голосовых связок. Ибо то, что делает народ мужчиной, давным-давно удалили. Так что китайцам было у кого поучиться. Пуля-дура да штык-молодец, вот и весь их мозговой холодец. Так сказать, их нервные окончания... Вот и шустрят, покуда людей в округе хватает. Прикончат нас — за других возьмутся. Других упокоят — друг за друга примутся.

Как приятно иметь единомышленника даже за бетонной стеной!

— Не пуля-дура, не штык-молодец — литература-курва и литератор-подлец, — возражаю ему, — если человечество когда-нибудь погибнет, то только от ее продажности. У сифилитички обычно проваливается нос. У этой почему-то язык. Весь в утробе, жаждущей насыщения. А как младенцев жрет, когда называется «детской», — жуть охватывает. Ей бы, официальной да коллективной, с провокаторским колокольчиком на шее. Ей бы, говнистой да гапонистой. Сытой, на сто голодов вперед. Ей бы в землю уйти. Раз уж настоящую в подполье загнали. И спокойненько лечь. Или, о чудо, тоже стать динамитчицей, подрывающей устои невеселого Анекдота. Ей бы тоже смехом взрывать, всем миром своим обеспеченным. Не то что мы — одиночки, где всего в обрез. И бумаги. И жизни-времени. Или, на худой конец, — пусть шахтером будет. И хоть какое-то выдает «на-гора» тепло... А она, шлюха, еще и ночные горшки из-под политиков таскает. И при этом страсть как боится расплескать содержимое прямо им в морду. Надо ж так скурвиться за каких-нибудь шестьдесят лет. Санитар Общественной Жизни!

— Член союза писателей, — заметил сосед, — а ведь ни союза, ни писателей. Один член и остается. Народу в зубы. Вместо литературы. Да раньше она тоже горшки таскала, только в белых перчатках, — отвечал перестуком сосед. Только знаки препинания при этом забывал проставить. Стены морщились от его сплошняка. Но беседа тем не менее продолжалась. Да это естественно — две одиночки желают ночь скоротать. А может, вечер. Или даже день. Внизу — все одно. — Раньше все же были интеллигентные люди. А как ты думаешь — есть сейчас у нас интеллигенты?

— Это которые «часть общества, способная к независимому мышлению»? Есть, — отвечаю, — интеллигенты у нас делятся на три категории: те, на которых уже отсмеялись. Те, на которых еще смеются. И те, которые уже сами начинают хихикать, как бы опасно это ни было. Потому что государство любит шутить само, всегда отрабатывая именно на них свои клоунские приемы. И никто ему не мешал доселе. Напротив — помогали всем миром. А тут — неслыханное дело — смеяться над самим дрессировщиком в первой в мире стране, наконец-то победившей человека. Это, конечно, самые опасные государственные преступники.

Теперь рассмотрим — как смеются.

В кулачок. В тряпочку. В рукав хихикнув. Про себя — глазами, бровями, лбом, когда морщина как рот до ушей. Опять-таки — в анекдот (любое упоминание об анекдотичности строя — всегда строго наказывалось). В намек (толстый, тонкий, средний). Вслух — в интимном кругу. Про себя — в кругу не интимном. В записку без подписи. В записку не анонимную. В реплику на собрании многолюдном, конечно. В снятие штанов на таможне в момент самого тщательного досмотра, когда ты, счастливый и довольный (покупками), возвращаешься на родину и думаешь — где еще я могу показать — свою задницу? В смех сквозь слезы, когда тебя высекли. В иронию судьбы. В тщательно скрытый подтекст, который сразу же улетучивается при типографском наборе. В скрытую насмешку, которую потом ищешь и не находишь. В эзоповский язык, который в переводе на русский — уже не язык, а мочало (начинай все сначала!). И, наконец, в граничащий с самоубийством, с сумасшествием и с предательством всех остальных несмеющихся — в смех в открытую — с трибуны собственного роста. В голос или в рукопись. В песню или афоризм (когда он не аферизм). В холст или в рисунок. В плакат или в скульптуру. В кадр или в текст за кадром. В титр. В театр. Словом ли в зал или на все четыре стороны. В белый свет, как в копеечку. В стол про запас, будто сам себя заминировал. В письмо к чертям на кулички. Или прямо в бога душу мать. Минуя официальные ограды, огляды, ворота и калитки, упреждения и заграждения, органы и учреждения, вышки, к которым не только тебя одного приговорили, а и весь народ. Вон как глушат любое идущее извне слово!.. Минуя стены, унизительные сцены, пули-дуры и прочие цензуры, адресуясь прямо к зрителю, к читателю, к слушателю или к самому Господу Богу.

Невоспитанность! 60 лет воспитывали — учили уму-разуму, а не выучили. Непорядок! Надо же такому случиться!.. Дикость! Неприкрытый срам улыбки. Неприкрытый — намордником. Это почему же у вас шутники без смирительных рубашек гуляют? – спросит правительство. И правильно спросит. Когда тут шутили кроме него?

Варварство! Это ж надо осмелиться – посягать на святыни!.. Гони его назад, дикаря! Ату его – в степи обратно. В турнусы, бурнусы и прочие тундры к эскимосам да чукчам в под-аляски, где вождей не видать даже по телевизору, а газеты из-за медленной доставки – все еще желанная бумага туалетная. Правда, указательным пальцем после нее не больно-то поуказуешь. Как ни крути, а не выдерживает сия подтирка критики снизу. С глаз долой его – в далеко от Москвы, которая слезам не верит, как, впрочем, и смех не понимает.

– А народ? – спросил сосед мой застенный. – Он-то как реагирует при этом?

– Вот официант – половой, как его раньше звали, и, надо сказать, не случайно. Раз половой – значит, из «органов». Этот сразу оценит твой юмор, если ты ему дашь на чай с коньяком, невзирая на то, что коньяк твой он у тебя и сам уворует. А не дашь – все одно донесет. Так и побежит с салфеточкой через руку. Ибо он не только тебя одного обслуживает. Ну, кого еще возьмем из народа?.. Да кого хочешь, любого его представителя национального по форме и социалистического по содержанию, который напрочь забыл и нацию свою, и форму. И давно на содержании у государства, по-прежнему тупо не понимающего юмор. Все одно загремит непочищенной пастью медведь, сам себе наступивший на ухо, будто ему на второе уже наступили. За невинную шутку здесь дают пятнадцать суток. А уж за винную – все пятнадцать лет. Вообще «15» у них чтится. Будь то пятнадцать аплодирующих публик-республик или пятнадцать суток для начала. Вот сидит выставком, чтоб поставить тебя к стенке, и судит – насколько ты остроумен. Мало кто раньше устаивал. И уж, казалось бы, перевелись смельчаки, давным-давно в землю втоптанные. Но тут мы вынуждены поблагодарить партию и правительство – ну кто, как не КГБ, создает у нас ныне героев, великомучеников, а также великих писателей и поэтов. Кто, как не он, всесильный, который и правительство может партией заключенных сделать, – нас сегодня славит и прославляет. Если, конечно, не проламывает вгорячах черепа. Бывало, сидишь и только плетешь свою ювеналову плеть. И пока еще и не думаешь ею размахивать, а тут Госбезопасность, забыв об устройстве книжных ярмарок и всемирных олимпиад, бежит сломя голову на твой огонек. И из искры раздувает пламя...

— Это коммунисты умеют, — заметил сосед из своего застенка.

— ...И соответственно сама себя высекает. И битою задницей прямо-таки льется на мельницу славы твоей всемирной, всем своим многочисленным и в баню не успевшим сходить аппаратом. Это же уму непостижимо — сколько их!

— Это уж точно, — согласился сосед, — много. Союз Советских Социалистических... Лубянок, переименовавших Россию в ГУЛАГ.

— И, добавим, — сказал я, — живущим у себя на родине, в отличие от всего человечества, живущего у себя на чужбине.

— Несчастные, — пожалел их сосед мой.

— Ничего, — успокоил я его, — скоро СССР будет расшифровываться как Самое Счастливое Содружество Рабов во всемирном масштабе. Уже сегодня мир мне представляется огромным лагерным бараком, где верховодят уголовники и держат под ножами нас всех, включая и европейцев, и американцев, и африканцев, и австралийцев... Разве что Антарктида одна пока еще здесь отсутствует по причине своей малонаселенности и необжитости. Но и она — наша новая Колыма Международная — скоро зафункционирует. Истинно находка для мастеров ГУЛАГа. Так и назовут ее первый, поначалу дощатый, причал — «Находка». В память той знаменитой, на которую вступали наши родители. Так и вижу на всех языках — «Добро пожаловать!». «Велком, дорогие, велком!»...

...Жмутся обитатели Земли-барака (землянка, лагерь, барак — слова советские). Привыкают. Подыгрывают блатарям. Прислуживают. Торгуют. Выторговывают. Вкалывают на них международно и всестранно. Шлют делегации. Комплименты говорят. А блатари только трудодни их себе приписывают и заморскими посылочками закусывают. Договариваются. Уговор — дороже денег. И не понимают, что на железе надо писать договора, чтобы несподручно было потом подтираться ими.

Шустрят интеллигенты. Задабривают. Авось не в первую очередь их прикончат, а во вторую или, если повезет, в третью. Кто зад им лижет. Кто пятки им чешет (страшно любят блатари, когда им пятки чешут). Щекочут самолюбие, учась сноровке у местных чесальщиков — больших мастеров по этому делу. А кто чечеточку сбацает, как есть при фраке, аристократ. Кто просто бьет хвостом, изображая вентилятор, — новое веяние создает на всякий случай. Глядишь — и обратят внимание. И вот уже на задних цырлах несут биографию главного уголовника — иностранные его почитатели.

«И что-й-то г-г-лянец на ей больно матовый?» — «Не извольте беспокоиться — у англичан все туманное», — услужливо блеет издатель.

«Прояснить! — привычно рявкает главный пахан. — И все тут!» — «Будет сделано!»...

Примитивная картинка. Даже очень. Просто оскорбительна, а уж для художника... Это лишний раз доказывает, что мы не от мира сего, но принужденные жить в мире этом. ... Обнаглели старперы. Ну жуть как обнаглели! «И кто это вякнуть посмел? Опять одиночки!» ...И во глубину сибирских руд. Или еще куда подальше. Вот меня, к примеру, рыпнувшегося, отчего-то не убивают, а собираются в дальний угол упечь. Перевести из подвала одиночного на тот свет. То есть — из Старого Света — в Новый. Сам удивляюсь. Это что-то новое в их старой песне.

— Разрядка мирного сосуществования, — подсказывает сосед.

— Да, но раньше просто разряжали в тебя все свое наличие огнестрельное, а теперь стараются разряжать не просто. Зрителей прибавилось? Или с дальним прицелом решили стрелять? Или, сами того не ведая, имя нам делают и наивно думают — дальние нары взбунтуются. Ведь там еще непривычен тот произвол, что царит на передних...

И тут я уже к прочим камерам обращаюсь, а не только к соседу. Ко всему остальному миру — слепому, бесхитростному и беспечному, как любой счастливец, — закройте свои пенклубы и ассоциации и прочие творческие союзы, господа! И валите сюда! Только здесь вы найдете заинтересованное участие в творческих судьбах. Всеми книжными ярмарками тщеславия и литературными базарами наживы, конференциями и симпозиумами, коллоквиумами и конгрессами, форумами и фестивалями, биенналями и реситалями — бегите сюда учиться — как стать знаменитым. Только здесь вы найдете признание. Только здесь вы имеете шансы стать всемирно известными. А уж кто действительно способен на что-то путное — тому гениальности не миновать. Ну, чтобы хоть раз единственный вам спевку, сходку, смычку, музей ли под небом на улице — не разогнать кулаком да бульдозером, пендалем да экскаватором или в крайнем случае просто брандспойтом!

Нет, Западу, так и норовящему стать Востоком, только мечтать об этом. Сколько там пишет, рисует, лепит, мечтая о подзатыльнике! И хоть бы кто внимание обратил. Да врежьте любому творящему, и уже икающему от свободы, по загривку или спереди — по таланту — и сразу весь мир, как пьяная баба, полезет к нему в любители и в обожатели, в хвалители и в читатели, в зрители и попечители, в болельщики и меценаты, в сострадальцы и в друзья, в таланты и в поклонники... Люди не замечают художника, пока он не становится жертвой. Битый художник — вот где настоящее зрелище.

А впрочем, оставайтесь все на своих местах. Теперь КГБ поумнел и прикрыл свой институт всемирного паблисити. Хватит плодить гениев на свою голову, решило это ведомство, да еще таким скорым способом. Гнать их в шею!

— А ведь раньше понимали юмор, — сокрушался сосед, — более того — когда-то и смеяться умели, полагая, что зубы еще и для улыбки даны. А не только для того, чтобы кусать друг друга. И таким вот способом догрызаться до смысла жизни.

— Улыбка... Ее, дорогой, нынче гасят армиями. И не только стукачей и соглядатаев. Действующими, где танки прут, раскачивая елдой, изо лба растущей. Кстати, это именно то, что еще способно подняться у нашего немощного правительства. Скрежет гусениц — это не что иное, как скрежет вставных зубов этих немощных старцев, так и не могущих сладить с нами. Он как нельзя лучше подчеркивает наш смех. А мы всего лишь пока шутим. Мы еще только проверяем чувство юмора у окружающих, которым все это время было не до смеху. Хотя, повторяю — здесь бы только покатиться со смеху и без сатириков.

ЦДЛ. Ест свой московский борщ Джеймс Олдридж. Когда-то на своей яхте прибившийся к нашим берегам. Все пытался поднять с черноморского дна древний камень затонувшей Диоскурии. Потом зачастил. Настоящее куда неотложнее, чем прошлое.

Перекатывается парча борща...

В Англии мало кто почитывает председателя яхт-клуба, но зато здесь, у нас, он почитаем, как Шекспир!

Если бы в свое время Анатолий Кузнецов читал в наших газетах его негодующие статьи о своей стране. То он, конечно, не сбежал бы. Тем более в Англию, которую так рьяно обличил этот англичанин. Вряд ли тогда Кузнецов стал бы Анатолем Смитом.

Всякие знцы, равы, ларни, боноски, риды... Я никогда не понимал их, любящих нашу советскую жизнь на расстоянии. Живущих в свободном мире. Настолько свободном, что им позволительно плевать в колодец, из которого они сами пьют.

Непонятна мне и доверчивость, наивная и радостная, людей, далеко не глупых, принимавших или еще принимающих за чистую монету на Западе и наших «болельщиков за народ». «Страдальцев» типа Евтушенко — левых с разрешения правых. Нелегальных левых в правом мире на свободе не бывает. И не на Запад их посылают, а далеко на Восток[1].

Смельчаки с высочайшего позволения. Которым разрешается погладить, как котенка, запрещенную, болью брыз-

[1] Я не имею в виду левых в мире свободном. Ныне понятия «левый» и «правый» несколько смещены, и наши правые отнюдь не от слов: прав, правдив, правилен. Скорее наоборот — здесь правый... с расправой.

жущую тему. И то, прежде чем намекнуть на слово «против», — такой смельчак сотни раз воскликнет слово «за!». Их мало купить один раз, они хотят быть постоянно в цене.

«Если меня хоть день не упоминают — я болен! — жалуется называющий себя духовным вождем молодежи страдалец. И тут же опасается: — Только бы не хвалили! Только бы не молчали!..»

Журналист, крепко помнящий красные даты. Писавший стихотворные передовицы в «Советский спорт» и «Комсомолку». Кто его уполномочил говорить от имени моего обманутого поколения?

Хлопотами Мориса Тореза получив разрешение опубликовать свою автобиографию за границей, — он продал ее сразу двум издательствам. Оправдываясь, что жене заграничные тряпки нужны.

В ней он пишет, что гонорар за первую книгу стихов жег ему руки, и он с удовольствием выбросил деньги в Москва-реку...

Это действительно были выброшенные деньги. На десять старых тысяч в только что открывшемся ГУМе он накупил чешских сорочек. Оптом. Не слишком надеясь на счастливую — в которой родился.

И если принято кидать монеты в водоем, чтобы вернуться на это место, то он, возможно, и кидал деньги. Но только не в Москва-реку, а в противоположно другую. Хотя его и без этих монет еще не раз пошлют за границу.

Посылают таких, у кого и в голове не укладывается — как это можно сбежать из такого дарового Собеса, как Россия! Недаром же сбежавших за границу считают здесь сумасшедшими.

Другое дело — высылают из страны неугодных. Высылают затем, чтобы там (почему не здесь?) отнять у них «молоткастый, серпастый советский паспорт». Вместе с возможностью вернуться домой. Это сейчас модно!

Лично мне больше по душе не думающие о последствиях донкихоты. Люди, захваченные честностью врасплох. Идущие возвышать свой голос. Заведомо зная, что они обречены. Это писатели еще могут выразиться хотя бы в мысли. Они же самоотверженны даже в бессмысленности. Их тоже называют сумасшедшими и водворяют в дома скорби. И лишь прошедших все круги воспитующего ада, не всех, а только миром узнанных, потом выдворяют из страны.

Кощунство в их день ото дня редеющий ряд ставить «борцов», подобных Евтушенко.

Интерес к литературе, особенно к поэзии русской, у нас естественней. В ней ищут «клубничку» — маленький, но протест. Пятьдесят лет лакированного, помпезного и дистиллированного, а то и просто лживого чтива вполне объясняют читательский голод.

Не мечтают о литературных переворотах, а все же ждут чего-то из ряда вон выходящего.

Неофициальным, но куда более продуктивным послом Америки был Луи Армстронг — золотая труба.

Посол Советской России, всем бюджетом навалившейся на пропаганду, — Евтушенко — великий мистификатор и посредственный поэт. Естественно, на фоне официозных собратьев по перу, кроме «Вставай, Глафира, за дело мира!» едва ли еще что-то сказавших, всех этих Жуткиных, как говорил Маяковский (имея в виду сразу и Жарова и Уткина), он выглядит куда эффектней, этот поэт на экспорт, которому и в СССР дозволяется иногда покачаться на идеологических качелях (есть же полковники КГБ в рясах, почему же и в миру в антисоветских штиблетах не походить?), но при чем здесь поэзия?

На Западе, говорят, поэзия и политика — каждая сама по себе. Хочешь причаститься к политике — выходи на площадь. Желаешь писать — говори не крича. Поэзия — не площадный крик, а интимный диалог. Она — человековедение, а не человеконенавистничество, замаскированное под любовь к ближнему.

Здесь поэзия хочет быть политикой, равно как политика не желает быть снисходительна к поэзии. Я не имею в виду лозунги и восхваление самих себя.

Сама по себе независимая и прямодушная, здесь поэзия не влияет на политику и погоды не делает. Она никак не смягчает наш резко континентальный климат.

Потому что поэзия официальна и далека от своего прямого назначения. Здесь даже в лирике ищут взрывоопасные концы. А эпика пишется под неусыпным наблюдением Института марксизма-ленинизма.

Гражданственность – обоюдоострое слово. Им может прикрыться всяк, кому не лень, – и честный литератор, которого здесь и на пушечный выстрел не подпустят к трибуне, и продажный писака, выступающий от имени всех, но держащий при этом кукиш в кармане.

Каждый гражданин как может. Каждому свое. Кому осень Болдина, а кому и станция Зима!

Смешно, когда с именем Евтушенко связывают литературные процессы, происходящие в России. Какое он имеет отношение к поэзии как таковой?

И уж совсем смешно, когда его именем называют улицу где-то в Израиле и служат молебны с папских папертей Ватикана. Таких левых от правых отличить трудно. С таким же успехом можно петь «Аллилуйю» в честь черносотенца и мракобеса Шолохова, тихой сапой сидящего на Тихом Доне. И тоже стараньями (чьими?) поставленного в ряд человеколюбов, избранных миром и названных Нобелевскими лауреатами.

Да хватит вешать дипломы на расстрельные стены! Как художникам хватит на них, щербатые, вешать свои картины. Того и гляди проступят расстрелянных лики. И жидко сберутся полотна и в душу плюнут творцам.

В Москве не общались давненько, да вот в Нью-Йорке вдруг встретились невзначай. На старые дрожжи юности встреча легла. Здесь же у нас общежитье, безбаррикадно живем. До неприличья свободно.

«Братья по цеху, за что ж вы меня? Разве ж так можно? Душою я с вами!..»

Когда бы душа еще и по вывеске своей, возмутившись, врезать умела, эх, Женя, не было б радости больше тебе, да и мне. И всем нам по причине вот такого ее неуменья – вне родины очутившимся. Хоть и не худо сидим и «Шато» попиваем на чьей-то дружеской вилле и рядом Гудзон себе течет. Истинно Хевен – рай. Но как ни крути, дорогой, а все ж соучастник ты их активный бесчеловечья. А надо бы наоборот – соучастие к людям, вон их как в лагеря волокут. Что уж голосом брать (да еще фальшивым) – стон России и покрепче тебя заглушить не умели и бежали Шаляпиным сюда – в Нью-Йорк, где сидим мы так чинно. Вон и Булат Окуджава – тоже сюда летит. Посол их посола. Не хочет Булатик наш голодать. Невзирая, что их похлебка слишком дорого стоит. Самым стоящим в жизни надо платить. Но зачем же так дорого суп покупать и рыдать, когда тебя из компартии исключают?

«Так он же мягкий человек, мягкий... Очень мягкий...»

Мягкий, как кал.

Родиться в России – одно. Переродиться и выродиться – другое. Так какое же лучше из двух «остаться» – там или все же самим собой здесь? И тебе ли неведомо, как несогнувшихся гнут. Или попросту изгоняют. Только издали голос наш громче еще. Здесь свобода бесплатна, ему есть где набрать высоты. И тебе ли не знать, как нас жадно слушают дома (слово не воробей, вылетит – без транзистора не поймаешь). Потихонечку пишем сквозь ваши заглушки по старинке домой. Пока вы там все намекаете. Кому? И нашим и вашим? А награда – все та же похлебка, лагерной не чета, да самым активным опять же на Запад презренный махнуть подачка. Самым активным по части смены личин.

Да что уж крутиться (шкуркой на членстве), поэт вне сторон. И Суд ему не Верховный республик. Плевать он хотел на пятнадцать руденок с шестнадцатым вкупе. Иди же, как Маяковский, пулю забил в барабан одну (барабанщик, он есть барабанщик – игрок). Пожалела, пришлась. В самый раз угодила. Или уехал, как кто-то из нас. Сам или очень уж попросили. Сколько лучших в чет или нечет сыграли – или Родина без свободы, где ты (в клетке) орел, или свобода без родины (в данном случае места приписки), где ты тоже не решка. И это намного честнее, чем шкуры менять и оставаться дома, его не имея.

– Как же хочется тебя прочесть, но не смею просить твою книгу – при досмотре отнимут. Опять же скандал...

Но ты не представляешь, как хочется тебя почитать... Ты же знаешь, как я тебя почитаю!

— Прочтешь — она по России свободно гуляет[1].

Иосиф Бродский в знак протеста вышел из Американской академии литературы и искусства, возмутившись постыдной всеядностью академиков здешних, когда Евтушенко туда попал.

Аксенов выбрал Вашингтон, потому что в Нью-Йорке жил Бродский.

Саша Соколов вообще из Штатов сбежал от него подальше.

Куда ты, Саша, ведь есть еще Клуб русских писателей при Колумбийском университете, где уже тоже вышибал поставили, есть клуб-ресторан «Самовар», правда без Литфонда-Парнаса, где я бумагой финской кормился (здесь ее столько, что и не нужен Парнас), есть, наконец, наша родная совковая община с персональным российским телевидением, с усредненной эстрадой, всегда готовой показать свою убогость. И прочие клубы, клубики и просто клубки, так похожие на ЦДЛ...

А впрочем, он был куда колоритней, крупней и значимей, наш гадюшник, к нему не только шваль слеталась на огонек, там еще и великие выпивали.

«Мы говорим „Ленин", подразумеваем — „партия". Мы говорим „партия", подразумеваем — „Ленин"...» И так шестьдесят с лишним лет говорим одно, а подразумеваем другое.

Эзоп, Эзоп... Ныне лиса смотрит на виноград рентгеновскими глазами, и нюх у нее электронный...

---

[1] Вернется Женя, чтобы снова сюда приехать, прочтет мой пиратски ходивший по родине «ЦДЛ», напишет поэму, пытаясь меня задеть персонально, и еще со зла антологию русских поэтов издаст, но уже без меня. Мне не впервой. В России только и делали, что меня исключали. Один-единственный раз я сам себя решил исключить, обратившись с открытым письмом к еще читающему секретариату, недвусмысленно уведомляя его о выходе из Совписа, так нет же — не дали — задним числом, а все ж исключили сами, будто боялись, что я не замечу своей исключительности. Не увижу ее. Но здесь?! Это что же, и в Нью-Йорке их филиал с трибуною в синагогах, где вовсю распинается бывший секретарь правления Союза писателей СССР?

Кабы могли обыскивать головы, как письменные столы! Хрупкая мечта медицинской госбезопасности! Юрисдикция и министерство здравоохранения – забота о ближнем писателе – *Юрздрав!* (и это в стране, где ни здоровья, ни прав!). Еще не умели пломбировать зубы, но уже тогда научились пломбировать рот.

Так откуда же крамола прет?

Приспособить эшафот под трибуну – такого цирка теперь не увидишь. Но и в благополучном с виду ЦДЛ, чинном и сытом, где всему дано имя, нет-нет да взорвется Слово. Обозначив трещинами монолитные стены. Хоть и половые в кабаках московских не ниже майора госбезопасности.

Однажды на спор окликнули официанта: «Майор, подойдите сюда!..»

Мгновенно метнулась к нам фигура, еще миг назад медлительная, провалив в удивлении рот.

ЦДЛ. Почему бы твой ресторан не назвать именем погибавших с голоду писателей? Список их должен висеть на самом видном месте, как бы напоминая жующим, что не хлебом единым жив человек, особенно талантливый.

Всегда жду, что с крючка хрустальной люстры на белоснежный и сервированный стол спадет веревка с повисшей в Елабуге Цветаевой.

Как-то в гостях у чешских писателей заведующего Литфондом СССР Кешокова спросили, как и кому помогает Литфонд в России.

– Ну, Шолохову помогаем. Бабелю уже 30 лет оказываем помощь денежную...

Это что же, они ему на тот свет посылочки продуктовые шлют?

Снуют-снуют майорчики, как челюсти жующих писателей. Потому что обжорство на Руси не самый крупный грех. Да и веселье на Руси древнее нас.

Калики перехожие... скоморохи, первые смехачи сквозь слезы. Ряженые...

Веселье, твои бесы бьют в ребро. Да так, что сердце порой выпрыгивает на немые страницы.

Скоро, весело бежит перо. И лишь потом наступает горькое похмелье.

Слово древнее и вечное. Вдвинутое со скрипом в письменные столы... Слово подлинное. Связавшее свою судьбу с каким ни есть читателем. Так ли высока разделяющая вас стена?

Накапливается лучистая энергия слова. Трагичная смесь незавидных человеческих судеб и удивительных шедевров. Не пробившихся к людям.

Строка прожигает биографию. Наполняя жизнь тревогой и неуверенностью. Малейшая искра отчаянья может взорвать пороховые склады.

Трагедия, высоко поименованная творчеством. Писатель, как шахтер, прорубает свой штрек. Но если совесть его увела от общей кормушки пласта — завалят. Обязательно завалят!

Крестьянин пашет на своей делянке — кулак. Писатель, пишущий без соавторов, с внутренним цензором, — враг. Давно талантливый — пишет воровато. Оглядываясь на вчерашнюю молодость и крестясь, доставая из сундука немодное перо жар-птицы. Потому что писать ныне принято обыкновенными перьями.

— Сдался... и издался! — говорят в ЦДЛ.

Смелый тоже должен испугаться. Иначе откуда ему знать, что он смелый. Главное, вовремя оправиться от испуга.

Но когда воскресал бунтарь, попросивший однажды пощады?

Литература для избранных... Закрытые процессы... Где судят не о стихах, а за стихи. Где судят не о прозе, а прозу.

Странное у нас литературоведение!

При этом еще спрашивают собственное мнение. На этот счет.

— Да, у меня есть собственное мнение, но я с ним в корне не согласен, — сказал я однажды и получил очередной строгий выговор в личное дело.

Зависть и неумение порождают политику. А что порождает она?

Известно — насилие!

Партия хочет водить каждым талантливым пером. Партия хочет держать руку на пульсе всея Литературы. Губа — не дура!

«Песня не знает границ!»... Смотря какая песня! Песня, может быть, и не знает. Но автора ее подчас тычут носом в полосатые столбы, как напакостившего котенка.

Не поехал за границу — кто-то за меня сказался больным. Надо будет узнать, серьезно ли болен?

Слово плюет на границы. Вот автору его куда трудней!

Банальное отверстие рта, произнесшего у нас слово «Свобода!». Кого из нас, изданных на Западе, по-человечески понятых, независимо от политических устоев, понятых через головы «поэтов и правительств», через горы все еще не обвалившихся пропаганд, кого из нас, как белых ворон, не освистают и не заклюют? Как отступников не выставят напоказ, навесив всех дохлых кошек идеологической измены и физического предательства?

Нас просто будут судить как самогонщиков, нарушивших государственную монополию пьянства, где трезвость едва ли не самое страшное преступление.

Почему Запад допустил наше вступление в конвенцию об авторском праве, которая ставит целью обеспечить уважение прав личности и благоприятствовать развитию литературы, науки и искусства? Будто после вступления в эту конвенцию наше государство перестанет быть тоталитарным и сразу же начнет уважать личность вчера еще гонимого писателя, который был, есть и будет бесправным.

Почему Запад взял на себя функцию органов подавления? Или у нас своих давителей мало?

Что это — наивность, граничащая с глупостью, или детская игра в поддавки?

Если бы эта конвенция вступила в силу раньше, то было бы поздно говорить о литературе сегодняшней. Не было бы Пастернака, Ахматовой, Булгакова и Платонова, Владимова и Домбровского, Мандельштама и Цветаевой, Войновича и Максимова, Некрасова и Галича. И, конечно, нашего аятоллы Солженицына. Так же как не будет многих других завтра, после вступления этой конвенции в силу.

А впрочем, будут книги, за которые авторов к стенке или в застенки. ВОХРАП – вооруженная охрана авторских прав. Хочется и гонорар отобрать, и честь при этом соблюсти. Посредничкн. Валюта нужна! Хотя теперь разведка стоит куда дешевле, чем вчера. Компартии капиталистических стран, которые содержит КПСС, исправно собирают нужную информацию, даже когда не согласны с черносотенными выпадами своих шефов, да и не только коммунисты на Западе на нее работают за бесценок. Одна «кембриджская пятерка» чего стоит!

Пятые колонны, как их терпят на Западе, чья святая простота и доверчивость умопомрачительны! Да что компартии! Тут целый ООН под Лубянкой, который уже сам Запад содержит.

И, надо сказать, платит не зря – хорошо его подрывают.

Ну, понятны продажные писаки, обливающие грязью свой свободный мир, дабы потрафить миру нашему. Здесь недорого стоят их откровения.

Но к кому вы лезете с объятьями, со своей помощью, контактами, а главное, с полным неведением того, что творится у нас. Вы, которым сам Бог велел быть зрячими?

Уж не хотите ли без боя сразу отдать в руки наших правителей проблему выживания человечества?

Дьявольской псиной пахнет от каждой сделки, заключенной с ними.

На моей памяти уже с десяток писем, адресованных сенатору Фулбрайту. Писали в основном матери, потерявшие при этой власти всех и все. Письма их полны отчаянья и горя, а главное, недоумения, как можно принимать нашу страну такой, какая она есть? Страну, исключившую из обихода человечность? Как можно помогать душителям, тем самым делая еще сильнее и долговечнее? Не всегда анонимные, дошли ли эти письма до адресата?

Вряд ли! Дошло ли это до товарища Фулбрайта?! Или отвесная стена его лба да испорченная почта – помешали.

«Справа пустыня!» – писал «Монд дипломатик» в специальном номере, посвященном проблемам интеллигенции. А слева? – МИРАЖ!

Мало любить свою родину – нужно любить весь мир! Хотя бы для того, чтобы спасти свою страну. Нужно думать шире своих государственных границ. Дальше. Не задирая свою мысль к безбрежному Космосу. А, напротив, опуская ее ближе к земле. Прекрасной, но до чего загаженной планете.

Эпидемия проблем, ведь ей подвержены все живущие на ней. Даже если сегодня они пока здоровы. Но сегодня существование страны, в которой я родился, приближает мир к трагической развязке – каждый день существования этой страны уничтожает человеческое будущее. Растлевая его и сводя на нет.

Всеобщая неумиротворенность всего человечества, посеянная нами, – мы уничтожаем все живое во всех живых. Если в двадцатых годах мы разрушали только себя. А в сороковых – Европу, то сегодня мы разрушаем весь мир. Миазмы коммунизма распространились всюду. Убивая на корню инстинкт самозащиты у Запада. Старый Свет стал преступно пассивен. Ведь если когда-то четырнадцать держав пытались локализовать заразу. Это было же не случайно. Это был ярко выраженный инстинкт естественного сопротивления болезни, грозящей захватить весь мир. Сейчас, почему же сейчас ослабел этот защитный импульс? Ослабел настолько, что едва сопротивляется. Да и мало надежды заставить весь мир сопротивляться заразе! Видимо, мало! Иначе бы не родилась самая преступная в истории человечества примиримость – так называемое «мирное сосуществование». Эта пассивность перед эпидемией, самой из всех недугов человечества опаснейшей.

Что может быть самоубийственней и недопустимее? Что?! Или Западу понравилась наша Метода? Свои гегемоны головы подняли, зажрамшись? Да нет, не похоже.

Надругательство над словом «там можно!» – *таможня.*

Ров. Стена. Полосатость границы. Прыжок. Кто-то свалился. Кто-то все же повис, уцепившись. Едва держится. Все же перепрыгнул...

Так и писатели, пытающиеся перепрыгнуть через гигантскую трещину наших различий. Через не Тихий, но великий океан непохожести двух миров.

Литература должна быть не междуусобна, а международна! Она должна сплачивать и роднить людей, а не сбивать их лбами, как баранов.

Если на Западе спросить советского писателя: «Это Луна или Солнце?» — он ответит: «Не знаю. Я — не здешний!»

«Счастливые люди в России!» — утверждает один американский миллионер в нашем журнале «Журналист».

Достаточно ли он зряч? Да, он выглядит на фото без очков. Или утверждает это за высокий гонорар? Нет, ведь он и так слишком богат.

Может, он наслышался о наших варварствах и счел нужным объявить главное, чего требуют от всех в нашей стране: «Здесь все необычайно счастливы!»

Или он убоялся, что, если усомнится в нашем счастье, мы, счастливцы, попросту сволокем его на Лубянку?

Есть такая притча. Плачут обложенные непосильной данью люди. Значит, с них можно сдирать еще большую дань. Молчат обложенные непосильной данью люди. И тогда еще можно на них нажиться.

Но вот они засмеялись. И это страшно! Тут уж несдобровать пришедшим мытарям. Тут уж уноси ноги!

Но это не значит, что в России нет счастливых людей. Есть! Но назвать их людьми — это было бы слишком громко. Это нечто вместо людей. Эти существа представляют у нас людей. Получают за людей. Сидя на их человеческом месте. Слепцы в музеях и евнухи в любви. Косноязычные на трибунах и глухие к человеческим голосам.

Говорят, человеческое сердце с ладонь! Здесь пульсирующий клапан больше напоминает кукиш. Ритмично стукающий в нос ближнему человеку.

Гении посредственности, сами себя наделившие правом творить бесправие. Требующие к себе поклонения, забыв, что они всего лишь человекообразные среди нас, не умеющих так сплачиваться и приспосабливаться. Человеческие делегаты, едва избавившиеся от хвоста. Обнаглевшие в своей безнаказанности. Распилившие еще вчера их скрывавшее дерево на высокие зеленые заборы, скрывающие их от людей. Людей, привычных человеческому пониманию, с таким трудом продравшемуся через века.

Право видеть мир нашими глазами! Но они слепы! Право слышать мир нашими ушами. Но они глухи! Право трогать красоту нашими руками. Но они атрофированы! Да, они счастливы. Но они не улыбаются. Они, как правило, не смеются. Они — серьезны. Где американский миллионер увидел у нас счастливых людей?

«Вот с Кубы ракеты вернули. А меня, Федоренку, из ООН отозвали... И пошли кидать-перекидывать. Пока не попал в ЦДЛ. Теперь я шеф иностранной комиссии Союза Писателей СССР. Секретарь Правления и т. д. и т. п.

Дел невпроворот! И каких дел!..»

— Ну, и где лучше — в ООН или ЦДЛ?

— Ну, конечно, ООНу до ЦДЛа далековато! У ООНа еще кишка тонка сравниться с ЦДЛ. Какие проблемы там... И какие здесь!

Ему по-прежнему снятся им объединенные нации здесь и там.

Все нации, объединенные здесь, — нации! Все нации, объединенные там, — фикции.

Но вот взвыла сирена чьей-то истошной души. Переполох. Что-то вновь случилось...

Спартак Куликов... Имя — восстание. Фамилия — битва. Отчаявшись, он однажды пришел к Мавзолею и, положив под колени подушечку, стал беседовать с Лениным. «Вы единственный, — восклицал Спартак, — с кем можно поговорить!»

Одного из двух собеседников препроводили в участок. Были спешно вызваны руководители Союза Писателей. Дали бедному Спартаку строгий выговор и пятнадцать суток без шуток. Вот если бы он пошутил, ну, тогда уже не сутки были б, а года.

Спасло его, что писал только трагедии. Следовательно, не на шутку хотел поговорить с неразговорчивым Ильичом.

Короче, посоветовали Куликову впредь, когда ему вздумается еще раз побеседовать с великим вождем, предупредить власти и... разумеется, не брать с собой подушку.

Шито-крыто в кабинетах. Не мыть окна — значит экономить на шторах. Сыплет ЦДЛ выговора. Как из рога изобилия надежды.

Сыплет выговора... Выговоров — гора!

Непривычно тихо в Москве. Вдруг культурно. Эпидемия гриппа — вся сфера обслуживания в марлевых респираторах.

В эндемию можно быть спокойным — не облают!

Непривычно тихо в ЦДЛ... Тайная вечеря... Заговорческая тишина. Желание выговориться... выговорами. Они витают в воздухе. Их куда легче схватить, чем грипп в эпидемию. Недаром же говорят: язык мой — враг мой!

Даже Алексей Марков, никогда не высовывавшийся из окопчика примерной поэзии, и тот, пустив по голове есенинский пробор, вылез на трибуну где-то в Орехово-Зуеве и начал про невинно убиенных кулаков. И кому пожалился — старым партийцам. Быть может, самим отцам Коллективизации. Как возмутились ветераны!

И хотя бывший ортодокс что-то доказывал и кричал: «Что я, рыжий? Всем можно, а мне нельзя? Я, может, тоже хочу в обойму!..» Дали Маркову строгий выговор. Чтобы брал пример с кого следует.

Чуть повыше обычных висят партийные выговора. Минные поля нравственности.

Тут мало пригнуть голову. Ничто не спасет. Даже шлем седины. Тут свои, лишь самим судящим известные законы.

Когда-то ревтрибуналы не чикались. Расходовали чью-то жизнь, мало заботясь о совести.

Сейчас же вызов «на ковер», в крайнем случае, может запахнуть валидолом. Одна лишь боязнь быть сброшенным в народ холодит жилы вызываемых. А так как судьи далеко не безгрешны, то всегда теплится шанец на снисхождение.

Партсекретарь писателей Москвы Игорь Ринк, как, впрочем, и его предшественник, пропил собранные партвзносы.

Не гнать же за это из Союза писателей, если уже выгнан из партии? Два раза не секут.

Другое дело беспартийный. Его изгоняют сразу же из... Литературы.

Растет список выгнанных из Союза писателей (а то и вообще из Союза Советского — гнать так гнать! Чего уж там чикаться?!). Слава богу, растет. Это и есть настоящий список настоящих русских писателей. А у скольких купили молчание?!

Е. Маркин, написавший стихи о бакенщике Исаиче, выставлен из рядов писательских, хоть и периферийных.

За пародию на В. Кочетова, суперсоветского микрописателя, поперли из партии Зиновия Паперного, отняли партбилет и у Окуджавы, справедливо полагая, что творчество и партия — вещи несовместимые.

Когда я начинал эту книгу, этот список занимал едва ли четверть страницы. Хоть и писал я ее быстро, но эта живая страница росла, увеличиваясь с каждым днем и часом. Захлопнуть ее? Но список-то далеко не кончен. Сколько их еще, кандидатов на вылет? Тем более что многим уже стало совестно пребывать в этих рядах. Высылка Солженицына все же подействовала.

Хорошо, когда спина не роняет рост.

Не велика заслуга быть в этом Союзе писателей. Давно уже не писателей. Но велика честь быть в списке изгнанников из него.

Вечный страх — кабы чего не вышло... За границей. Наивные люди! Не так-то просто за границей выйти в свет из наших-то подземелий. И трудность здесь не только в *«перевезти да перевести»*. Свобода творчества... Ее навалом. Цензоров еще больше.

Мой дом — моя крепость. В осаде. Никто не штурмует, но обложен, как волк. Ощутимо исчезает воздух вокруг. Вакуум. Разреженная плотность, в которой каждый собственный шаг отдается в ушах. Будто слоновой болезнью болеешь. Каждый шаг заметен. Мне ли одному? Вчера радушные встречные —

уступают дорогу. Сигая зайцами в сторону. Воспитанный человек не может не поздороваться, будучи столько лет знакомым. Как тут быть? — И он становится неузнаваемым. Он хочет, чтоб его не узнали. Обознались. Не заметили. «Я — не я! Вот видишь — разве я похож на себя прежнего?» Поздороваться? Так не поздоровится!..

Коллеги уже не коллеги. Они — хор, тебя заглушающий... И вдруг смолкнувший навеки. И как это раньше они так преступно близорукими были! Даже книги просили с авторской надписью. Теплой, как обезболивающий компресс. Один даже проходу не давал — «Ты поэт — сегодняшний. Я — завтрашний. Ты мне свою книгу — сегодня. Я тебе — завтра. Идет?»

Надо было подарить — «Поэту Будущего от Поэта Настоящего».

Мой дом — моя крепость. До первого тарана. Костяшки милицейского пальца достаточно, чтобы пробить его толстые крепостные стены.

Пальцем — в дверь. Шорохом шин — в окна. Мимика звуковых сигналов. Издревле понятная ожиданию. Власть напоминает о себе бессонно не только пугающими сиренами, когда от них и кряжистые дома шарахаются.

Копошенье у почтового ящика. Почтальон наоборот. Раструб уха. Выкат глаза. Стены — слышат. Прицелы — смотрят. Пристальное чье-то внимание. Его перекрестье уже на моей спине. Рано вы поставили на мне крест.

— Вы ничего не ждете? — спросил у соседа.

— Я ничего не жду хорошего, — пожал он плечами, — так даже лучше. Знаете, так даже спокойней.

— А я жду хорошей встряски.

Гуляю с сынишкой в Сокольниках и жду, когда подойдут. Иду в библиотеку и жду, когда подвалят. И вправду, не напишешь ничего путного. Вот она, затянувшаяся пауза. Искусственный творческий кризис.

Ну, приходи, вдохновенье. Минуй засады, облавы, соседские страхи. Прорывайся ко мне, моя работа. Давай, невзирая на лица. Давай не смотреть ни на что!

Никогда не думал, что так пронзительно может звенеть дверной звонок. Колокола сбирающие... Колокола зовущие, разбитые на миллиарды-мириады осколочков повседневного треньканья... Будто что-то огромное и хрупкое сорвалось с высоты и грохнулось оземь.

«Это несерьезно – недооценивать свое положение», – говорят малочисленные мои друзья. Которым терять нечего. А что толку, если я его переоценю? Я – фаталист. Будь что будет.

Оголенно шумит осень. Брошенные деревья ждут холодов. Эти – дрожать научились. Календарь – не для меня. Я и так суеверен загадывать на завтра. А ныне – вдвойне. Как на бранном поле. Лежишь в окопчике, а окопчик твой давно пристрелян. Лежишь и ждешь, чтоб подошли поближе. Скорей бы уж! А может, рано встал во весь рост? Где твоя выдержка? Нет у меня выдержки. У меня есть моя судьба. Разве этого мало? Она поверх головы, ее не продумаешь. Закрытый конверт. Вскрытие покажет, насколько она была счастливой. А может, она подсказывает? Тогда она неважный суфлер.

Течение жизни... У меня оно больше походит на горный порожистый спуск. Не течение, а сплошной волок – волоками, разодранными о камни, устилающий свой путь. А глубину – создавай сам. Она – в подтексте твоей Судьбы, которая уготовила тебе далеко не райскую жизнь.

А ведь действительно – поэту рай противопоказан. Что делать нашему брату в раю?

Мой дом – моя крепость... с ворохом неоплаченных жировок за свет, который не мил. За газ – намекальщик. И подслушанный телефон. Куда подевались звонки?

Мой дом – моя крепость, где моя маленькая свобода лезет на баррикады.

Ходила-бродила моя старая рукопись. И однажды вернулась ко мне. Обросла пометками чьими-то, поистрепалась. Первая проза без читателей не может. Как бы ни был уверен в себе, а без читателей не прожить. До печати ей было далеко. До цензуры – близко. Ходила по рукам, как ребенок-первенец... незаконнорожденный.

– Ты изменил своему жанру, – звучало в его устах как измена чему-то куда большему, чем жанр. Чуть ли не Родине изменил. — Что это вы все переметнулись на прозу? Если бы в России только стихи писались, это бы звучало так: что это вы все переметнулись в лагерь враждебной прозы? Или во враждебный лагерь прозы?..

— Кто это все?

— Ну, из числа наших общих знакомых я уже пятерых насчитал.

— Ну и слава богу! Больше терпения стало. Тебе-то что?

— Да мне ничего. Просто немного странно.

— Было бы странно, если бы стишки писать продолжали под вечер. Их пишут утром и в полдень жизни. Но никак не на ночь глядя. Да не обеднеет, останется... Всегда будет минимум поэтов и максимум пишущих стихи.

— Послушай, а откуда у тебя моя рукопись? — осенился я. — Да еще в ресторане?

— А я думал, ты обрадуешься. Похороненный экземпляр. — И школьный товарищ потянулся за рюмкой.

Радости было мало — в этот вечер я был арестован прямо на улице, едва вышел из ресторана.

Ах ты, Советская площадь! И князь Долгорукий не слез с коня защитить меня. А еще долгорукий! И подобно ему — никто не стронулся с места. И приятель исчез. И прохожих не оказалось... решительных. Ни души. Один Моссовет размахивал флагом, как голубей гонял. Стайка дружинников и я посередине (вот и подошли поближе). Бесцеремонная работенка. Или птенцы? Потеют. Пытаются руки крутить, для острастки. Ну-ну, покрути! И вмазал я в пух щенячий, хоть папку драгоценную держал. О, рукописи, рукописи, из-за вас только беды! И тогда налетели поодаль стоявшие наставники-мастера.

Вошли, нырнув куда-то вниз. Где мы? Здесь, на таком помпезном месте, не должно быть никакого милицейского участка, каталажки, где крик и кровь. Нет, сидит милиционер, совсем сопливый лейтенантик. На столе телефон и стандартный лист протокола. Сюда он впишет (если уже не вписал): «...оказывал сопротивление представителям власти. Ударил дружинника по голове папкой с рукописью». Что значит — весомой!

Ах, святая простота исполнителя! Откуда ты знаешь, что в моей папке?!

— Привет!

— Привет.

— Как живешь, дорогой?

(Дорогой, наверно, хорошо заплатили.)

— Еще не пропал. Еще пропадаю...

— Ну, бывай (послышалось — «Убывай!»). Позвоню.

— Звони! Правда, я еще не знаю, где буду — в Раю или Аду. Звони! И мы соберемся все, кого ты предал. Слетятся души наши на огонек. Вместо водочки — нарзанчик. А вместо женщин — игры дистрофиков — любовь без объятий. Глазами. «Любовь с первого взгляда» — кажется, так называются эти игры. Звони, Иуда!

Одеревенела рука. Сон в руку? Или спать здесь не с руки? Или память возвращает рукопожатие друга-предателя?

Начальник (тут начальники все) — коротконогий подполковник. Хотя едва ли на него один полковник давит, — как бы между прочим спросил меня на перекличке: «Что это ты со своим начальством не ладишь, писатель?»

«А я кустарь-одиночка, надомник. Нет у меня в голове ни царя, ни первого секретаря, ни прочего начальства».

Так вот откуда ветер дует. Так вот она, их придумка. Одна на троих — двух дубленок и одной шинели. Не густо. Так вот зачем понадобилась эта провокация? Изъять рукопись моей первой книги — нестихотворной? Да они и так были знакомы с ней. Книги пишутся не для конспирации. Это когда они пишутся — другое дело — храни! Видимо, они хотели, чтоб я знал об этом. «Так вот что вы пишете! Не зря же мы беспокоились». Это, во-первых.

Вот откуда начинаются витки петли на голосе. Чтоб рукопись не стала Книгой? А если не удастся, то, на худой конец, попытаться сломить меня. Заставить отречься. Запугать. Авансом — на будущую, которую еще не написал. Изволили намекнуть? Пока, мол, это только неволька. Это еще далеко не все расклады невыносимого в наши дни заключения. После которого даже яма Аввакума покажется безграничной вольницей. Там хоть сидишь, и тебя никто не трогает. Это преддверье. Начало. Суточки. Так, поговорить пригласили — к себе. Но с тебя и этого хватит. Пока и эта экскурсия тебя впечатлит. Вот, мол, что тебя ожидает всерьез и надолго. Это в тюрьму попал — не выйдешь (можно подумать, что я не в тюрьме, а в санатории). Здесь — выйдешь и попадешь (а ведь запросто могут замуровать). Это — вторая часть сей несложной задачки. Ну а третья? Скомпрометировать? Прилепить пресловутый ярлык, без которого у нас из писателей не гонят. И тем более не сажают.

Интересно — где они будут исключать — здесь или все же там — в восьмой комнате? В ней обычно тихо и без огласки исключают из Союза писателей. Интересно — под конвоем привезут или филерами обложат? Да куда мне бежать? Творческий союз, где ни творчества, ни союза. Союз писателей — как кабак с вышибалами. «Пожизненное звание» — писатель. Так когда-то было сказано в уставе. Отныне и присно и во веки веков ты уже не писатель. Гони талант, будто под расписку выданный. Гони назад — недостоин ты его оказался. Вот сюда положи, на стол! И пошел вон!

До чего же все несложно! А я-то думал, что они еще повыпячивают губу. Именами броскими поблещут. Теми, кто был изгнан до меня (по-моему, 16). Бориса Леонидовича помянут. Потрясут прах великих совписателей. Собрание соберут...

Ничего этого не будет. Вот если бы они здесь, в этой репетиционной камере, мне б язык отрезали. Как в свое время Бруно Ясенскому (кстати сказать — посредственному писателю, а потому непонятно за что) — тогда другое дело. Тогда б они за меня там могли говорить и говорили бы в назидание следующим, вздумавшим уйти из-под Портрета — в беспартийные буквы.

Писатель — пример самолюбия и смелости. Кому ж, как не ему, правду-матку рубить хоть с одного плеча?! Кому ж, как не ему, показать — как сжигают мосты за собой во имя человеческого достоинства? Подручные партии — чем суетливее, тем лучше. Вот эталон, цветами здесь убранный. Кто-то всплакнул о Музе. — Угрызение совести золотыми зубами. Но утер слезу — а что делать? Ведь один в поле не воин.

Один в поле один и останется. Никто не придет к нему на выручку. Да разве ж вас мало, чтоб в поле однажды выйти? На выучку ходите, а на выручку — кишка тонка. Эх, члены вы, члены... Одно лишь названье. И не писатели и не детороды. Ну разве не подвиг — быть чужаком среди них? Но разве не подвиг — с начала и до конца остаться самим собой в этом Поле? Остаться самим собой, не славословя, тайно ненавидя адрес. И почему надо ненавидеть тайно? Ни словом, ни полсловом, сломав свой рост, когда требуют показать твою лояльность? Когда требуют подтвердить твою преданность тому, чему ты никогда не будешь предан? Даже придан? Разве это не подвиг — хоть раз да не покаяться в написанном тобой при полном сознании, искреннем сердце и твердой воле, а также руке? Хоть раз, но не смолчать, когда брата по духу общим голосованием гонят на каторгу, на смерть или просто в забвение из Союза писателей или из Советского Союза? Не испугаться хоть раз, тем более надолго? Хоть единый раз не отречься от друга в силу сложившихся обстоятельств или ввиду острой необходимости?

Нет, жизнь прожить — вот это Поле перейти.

Отвлечься от белого листа и оглянуться.

Значит, было угодно Судьбе, чтобы мучился я и жил среди своих антиподов. Дышал их отравленным воздухом и гнилью. Роняя рост и коверкая язык, падал сверху — ниц — садясь на их табуреты. Молчал, когда даже тело лопалось от крика. А душа деревенела в рубец. Проклинал силу воли, требующей закушенных губ терпения, и благодарил в себе пружины, бросавшие меня в безрассудство. Ведь здесь одна Работа, и Плата за нее одна — 30 сребреников. Будем считать, что я заплатил ими, неполученными, за свою счастливую нищету. Посреди волчьей сытости.

Значит, было угодно, чтобы я написал что-то стоящее. Да простят меня мои родные. Да простит меня мать, что не вышел в люди, а остался в Себе.

Покажи мне людей в России, в которых надо выходить! Все — вышли. Только и осталось, что мертвым подражать.

Покажи мне плату дешевле, когда дороже не писать Своего!

Сорок четыре. Скинем детство с отрочеством и прочее время вне письменного стола. Итого — четверть века. Или 9 тысяч и 126 дней.

На сколько меня хватит?

Что вы пытаетесь отнять у меня? Мою способность видеть? Слышать? Чувствовать? Чего вы пытаетесь лишить меня? Дара? Совести? Веры? Голоса? Читателей моих — живых и будущих? Будущих книг моих, над которыми еще висит Дамоклов меч не поставленной мною точки?

Вы можете взять у меня только эту маленькую книжечку. Красную, как воспаленная совесть. Маленькую, как штамп на больничных кальсонах, который удостоверяет принадлежность именно к этому месту. Это у вас вся способность писать умещается в ней. Потому вы за нее так держитесь. Без нее вам и не доказать, что вы тоже пишущие. Не доказать даже на отрепетированных ваших съездах, где вы так дружно аплодируете сами себе. Возьми у вас этот билет — и вы никто. Просто пассажиры в общем вагоне. Каким суперфосфатом надо удобрять русскую землю, чтобы она перестала рожать таких, как вы?

«Может собственных Платонов и быстрых разумом Невтонов российская земля рождать...» Ломоносов в гробу переворачивается от своего предвиденья.

Пауки-звездоносцы... Или это карманное тавро — уза родства с вами? Тем более — возьмите! Попросили бы раньше — что у нас общего, кроме этой земли, высоко огороженной? Где даже вы — литераторы. И это в России, давшей миру величайшую Литературу!

Нет, я рад случившемуся, а то еще день, и не один, был бы молчаливым соучастником вашим. Вы отвлекли меня от чистого листа. И слава богу! И что вас не надоумило сделать это раньше?

Так и адресуем. Так и заявим, вот только как? В камеру мою еще не провели телефона. Я быстро б прикинул, кому звонить. Товарищей — наперечет. И соскальзывая пальцем с диска, торопясь и оглядываясь, наконец набрал бы номер. Жалобный гудок... И вдруг решительный бас (кстати, подслушиваемый — назавтра мне б обязательно был бы карцер).

И... продиктовал бы как по писаному — послание дубленкам в союз, где устную речь не воспринимают. Еще бы для прессы не союзной (чтоб было дуплетом), но вряд ли б звонил — не повод это для западных журналистов. Не слишком посажен. Да и что уж за невидаль — посадка моя! Вот если бы расстреливали. Тогда другое дело.

Позже так и случилось, когда перевели меня досиживать к мелким хулиганам в «Березку» непонятно за что полученный срок. И когда я тут же запросился на работу и на каком-то заводике увидел в сторонке телефон-автомат (о, как я привык к телефонам-автоматам!). И, отставив вбок совковую свою лопату, попросил сокамерников отвлечь мента... И туда. Только бы работал. Втиснулся в кабину, как в скафандр. Вынул неотобранную двушку. И, была не была, — опустил ее в щель. Боже, какое же это удовольствие! Снял трубку, гася колотун. И вдруг автомат отрыгнул в свой кармашек сразу несколько монеток. Чудеса и только!

...Выступает новоявленный Орфей — галстук ли, бабочка, а все одно под ней — петля на голом голосе. Он уже приговорен к смерти через повешенье. Он уже вздернут за... голос.

Шум леса, из которого сделана бумага. Или это нашумевшие книги?

Лес рубят — щепки летят. Лесоруб, он природу любит.

Шумит море — полный рот гальки. Будто отрабатывает дикцию Демосфен...

Шумит ЦДЛ. Линчуют или ласкают?

А может, это очередь за чем угодно? Автоматная очередь дошла бы куда быстрей.

Уменьшенная афиша — театральная программка. Увеличенная шпаргалка, грандиозная программа писательского Союза. Когда убеждают коллеги, обремененные партийной ответственностью за судьбы литературы нашей, — кто не прослезится?!

О невинно убиенных говорят здесь так проникновенно, будто их убивали не эти ораторы, а совсем другие.

«Были, конечно, отдельные случаи...»

Братская могила случайностей.

Хотели ограничиться внушением, а там погорячились и расстреляли... Персональное дело... Хоть здесь выделяют. А все почему? — не хотели писать, как все. Вот и случилось... Так что одумайтесь, пока не поздно, вы, двоечники на Уроке Истории! Перемены не будет.

— Коллеги, извините за выражение! — однажды начал было я, вызванный к доске. — Если я продамся, все вы будете безработными. Но этого не случится. И вам самим придется вкалывать во всех ваших чавкающих жанрах. У нас затем и создана Самодеятельность, чтобы люди меньше грабили и убивали. Меньше пили водку и насиловали в подворотнях. Только я не знаю, что страшней — бандитизм уголовный или литературный? Что почетней — грабить или чинно писать сумму прописью: «Тридцать три сребреника?» А то и триста тридцать три за оптовое предательство всех богов и всего святого?

Павлики Морозовы, перешагнувшие комсомольский возраст. А заодно и через своих папаш. Или пенсионеры, впавшие в пионерский. Даже выйдя на пенсию, никак не можете успокоиться. С каким удовольствием еще разок продал бы своего папу. Но папы нет. Он давно продан. И не просто, а публично — на общем собрании и в печати. Лихо рифмовали — *«Мой папа — враг народа! В семье не без урода»*...

Долматовские и Безыменские, Демьяны Бедные и Сытины, которые Голодного не разумеют... Одно удовольствие смотреть, как эти ветераны старые

Гроб на землю поставили.
Вытирают под носом...
Вот уж кто не выносит Сталина,
Так это те, кто его
Выносит *(из Мавзолея)*.

Почтенные, вы и сегодня кричите прошлому: «Не пропади ты пропадом, а появись ты вновь!» Вы и сегодня устраиваете облавы и травли. Гончий зуд бередит ваши дряблые ляжки. Интересно, если бы Синявский и Даниэль не спрятались под псевдонимами, которые и раскрутили всю эту погоню, вынимая из звериных глубин ловцов неодолимую жажду нагнать и разорвать, если бы они не спрятались, тронули бы вы их? Чем дольше длился гон, тем остервенелее клацали ваши зубы и цепляли землю ваши когти. Тронули бы вы их, если встали бы они с открытым забралом, как я сейчас? Гон-то начали вы! Это потом подключилась вся махина государственного сыска. Вся система сорвалась с места и пошла по пятам двух несчастных. Заработала мясорубка. Закрутилась. Смяли, нагнав, хорошо еще в живых оставили. Ведь инерция-то была какая!

Ройте поглубже волчьи ямы для своей забывчивости! А потом уже шамкайте про любовь к ближнему! В Литературе — вы не соперники. Вот в погромах — вы коллектив!

Так что поставим точки над «Е». В разговорах о Творчестве и о принадлежности моей к вашему союзу (они уже поставили, и Мавзолей их уже не «Ленин», а «Лёнин»). Память о вас будет в виде большущей урны. Вы побеспокоились, чтобы она вместила все плевки, на которые только будут способны ваши потомки. Только пусть они как можно дольше не забывают вас!

Любой остров омывает тоска. На любом острове остро не хватает парохода. Если ты, конечно, не Наполеон. Кстати, о Наполеоне-островитянине имени Святой Елены. Вся энергия этого человека, некогда завоевавшего чуть ли не весь мир, уходила отныне на спор с английским генерал-губернатором о... чулках и занавесках. Не железных, а обычных.

— ...Другое время, — говорите. Ну что ж, можно и другое время. Вот эта камера во времени другом. Она как бы в прошлом осталась — все побелили, а ее — нет. Перенесетесь мигом, — и глянул так грустно, будто сам собирался сидеть.

— Вот здесь, пожалуй, и поговорим... с вами по-другому. А то в вашем писательском клубе очень уж уютно. Никак не располагает к серьезному разговору. Ну просто никак! — обрадовал меня мой собеседник старый.

И впрямь здесь все выглядит заплаканным. И стены текут, как оттаявший мамонт. И будто у здания этого грипп с осложнением в нос. «Все течет. Все изменяется». Тебя бы, философ, — сюда! Течет — да. Но не меняется.

Ничего не доносится сюда извне. Ничего. Хотя — нет. Что-то все же сквозь толщу этого гроба сюда проникает. Смех ли жалобный или веселый плач? Смельчаков ли это робкая улыбка солидарности со смеющимися издали, которая у нас карается смертью? Или мне чудится ближний сосед за стеной?

Я закрыл глаза, будто вывинтил лампочку. А он все сидит — не уходит.

Да боже мой, не так все это и страшно, как было до въезда сюда. Конечно, тряслись поджилки. Да разве ж я первый сюда ездок! Как, разумеется, не последний. И потом как-то сразу не верится, что вот он — конец!.. Хотя, как сказать? Попавший сюда почему-то сразу теряет веру, что дом этот штурмом возьмут. И его от беды отставят. Нет окна, а то б посмотрел — как там толпы читателей входы сюда взрывают?! Вот это, пожалуй, и самый страх — что нету окна. С детства боялся замкнутых помещений. Даже в бабушкин подпол ни разу — и глянуть трухал. Другие в чуланах часами сидели. А я бы не высидел — в детстве уж точно. А сейчас? Попробовать можно. И как же здесь сыро! Какая ж тут речка течет?

А может, это коридор так воняет. Длинный коридор подследственной тюрьмы, где голоса гэбэшников гуляют нараспашку. Сидящие взаперти на людях — здесь они их разминают всласть, как отекшие ноги. И пахнет портянкой кирзовой от их голосов. И чем-то еще, не разложенным химией, пахнет. Наверно, их сутью. И глохнет затворник, хотя и в каменном мешке. И рук голове не хватает, чтоб уши заткнуть. А мне показалось, что где-то смеются — не ржут.

Так что там у вас — наверху? Наверное, вечер. Это там у нас время летит. Здесь же оно по капле стекает. И руками наконец-то можно его потрогать. Ну мог бы я раньше додуматься, что время — вода. Всегда полагал, что оно — пролетает. На поверку ж выходит — все же течет.

Ну, если даже капля — минута, всего ничего — нацедило стакан. Давным-давно генерал мой весь вышел. И хлопнула с лязгом, как танком об стену, дверь. С окошком для глаза с той стороны. Хоть малое, но есть все же в нашем мире окошко. Закрытое, правда, но все же есть. Тюрьма подносила мне первый стаканчик... срока. Какой уж он там по длине? Да вроде меня не судили. На Волгу похож? Или так — ручеек? «Сорок бочек арестантов». Здесь — бочками срок. Вот и жди — пока он накаплет...

Так что там у них — наверху, как скажет сосед мой, «еще не вечер. Не боись, дорогой, — не вечер еще, чтобы нам поутру выходить».

Да неужто здесь утром стреляют?

«Да им здесь без разницы — когда стрелять, — мне сосед отвечает. — Нарисуй ты мне лучше себя. А я тебе себя нарисую...»

Да пока получается грустный портрет. Обождем с рисованием.

Так что там у них наверху?

«Да что тебе дался их циферблат! — сосед негодует. — Ты сам себе можешь поставить часы. Хочешь ночь себе сделать — делай! Хочешь утро — утро валяй! Только не делай вечер. Потому что еще — не вечер!»

Да нет у меня часов. Отобрали.

«А у меня тут куранты стоят. И мне так очертенел их гимн тягомотный... Что спасу от Спасского боя нет. Там у них, как Бродвей, полыхает Лубянка. Тоже не спит.

Замышляют, подлюги, очередную глобальную пакость. А мы у них — на десерт. Сожрут с потрохами. Меня уже начали есть. А тебя?»

Да больно уж я костлявый.

«Ничего — разжуют».

Да, здесь советская власть говорит открыто. Не в нос под манишку где-нибудь на приеме помпезном. А по-домашнему, в гимнастерке. Развалясь, ковыряет в зубах. Отрыгивая живот свой наружу. Надо же — стольких переварить! — сама в удивленье...

Да вот прервался наш разговор. И опять по вонючим пошли коридорам — с нишей в лоб, если встречный — такой же, как ты, арестант. Надо заметить — огромный город Лубянск — столица когда-то колымского края. Здесь и автобусы ходят.

Только вот засекречен маршрут. И нету на карте дорог их разбойных. Как подземного этого города нет. Куда провалится запросто не только Москва с Ленинградом, хоть и под бывшим Питером тоже своя преисподняя есть. Вот она — современная русская плаха! По ней честь имею идти. Эта древняя — наверху, — такая в сравнении с этой — кнопка.

— Ну, так как? — говорит генерал мой плюгавый. — Разумеется, здесь, как и всюду, третьего не дано. И листает журнал. Почему-то чужой. Заграничный. Где Запад показывает аппетитный свой зад. Очень даже блондинку. Чьей коже атласной, конечно, противопоказан пинок. «А хорошо бы врезать! — думает генерал. — Только опосля, не сразу... Сначала и поласкать не грех...» И слюна, как пружинка, с губы вырастает. И на глянец вот-вот упадет. И проест в вожделенье, что тебе — кислота. Я ж для себя давно уяснил нехитрое его предложенье.

Что как? — жизнь через осмеяние или смерть всерьез? Да так ли уж страшна угроза? Ведь если разобраться, — и так с перехваченным горлом живу. Как и всякий, чье туловище начинается не с подбородка, спадающего на живот (а брюшина, соответственно, на колени). Как и всякий, у кого между плотью и разумом голос есть. Так легко перехватываемый, что просто смешно! Голое горло голоса, вот и вся граница между духом и телом. Но, позвольте, — разве мы еще не висим? Мы ж в подвешенном состоянии в их искусственном климате всем народом разным и всяким провисли. Как десант над Местом Лобным, где Лубянка предвкушает веселье свое. Поочередно выдергивая нас в нетерпенье. Двести шестьдесят миллионов подошв над малюсенькой плахой старинной, что в центре Москвы. Надо ж, как всем народом могли уместиться!

— Да всем человечеством можно попасть, если хорошо прицелиться, — по привычке в стену кричу. И генерал замигал, полагая, что вот я и спятил.

И тогда он заговорил со мной доверительно — на «ты»:

— Я еще могу представить себе — что с тобой будет, когда тебя здесь не будет. Более того, я даже могу поручиться, что ты будешь жить. Но здесь я не могу гарантировать тебе такой роскоши. И что бы такое тебе вставить, чтобы ты полетел?

И я, в свою очередь, тоже доверительно – на «ты», как родного, спрашиваю:

– И что бы такое дать тебе в зубы и что б тебе пошло, как Черчиллю сигара?

Багульник – незримая эмблема Эстонии. Болотный багульник, разлапые корни которого ползут по холмам.

Тоомкирик – домская церковь в Таллине (кстати, самом темном городе на земле, хотя на душу населения электроэнергии приходится больше, чем где бы то в мире), где похоронены великие мореплаватели. Надгробье Крузенштерну, сделанное Кваренги. Гербы древней Эстонии. Рыцарские знамена. И опять имена великих моряков. Где-то рядом море. Всплески речи. Музыка органа. Шпиль собора смахивает на мачту, вздрагивающую под ударами серебристых гудящих валов. Отсюда, с маленьких площадей Вышгорода, так отчетливо зовущее море, даже в моросящую, будто спеленутую погоду. Море, море, где в награду земля... И свобода где-нибудь на дальнем берегу, куда, ей-богу, я и сбегу.

Мыслить в ногу – не мой удел. И потом, если уж поэту быть в штате, то лучше в каком-нибудь Вайоминге. Соединенные Штаты – самое место повкалывать в коллективе. А лучше и там быть на вольных хлебах, где и купюра не орел, не герб, не мистер Вашингтон на зеленке, а эмблема твоей независимости.

Правда, язык у них ну абсолютно не родной. Одно и успокаивает, что настоящую рукопись только положи на стол – пронзит непременно (как же я был наивен! Настоящее там так же страшно, как здесь).

Море, море... Так и тянет кинуться вплавь, потому что не знаешь броду.

Каких только нет городов у нас.

Есть города, которым прощают запах рыбы и мазута. Их улицы узки, но зато в конце их обязательно море.

Есть города у вершин и подошв гор.

Есть города из самих гор. И снег на высоких крышах переливается, как некогда на вершинах.

Есть степные города, огромные, многоэтажные, наполненные гулом заводов. Их улицы широки, и долго нужно идти, чтобы выйти в степь.

Есть города с историей. Они похожи на сейфы, к ним надо подбирать ключи. Города, где неторопливые старики как бы нехотя приоткрывают скрипучие ворота Памяти и ведут вас по выщербленным от пуль улочкам, мимо неприметных постороннему глазу примет и зарубок. Им одним понятных и знакомых.

Города — потрошеные сейфы. С написанной набело историей. Молчат старики. Не хотят ворошить историю. Еще пенсию отнимут.

И рыба многое б сказала, когда б почаще раскрывала рот.

Когда насквозь пронюханный и проверенный — шутка ли, самый край Родины! — приезжаешь во Владивосток, перво-наперво упираешься взглядом в спины тех, что «на Тихом океане свой закончили поход»...

Высокозадые скульптуры партизан обращены к Америке. Потрясая трехлинейными винтовками, опьяненные победой, того и гляди перемахнут они Золотой Рог и перейдут вброд Тихий океан. Едва ли остановимые в своей решительности. «Пьяным море по колено!»

Неподалеку от них замуровано Письмо к Потомкам 2000 года. Вокруг плиты от частого копания всегда разрыхлена земля. По-видимому, цилиндр с письмом откапывают и каждый раз вносят коррективы. За Историей нужен глаз да глаз!

Сразу же в день приезда в «нашенский» город я был приглашен на эту площадь. Здесь должна состояться Манифестация — день поминовения погибших за Родину.

Прибывал народ, стекаясь организованными колоннами с многочисленных сопок Владивостока. С окраин подходили автобусы с одинаково одетой молодежью. Замерев, уже стояли моряки с кораблей Тихоокеанского флота. Где-то уже всхлипывали пионеры, муштруемые престарелыми комсомолками. Суетились толстобедрые вожатые, короткостриженые тети, тоже в красных галстуках и белых рубашках. Они натаскивали детей и потели от крика и ответственности.

Сквозь хрипы переносных репродукторов устроители отдавали команды:

«Положить платок слева!»

«После первого сигнала фанфар упасть левым коленом на заранее положенный платок!»

«Продолжать находиться в таком положении!»

«После троекратного сигнала наклонить головы!»

«Не произносить никаких звуков, как-то: сморканий, всхлипов, а также покашливаний!»

«После торжественной церемонии — прохождения почетного караула стоять „смирно“!»

Как много штатских. И все одно они в шинели. В гоголевской или в обыкновенно одномастной.

Как много штатских. Но все одно они стоят по стойке «смирно». По ранжиру.

Как много штатских. Но как они послушны!

Издали толпа напоминала марши лестницы, идущей далеко и некруто взмывающей вверх. Туда, где засучив рукава руководят доселе никогда еще не руководимым, издревле индивидуальным и запрятанным глубоко от посторонних глаз... Движением Души руководят, как уличным движением.

Манифестация во Владивостоке — День поминовения мертвых и какого повиновения живых!

Если в Москве приказано стричь ногти, в Киеве уже пальцы отрубают.

Да, что-то давненько в России не противились власти. Вот разве что «Стерегущий».

Был уже однажды в нашей истории корабль с таким названием. Это ему стоит памятник в Петрограде. Хлещет из открытых кингстонов вода, затопляя героических матросов. Лучше уж к рыбам на дно, чем врагу на милость.

Начало ноября 1976 года. Очередная красная пасха переворота. С предпраздничного рейда под Ригой отошел расцвеченный ракетоносец. Безоружный, как и все отобранные для парада корабли. Свою огневую мощь партия правительства предпочитает сама себе не показывать. Как говорится, от греха подальше. Еще шарахнут ненароком по горячо любимой. Соблазн-то какой!

На запрос «куда идут?» — ответили: «в Ленинград». Вроде никаких подозрений. Экипаж «Стерегущего» был отличником боевой и политической подготовки и состоял сплошь из комсомольцев и коммунистов. Да и замполит (комиссар) корабля Саблин также был на хорошем счету у командования. Можно сказать, гордостью его.

Они уже подходили к берегам Швеции с запертым своим капитаном, когда их нагнали торпедные катера, поддержанные с воздуха вертолетами. И обрушили на безоружных уже не парадную свою мощь.

Саблин погиб в числе первых. Оставшихся в живых добивали уже на берегу — трибуналом.

Броненосец «Потемкин». Потемки. Потемкинская деревня...

Киев основали Кий, Щек и Хорив. Москву — Долгорукий. Петр Первый — колыбель революции — Парадиз.

Колумб или Америго Веспуччи, в общем, кто-то из них, — Америку.

Слава тому, кто при помощи ножниц открыл ЦДЛ!

Вынырну. И глотну, как ныряльщик, воздуха. И вновь приглашу тебя, читатель, в ЦДЛ.

Без меня тебя туда не пустят!

Разноцветные глотки — иллюминация горла... Праздничное освещение души...

Ерш — это не то, что пьешь.

А с кем — пьешь.

Перевалив за гряду бутылок, беседа идет на спад.

Как вы помните, один поэт, повесившись в коммунальном туалете, завещал своим собутыльникам умереть красиво.

Всегда попойки оканчиваются если не дракой, то разговором о смерти.

Умереть красиво... Броситься в жерло вулкана Везувия? Если ты такой везучий!

Развеять свой прах над океаном? Далеко он — океан.

Разбежаться да головой об стену? Да смысла мало — стена и без того красна.

Рвали и метали, не вынимая рук из карманов, — умереть красиво нет никакой возможности.

Выход один — жить некрасиво!

Паустовский — вот кто жил и умер незапачканно. Его хоронили как совесть (ныне ее высылают или она сама эмигрирует, совсем бессовестной стала страна). Ахматову хоронили как душу. Пастернака хоронили тихо. Эренбурга — трусливо. Некому было даже гроб поднять. Похоронная комиссия чуть ли не на своих плечах его выносила.

Он пристально вглядывался в литературный горизонт. Следил за восходящими и нелегко поднимающимися именами. Мало-помалу занося их в свой реестр.

Безоблачное небо... Марево над растрескавшейся землей...

Шумит привычный литературный базар. С одинаковыми ценниками одинаковых книг.

Однажды мне передали, что Эренбург желает познакомиться со мной. И ждет у себя. Просьба не опаздывать, потому что день его скрупулезно расписан.

Мы говорили недолго. Он покуривал мелкие сигары, читая все то, что я, торопясь, прихватил с собой. Больше полагаясь на память. Но читать стихи он мне не дал. Читал сам. Изредка вставляя фразы типа «Хорошо, но...» или «Понятно... но...».

Потом мы говорили об инфляции слова. Затасканные пятаки высоких понятий... Как обесценены! Про бич конкретности в литературе и об умелой смелости недосказывать, оставив воздуха самому читателю, поверив в его сопереживание, в его соучастие. Неизвестный читатель. Неизвестный писатель... Неизвестный солдат... И в глазах сразу же возникает монумент, у которого вместо лица плоский камень... Неизвестность, ею погребают здесь настоящее творчество. По крайней мере, при жизни творца. Кто-кто, а он избежал этого прижизненного надгробного камня.

Кстати, о надгробье. Переносили прах Гоголя, открыли гробовую крышку, а труп на боку лежит. Ногтями вцепившись что есть мочи...

Недоумерший. Недоживший... Так и вижу — Гоголь переворачивается в гробу.

Всегда на Руси похоронить спешили.

Потом он опять принялся за мои стихи.

Откидывался в кресле. Смотрел неулыбчиво. Проводил по когда-то лохматой голове рукой и все время отодвигал лежащие на столике предметы. Будто они мешали ему. Твидовый пиджак его то и дело посыпался розоватым пеплом. Со стен его памяти смотрели великие его соотечественники, готовые тотчас прийти на выручку. Со многими он был на «ты». Эренбург явно что-то прикидывал, сопоставлял и примеривал.

Вот он начал уже читать мои стихи вслух. Тихо, неразборчиво, недопереворачивая страницу... Возвращался назад и ногтем подчеркивал строки. Долго смотрел в заставленную книгами стену и опять принимался читать, не меняя на своем лице привычного выражения. Библейская угрюмость! Никак не показывая своего отношения к только что прочитанным листкам. Великие толпятся в его памяти. Но вот он опять медленно заговорил, едва разжимая свой рот. И опять эти навязшие в зубах «но»... Я вспылил, сказав, что «но» — они больше к лошадям пристали. И что если понятно, то мне и этого вполне достаточно. Ибо я большей задачи не ставил в этих стихах. Раз понятен, ну и хорошо! Раз понятен, ну и слава богу!...

Он смотрел на меня, заметно мигая глазами. Не в меру влажные, они мертво тускнели, устало перебиваясь безволосыми веками. Будто мигая, он сбрасывал увиденное в подглазные сморщенные мешки. И снова впивался в собеседника белесыми зрачками. Досасывая остатки. Опять темнели глаза. И опять становились молочными...

И так час или полтора, пока я сидел против Эренбурга. Не зная, зачем придя к нему.

Еще долго у меня оставалось ощущение, будто я, как маленький, сижу в мешке... того самого страшного деда Бабайки, который так и не пришел за мной в течение всего моего детства. Хотя только им меня и пугала моя добрая бабушка.

Мы шли втроем, твердо ступая по земле. Он идет, легко переварим. Он счастлив, растворяясь в государстве... Бесплотный, он воспарился и стал амуром, подпирающим дорогостоящий плафон в ЦДЛ. Раз в год его белят, наводя Лоск. Раз в три года со стен сметают и наши эха. Покрывая эти стены новой звуконепроницаемой краской.

Второй, отяжелев от собственной щетины и непролазных дум, залез в свою берлогу. Наивно думая, что не найдут.

Мы все живем в берлоге своего собственного сердца. Даже если там не слишком уютно.

ЦДЛ... Кто-то лезет на стену. Испещренную уже чьим-то лазанием. Надписи... с плацкартой. И надписи — зайцы. Их закрашивают. Замазывают. Записывают. И штукатурят. А они проступают, как непокаянный покойник, выпирающий из-под земли. Взмокли могильщики, перелопатив на него всю глину вокруг. А он все лезет наверх и лезет...

Слово, оно и на кладбище живет. Везде его мемориалы.

Слово не муха, чтоб прихлопнуть переплетом.

Не позолота, чтобы соскоблить...

Русской словесности все же везло — то Толстого кабардинцы из полона вернут живым и невредимым. То Достоевскому жена настоящая достанется, то Гоголь в подступающий к горлу момент в Рим отправится, чтоб «Мертвые души» создать. Будто знал наперед, что лучшее на чужбине пишется (Набоков потом эту истину вполне подтвердит).

Владеть (или, как раньше говорили, — володеть) пером у нас умеют. Отсюда и созвездие Володей, пять Владимиров русской прозы... да плюс еще Жора Владимов.

Володя Максимов, Володя Войнович, Володя Марамзин и вроде Володя Корнилов (Володя-то Володя, а вот насчет володеть — не знаю, и тут мы на Васю Аксенова сменим его). Пятый, разумеется, Набоков Владимир, которому и Анну на шею повесить не жалко. Написал и остался в Литературе. А если бы остался в России? Едва бы он написал то, что оставляет в Литературе навечно. Вот оно, счастье изроссийского изгнания.

Ну и, конечно, Главный Акушер Правды-Матки Александр Исаевич. Для полноты картины ему бы тоже Владимиром быть не мешало. Ну да ладно, и так сойдет.

«Великолепная семерка».

Женщины, конечно, могут надевать на себя все что угодно, но не обязательно носить. Да и кому. И когда они давали такие необдуманные обещания — прикрывать свои прелести.

Они приходили к нему, бывало, в первозданном виде. Хотя немягкий наш климат едва ли разрешал им это. Как и пуританские нравы нашей страны, чей убогий ширпотреб изо всех сил старался накинуть на них хоть что-то. Ибо Партия кроме серпа и молота и знать ничего не хотела, но при всей своей нищете и бесплодности, а также беспомощности извернуться от собственной Идеологии все же блюла их нравственность. Сама давным-давно пребывая в климаксе. И, естественно, не понимая, зачем это они к нему приходят. Не иначе для свержения ее основ. А это, конечно, бесстыдство, какого не знал еще мир.

Иногда для путей конспирации его красавицы надевали на себя что-то вроде одежды. И то скорей, чтобы обнаженность свою подчеркнуть.

Но эта... До чего же она гола!

О, женщины, женщины... Не все-то вашего рода можно любить. Вот бабьим голосом Власть вопрошает: «И чаво ты такой несознательный?» Так на нее и кадык не встанет, чтоб слово толкнуть. Не то что пружина нержавая. Эта вечная наша страсть приласкать ближнее, да и дальнее существо рода человеческого. Или какого другого, не менее живого рода. Со всеми вытекающими отсюда последствиями.

О, женщины, женщины, чьи полдни и полночи волос как копны свежескошенного света. У самого изголовья крови. Звенящей в своем изначале. Когда лучше вниз не смотреть. В эту пропасть... О, свет издалекий, когда молитва всем телом! Которое зовут на совсем другие посевные. И прочие пред- и послесъездовские шумихи. Где Партия, как попрошайка с кнутом, призывает горбатить во имя ее светлого будущего. При этом, как скорпион, боясь минимального освещения. Да если будет хоть чуть светло — тогда и Партии этой не будет. Ибо нет ничего темнее, чем Дело ее.

О, женщины, женщины... Ничего похожего — пасмурный, пакостный, вычурный вечер последний (или день, или ночь, или утро — что уж там — наверху?), и безглазая да безбровая, безволосая да безносая, не таинственная, а распахнутая прямо в сырость свалки земной – без тени стыда появилась.

И почему не бастуют акушерки, когда этим старым грымзам приспичит родиться?

Он был родовит. В его древнем роду (а если глянуть наверх, то ряду) – настоящие были мужчины. Потому что всегда и во всем непременно шли вверх. Самого первого – распяли. Самого второго – вздернули. За ним объявившегося – тоже на высокий помост проводили. Может, кого-то и низко убили. Но предпоследнего дедушку его, кажется, тоже повесили. И вот его самого перевели на этаж пониже, чтоб было поднять куда.

Нет, он не мог пожаловаться на судьбу. Она его и не думала обделять.

Тесная камера смертника с топчаном на одного. А тут явилась красавица. И заметим – последняя. И надо ж, под занавес и кем одарить!

Теснота – сестра интимности. Как, впрочем, и темнота. В тесноте, да не в обиде. В темноте да в голом виде...

И схватил он ее за талию живота, которая оказалась задом костистым. Непривычным. И до чего ж безобразным. Но тут пока ничего не вышло. Хотя в роду его это даже из гроба торчало. Когда однажды пошутили (хотя шутили не однажды, но одно дело – анекдоты рассказывать, а другое – в них жить). Так вот, когда однажды повесили его очередного прадеда – он так выпирал свысока, что площадь ахнула. Охнула. Ухнула. И сама предсмертно чуть не икнула. А женщины (о героини!) сняли стражу, быстренько, как штаны... и растерзали палачей – этих вечных завистников, когда за душой ничего, а в чужих руках всегда толще.

И ведь не было у них, беззащитных и слабых, – ни тебе эмблемы, ни герба для горба, ни флага-знамени, ни лозунга, ни программы, ни призывов, ни броневика, взгромоздясь на который можно речи толкать и картавить о чем угодно, пока он стоит сгорбившись. Но, увы, – было поздно. Еще бы немного – самую малость – и прадед остался бы жив. Отдышался б, живучий. И жил бы поныне. Ведь все, кого убивают до срока, – сидят долго. Потому и убивают их. Это и младенцу понятно, но не понятым, непонятливым, как младенцы. И помогающим тебя вязать. А ведь соседи — и какие давние! «И что это за потенция, которую можно убить?» — думал смертник сегодняшний. И правильно думал. Она должна быть бессмертной. Умер человек, сам того не желая. Закопали его. А пружина его не последняя, пусть даже без оболочки, просто обязана сквозь землю прорваться. Должен же он, наконец, хоть что-то показать тем, кто лишил его жизни до срока. Должен же он им сказать свое последнее «прости-выкуси!». Ведь даже трава и та дырявит асфальт...

Нет, пока ничего у него не выходило. И тогда он впервые испугался, как галстук, задушивший своего владельца.

«Так я и знал. Так я и думал. Боже, как несовершенен человек!» Но вовремя взял себя в руки. И сразу почувствовал, что было что брать. Бог ли услышал, или соперник его подсобил. Человек — не последняя спица в неслаженном их тандеме. Но руки наполнились, малиново звеня (с перетянутым горлом, наверное, так и бывает — дернулся крик, а выхода нет. Побежал назад и затрубил, как животное, — в хобот)... И раздался бетон. И пошел капкан камеры звучными трещинами, сам себе железные волосы рвя. И полоснула, как бритва в глаза, — уже забытая свежесть света...

«И кто же кого заваливает? И кто же кого на первый этаж бросает? Если, конечно, учесть, что любовь — строение двухэтажное. Ах, нехорошо ведешь себя, бабушка!»

«Ну и как бабуся?» — спросили ее пославшие, явно удивляясь, что между ними ничегошеньки не было. Даже савана.

«Да так себе пенсионерка, — сказал он, — и хотя вы ей платите больше других. И хотя она у вас в Политбюро заседает — нет, любить не может, хоть и душит в объятьях».

И тогда они его выгнали вон. Далеко за пределы свои смертельные, удельные и, вообще-то, беспредельные. Хоть всему на свете конец бывает. Нечего тут делать живым — в стране, такой умелице убивать. И совсем не умеющей бальзамировать трупы.

Странный, однако, приснился мне сон.

— Ты знаешь, и мне сегодня что-то странное снилось, — поделился сосед за бетонной стеной, невероятно толстой, —

будто кто-то крутил мою бедную голову и причитал задушевно: «Бедный Жорик! Бедный Жорик!»... К чему бы это?

— А тебе ее, случаем, вчера не скоблили? — спросил я, зная, что с некоторых пор он бреется наголо. Когда-то он сразу и целиком поседел. И с тех пор обривал себя регулярно, приговаривая: «Если не голову, то хоть волосы с плеч долой!»

— Да нет, — отвечает, — еще не водили.

— Ну, тогда поведут. Не дрейфь!

И сразу еще одна надпись на стене заиграла: «Дрейфус умер, но дело его живет». Но о надписях мы поговорим позже.

— Душа изо рта! — жаловался сосед. — Ко всему в довершение еще кто-то мне сигареты несла и от волнения сама их и выкурила по дороге.

Любовь к ближним всегда переполняла его предынфарктное сердце.

— Бери с меня пример, — отвечал я ему, — вокруг меня слабый пол не курит.

— Почему? — спросил он глухо.

— А у меня есть правило: если ты видишь молодую и вдобавок еще и красивую женщину, собирающуюся закурить, — немедля подойди к ней, если ты мужчина, и вырви опасное зелье. И постарайся занять ее рот чем-нибудь другим. Кстати, только таким вот способом и можно покончить с женским раком.

Не знаю — правильно ли он меня понял через такую-то стену. Хотя мы и насобачились и в таких условиях говорить. Так или приблизительно так разговаривают два каменных памятника. Да что там — мы в каменном веке живем.

Перестук. Стучат у нас все. Одни друг на друга, чтобы не сесть. Другие (уже севшие) — друг другу, чтобы было сидеть веселее. И при этом еще ухитряются скороговоркой. Будто всю жизнь только тем и занимались, что взаперти сидели. Вот, к примеру, спрашивает сосед:

— Не знаешь — кому еще памятник поставили, чтоб гоголем?

— Гоголю не поставили памятник, а посадили. Будто вышел на двор и сел. Так сидеть и остался, — лихо отбиваю ему немедля. Взаперти четко срабатывает ассоциативный ряд. И без того чувствительный...

— А кому скинули?

— Конечно же очередному политику, — отвечаю, — мягко говоря, ушедшему с арены. Они же, как гладиаторы, — уходят с арены. Не с балагана, а именно с политической арены с пинком или без. Втихую или чтоб все непременно видели. Кстати, о видении. Почему поссорились у Гоголя Иван Иванович с Иваном Никифоровичем? — Один другого Гусаком обозвал. А что может быть оскорбительнее, если глянуть на чешскую трагедию? Надо же — как видел Гоголь! За сотни лет вперед. Хотя во все времена жандармы кричали: «Проходите мимо!» К слову — проходимец — это человек повышенной проходимости.

Тугодумные бетонные, в скользких пупырышках, стены. Еле доходит. Но ничего — перебиваемся. Перестукиваемся. И здесь срабатывает проклятый инстинкт — извечная наша страсть достучаться до смысла. О, счастливое проклятье — достучаться до Истины. И не только на пишущей машинке, когда вокруг думают, что ты всего лишь на пишущей машинке стучишь. Одна лишь недреманная власть и понимает — чем ты рискуешь, дятел несчастный. Клюв бы не сломал, достукиваясь до нее.

Да мы честного слова валютчики, ей-богу! В отличие от бумажных государственных слов бесчестных, чье хождение беспрепятственно и поощряемо, наш драгоценный металл — в голосах. Да мы честного слова ювелиры подпольные, черт побери! И не только потому, что граним и оттачиваем слова свои сокровенные, а еще и потому, что пускаем по ветру госбанки слов пустых и никчемных. Прогорают с туго набитой мошной фальшивых своих банкнот. Еще как прогорают. С нами у них хлопот хватает. И уж когда банкроты нападают на след, чтобы в горло вцепиться, уж когда ловят нашего брата — злостного нарушителя государственной монополии повсеместного охмурения своих подданных... Тогда у них истинно праздник.

«Ну что — достукался?!» И пишут приказ: «Писщущую (почему-то всегда вместо «пишущую» они пишут «писщущую», а то и «писущую») машинку изъять. Бумаги не давать — туалетной даже». И предлагают одиночку... в коммунальной тюрьме. Одиночкам у нас — одиночка. Вот коллективу — общага, барак, зона, целый мир. За колючей проволокой, конечно. Если бы столько смельчаков-одиночек, сколько у них одиночек-камер, — расперло бы эту тюрягу и вывалило на свет Божий. Но мало нас. До преступного мало таких «преступников». Раз-два — и обчелся.

Ау! Кто там?

Слава богу, хоть есть сосед.

Но пока ты озираешься, втолкнутый, и слушаешь, что тебе говорят:

«Вот тебе, дорогой, стена! (Конечно, дорогой — сколько зарплат, и немаленьких, проели, пока за голос схватили!) — Стучи! Сквозь нее теперича попытайся до своих читателей-почитателей достучаться. Это тебе не на папиросной бумаге тончайшие буковки выводить (на «Самиздат» намекает). Давай, обнаружь свой талант здеся.

Поглядим — как осеняет вашего брата!..»

Осеняет...

Столбы с проводами, чтобы нас подловить. Подслушать. Поймать с поличным. Глушилки-кляпы в полнеба, чтоб рот нам заткнуть. Псарни лагерей, чтобы насмерть травить нас. Заторы. Запоры. Запреты. Запретки. Тюрьмы. Казематы. Психушки. И стены, стены, стены... И над всем этим свинцовая облачность в одну шестую планеты с самым тупым и вечным правительством на голову — вместо осадков. И как же сквозь все это достигает нас это самое осенение свыше? Эти сигналы более разумных братьев, выбирающих из нас самых близких по духу. Да стоило бы разве сыр-бор разводить, надрываясь всей чуткостью сердечных своих перепонок. И биться хрупким виском о бетонные стены, если это не Строительство Вселенской Гармонии? Разве тогда стоило бы разводить собственный крематорий души, испепеляющий без остатка? И сам себе устроил крематорий. Не дожидаясь, пока сожгут! И заметим — добровольно. Нет, чем беспросветнее этот мир, тем больше наш брат смахивает на самосожженца. Это уж точно.

Творческий Акт... Он пришелец из Космоса. Шпиён! — так и вякнет всей своей бдительностью советский человек. До чего ж подозрительны эти самые одаренные! Эти самые канатоходцы между домыслом и вымыслом, когда им не до промысла. Ведь только их бессонница и порождает полицейскую бессонницу здесь. Ну, где еще к нашему брату такое внимание?

Белая кость поперек горла, привыкшего проглатывать разжеванное. Белая кость... В этом смысле художник всегда аристократ.

Брат-бродяга. Блудный сын своего матерного отечества. Работяга на Строительстве Вселенской Гармонии... Вам, наверно, он представляется так: закрылся от мира, его воспитующего. Разложил чистый лист. Разгладил. Поплевал в ладони, предвкушая улов. Снял колпачок с пера, в этом смысле вечного. Открыл, как очи беркута перед охотой. Уселся поудобнее. Сам Господь садится чуть выше. И они начали. Недаром же говорят: «Бог в помощь».

И запела душа расплавленно. Отпуская все лучшее свое. И гремит в перепонках диктовка небесная. Пуще прежнего выворачивая страждущую душу. Облегчая ее, как металлурги печь. Кто-то обязательно прилетает посмотреть. Наверное, Муза. Но осеняемый так увлечен, так увлечен, что лица ее и не видел ни разу. Но зато всегда чувствовал, как заглядывает из-за плеча любопытная Фемида, того и ждущая, чтобы он скорее окончил книгу. Ну кому, как не ей, судить — как и что он пишет?.. И тут же зовет свою костлявую приятельницу, такую же старую шлюху.

А где же муки творчества? Неужели такие безболезненные роды?

Муки будут потом. Вгорячах никогда не бывает больно. Вот погодя...

Будет, обязательно будет ваше представление полным. Потерпите немного. А пока отбросьте крышу и тишину. Белый лист. И перо с колпачком. Он будет потом, когда будет возможность уйти от хвоста. Желанный и белый, запечется строкой, а иначе он капитуляции флаг. Желанный и белый лист да рыла, сующиеся в него задолго до букв. А уж после и всем государством. И вот тогда будет если не крышка, то минимум — крыша.

Ну, а там, где посветлее вроде. Куда его сэмигрируют. И где его принять-то примут, но едва ли поймут. Потому что истинный художник все еще в разряде Неопознанных Объектов. Будь то космическое блюдце или явление, на первый взгляд, сугубо земное, но живущее не в своей тарелке. С той лишь разницей, что те — разведчики сверху, а эти — снизу. Я убежден — где-то сходятся их пути. Где-то есть тот космический перекресток, где они сравняются. И добудут этот самый смысл — зачем и во имя чего они сгорают. Добровольно. Самозабвенно. И, что самое смешное, — осознанно!

Осенять-то — осеняет. Вот этому осенению да еще бы и в читателя угодить. Угодило. Но, видно, не в того.

Кто ж это стукнул, пока ты на машинке (громкой, хоть и на шинке) стучал?

Эх, патриоты, шкуры вы продажные, бесполезно им наши творения читать — не сподобятся. Напротив — утолстят свои стены, за которые пишем.

Сколько же их! И красная когда-то, кремлевская, уже вполне почерневшая от захоронений самых первых бессовестных. И великая китайская. И заминированная берлинская... И бамбуковая, вьетнамская.

Стенания. На стену лезть. Стенограммы. Стенокардия. И даже Стенька Разин — все у нас — от стены. Совесть. Этика. Мораль — все у нас до стенки. Да и сами всеми народами, как бараны, тоже в стену уперлись. Без стен это государство тотчас и рухнет. Без стен ему и дня не простоять.

Вот так и врубаем свой пульс в бетон. Вот так и живем-можем. Вот так и отбываем положенные нам сверху дни. Вот так и отрабатывают наше красноречие.

А все с кого началось? С Ленина? Как бы не так! — с Демосфена. Еще на заре человечества набирал этот старый хрен полный рот камня, чтобы дикцию отточить. Вот с тех пор и повелось запихивать камень в рот говорливым. Но тут уж слишком переборщили, решив целиком засунуть в бетон.

Над входом в МХАТ (когда-то экспериментальный МХЕТ) барельеф — тяжелая волна покрывает человека, как всегда терпящего бедствие. Но зато эмблема этого театра — чайка, летящая над тонущим человеком. И поправляющая на носу пенсне, потому что она чеховская.

У другого театра – Малого, когда-то посредственного императорского, а ныне просто плохого царского (директор его Царев, заслуженный педераст Советского Союза) – у фронтона сидит старик Островский. Не исключено, что рядом положат еще одного Островского – паралитика Николая-угодника, графомана и рубаку, чья книга «Как закалялась сталь» не столько пособие для металлургов, сколь образец для подражания. Павлик Морозов здесь становится уже Павкой Корчагиным, любимейшим героем советской литературы.

Это, конечно, не Чичиков – мертводушечник, один из главнейших героев Великой Русской когда-то, который, собственно, и мчит на чудо птице-тройке, символизирующей у Гоголя столь любимую им Россию. Тот скупал мертвые души. Этот вышибает живые. И в неограниченном количестве. И тут тоже тройка.

Птица-тройка, но уже трибунала. И куда ж ты, взмыленная, гонишь?

Если Павлик еще как-то смахивал на сына Матео Фальконе у Мериме, получившего за предательство часы. То Павке дарить ничего не надо – сам возьмет. И не какие-нибудь карманные, а с боем на Спасской башне. Юный меримеевский предатель, доживи он до Павкиных дней, – не папа его, а он папу поставил бы к стенке. И стал бы каким-нибудь Хулио Матео, нашим советско-испанским поэтом, часто читающим в ЦДЛ свои вирши. Да хватит нам одного.

А вот птица-тройка... Ныне на ней тоже тип любопытный едет. И впрямь шарахаются, уступая дорогу, другие народы и государства...

Конечно, смеется тот, кто смеется последний. И вот он, последний, уж здесь человек. Как-то прочитав в «Известиях» очерк о советской тюрьме, он представил себе живо камеру-зал. И это камера-одиночка. Пространство с верхним светом. Не тюрьма – ателье заблуждающегося художника. Небо так и падает. Так и ломится вниз. А пол – на него и наступить совестно. Под ногами автографы знаменитых заключенных — от Соньки-золотой ручки до Якира Ионы, кричавшего **«Да здравствует Сталин!»**, когда его расстреливали, — тут же. Другие — менее тщеславные — предпочли выцарапывать вечным пером пальца (благо, ногти стричь не дают) нечто вроде **«Не забуду мать родную!»**. Имея в виду мать-родину. Обычно про свою мать пишут наколкой на собственном теле, стараясь по возможности при этом не делать орфографических ошибок. Или — **«Мама-родина, я целую тебя в рот!»** Или более заземленное — **«Где мне найти такую песню?».** Ох уж эти вечные вопросы русской нации! Или — **«На том свете сочтемся!».** До чего же мстительные пошли заключенные. И так далее, и тому подобное... След заключенных в бетоне. Да не в мраморе же им следить. Хотя, если внимательно вчитаться в очерк о тюрьме образцовой и лучшей в мире, — в назидание Западу с его синг-синговыми курортами, — стены здесь так и блещут мрамором импортным. Или, на худой конец, — нашим крымским.

— Посредине камеры-одиночки, — лихо представлял он, читая восторженный тот очерк, — для непризнанного, но уже взятого под внимание одиночки — мольберт. Настоящий стационар, а не какой-нибудь походный для пленэра. Краски аккуратно расположены вдоль стены-стеллажа. Все по полочкам. Палитра висит над арестантской койкой, как бы намекая — «Работать надо, дружок! Талант — вещь редкостная. Сюда бездарности не попадают...»

Сквозь стенку плоскую, как клоп, на котором мы спим, и тонкую, как кооперативная квартира (вся наша архитектура — для удобства подслушивания, а также и экономии стройматериалов), слышен стук... пишущей машинки. Это сосед, тоже художник, но только честного слова. Машинка вмонтирована прямо в стену. Выдвигается нажатием едва заметной кнопки. Независимо от времени суток — тут же зажигается дневной свет без набивших оскомину глазам козырьков-намордников. Белеют стопки изумительной и чистейшей «верже», купленной на валюту. Свою еще не научились делать — не так лес валим. Сигареты. Чай конечно же крепкий. И арестантские сухари, по вкусу напоминающие уникальные «Московские хлебцы», которые очень любил покойный Гитлер, как, впрочем, и все московское. Кровать тоже присутствует чисто символически. Работать надо, дружок!

Да еще цветочки на окнах. Цветочки на окнах тюрьмы. А уж какие там ягодки-фрукты — о них «Известия» отчего-то не написали.

Цветочки, занавесочки, шторки, решеточки... Заключенный... Да какой же он после этого заключенный? Свежие газетенки и журнальчики — пожалуйста! А беспартийные, то бишь не отечественные? Разумеется. Можно также поиграть в карты. Географические. Любит мысленно путешествовать советский человек. Это, правда, менее азартные игры, чем те, которыми привыкли увлекаться-резаться заключенные. Или шашки, шахматы, где не обязательно доходить до мата. Все же тюрьма. Да во что хочет может сыграть заключенный. Хоть в ящик. Как раньше, почему-то не доживая до обещанной свободы. Ныне он сидит играючи. Ныне правящий класс заботится не только о себе.

Помнится, его еще удивило тогда — почему автор столь живописного очерка о нашей советской тюрьме забыл добавить — «Добро пожаловать!», едва ли сам он верил в то, что описывал не санаторий, а типичную советскую тюрягу, призывая в нее, как в Аэрофлот пассажиров. И действительно есть что-то общее — когда входишь в общую камеру, тебя обязательно спрашивают: «За что залетел?»

Надо сказать, тюрьма его разочаровала. А уж той камерой — сырой и скользкой, которой его оплакала Лубянка, как тот самый крокодил, который от аппетита слезы на глазах наворачивает. Она, сама того не ведая, как бы воскликнула: «Да разве ты не знаешь, как врут наши газеты! Неужели надо обязательно попадать в тюрьму, чтобы убедиться в этом? Да лояльный наш человек тем и патриот, что знает, что врут, но тем не менее верит, ибо жить хочет. Хоть плохо, но жить. И это куда лучше, чем хорошо, но умирать».

Сиднем сидел Илья Муромец тридцать лет. Тридцать лет как один день. Да плюс еще три года. Неужели и тогда такие сроки давали? Наверно, давали — былина все же. Если уж былины начнут врать!

В многочисленных наших анкетах есть вопрос: «Сидел ли при советской власти?» «Нет» — всегда вызывает недоумение. Если не сидел, то почему? «Ну, почему ты не сидел, товарищ, вот ты, к примеру? Что, ты лучше других?» — «Да я как все», — отвечает товарищ.

«Все сидят, а ты почему-то на свободе гуляешь?!»

«Да какая же это свобода? Да и гуляю я с горя, что все сидят. Да и не гуляю я вовсе, а вкалываю. Не то что ты — лазальщик в душу — мертвая душа».

Вот и сел. Отдыхай! Но «покой нам только снится» — как сказал поэт. Даже в тюрьме.

— У нас не соскучишься — «сорок каблуков и все в животе будут!» — любимая поговорка тюремщиков. — Хотя, по мнению рядовых карателей, у нас только пенки снимают. Чикаются с вами. Интеллигентничают, грамотные больно. Мы еще работаем вполсилы, — жаловался лейтенант, потроша мои карманы в этой транзитной тюрьме. — Да и у милицейских ваньков неотесанных тоже привязь недостаточно длинна. А то бы и не таких дров наломали. Только однажды перестаралась Охрана Порядка. Их генералы и поныне помнят день выдачи заокеанских дубинок, когда с чисто русским размахом крошила милиция налево и направо всех, кто попался под горячую руку, на сей раз не голую.

И он описал и без того известное побоище, когда наземь валились и юные и старые. И правые и виноватые (вот только в чем?). И патриоты и несознательный элемент. Надо было испытать эффективность новшества, за границей давно освоенного. Надо было не ударить лицом в грязь перед загнивающим Западом.

В тот день клиники и больницы Москвы и других городов, в этом смысле — героев, переполнялись мгновенно. Это был истинно красный день. Отчего-то в календарях не отмеченный. Врачи, фельдшеры и даже мобилизованные по этому случаю сельские коновалы сбились с ног, не зная — что делать. Привыкшие к примитивным отечественным травмам, взирали они на вывихи и переломы, так мастерски сделанные, что пальчики оближешь. И качали головами — заграница! Ничего не скажешь.

«Что там Везувий! Вот советского вулкана взрыв!» — как пишут советские газеты обычно. Но в тот день они помалкивали. И на следующий — тоже. И на последующий заткнулись, хоть и вышли всем хором.

...Летели под откос мосты... во рту. Продукция советских дантистов валялась в тот день на виду — под ногами. Обычные зубы тоже летели. Умудрялись выбивать даже глаза. И заметим, — глаза не вставные. Крепки же были подзатыльники. В тот день милиция зримо доказывала еще и неоспоримость нашего гуманного строя — бесплатное лечение. Чем больше убедятся в нем, тем лучше. Тогда убедились едва ли не всенародно. Черепа человеческие, будто для того и пригодные, чтобы их били, обнаружили тогда невероятную хрупкость — трещали по швам. И мыслящие, и только собирающиеся подумать. Было о чем.

«Это шахматы — еврейский бокс» — как метко заметили охранники. Так сколько там в гипс положили? Не в мрамор же их класть.

«Не Боже царя храни, а меня в народ не урони!» — вероятней всего, молились в тот день наверху, помятуя о рвении народном. Тяжело пришлось тогда народу, из всех народов состоящему. Хотя когда ему было легко — российскому?

Восемь мотополков, не считая многотысячного ГАИ (госавтоинспекция). Сто пятьдесят отделений милиции только в одной Москве. Не считая милицейских армий Щелокова. Гэбистских Андропова. И личной Брежнева, так сказать, для охраны. Мы не говорим о советской армии, тоже готовой прийти на помощь (не народу, конечно!). И все одно не хватает десяти тысяч милиционеров. «Каждый должен им быть!» — мечтал Хрущев. Каждый. И все равно бы не хватило. Десять на одного беспомощного или двадцать, до чего ж это мало! — плачет правительство. Ведь их же миллионы, хотя и беспомощных. Рыдает оно и ночи не спит. Вот если бы милиция в тот день была в полном составе. Люди бы лежали не только в больницах, но и вокруг. Сколько бы Красных площадей возникло! Вот отчего всенародного праздника не получилось. Хотя поработали не за страх, а на совесть.

«Да разве ж это работа! — само себе утирая нос, вопрошает правительство. — В сравнении с той, когда-то. А ведь как начинали! Истинно за страхом пошла тогда совесть. Компромиссом — этим ласкающим слух словечком и повалила. Когда-то бесстрашная Россия убоялась надолго. Смелость ее в братских вповалку могилах да в безвестных ямах, где на каждой ноге смельчака номерная бирка. И еще живет в убежавших. Вон какие смелые за ее рубежами!..»

Да, нелишне нам вписать в Книгу Книг еще и одиннадцатую Заповедь: «Не убоись!» Не они — страх нами правит.

Как сказал первый соцреалист — инженер человеческих душ — Горький: «Человек — это звучит гордо!» Особенно когда он не сдается и его уничтожают. И почему он и с выбитыми зубами гордо так не звучит, сукин сын? Вернее — звучит, но не так гордо.

Чаши стадионов. Почему бы не устроить показательные избиения для иностранцев? Ведь кидали же древние человеколюбы живых людей разъяренному зверью. Зрители. Видимо, их еще стесняется Лубянка. А здесь — у себя дома — в тюрьме, где и стесняться не надо?

К великому неудовольствию стражей порядка, дубинки пришлось отменить. А так хотелось быть на уровне мировых стандартов.

Всю жизнь нас Европа с толку сбивала.

Диссидентов в России мало. Поэтому их легко сосчитать. К Андрею Дмитриевичу Сахарову также ходит негусто. Потому их легко выследить и сбросить под поезд, как Брунова...

Из восьми тысяч членосоюзописателей еще меньше настоящих, честных, способных и стоящих. Что вполне закономерно, ибо писатели не кролики, они и на воле не оченьто плодятся. А уж здесь им сам Бог велел одиночками быть. С одной стороны, это прекрасно — дефицит. А с другой — как же легко-то их перебить поодиночке!

Когда человек заблуждается, вовсе не обязательно ему проламывать череп. Да и в чем мы, собственно, заблуждаемся?

До чего же КГБ не любит поэтов. Даже чужих. Скажем, не нравится Рильке – убивают его переводчика (сам-то он в недосягаемости – давным-давно умер, а переводчик – вот он, жив. И входит к себе в подъезд, как ни в чем не бывало. И даже не оглядывается, наглец).

До чего же КГБ ненавистны поэты! Тем более однажды уже побывавшие там. Даже если они и тихони (эти еще больше их раздражают, в отличие от горланов, которые, как правило, стреляются сами).

Костя Богатырев был доставлен в больницу с переломом основания черепа. На попытку врачей оказать ему первую помощь заметили: «Не надо! Ну зачем же ему жить дурачком?!»

> Куклы начинают жить, когда опытный актер одевает их на руку, большой и средний палец пропускает в руки куклы.
>
> А указательный палец вводит в ее голову.
>
> *Памятка кукловода*

О, беспартийность лица, что из века в век потрясает. Но меня и под конвоем не водят в музей. И соседа моего тоже не водят. Даже в баню, где он старается голову брить, когда-то вмиг поседевшую.

«Это кто же брюнета в тебе убил?»

Однажды пришел он на рельсы, где самоубийца похож на шпалу. С той лишь разницей, что не он держит путь, а своего пути не выдерживает. И поныне, несчастный, жалеет, что только масть убило. Да ногу покалечило. А не кончило всего.

«Понимаешь – угораздило кого-то вытащить меня из-под колес. Стрелочник виноват. Не иначе...»

Едущие к нам, вы его, конечно, не заметили. Вы вообще не замечаете границ. Вы – безграничные люди! А ведь нас – разделяют. Есть граница. И еще какая! Сначала безобидный профиль таможенника. А повернется фасом – и уже Россия. Но едущие с той стороны в лицо стараются не заглядывать. Виновато прячут глаза. Да вы-то в чем виноваты – путешественники бочком? Ошарашенные нашим фасадом (у нашего паровоза весь пар — в гудке) и похлопанные по карманам, впопыхах и надпись «СССР», небось, не прочитали. А это Россия с «СС» впереди. Свистящие и рычащие буквы. Всем наличествующим гемоглобином вписанные в клетку нашей вечно ученической жизни. Это издали «С» кажется разъятым кругом. И только «Р» как замкнутый круг на палочке. Возвышенный, что ли, замкнутый круг. И такой маленький рядом с тремя остальными и как бы до конца не замкнутыми. Оптический обман. Захлопнутся, как только сюда попадете — к нам. Посчитайте — сколько ваших сидит на острове Врангеля! Пальчиков не хватит. Так какая у вас программа? Какой протокол? После шмона — в «Метрополь»? И не поевши. Не попивши. Натощак и сразу — на ВДНХ — смотреть Достижения? Да не там они. Не там они достигают удивительных результатов дрессировки. Вы — сюда пожалте! А не в большие и малые театры с раз и навсегда поставленными спектаклями.

Да весь СССР — спектакль. С актерами, поставленными на колени. Образцовый театр Образцова — партийного Петрушки. Обхохочете живот! Вот только какой ему палец в голову вдели — большой или указательный?

Со стороны у нас — все о'кей. То есть соответственно диоптрии розовых очков приезжих. Не на нас же так умело фасад рассчитан. Как, впрочем, и не для нас писана самая из всех конституций солнечная. Под которой мы не тени, а копыта отбрасываем. Для вас, дорогие гости. Для вас, иностранцы вы наши желанные, столько понаписано и понастроено. Перед вами и посуетиться не грех. В России это издревле любили. Вон как вылизали парадный наш вход. Да вы с черного к нам загляните!

— Да мы и трупы свои сами враз уберем, и песочком рельсы присыплем, чтобы вы не скользили, едучи к нам, — соглашается мой сосед.

...Кстати, КПСС — это сокращенно. А полностью это звучит куда восторженней — «Какая Показуха при „СС“»! А ведь как зашифровано! Как зашифровано! Не разгадать, сбоку глядя. Хотя, между нами говоря, то самое «СС», о котором вы с ужасом подумаете, — всего лишь жалкая кучка бойскаутов. Не идущая ни в какие сравнения с нашими педагогами этих самых вчерашних эсэсовцев. Но не будем ворошить прошлое. Тут и от настоящего еще крик не утих. Тем более с прошлым (я имею в виду тех эсэсовцев) — давно покончено (чего не скажешь об их педагогах). Позорное прошлое... Позорное будущее — вот что страшней, дорогие граждане. Да не толкайтесь вы так, глядя на наш зверинец! Если бы вы смогли заглянуть еще и сюда — в фундаменты, где атлантом сама загадка русской души, а также ребусы душ нерусских. А может, наступит, не приведи господь, и на вашей улице «наш праздник». А может, наступит, не дай-то бог, и на ваши пятки наше кирзовое с железной подковкой время. И поведет вас лубянский Вергилий, в своем деле тоже поэт, по нашим адским кругам — подкопам под все миры остальные. Пинком подгоняя, к коему туристы никак не привыкли. И скажет, уже глядя не на отдельных иностранцев, что сгинули здесь, а на разноязычные толпы: «Все флаги нынче в гости к нам!» И губы в улыбке древнейшей раздвинет, да так, что и лба не видать.

Но, слава богу, мы пока без вас садимся ужинать. Я вынул свою ложку. Сосед — свою. На внутренней стороне обыкновенной оловянной ложки нашего номерного учреждения какой-то шутник нацарапал: **«Ищи, сука, мясо!»** На внешней — выпуклой ее стороне еще более отчетливо значилось: **«Хрен тебе в зубы! Я — вегетарианка!»** Не ложка, а моноложка. Такой хлебать баланду просто совестно. Но символы тоже есть просят. Взять хоть половник здания Верховного совета или Мавзолей. Одна эта копилка вождей чего стоит! Вон как врубился в желудок народный. А уж засахаренные заживо во всенародном умилении и еще не сыгравшие туда! А вся эта развесистая клюква президиумов и прочих «малин» — это же целый бюджет наших обедненных наций, сидящих на голодном пайке. Это же их прожиточный минимум стольких миллионов, вот так, за здорово живешь, — отданный в максимум, и кому!

Ну когда человек так щедро кормил своих паразитов! Все никак не отожрется пролетарий несчастный, если так экономит на своих заключенных. Что у нас сегодня? Суп «Рыбье кладбище». Опять?

И это показательная тюрьма!

«Завтрак — съешь сам. Обед — раздели с другом. А ужин — отдай врагу!» — рекла народная мудрость, когда еще не натощак сидела.

Отдал. Что я, хуже других, хоть у меня давно под этой ложечкой сосет. Ничего. Затянем живот потуже — как учит партия, да так, чтоб позвоночник свой наконец ощутить. И понять — зачем он, собственно, даден, этот гордых людей негнущийся столб. Вот к чему порядочный человек всю свою жизнь привязан. Неумелец согнуться, оттого и в тюрьме. Становой хребет... Да не тела, а духа — несгибаемый позвоночник. Да ты, родной, уже флейта, когда так прям. Вот и дуй в свою высоту, человек, если, конечно, еще и даром — задаром петь наделен. Ведь правы кассиры, знающие деньги наизусть и утверждающие, что не в деньгах счастье.

И да не пристанет тогда к тебе прилипчивая привычка приспособляться (боже, какое же это бл...ство!). И на лице твоем, благодаря росту — высоком, не останется и тени этого сучьего века. Горлом хлынет песня и смоет рабства родимого пятна. И тогда как ни крутите, а впервые вы здесь увидите лицо. А не личину, давным-давно сожравшую его с голодухи. Здесь, брат, эволюция наоборот.

— Да как же ее содрать — личину? — вопрошает сосед мой за бетонной стеной. Это же равносильно сорвать противогаз с головы при всеобщем навонянии. Вон как испортили воздух! Всем миром люди за нос схватились — спохватились наконец за свою окружающую среду. А уж будь покоен — какая среда их окружает — врагу не пожелаешь. Да и как проживешь без этой угодливой маски, без этого намордника. Тут не то что петь (чего захотел) — дышать невмоготу. Да и помимо техники безопасности, так как маска все же защитная, еще и есть хоцца. Белых ворон здесь не кормят. Им тут головы отворачивают, если они вовремя не чернеют... И дальше что-то в этом роде, будто в рифленый хобот трубил его инстинкт выживания, вместе с ним впопыхах зачатый. И от которого он уже попытался избавиться раз.

Эх, маска, маска с хлебо-маслицем для смазки. Только родился человек — запеленутый кукиш лица. Понесли его, серенького да лысенького, в ясли — в эти человеческие телятники. В эти маленькие пока воспитательные боенки. И пошла-поехала расти личинка личины. Не слюнявчик — первым делом натянули на младенца счастливую улыбочку, чтобы легче было потом благодарственную изображать. И началось. «А ну, покажи нам, деточка, свой язычок! Посмотрим, чем ты будешь пробивать себе в жизни дорогу. Тренируй его, милый, тренируй! Хорошо подвешенный язык, особля великий и могучий, как наш — русский — в нашем обчестве — в-в-великая сила. Особенно когда у всех на устах очередная партия правительства. Сколько народу сразу его славит! Очереди к мертвецу, чтобы еще живым доказать свою преданность. Иерархия. Лестница. Рвение. Конкуренция. Уже набившая язык номенклатура... Нет, что ни говори, а здесь надобно суметь с головой пробиться. И влезть этой самой головой, что называется, по самый галстук. Короче — уйти целиком в это дело Ленина со Сталиным, Маркса с Энгельсом и Брежнева с Косыгиным, Чей там следующий зад замаячит — мы пока гадать не будем. Имеешь хорошо подвешенный язык — не пропадешь. А если не имеешь — для пущей эластичности вынут хрящ из спины, как боксеру — из носа. И заблещет красный язык испариной как миленький. Уж будь покоен».

«Но это их дело. Не мое», — закапризничал было младенец. Но не тут-то было.

Маска, маска... Именно под ней Бог каждого превратил в то, чему больше всего этот каждый и соответствует. Чему больше всего и отвечает. Кто есть кто... на этом свете?

А ну-ка, приятель, где твой первоначальный замысел? Типичный характер? Сорвем-ка с тебя твой презерватив — фасад. И вот ты стал тем, кем и должен был быть с самого начала.

Эй, кто там ползет? — Муравей — две дольки гладиаторского тела.

А это — собака, люто охраняющая когда-то нажитое добро.

Вот змея, еще вчера шипевшая человеком.

А рядом – курица, чьи яйца несъедобны. Потому что это единственное, что осталось у нее человеческого (кстати, и почему это курица с яйцами, когда петуху они куда больше к лицу?).

А этот – по сути своей – гнида. Посмотришь на него и уже чешешься. И ждешь при этом, что именно он и попадется тебе под ноготь. И щелкнет мерзостная капля. И родит целый океан омерзения...

А это – шакал. И следующий. И в хвост к нему пристроившийся – тоже. Да их тут целое скопище. Лучше б ты, гражданин, был Шагал. Далеко бы пошел.

«Да я и так неблизкий свет каждый день отмахиваю. Свое отшагал... – И на Луну, где американцы гуляют, уставился. – У-у-у! Как жрать хочется!»

Птичье личико и руки за спину. Миролюбивый голубь. О, если бы летал всяк, кто с недержанием кишок, как этот голубок. С точки зрения которого все мы пресмыкающиеся. Шапки... От одного ли холода мы их носим?

И этот легок на помине. Тоже ручками бьет – наверх хочет.

И тот легок на подъем. Боже, как же легко дерьмо всплывает!

И следующий далеко залетел, хоть и пресмыкался, как последний гад ползучий.

Все летящее плюет на нас с высоких задниц. Вертикаль летящая и горизонталь ползущая... Где-то же сходятся их плевки!

А вот и по земле ступающий – ничего-то себе за душой. И этот еще недопроизошел. И тот – тоже лишь в пути – к человеку. Да и следующий – запаздывает.

А вот и сам человек. Но еще не догадавшийся об этом. Но отлично понявший, как трудно им быть. Но тянет, тянет его в человеческое общество.

Ау! Где ты, человеческое общество? Откликнись!

Но откликается только сосед за бетонной стеной, хоть и дюже сознательный, а туда же. Вернее, сюда же с камнем на шее да на лубянское дно.

Ему тоже невмочь — в этом каменном веке стал отрастать атавизм проклятый. Непомерно развитый копчик угрожает снова вернуться хвостом. Тысячелетние эволюции человеческого рода... Да уже сейчас наш любой партийный товарищ в состоянии смахнуть их концом своего невероятно гибкого позвоночника. И даже на четвереньки ему не надобно становиться. Обезьяны с дерев попадают от зависти, если увидят, как он искусно метет им.

Вот сейчас он ввалится ко мне в камеру и скажет свою сакраментальную фразу: «Усе человеческое засунь себе, знаешь куда? — Под хвост! Понял?»...

Да еще не вырос, гражданин начальник.

«Вот и будешь сидеть, покуда не вырастет».

Да ведь надо ж еще научиться владеть им. Боже, сколько же мне предстоит здесь сидеть! Да и где гарантия, что он вырастет и я не загнусь бесхвостым? Это ж тоже своего рода талант, только сзади.

ЦДЛ. Вероника Тушнова поймала зверя пушного. Марка Соболя. Тоже поэта. И сына хорошего и тоже расстрелянного писателя (правда, тут он сам себе расстрел устроил). Соболь... Сама фамилия просит выстрела. А посему поэты здесь, как правило, берут псевдонимы погорше. Беспрозванный, Беспомощный, Бездарный (нет, так далеко еше не заходят), Бедный, Голодный, Горький... И лишь один Артем Веселый. Который, естественно, кончил невесело — расстреляли.

Очень уж контрастировал с горькими, бедными и голодными.

...Белый, Черный, Беспросветный... Да тоже кончили не ахти как.

Никак не спасала их ущербность их нового имени, как бы говорящего, что хуже некуда.

...Белого — очернили. Белых у нас не любят. Черного — не отмыли. Как ни старались. У нас очень светлый читатель. И его каждый раз боятся запачкать. Да и меню у него также сплошь диетическое, будто поносом страдает вот уже свыше полсотни лет.

Беспрозванный – таким и остался. Даже имя из памяти исчезло. А уж отчество и подавно. Хотя поэты здесь почему-то всегда пишутся без отчества.

Может, это намек на то, что и отечества им не хватает.

Михаил Голодный, всю жизнь боявшийся переходить улицу вброд – много плавает там всего, – таки попал под автомобиль на Ленинградском шоссе. Между прочим, под личный Симонова, так сказать, коллеги. За ним, хитроносым, шофер торопился.

Ну, Бедный, он и есть бедный Придворов. «Не ходил бы ты, Ванек, во солдаты...» А пошел бы, Демьян... Да уж ладно – все равно уберет цензура.

Горького накормили, что называется, той же конфеткой.

Вот Дракохруст и Павел Беспощадный... Эти вроде пооптимистичней себе вывески отхватили.

Ну, Павел, он по-прежнему беспощаден к читателю – так пишет, хоть стой, хоть падай. И даже букварь не читай посреди счастливого детства. А если читал, то алфавит забудь!

А Дракохруст, тот уже не пишет, а только на машинке стучит... указательным пальцем.

Вот Казимир Лисовский, живущий на Оби в Новосибирске, тот еще пишет. Всю Обь обессмертил – «Обь, тоску угробь! Обь, твою муть воспевать не устану я...».

Так что тут мы можем и Демьяну досказать недостающую фразу:

«Демьян, Демьян, Обь же твою муть!»

ЦДЛ.

«И Терек прыгает, как львица с косматой гривой на хребте...» И хотя у львицы отродясь не бывало гривы, все одно красиво. Вот «с винцом в груди и жаждой мести...» – это похуже. Все же классик. Мог бы и почистить перышко, – дружески беседуем с зарубежным литературоведом, в знак протеста там у себя изучающим только чужих поэтов. Хотя настоящие поэты конечно же человечеству не чужие.

– Хочешь убедиться? – спрашиваю его.

Хочет. И мы пошли на Казанский вокзал, самый народный в России.

И сели в битком набитую электричку. И услышали тут же:

На Кавказе росла алыча
Не для Лаврентья Палыча,
А для Климент Ефремыча
И Вячеслав Михалыча...

Это Леша Охрименко – наш прабард, автор истинно народных песен. Таких как: *«Он бил его в белые груди», «Исповедь полкового разведчика», «Софья Андреевна Толстая», «Графиня Эльвира», «Левка Толстой», «Отелло – мавр венецианский», «Однажды ночью...».*

Однажды ночью, возвращаясь с пьянки,
Я в освещенном увидал окне:
Товарищ Сталин жарил обезьянку,
Он медленно вращал ее в огне.
Потом он пережевывал кишочки
И косточки обгладывал, урча,
С тех пор я не читал его ни строчки,
С тех пор читаю только Ильича.

И других, не менее народных, которые исполняют в переполненных электропоездах не всегда голосистые нищие, подбренчивая в такт уже собранной мелочью.

Наш генсек поэзию любит. Бывало, приедет и первым делом спросит: «Хворум есть?» «Так точно. Есть!» – отвечают. И обязательно стишок какой-нибудь прочитает. Однажды, – говорят, – чуть ли не Гумилева шарахнул. Что и говорить, любит он Ленинград. Говорят, именно там он рассыпал с десяток поэтических книг, уже набранных. «И еще десяток уже вышедших запретил, – поведал в ЦДЛ один писатель, – „Лениздат“ теперь и прозу издавать боится...»

Мы, конечно, знали, что он, как Мао, стихами балуется. Типа: *«Если мы не дойдем до Великой Китайской Стены, значит, мы не любим Китай...»* И речи свои пишет стихами, но их по старинке переписывают прозой многочисленные его речеписцы. Будто ревнуют, завистники, и не хотят из него Гомера делать – и так, мол, великий. И так, мол, сойдет.

Говорят, даже сам на машинке стучит, специально для него сконструированной. Вот буквы, говорят, маловаты. Пишущая машинка с огромными буквами была лишь у Гитлера. Фюрер неважно видел, но стеснялся носить очки.

Что Брежнев поэт, мы убедились, когда он пригласил кого-то из наших на завтрак. ЦДЛ, конечно, знал об этом за месяц.

И все с нетерпением ждали счастливца к обеду, чтоб все, как положено, рассказал.

— Значит, так, — начал он не спеша. — Привезли меня в Немчиновку. Красота, как у Шишкина на картине. Вокруг леса. А поверх лесов еще и брандспойты поливают вовсю, чтобы еще свежее было. Охрана на каждом шагу цвета заборов. И даже зубы зеленые — курят много... Меня, как горячего коня, проверяет. Будто на мне собирается сам гарцевать. И, наконец, похлопав как следует меня по дряблому крупу, аккуратно вталкивает в вестибюль, когда-то называвшийся «сени». Сел, куда показали. И жду. Вижу, идет старушка. Бац! — и в ноги мне поклонилась. Как в самый разгар крепостничества. «Барин!» Вот, думаю себе натощак, как бывшие рабы живут! Это в кабинетах у них скромность украшает стены. А здесь на досуге — чего только нет. Ну и мебель конечно же мягкая. Будто я сыр, и вот меня еще и в маслице окунают. А душа... ну, эта бальзам стаканами хлещет, такой здесь комфорт!

И вот он подарок — я сижу за столом, разумеется, царским, у, можно сказать, царствующей четы. Никого, только я и правительство со своею супругой. Рыло в рыло. Так сказать, тет-а-тет. Ну, для начала я скромненько в помидорчик вилкой.

«Леня, а ну, покажи ему, как надо помидоры есть!» — треснувшим голосом молвит супруга правительства нашего. И Леня плод покраснее берет со стола и двойною челюстью давит. Сглотнул, аж кадык в ордена ударил. А кожицу шмякнул об стол и воскликнул: «Гандон!», подцепив ее лихо на вилку. И так заливчато рассмеялся, что тебе наш русский национальный герой Иванушка-мудачок...

И еще он любит охоту. Как-то у волжских плесов, видя, как в болото аккуратно укладывают миллионы народных денег, наш писатель, как в свое время Некрасов, спросил: «И что ж мы тут строим?»

«Шоссе... прямо к заднице утки, — почти дружелюбно сказали ему наши вечные строители коммунизма, — а ты сам, случаем, не охотник?» «Нет-нет!» — поспешил он ответить и ретировался умело. Ибо со времен Некрасова народ почему-то перестал обожать своих народных певцов.

— Отлистнем назад это Дело, не слишком слюнявя палец, — сказал сосед, — ведь если раньше сажали на кол. Примеривая, как у портного, — не жмет ли, а если жмет, то куда? И сажали уже так, как надо. У нас — не шути! И тем не менее все одно — шутники находились. И очень даже шутили (посадили его на кол, а он взял да на кол накакал)... То со временем этот кол так пообтесали, что стал он граненый и тонкий — штык-острец... в любую из двух половинок. Но и на этом прогресс не закончился. Еще потоньше придумали кол — шприц. Тебе, кстати, его никогда не вгоняли? А мне (как говорил покойный Михаил Аркадьевич — «Вот опять пошли девицы по мои ягодицы») — очень даже часто. И почему советская власть хочет, чтобы ты непременно перед ней оголялся?

Так что не будем витязями на распутье, когда невероятно надгробный камень на нашем пути. Налево пойдешь — в дурдом придешь. Направо пойдешь — в образцовый лагерь сядешь (ты же у нас не такой, как все). А прямо захочешь, как в сказке, — череп да кости. И заметь — твои будущие. И точно — как в сказке — нету пути. Стена, за которой мы с тобой беседуем. Братишки-собутыльники — вон как хмелеем от слов...

Не прав был сосед мой, — путь все же пробился. Забрезжил. Застыл под стеклом. Нас выгнали вон.

— А что касается стены. Между нами всегда она будет. В том-то и фокус нашего древнейшего ремесла, неизменного со времен Адама, когда он вздумал подытожить свои житейские наблюдения. И озарился новым поворотом своего видения. Открывая доселе запретное и одному только Богу доступное. Едва ли хотелось Создателю, чтобы кто-нибудь еще разглядывал трещинки в его фундаменте. Да и вообще наперед бы видел такие картины, которые не каждому видеть дано (за что и был выгнан из рая, несчастный). Да и что изменилось с тех древнейших времен в этом деле — с пером заостренным и на первый взгляд невинным? Одно перо и претерпело модернизацию. Оно стало менее воздушным и более заземленным, как громоотвод. Но так же потрескивают в нем разряды небесные. И уж кому дана его легкость — писать весомо, тот и вправе называть его вечным. Все ж остальные — писари с перьями — за ухом или в шляпе, когда оно не в кармане штанов или на выпяченной груди. Сколько же их с готовностью осчастливить человечество — тоже лезет на стену, кого повсеместная грамотность сделала пишущим. Допускаю, что Бог угрызался изгнанием писателя первого и кинул на Землю несколько горстей своих Божьих искр в незаросшие лбы. «Валяйте, ребята, — творите! Так и быть — разрешаю!» Но не мог же он все человечество сразу в союз писателей записать! И не оставить читателей даже. Оставим в покое, кто Божьей милостью поэт. Но, Боже, сколько поэтов чьей-то милостыни! Перепись населения уже кричит «SOS» — спасите наши уши!

И видится мне опять-таки стена, а на стене портреты великих Читателей... Раз-два и обчелся. А вокруг бегающие ловцы зазевавшихся душ и хватающие эти самые души за отвороты одежды руками, в жажде почитать свое, едва умещенное в небоскребы. Но отмахиваются от них люди (вот интересно — пишущие или не пишущие, а только читающие, если читающие?): «У вас зуб воняет и глаз ваш мочится, а посему ничего вы не унюхаете и ничего не увидите. Вы привыкли к стойким болотцам словечек, а не к вечному течению слов артериальных и внутри светоносных, вы омертвели, как волосы...»

«Омертвели и выпали, — согласится схватившийся за читательский лацкан, как за спасительную подножку, — и вроде нас нет, а мы тут...»

А может быть, ты великий читатель, Жорик? Благодарный, как впитывающая губка. Вот это герой так герой —

надо же столько прочесть! (В данном случае — прослушать.) Ты прототип будущего корифея-читателя — стоика, столько чтива переварившего и не взявшегося за перо тоже.

Да нет — тоже стал баловаться. Заразное это дело... самовыраженье. Одно могу сказать — выражайся прилично! Раз уж и тебя эта эпидемия коснулась. В данном случае, чтобы родной язык не забыть. Хотя где, как не в тюрьме, только и учить языки иностранные. Любой сиделец — полиглот поневоле. Помимо родного знает пару чужих. И в довершение ко всему еще и по «фене ботает».

— ...Письменный стол в четыре руки — это уже, друг мой, рояль концертный! Никогда не писал еще в паре с героем. Ибо соавторств никаких не терплю.

— Группенсекс с одной Музой, — подсказывает Жорик, — я всегда утверждал, что ты индивидуалист. И вполне естественно, что тебя поперли из советской России, где все коллективно и все сообща.

Слово на гигантской стене Непонимания, куда лезут уже который век, отпихивая друг друга, каждый со своим иероглифом.

Кто-то расшибает об стену лоб, не оставив на ней даже царапины. Кто-то шепчет. Кто-то кричит. Кто-то сложен. Кто-то слишком понятен. Кого здесь только нет?!

И гипнотизеры, пытающие счастья — убедить, уговорить и усыпить.

И штукатуры — лакировщики людского Неведения.

И хирурги, беспомощно вскрывающие нарывы своего общежития.

И певцы, и подпевалы.

И кузнецы, его кующие.

И терпеливцы, его высиживающие.

Его — слово, не желающее зачастую говорить и удержаться на скользком и отвесном камне Стены Непонимания.

Во сколько светочей его горенье, во сколько болей — немота?

«Ну вот поедете на Запад и будете Родину продавать...»

Так и вижу, как он родиной торгует. Встал посереди Бродвея, где все на свете чуть ли не задарма предлагают, и умоляет Христа ради Родину его купить. Со всеми ее прелестями и секретами, загадками и ребусами, кроссвордами и подкопами под другие миры. Невмоготу ей видеть, как люди живут счастливо. А также с планом новейшего завода, купленного здесь же, на Бродвее, и валяющегося где-нибудь на Мухосранском откосе, под обильным дождем. В отличие от староотечественного, вырабатывающего счастье... кучами. Этот все же на валюту куплен.

Нет, старина, ты открыл бесполезную торговую точку (если открыл, как тебе они убежденно предсказывали). Во-первых, Родиной торговать — это привилегия только нашего правительства. Оптом и в розницу вот уже 60 лет торгуют. И куда уж тебе за ними угнаться, торгашами прожженными?! Во-вторых, такая, как наша, ничего-то уж ныне не стоит. Бегут с нее при первой же возможности самые что ни есть патриоты и давно торгаши, по пути дожевывая свои партбилеты. Бесценная — за нее теперь и ломаного гроша не дадут в самый базарный день. Напротив, приплатят, чтоб только при тебе осталась. С непременным условием, чтобы никогда не показывал никому. Крепко тебя обманули, с детства внушая, что лучшая в мире она. А как на репродукторах жилы вздували, заклиная ее продавать: «Очень дорого стоит наша Родина! Капиталисты только и норовят приобрести ее за бесценок, хотя миллионы за нее не жаль. Дни не дремлют и ночи не спят, все выгадывают, сволочи, как бы ты ее продал!..»

— Надо ж врать так безбожно! — так и слышу, кричит мой сосед. И рыдает, за страну свою оскорбившись, — ну просто плевать хотели — своих березок невпроворот. И, между прочим, растут себе на свободе, почище наших — никаких туалетов экспромтом. И уж, конечно, без проволоки колючей, охраняющей окружающую среду. Ну ни капли Россию не ценят. Даром и то не берут. Видно, кроме русских, она ни одной душе не годится. Потому и не избавиться нам от нее вовек.

Объяснительная записка — это жанр.

Переживший в лагерях всех министров Внутренних Дел Юрий Осипович Домбровский, один из последних могикан, ныне уже покойный — начал писать объяснение в милиции, а написал повесть.

В отличие от ранней повести «Обезьяна приходит за своим черепом», эту он написал не на бумажках от лагерных порошков. И ему не надо было потом пять лет расшифровывать свои записи. Литфонд снабжает писателей великолепной финской бумагой. Когда они не сидят.

«Меня всегда не вовремя сажали, — часто говорил он, — как только я заканчивал рукопись, обязательно кто-нибудь доносил».

И снова он досиживал свой срок, тоскуя по отобранной работе. Однажды к нему, ненадолго отпущенному, пришел маленький и тщательно обритый человек и сказал: «Вот в этом сидорке ваш роман... „Обезьяна“, кажется. Мне было приказано его сжечь, но я не стал этого делать...»

Рукописи не горят, когда их не поджигают.

В записке что-то от писка, зашнурованного скоросшивателем. Мыслимо ли уместиться в записку?

И тем не менее объяснительная записка — это жанр. Начиная ее — пишут эпопеи.

Да и эта моя первая проза родилась из объяснения поведения секретариату правления.

Но эти объяснения уже для другого адресата.

Символично.

Так появился ЦДЛ, сам того не ведая, ставший менять мою жизнь. Потому что творчество — тоже поведение.

Пошел гулять «ЦДЛ» по рукам неполно, и вот из ЦДЛ меня исключают вполне.

КГБ — наш первый читатель, идущий по следу. При такой организации ты не оставишь в творчестве след. Но попытка — не пытка. Хотя, как сказать. Но минует слово запретные их установки. Слову больше везет, чем автору, — его изгоняют уже из Союза, даже из двух — сначала писательского, а потом и вообще Советского.

ЦДЛ.

Он не собирался по крупицам, этот материал. Документ довлел над живой плотью фантазии. Он пер без памяти, ломая привычные заготовки жанра, с непременной усидчивостью и кропотливым анализом написанного.

Какая уж тут усидчивость, если сидишь, облокотясь на Злобное Место и уж как его приспособив под письменный стол — самому невдомек. И когда к тебе прилетает не просто Муза, а самый главный Член Союза, а то и сам спецнадсмотрщик КГБ, в коем ведении ты находишься. И грозит тебе пальчиком: «Не шали, не то хуже будет!» И не врет. Хуже действительно будет.

Неспешность, так любимая за письменным столом... Ныне эта роскошь непозволительна. Вызревание замысла. Высиживание книги. А потом долеживание рукописи. И вновь возвращение к ней... Эта привилегия писательского труда ныне просто невозможна. И не потому, что не знаешь — сколько тебе отпущено. Ныне главное — успеть, пока не ударили по автору. И еще преуспеть, пока не звезданули по рукописи. У нее нет инстинкта самосохранения. Беда наша заключается не в том, что мы должны отвечать за свои книги. А в том, что мы отвечаем за них тогда, когда их уничтожают. Задолго до того, как они становятся ими. Что и говорить — я побывал в шкуре прозаика — до чего ж неблагодарный жанр! Это поэзия — экспромт и стихия, живородящаяся сама по себе и требующая от автора только своевременной фиксации. Иногда и сам удивляешься — и как же легко пишется!

Так родился мой, новый по сути, жанр — «Документальная фантастика» (следующую книгу уж точно обозначу этим жанром, хотя терпеть не могу объяснять и разжевывать — что и как).

Для нашей действительности мировая литература не заготовила мало-мальски приемлемую форму. Хотя догадывалась о социализме давно.

Высокому призванию пристало и большой талант.

Он-то и определяет потом всю жизнь, скупо отмеренную, как всем.

Земное существо, наделенное крыльями. Их можно сложить за спиной, как руки, и расхаживать среди обычных людей.

Но крылья вырываются в небо. Накидывая на плечи гибельную высоту.

Нелепейшее несоответствие — огромность зрения и малая орбита глаз.

Чудовищное несоответствие — высокое призвание и краткий миг человеческого бытия.

Пульсирующие вспышки когда-то умерших звезд. Световые волны, веками идущие по бесплотному пространству.

А импульсы талантливости, здесь — на земле?

Продирающие черно-угольные пласты невежества, неверия и ханжества.

Какова же ты, скорость разума, если просто свету нужны световые годы и годы? И это в пустом и разреженном космосе, а на земле, сплошь и рядом препятствующей?

А в России, с ее колючими проволоками, с ее сторожевыми вышками, бетонными заборами, железными запорами, решетками, оградами, опорами глушилок и давилок, с ее местами злобными, уже не Лобными, а скрытыми, с ее мегатоннами, полигонами, тюрьмами, лагерями и психушками?.. Ведь ее еще миновать нужно.

Сколько световых лет, оттого и световых, что идут сквозь непроглядную тьму?

Камни за пазухой... Их, брошенных в пророка, громоздят потом в вечно запоздалый памятник ему. Высокий, очень высокий, но не достающий его живого роста.

Памятник? Да им не прижать даже стопы рукописей на письменном столе подвижника.

Может, раньше люди жили дольше? Или событий на их век выпадало меньше и они одалживались у Истории и у Библии?..

Сегодня и жизни не хватит, чтобы описать драму одного прожитого дня.

И тут не до вымыслов!

Остается — бегство от себя.

Остается дезертирство в развлекательное чтиво, чтобы грызть иллюзорный леденец благополучия.

Остается, сплюнув проклятья собственной судьбе, — докрикивать свое Призвание. Услышат ли?

Недавний рекорд трагизма — репортаж с петлей на шее.

Есть еще высшая точка трагизма — репортаж в никуда.

Обычно в рай въезжают на сумасшедшей скорости. А дальше душа уже идет пешком.

Он не успел затормозить свою новую «Волгу» и влепил себя и свою семью в скалистый ландшафт родной Армении.

Имя этого поэта — Паруйр Севак.

Мотор в сто с лишним лошадей. Половина сдохла. Классик бесполезно жмет на акселератор газа — не тянет «Чайка» в Литературу, в которую обычно входят пешком.

Корвалан — это, кажется, какое-то лекарство... от демократии.

«Мария Стюарт», Юлиус Словацкий... Это, наверно, польский псевдоним Шекспира?

Кстати, об иностранцах...

В университете имени Лумумбы (он еще известен как Лулумбарий) недавно негр съел негра. Когда его, уже пообедавшего, вызвали в ректорат и спросили, почему он это сделал, студент ответил: «В нашей столовой все так невкусно и все так пресно. Вот и захотелось своего, домашнего...»

Африка, Африка... Хижина доброго дядюшки Тома... Где-то съели посла. Посол пряного посола... Съесть человека... разве этим кого-нибудь удивишь в ЦДЛ?

ЦДЛ. Изгнанье Пастернака из поэтов.

Скрипит плохо смазанное единодушие. Чахлый лес рук. Поначалу.

Но вот после чьего-то первого удара стал просачиваться дразнящий запах избиваемой плоти...

Красное марево запаха, вытаскивающее зверя из каждого.

Одобрение убийства — удобрение толпы...

И руки, перегоняя друг друга, дружно поползли вверх...

К горлу.

К выходу метнулось испуганное лицо Дика. Председательствующий окликнул его:

— Товарищ Дик, а почему вы не голосуете?

— Нечем! — И счастливый Дик лихо вскинул свои обрубки.

Вскоре в Переделкино к Пастернаку приехали двое молодых поэтов. Панкратов и Харабаров. Они выражали ему свое сожаление, что громче других осуждали великого поэта.

Не скрыли и то, что поставили свои фамилии под подметным письмом писателей, «заклеймили отщепенца-изменника...». Не будучи членами Союза писателей, они, конечно, могли и не подписывать этого письма. Но там смотрели в оба... И следили, чтобы подписи были разборчивыми...

Больной Пастернак сказал им: «Впервые вижу предателей, приходящих исповедоваться к своей жертве».

Наезжали и другие непрошеные гости. С обыском. Однажды нашли журнал «Лайф» (хранение нелегальной литературы).

А если в Москву приезжал какой-нибудь высокий гость (а вдруг поинтересуется), тут уж толпились чуть ли не всей Лубянкой. Спешно поднимали насмерть перепуганного и больного старика. Засовывали чуть ли не в кальсонах в самолет... и везли.

Макмиллану, пожелавшему встретиться с Пастернаком, сказали, что он спешно уехал в Грузию — переводить грузинских поэтов.

Говорят, Хрущев выговаривал кому-то, что его ввели в заблуждение... «Я думал, это мальчик-стиляга, а это почтенный старик!»

Покойный Хрущев... Бедный Норик!

Покойный Пастернак... Как не подходит, как кощунственно по отношению к поэту слово «покойный»!

А сколько покойных поэтов, еще не похороненных!

Смердят — значит живы.

Да и не удивительно! У нас и настоящих мертвецов не всегда предают земле. Уж не оттого ли, как говорят старики, все наши российские невезения? Миллионы лет человечество считает высшим наказанием Божьим — непогребение.

Пастернак, чье поэтическое зрение раздирало собственные виски, — видел мух на гигантских египетских пирамидах.

Кто они, эти мухи?

Уж не те ли, что обязательно должны ползать по взрывчатой коже творчества?

Всегда казалось, что, когда поэт встает из-за стола, — он поднимает потолок...

Как жаль, что великих мы видим в полный рост лишь в гробу.

Он лежит рядом с письменным столом своим — в Переделкино, которое не переделало его, как ни старалось.

Вижу его глаза-берега, вечно омываемые слезами, — он читал тогда главы из «Доктора Живаго», перечеркивая все, написанное не прозой. Неужели для поэта есть что-то иное, нежели поэзия?

Тогда он не мог слышать стихов. В ответ читаемым ему строчкам он взволнованно мне заметил: «Замах крыльев у тебя огромный, а нести тебе нечего!»

Кажется, в гулких сводах потусторонних пантеонов прах его докрикивает смертью прерванный монолог.

Мы все уйдем парафизической дымкой в небо. А пока притягиваем себя к земле, кто — чем: балластом или непосильным грузом, взятым на борт души.

ЦДЛ, понизившийся в росте.

Здесь особенно чувствуешь невосполнимую утрату учителей. Пустуют места их, когда-то здесь сидевших. Они зияют невосполнимой пустотой даже под обвалами чьей-то усидчивости.

Тысячи тонн инкубаторской усидчивости не в состоянии покрыть и на сантиметр сосущей сердце пустоты. ЦДЛ — Центральный Дом Лилипутов.

Три карлика в дверях. Как на засекреченном заводе. И старый пожарник Леша Махов на заднем плане с вечной ухмылочкой в тонких губах:

— К пожару все готово, товарищ начальник!

Эпилог

Один западный корреспондент как-то спросил меня — кто мне ближе из современных писателей? И еще попросил назвать первых. Наступило наконец-то время, когда первых следует называть, а то и разглядывать в лупу, иначе и не определить — первые они или не первые? Видимо, я показался нескромным, что делать, моя манера писать мне действительно ближе. И не мне судить коллег моих, хотя бы потому, что сам непохожестью грешен. И в режущем сквозном и беспощадном свете выходящее из собственных глубин еще не перестает удивлять самого. Слава богу, не засвечиваясь, как недодержанная фотопленка. Это в совдепии автора сначала судят коллеги и уж потом, если он не слишком осужден, наступает черед судить остальным. А на Западе дело обстоит значительно проще. Если верить количеству выпускаемых там книг, читателю только и остается, что самому судить да рядить — кто из этой прорвы наконец-то стоящий автор? Потому что там писатели прежде всего писательствуют, а не обсуждают друг друга с пеной у рта и с подножками на и без того трудной стезе. В одном только схожи и тамошние и здешние — все хотят быть первыми. Кто первый? Первых много. Лично я — за вторых.

Выживание, поставленное на карту... географическую. У нас книги варятся в герметически закрытом котле. И авторы в массе своей рассчитывают быть любимцами лишь на своей территории. Да и не каждая книга, уйдя за границу, способна не раствориться. Слишком большой заряд должен присутствовать в ней. А здесь, как правило, с неба звезд не хватают. Здесь до кремлевских тянутся. Глядишь на иного — гора родила мышь. Не живет его книга. Читаешь другого — мотылек-однодневка, шелестящий страницами. Гусеница, решившая жить дольше. Один лишь червь и взвалил на него наитруднейшую проблему выжить. Целый союз подобных помогает такому писателю навьючить пустоту на высиженного недокрылка, недоноска, недоумка. Здесь тысячи таких творцов, чьи книги, картины, фильмы, симфонии и кантаты — сплошь оратории — родились мертвыми. И лишь счастливцев, чьи творения живут после их смерти, и может Россия приписать к своему везению. Им не на что было жить, но умирать было за что. Как ни прискорбно, но чем недолговечнее здесь настоящие художники, тем дольше живут их творения. Такова уж особенность прессованной, а потому пресной партийной литературы и не менее партийного искусства, этого жмыха народу, будто скоту. И чем больше ты презираешь политику, тем более такую, тем чаще и злее она вламывается в твое святая святых. У каждого из нас в этом смысле — студия горького опыта (не путать с киностудией имени Горького).

Бесчеловечная простота. Можно ли тут разобраться — кто тебе ближе? Мы живем на широте одного и того же несчастья. И как бы мы ни были индивидуальны — судьба у нас одна. Это я о вторых. Всегда чужих в стае. И голых посреди оскалов. Всегда обдирающих душу и плоть о колючие запретки. И не рассчитывающих ни на кого. Да и на кого им в этом мире рассчитывать, на какие парламенты, забывшие совесть и честь?

Не глушат передачи. Хорошо. Но если не глушат, значит, они не опасны советским властям, пуще смерти боящимся гласности (Бах бы сказал: «Гласность вопиющего в пустыне»). Надо ли сбрасывать со счетов этот довод? Или, рассказывая нам, как живет западный человек, — есть ли смысл связанному говорить о пользе гимнастики на свежем воздухе, а замурованному, да еще с кляпом во рту, советовать дышать глубже. В слишком разных измерениях мы живем. «Если вас не пускают в Израиль, — сказал одному еврею один доброхот-иностранец, — то поезжайте в Италию. И уже оттуда вы сможете добраться до родины». Иногда мне казалось, что Запад — очень близкая к нам планета, — и, приехав туда, я не перестану так думать, особенно когда слышу «Голос Америки», этот «Маяк», но с английским акцентом, вещающий на Москву (или через Москву?). Да и другие радиостанции с хорошей слышимостью едва ли можно обвинить в смелости. А было, есть и будет о чем порассказать. Боже, сколько тем! Ну хотя бы о том, как в фордовские времена в Вене по просьбе наших властей, не иначе, держали в полицейском дворике проезжавших этот веселый город русских диссидентов. Это чтобы они не давали интервью на территории независимой Австрии. Или о визе — всего на три дня — нобелевскому лауреату, тоже изгнанному с родимых мест. А ведь как ему понравилась Норвегия! До высылки из страны другие скандинавы ему отказали в кратком гостеприимстве, не разрешив присутствовать его друзьям в посольстве на церемонии вручения Нобелевской премии. Или как КГБ «пасет» сотрудников иностранных посольств — нет, не в Москве, это само собой, а у них дома, следуя по пятам по их территории. Или как иностранные корреспонденты в Москве заранее сообщали в КГБ о месте и времени демонстраций отказников, а им за это давали пять минут на съемки и только потом разгоняли. Сам факт разгона демонстрантов, разумеется, не снимался. Или (можно сказать, родная тема) — профессиональный литератор встает в полный рост там, где обычно привыкли к земле прижиматься, а по другую сторону — в комфортабельных окопах, где он надеется найти если не защитников, так хоть союзников, — ни тех ни других не находит. И самое смешное — рукопись, тайно отправленная им туда, исчезает... как в КГБ (эта книга, воспроизведенная заново, — тому примером). Да мало ли о чем можно было передавать западному радио в те или другие дни. Государственной пользой можно оправдать все что угодно. Скажем, зачем американцам вмешиваться в неамериканские дела (хотя едва ли можно найти страну на свете, куда бы они не вмешивались). Но в своей жизни вы бы никогда не допустили, чтобы рядом с вами так издевались над человеком. Почему же государству можно? Почему же ваше государство должно быть безнравственнее вас самих? Представьте себе, что вы по отношению к вашим близким совершаете те же поступки, что и ваше государство. Вы же содрогнетесь...

О чем только не говорили в эфире в те мои настороженные вчерашние дни! Обо всем на свете, кроме одного-единственного — о беззаконии, творящемся у нас в стране. Когда, слушая передачи западного радио, средний россиянин был недалек от истины, полагая, что у нас в СССР тишь да гладь и Божья благодать. И приходила тогда невеселая мысль — если уж Западу нечего сказать сообща, то уж действительно ехать дальше некуда. Разве что на Дальний Восток, где слишком холодно, или на Ближний, где слишком жарко.

Свобода, стоящая на свободной земле, и конечно же не затем, чтобы не видеть загороженные земли, где мучаются миллионы людей. Хочется думать, что это понятие не узковедомственное, не автономное. Свобода и ограждения несовместимы. Крепка статуя, не то что иные блюстители этого символа. Один из них, представлявший вчера все штаты сразу, скорбя и соболезнуя тяжкому положению инакомыслящих писателей в России, посоветовал им обратиться к западным издательствам через... Охрану Авторских Прав, которая у нас — не охрана, а охранка. Да были бы у них права, они бы и без него знали, куда им обратиться.

Неполучившееся интервью, вернее, не пошедшее, где-то застрявшее, хотя взятое у меня с готовностью скорой публикации. Взятое хорошим малым с дикого Запада. Из четырех сторон света эта сторона самая, пожалуй, счастливая. Не Юг, не Север и уж конечно же не Восток. Респектабельный, чинный и все же дикий Запад. Дикий в своей благовоспитанности. Как это ни парадоксально, а врожденная культура обхождения срабатывает даже тогда, когда бы ей впору возмутиться как следует. Или высшие принципы христианской морали перестали уже быть бескомпромиссными? Ведь они неделимы. И тем более незабываемы. Даже на время, когда носители их закрывают глаза на самое антихристианское государство в мире. И вешают эти самые принципы, и без того высокие, на полосатый шлагбаум пограничных досмотров, в нетерпении пойти на уступки самой бесчеловечности и садистскому разгулу. Так недолго разувериться и в христианстве.

Так я думал, беседуя с иностранным журналистом – человеком с другого берега. И вот я сам на другом берегу. И едва ли затем, чтобы повторяться. Я даже не из тех, кто пересекает океан, навсегда бросая родину, чтобы договорить.

Хотя теперь есть возможность говорить на равных. Видимо, опыт несвободы – непередаваем. Этот «институт» надо кончать непосредственно самим. И не только писателям, которым в меру своей усидчивости конечно же положено сидеть. Советскому министерству Внутренних Дел (пока внутренних) посадочных мест не занимать. Так что есть ли смысл говорить до *срока*.

Это сегодня, слава богу, чуть времена изменились. Это сегодня Западу опять повезло. Распалась Империя Зла. Теперь головы шестнадцатиглавого дракона живут отдельно. А само туловище, как по мановению волшебной палочки, сразу же перестало быть советским.

КГБ переименован, и теперь он конечно же не с черепом Дзержинского во лбу и молитвенно скрещенными костями на груди, а чуть ли не гуманитарное учреждение, торгующее своими архивами. Вот поднакоплю деньжат и куплю досье на себя родимого. Посмотрю на себя их глазами. Гляну с их боку и со спины – они всегда меня провожали. И снова почувствую себя молодым. Бог ты мой, как же это было давно – аж в прошлом тысячелетии.

И я представил себя вдруг в Москве. Звоню приятелю, а он уже памятник. Звоню второму – и он забронзовел до неузнаваемости. Смотрит на меня в изумлении, как будто впервые видит. «Ну, здравствуй!» Не отвечает. Стоит, как истукан, и даже выпить не хочет.

Пролом

Роман

Пролог / Вступление / Пролом / Гоп-стоп / Гражданин, не толкайся лицом, или Рожденный ползать — вали самолетом! / Мадам Говори, или Не размахивай конечностями, товарищ, ты уже господин! / Три часа лёта — и как до Луны пешком / Ёган / Да бросьте в меня камень... античный, если не прав! / Великие немые звукового кино, или Будете проходить мимо — проходите, пожалуйста! / Порто Портезе, или Клара у Карла украла кораллы / Mea culpa / Кентавр / Золотые бигуди / Ша, я еду в США, или Поглядим Австралию — и далее / Граф / Легенда / Вы не знаете, как пройти на Голгофу? / Это с вами ходит свами? / Язык не стрелка — его нельзя перевести / Нерудов / Нарциссов / Одиссей Моисеевич / Ефеня / Рыгор / Мне здесь нравится все, даже то, что не нравится / Сафари / Двенадцать / Большой несбегаемый / Казя / Ай лав Нью-Йорк / Прометеев / Лукичи / Вильям, выпьем виски! / Новая Герника / Стена / Однорукий бандит / Встреча в пустыне / Писец Леты / Однажды Генрих Худяков / Одаренному коню в зубы не смотрят / Эпилог

> ...— Место хорошее; коли тебя станут спрашивать, так и отвечай, что поехал, дескать, в Америку.
>
> Он приставил револьвер к своему правому виску.
>
> — А-а-зе здеся нельзя, здеся не места, — встрепенулся Ахиллес, расширяя все больше и больше зрачки.
>
> Свидригайлов спустил курок.
>
> *Ф. Достоевский.*
> *«Преступление и наказание»*

Пролог

Однажды в Бруклине (в одном из районов Нью-Йорка) в одну из прачечных-автоматов зашел ничем не примечательный господин, но с ярко выраженными чертами советского эмигранта. Сказав: «Экскузьми!»[1], он разделся догола и бросил свою одежду в стиральный барабан. Сел на тут же предложенный ему стул и стал ждать окончания стирки.

Вскоре приехало телевидение, но он наотрез отказался участвовать в съемке.

— Ты что, их шпион?

— Нет, хуже — я украл у них свой скелет.

Оказывается, он говорил правду, его действительно разыскивал Интерпол, но истинная причина его отказа избежать паблисити была, оказывается, не в этом — он сослался на свою непобритость.

Из хроники происшествий

---

[1] Извините! (*искаж. англ.*)

Вступление

До чего ж мы рассеянные — вечно что-нибудь оставляем.

...Бедные вы наши жидочки! И что же понаделали с вами фашисты проклятые! Ну ничего — придем в их Германию и ихних жидов всех до единого перебьем...

Добрый и отзывчивый — прощай, мой великий русский народ.

Прощайте и вы, наши немцы — жалкие вы наши колхозники. Вам бы на полях Европы гулять. Будете знать, как в Россию соваться.

— ...Вот ты убил таракана-подростка. Почему ты ни одному насекомому не даешь дожить до старости? — спросил папа будущего вождя, который уже в детстве проявлял свою кровожадность и, чуть что, колотился головкой об пол. И как же покраснел тогда наш будущий вождь, и без того уже красный — от стеснения членчик свой некуда деть.

Бог ты мой, из какой же своеобразной страны я уезжаю!

— А ну-ка, принеси мне мою трубку! — говорит однажды Коба своему лучшему другу Некобе.

— Уже пошел! — бросился тот исполнять. Четверть часа проходит. И час. Не может найти он трубку.

— Ты что же, умер без разрешения, дурак? — спрашивает Коба Некобу.

— Не могу найти. Где-то лежит, а понять не могу, — чуть не плачет несчастный.

— Поищи, должен быть, — утверждает Коба.

И вот он несет в зубах знаменитую трубку сталинскую, которую тот все время посасывал, пряча под усами свое наслаждение.

— А чистил ли ты зубы, Некоба? — спрашивает Коба.

— Так точно, — не уточняет Некоба — когда.

— Ну, теперь на каждый зуб повесь по доске мемориальной, где черным по белому должно гласить: «Вот этими зубами не однажды таскал я...» А дальше — что и кому...

И я в последний раз оглядываюсь на мемориалы своей жизни.

Бежим, уезжаем, рвем... И не сказать, что за душой ничего святого, а Святая Земля, откуда наш вызов? И говорят отбывающие свой срок отбывающим досрочно: «Между прочим, по нашим билетам чешете... Вот и ты, как все — между прочих рванул...» — слышу я голос оттуда, из-за всего, что нас разделяет. А разделяет нас прежде всего отсутствие связи. Прервалась связь времен, даже платоническая. Потому делаю ладони громкоговорителем и доверительно шепчу через океан, который упирается в их абсолютно звуконепроницаемую стену: «Вы правы, и даже очень: родившись в неважную среду, — необязательно и умирать в неважной среде. Но с чего вы взяли, что я кончил эмигрировать. Уверяю вас — нет. Важно только начать...»

«Да, но родина... Она от тебя отвернулась...»

«Когда у женщины случается выкидыш — это катастрофа, — объясняю я своим друзьям, еще меня не нагнавшим, — когда же это делает родина-мать — не беда...»

«И все равно нельзя оставлять мать твою родину, а также мать-перемать отчизну с отечеством вкупе...»

И где они научились так материться? Ничего, приедут на Запад, облагоразумятся, тут их быстренько в респект оденут.

«Да не ее, а ей не надо ничего оставлять, — говорю, — а ведь оставляют. Один пятерню, чтобы больше никогда ее не протягивать товарищам-вохровцам нашей родины. Ведь ее кому не лень только и делают, что охраняют. Правда, он попутно обменял ее на пайку еще в лагере. Приехал налегке — много в одной не утащишь. Другой — неважную память — заложил с десяток-другой друзей-товарищей своих и смылся. Тоже, можно сказать, налегке прискакал. Кто-то, между прочим, босиком приехал, чтобы родину на подошвах нечаянно не унести. Не руки — ноги умыл первым делом, да вот вернулся — членские взносы забыл уплатить. Надо полагать, теперь они будут двойными. Кто-то приехал, заплатив все сполна. И даже душу им отдал в придачу. Так на радостях одним животом и примчался. Кто-то — недостроив счастливого общества, но много для пользы его наработав, ибо еще фундамент его крепил... из человеческой арматуры, эдакий идеолог-столяр с наточенным топором, — тоже рванул, оставив его недостроенным. Вот это рассеянность так рассеянность! Другой, напротив, с учением бородатым приехал, так сказать, назад его приволок, но что-то на черный день и России оставил, — спасибо, родимую не обделил. Следующий тоже с какой-то дохлятиной в зубах появился. Или это усы у него такие пышные — сразу и не поймешь, но, судя по его писанине, чего-то он еще недопережевал. Кто-то даже кости предков багажом отправил, но сына родного забыл прихватить. Кто-то помимо заложников тоже чего-то оставил. Кажется, совесть. Другой приехал с ней, но ею не пользуется. Да здесь же такие химчистки — сходи! «Да времени нет!» — отвечает, но то, что здесь сервис отличный, — вполне согласился.

Конечно, наш беженец уникален. И вообще он человек большого накала («кала, кала», — кричит эхо, но мы на него не обращаем внимания), особенно когда он тоскует по бесплатной похлебке и по сапогу, пинавшему его в сторону нарисованных благ. Сколько их, радостных сегодня, завтра захочет возвратиться назад?

Психологический парадокс — преступника тянет на место его преступления. СССР — наилучшее в этом смысле место, сколько их тут было — преступлений! Но вот жертву, которой чудом удалось уцелеть, — и чтоб ее тянуло на место, где ее убивали, — этого я никак не пойму.

Или еще один тип любопытный: «Когда кто-то мужественно держится на суде неправом, и я тогда начинаю чувствовать себя человеком. Когда же ломают его — и я боюсь...» Ему, видите ли, нужны живые примеры. Теперь он их ищет отсюда. Слушает московское радио до воспаления среднего уха и жалуется: «Стоило мне только уехать — и ничего! Да и тут тоже век выдающихся посредственностей, старый уголь былых исполинов только и согревает нас. И зрение уходит в темноту, и голос в немоту...» «Чей?» — спрашиваю. «Свободного мира», — отвечает он, промокая свой нос, который уже сам по себе наружный юмор.

— Ну, а у тебя кроме нашей большой и прочной...

— Дружбы? — прямо-таки не даю досказать.

— Нет, стены, которая, конечно, так же прочна, как дружба, лезущая на стену, неужели так и ничего, а мать-Россия?

Даже к мертвой не пустили —
Побоялись ублажить.
Не мать-Россия — мать в России
Одинешенька лежит.

— Как мы сюда попали? — спрашивает меня мой сын.

— Нас обменяли.

— На шпионов?

— Нет, на хлеб. Запад им — хлеб насущный, а они Западу — хлеб духовный.

— И сколько буханок хлеба духовного получил Запад?

— Много. Надо думать, теперь ему уже ничего не грозит.

— И на что только не меняли евреев, — удивляется мой смышленый мальчик.

— Ты прав, — говорю, — Гитлеру надоело на них пахать, и он в обмен на них приобрел тракторы. Брежневу надоело их терпеть, как Гомулке, и он, в отличие от польского друга, выгнавшего их чуть ли не бесплатно, обменял на хлеб. Посади еврея — и вырастет пшеница. И не простая, а золотая. Это, видимо, первая заповедь его агротехники. Вторая — это надо вовремя его отпустить, и тогда урожай сам пойдет в закрома и снимать не надо. Ну а третья заповедь, она еще в работе. И суть ее сводится к тому, что, если отпустить всех евреев, а потом и зараженных их примером неевреев, — хватит ли Западу сил, чтоб еще и Кремлю на пропитание подкинуть, а если хватит, то на кого потом менять, ведь не на кого будет тогда обменивать. Разве что на самого себя или товарищей-членов, и еще вопрос — кто кого обменяет раньше и вообще кто чего за всю эту братию даст?

«Даст! Даст! — раздается из гроба стеклянного, откуда голос скрипит, как ногтем по стеклу или вилкой, вместе с ним туда положенной, — еще как даст, старая проститутка, он всегда будет пахнуть Мюнхеном, еще бы не дать этой суке продажной...» И что-то еще про веревку в кредит на шепот свел, окончательно усыхая. Какой матерщинник, однако, а еще живее всех живых.

Бросьте, Вова, Запад теперь не узнать, хоть и попахивает еще этим самым городом сделки позорной, и деньги попрежнему любит, и маму родную продаст, хоть самое бесценное существо на свете, а если хорошо заплатят — и бабушку тоже, с дедушкой, если жив. Торговец он, и оттого его сделки зачастую пахнут дьявольской псиной, прямо-таки серой несет, не случайно тут такие хорошие кондиционеры. Но сегодня он куда пристойнее попахивает этим городом, некогда печальной столицей его гуманизма, деловитости и заботы о будущем, чем в те времена, когда Гитлер решил отпустить евреев бесплатно и потолкался пароходишко во все порты европейские, американские и прочие, где его отказались принять, и ни с чем возвратился назад. «Вот видите, никому вы не нужны!» — прослезился Гитлер и отправил их в газовую печь.

Сегодня помощь Запада несравнима. В первую очередь — Советскому Союзу. И во вторую — жертвам его, предостаточно дров наломал, чтобы еще и совести не обнаружить. Нет, Запад ныне у нас не тот. Одна Америка чего стоит. И что бы мы делали, если б ее не открыл Колумб, сам еврей, понимал, что надо куда-то вечногонимым деться. Как, впрочем, и Маркс, тоже еврей, глядя на Соединенные Штаты, свистнул свой знаменитый лозунг — «Соединяйтесь!», только заменил евреев пролетариями (это евреи-то пролетарии?!) — где, как не в Америке, соединяться? И действительно — кто здесь только не соединился?! Кого здесь только нет?! Наряду с Соединенными Жмеринками Америки, куда сбежались все евреи мира, включая израильтян, здесь проживают еще и Кубы, соединенные с Вьетнамом, Пуэрто-Рики, соединенные с Польшей (их, разумеется, больше), а также ирландцы, иранцы, исландцы, германцы (да к любой нации «цы» приставляй — не ошибешься!) — соединенные с Никарагуа и прочими Панамами и Эль Сальвадорами, арабы, китайцы (и это понятно — их больше всех в мире, в отличие от евреев, которых всегда меньшинство, но всюду в глаза бросающееся, — иными словами, китайцы здесь, потому что их в мире больше всех, а евреи оттого, что их в мире меньше всех, им всегда было некуда деться), индусы и еще индокитайцы, дюже расширившие Соединенные Штаты, вкупе с черной Африкой, явно посветлевшей здесь, потому еще не затмившей прочих разных шведов и других варягов, которые вместе с греками тут. «Все флаги будут в гости к нам!» — не иначе Александр Сергеевич имел в виду нашу новую родину — самую мощную беженскую державу, сами беженцы, вот и привыкли отовсюду сбегать, этого он, конечно, не учел, наш поэт-провидец, а то бы воскликнул: «А не пора бы остановиться?» И действительно — чем больше Соединенные Штаты бегут, тем больше в Соединенные Штаты сбегают. Весь мир потихоньку спасается в них. Когда в них верил — еще не бежал. Но вот парадокс — не верит, а к ним стремится.

Великий Заокеан, получил ли ты то, чего ждал и хотел? Ждал ли ты нечто иное, чем то, что понаехало, понаплыло и понабежало, скажем, из наших «всю-то я вселенную проехал» запертых стен? Привыкший иметь дело со своими европейскими, которых не слишком-то берег, и (полагая, что человек — он везде человек, а может, даже и в память тех, не спасенных когда-то) распираемый комплексом вины и раскаянья, протянул руку помощи и на Восток, не слишком обдирая ее о колючие запретки. Конечно же ему грезился свет с Востока, этот мистический феномен непонятной российской живучести. Этот лежащий под спудом, еще не тронутый пласт девственно свежей энергии, не задетой советским вырождением.

В мире сегодня не только нефтяной кризис. Духовного горючего тоже нехватка. Это в России топят и тем и другим. Да и стал бы иначе еще свободный мир вызволять примитивного раба? Думал — только отпустите — и он придет, истосковавшийся по Богу человек, и преподаст урок такой исступленной веры, что храмы в небо взлетят и растают. А если художник, то глянувший в пропасть такую, такое страданье познавший, что истина вспыхнет тотчас, лишь только раскроет ладонь. А если врач, то не рвач, а само милосердие с дипломом. А если физик, то хоть немного лирик, а уж потом монтажник электронной дубины, которую он делал по заказу дикаря и, заметим, сработал к сроку.

Барыш — слаще барышни. Здесь этого и без того хватает. Двинул локтями — и весь интеллект — тоже хоть отбавляй. «А ну, потеснись в своих джунглях!» — и это было. Кто только сюда не прискакивал, в спешке даже клыки не почистив. Это Свет был нов — не человек.

Пролом

— ...И что же со мной там будет? — задался вопросом Даня, — здесь, по крайней мере, меня на руках носят. А там? Интересно, и кто же теперь в моей пребывает шкуре — в короткой распашоночке, молоденький такой. Не думаю, чтоб она оставалась без тела. Но пока не его, а меня, красавца, несут. И все делают, чтобы только уехал. И даже бесплатный билет предлагают, к моему уже купленному в придачу. В ту самую сторону, куда толпа повалила и что-то там повалила. Упал истукан, не ушибся, а может, и не падал вообще их самый большой Ильич, но все же развел руками. В недоумении, а может, все же хотел удержать?

— А я в отличие от тех, кто «Е» сказал здесь, а «ДУ» досказывал уже с Того Света, принял решение избежать довольно просто. Нужна была последняя капля — и она сорвалась.

— Папа, я тоже хочу на Тот Свет, — сказал мне мой сын десятилетний.

— Почему ты хочешь на Тот Свет?

— А здесь его недостаточно. Я вкуса не вижу, когда ем...

— О-е! Хорошо, мой мальчик, будем вызываться.

Не успел подумать, как меня уже вызывают куда следует. Во, работают! Прихожу в наш союз нерушимых советских писателей.

— Это как же понять? — спрашивают.

— Сына не приняли в английскую школу в Москве. Считайте, что он уже учится в американской — в Нью-Йорке. И разумеется, не в русской, где, кстати, советские буквари...

И что, забегая вперед, я смело могу утверждать, что я прав — английский ему родной вполне. «Я чувствовал, что дома не на родном языке говорил, — говорит мой мальчик, — чувствовал, но не понимал, оттого что маленьким был. Ты уж сам говори на своем родном и всемогучем, великолепном и великодержавном, понятном и прочем, на котором тебя скорее иностранцы поймут, нежели те, у кого он за зубами. Я имею в виду твоих соплемянников...» «Соплеменников, — поправляю, — трайбс мен». «О'кей, — говорит, — пусть будет соплимен (как американцы любят сокращать слова!). Вот ты лучше скажи: какая разница между советской прессой и нашей? — мой тыч интересуется...»

— Шесть миллионов деревьев нужно срубить, чтобы один только год выпускать один только «Нью-Йорк таймс». И в десять раз больше надобно уложить — не деревьев — людей, чтобы печатать «Правду» — самую большую неправду в мире. Вот в чем существенная разница между советской и западной прессой. Но едва ли твой тычер это поймет.

— И еще он интересуется — ты уезжал героем?

— Конечно, героем... уже начавшейся книги, скажи своему Песталоцци — в России у художников, как правило, сходна судьба, чем больше они не похожи, тем чаще они близнецы. Так что мой герой — абсолютно вылитый я.

Какой, однако, любознательный у моего сына учитель! Такой же, как я, когда восклицал: ну, и где же новый наш Моисей, чтобы снова-здорово водить нас в пустыне кругами?

Это сколько же надобно наших евреев водить — и без того вон какой круг загибают в Новый, неблизкий Свет, отряхая кто землю с подошв, а кто и песочек, сами себе вожаки.

Но молчат Моисеи. Никто не хочет водить. Явно они не согласны, что рабство в пустынях изводят. Но все возвращается на круги своя — когда-нибудь их все же в пустыню загонят... Обетованную.

А пока Исход едва ль походил на Исход. Просто каждый считал, что он в гору пошел, то есть сделал уже карьеру. Вот только на трап самолетный ступил — и уже наверху, дочего же удачлив. Будто эмиграция сплошь альпинизм, ну, сплошное тебе наверх залезанье. Даже не имеющему необходимый для этого опыт голгоф.

Очередь давилась собственной костью, перла и напирала всей своей грудью. Лезла на приступ. Только толпа знает, чего она хочет. Если уж она давится, когда ничего не хочет и тем не менее давится, то легко представить, что же творится, когда ей сбежать разрешили с одной общей нары. И куда: на волю с не общим, а персональным замком. Где свобода любого слова и свобода быть непонятым снова. Где свобода с каждым живет, как умеет, и не обязательно как умнее. Где вообще шагает под ручку по паре свобод. Боже, сколько же их на тамошнем ходит помосте! Глаза разбегаются выбрать себе под стать.

Я выбираю свободу.

Исторический день чуть-чуть приоткрытых дверей.

Очередь. Только здесь человек в человечестве. Только в ней он осознает себя частью единого целого. Да и как же иначе народ свой увидеть? Где же иначе его ощутить? Кости трещат — ничего. Зато они произрастают из единого целого. Имя которому — народ. Это пока он стоит вразброд, а так он сплоченный. Особенно когда он из толпы в толпе и в толпу едет в своем, ну до чего же общественном транспорте. Или сообща направляется в общественный туалет. Или выходит из стадиона, меж армейских бронетранспортеров — армия всегда начеку. И уж совсем очевидно, когда он в мгновение ока выстраивается в очередь нашу российскую, отечественную и привычную. В нашу, дай бог последнюю, оттого что решились мы все же бесхвосто жить. Не все, но решились. Хвостатая очередь без единого звука в своей голове. Испарения от этого безмолвия напрочь запеленали и без того матовую лампочку Ильича, висящую высоко, чтобы не вывинтили ненароком и не сперли мимоходом.

— Дорогой, — обращаюсь я сам к себе, — чувствуешь ли ты себя частью чего-то большого и неимоверно энергичного, правда, не слишком помытого и как бы отряхнувшего свой сон вековой и уже устремленного в своем непривычном порыве? С таким народом ты далеко пойдешь. Такой и за себя и за других постоять сумеет. В очереди. Вот и сейчас за свободой стоим, являя собой очевидность худо-бедно, а все же живущего рода людского, чья круговая порука — безмолвная очередь руки умыть. А если возможно, так и вообще смыться.

Ну куда же ты прешь, профессор, с рюкзаком своим? Кстати, что у тебя там такое — все плечо ободрал... «Моя фотогеничность», — отвечает профессор. Все одно не пристало человеку, да еще такому интеллигентному, так лицом толкаться. Да еще в таможне — в таком торжественнобезлюдном месте. Где если границу открыть, конечно, попрут, как пехота к Рейхстагу, когда оспаривала почетное право быть первой на крыше и раньше всех остальных пехот водрузить свой победный стяг, стреляя при этом своих же безбожно, с таким же флагом бегущих.

Грузовики соблюдают рядность, а народ соблюдает — стадность. Но не будем судить его строго. Мы лучше его сначала поймем.

Очередь... с дыханьем в затылок. В голове ее оно особенно учащенное. Там, впереди, кто стоит уже у досмотра, готовый в любую минуту спустить штаны. Стоящие сзади хотели бы выскочить там головами, потому что впереди стоящие были уже без голов — потеряли от счастья. Отчего были ниже ростом. И, может быть, вообще уже были не здесь, а там, озираясь всем своим зреньем, прозревшим на новый вариант жития-бытия. Так и свихнуться недолго.

Нет, сегодня простительно даже толканье лицом. Сегодня — не завтра. Даже встречные люди, с другой — можно сказать лицевой — стороны планеты, и те стукаются друг об друга своим гордым профилем, в нетерпении на наш зверинец взглянуть. Хоть одним после подобной толкучки оставшимся глазом. А уж этим простительно. Столько лет ходившим в строю и под маской в безымянной толпе, где само понятие «личность» уже смехотворно, а уход из толпы — преступление уголовнонаказуемое (шаг влево иль вправо даже из праздничных колонн — непростительный шаг. Это даже собачки цепные знают), за что поголовно-уголовный кодекс никогда по головке не гладил.

Однажды на центральном стадионе имени Ильича (хотя Ильич никогда там в трусишках не бегал) сложенное штабелями из людей «СССР», не дожидаясь команды, вдруг разбежалось. Так весь дорогостоящий и центральный сровняли с землей, с трибунами вместе, между прочим с теми самыми, которые громче всех на земле аплодируют.

Нет, сегодня всех руби хвостом своим, очередь! Сегодня ты за не хлебом единственным. Не за пропиской, чем жив человек советский. Не на Лобное место, где топорами чешут затылки. Не в газовые камеры таких же человеколюбцев, как наши. Не в лагеря на человекоповал, где лес рубят, а люди, как щепки, но в пидорке-кепке уже не летят — крылышки им давно обрубили. Не на парад, где потом наградят баландой вспотевших от крика приветствий, а некричавших сечь будут и тоже поставят в очередь, которая будет шуметь: «Скорей бы домой коммунальной мой!» Не за ботинками фабрики «Скороход», чтобы снова в поход. И вообще не в магазин самообслуживания, где сам себя обхамил и ступай себе восвояси уставший, но довольный, злой, но радостный, несчастный, но счастливый...

Сегодня давка в таможне, кому убежать разрешили. И люди сухими глазами блестят и смазанной пяткой сверкают.

Усмехнутся в лагерях первопроходцы, пробившие лбом эту стену: «Чудеса, да и только!» — кто-то монатки собрал и без пули в спине убегает, да не важно куда. Куда важнее — откуда.

Гоп-стоп

Советская таможня — единственное место в мире, где женщины еще разговаривают с хамом. А мужчины помалкивают при этом в вынутый из смокинга платочек, дабы он помог им сохранить спокойствие. Очень им хочется взглянуть на СССР — первое на земле государство, победившее человека.

Гоп-стоп советской власти — таможня. Вот она — гостеприимная шмонная зала (она же и вышибаловка). Здесь бедняжек еще и щупают бесцеремонно. Но это могут заметить только иностранки. Женщины же уезжающие, тем более навсегда, запросто сносят этот необходимый обряд, терпя и воющий щуп под подол и просто не оснащенную техникой волосатую лапу. И развороченную прическу. И разворованную сумочку. И пренеприятнейшее заглядыванье во внутрь (куда не заведет любопытство, вот уж истинно порок так порок!). Привыкли наши товарищи-дамы — эдакие пустяки, когда спасаешься вся. И мужчины — лишь бы поскорее отсюда убраться. Желательно с минимальными потерями («Вот этот гвоздище стоит всего лишь сотню. Так как: покупаете или в мебели своей повезете?..»). Конечно, прощаясь с СССР, и всю пятерню оставить не жалко. Рукопожатие, оно отрастет. Да если бы охмелевшие от рвения таможенники вдруг потребовали еще и доказательств еврейской принадлежности, в дополнение к израильской визе, многие не раздумывая тут же, не сходя с места, усекли б себе все что угодно («пусть уеду я не весь, но и в этом смысл есть»). Но пока этого не случилось, а посему каждый благодарен Израилю уже хотя бы за то, что и не еврей, а вот едет. Тем более паспорт отобран и нет пресловутой «пятой графы», а где большой нос? Обрезал. «Да, но носам обрезание, слава богу, еще не положено». — «А я на всякий случай». Да и есть ли на земле евреи, оставшиеся евреями после всего того, что с ними сделали? Одна только надпись-клеймо и осталась, за которую ныне большие деньги дают, но опять-таки не для того, чтобы ехать в Израиль, в это сугубо еврейское государство. Туда едут ныне все, кроме евреев, даже вьетнамцы — и еще как клекочут на иврите. Возможно, кто-то едет и туда, но чтобы доэмигрировать дальше... к массе своей.

И почему это у мордвы нет исторической родины? Или у селькупов, эвенков, чукчей, якутов, нганасан и других эскимосов советских? Есть же на Аляске их братья — эскимосы американские? Да и русские вполне бы могли туда, ведь Аляска когда-то была российской. Историческая, вернее доисторическая, смело можно сказать, родина, с привычным русским холодом, с этой Африкой наоборот. Есть, а толку что? Уезжать-то не могут. Тем более все разом. Насовсем. Не в гости, в которые тоже нельзя. Это какой же паскудой надобно сделаться, чтобы к кому-нибудь в гости за рубеж уехать? Но если б можно было уезжать из СССР, скажем, мордвинам, ну кто бы не стал мордвином, чтобы только уехать отсюда куда глаза глядят? Рожденный ползать, к тому ж натощак, да кому не мечтается от земли оторваться, тем более если намертво к ней привязан? Железная пуповина... Да ее б перегрызли зубами, если бы шанец хоть один появился.

Полет на Запад, а формально на Ближний Восток. Даже ярые антисемиты и те сегодня едут по израильским вызовам. Оказывается, есть еще на свете что-то, что можно ненавидеть больше евреев. Пинку для пущей устойчивости полета никто не придает ни малейшего значения. Разве что берут с собой подушку на и без того мягкое место. Но чаще прихватывают запасную пару исподнего на случай, если это мягкое место не выдержит неописуемой радости прощания с родиной. Вылета пробкой не важно куда. Опять же главное — откуда. Это я позволял себе улетать не спеша, потому что знал отчетливо, что меня выпирают.

Стеклянный аквариум прилетов и отлетов. Зал улетающих наконец. Когда б друзья не улетали, они бы старыми друзьями были. Но ныне старые друзья не остаются. Стирает старушка-уборщица лица со стекол. Смахнула тряпицей — и нет друзей.

Кладбище — аэропорт. Здесь провожают навеки. Оттого что заструилось западное направление. Столько-то лет спустя. А что, вполне достаточно, чтобы тысячелетние города народились — Вечный Рим, или Лондон, скажем, или Париж. Или пусть даже не вечный, но все же старый Нью-Йорк, чью историю еще не схватил склероз. Да весь Запад за это время для нас родился. Наконец, заструилось. Сегодня Дальний Восток заменили на Ближний, не всем конечно. Тем, кому ближе Ближний, те по-прежнему едут на Дальний. И когда отсидят свое на Дальнем, только тогда их отпустят на Ближний, чтобы они поехали на Дальний, но уже Запад.

Улетают друзья, кому не до конца обрезали крылья (это уже сугубо советский обряд обрезания). Улетают друзья, уложив в чемоданы хрустящие надежды прожить без родины (мы всегда полагаем, что настоящая где-то в заоблачных высях), вдали от страданья ее извечного, сколько ей лет, столько и бед. Вдали от таланта ее сотворять себе монстров-кумиров. Да только ли в этом грех ее первородный? Это кто же все хочет в гроб свой вместить и леса, и поля бескрайние наши, ведь мы же по ним, по своим, без охраны, не прячась ступаем. И моря-океаны — не в подводных же лодках плаваем исподтишка. А вот поди ж ты, не наше все это свое...

Самолет — реактивный пинок, ныне так вышибают. Сидишь в кресле — и чудится улюлюканье в спину.

Лети-проваливай с родины, какой-никакой, а все же раздатчицей в их лагерях. Доброй ли, злой, а все же нальющей тебе похлебать. Сколько с ней вместе выхлебано из одной общей плошки! Сколько съедено соли пудов! А нар продавленных сколько! И что же ты смотришь, родившая нас с матерями вместе? Что же бездействуешь, когда так нагло тебя отнимают? А ведь, бывало, матери и на штык кидались, чтоб заслонить своих ненаглядных чад. Или только за тебя умирать позволяешь — с криком погромче и с кровью посолоней: всю пролей, коли так меня любишь?! Пересылка ты, тетя, и трубач твой, пропойца, скликает на лагерный сход, чтоб на плацу мы на твоих вертухаев молились. В них ты. Сожрали тебя. Ну и прощай — оседлости моей черта! Тоже мне, родина, с которой бегут без оглядки.

Смотрит на проводы безусый еще пограничник. Проходил по стеклянному верху таможни и встал. Смотрит с галереи на плачущих, что пришли то ли на похороны, то ли на воскресение. И держит свой автомат-скорострел. Постоял, постоял и тронул его слева направо, туда, где у нас животы. Дал мысленно очередь и пошел себе дальше, дурак.

Исторический миг — наконец-то увидеть свою решетку с внешней ее стороны. Но когда бы она была пустая.

Таможня... Молодость с обысканным пахом, не чаявшая добежать до возносящего трапа. Старость, которую едва ли согревает мысль о крематории — наземном филиале преисподни, в данном случае уже не отечественном.

Вышли на взлетное поле, произведя обязательную пробежку перед подъемом. Глаза смахивают когда-то родное небо, поджаренное на керосинках самолетов, то и дело садящихся и, слава богу, еще взлетающих. А палец все еще пересчитывает багаж. Господа, чтоб вам не спрятать свой гребаный палец, ведь дергается, как ствол вон того автомата, мысленно поливающего нас. Безусый пограничник прямо-таки ловит кайф. Эх, размудяй, кабы знал ты рост несогнутый!

Тяжек груз жизни. Ох как тяжек. У каждого он свой, отними — и жизнь прожита впустую. Но вот малая толика этого груза нырнула в брюхатую пасть — подавился самолет наш коврами, вполне уже можно сказать ковер-самолет, едва задраил ее — захлопнул. Теперь и расслабиться можно. Так и душу отдать недолго. Представляю, если бы еще и она прихватывала с собой чемоданы, убегая в свою небесную эмиграцию.

Отлет навсегда. О, мама, мама... Что же ты не пишешь? Или нету врача в захолустье, чтобы начертал по-латыни мой новый не русский адрес — запредельный, заграничный, заоблачный... Далеко же я от тебя улетел. Прости, что не уговорил тебя ехать со мною. Не дождалась. Разлуку не перенесла.

Отлет навеки. Вот они стоят, что заложники, дорогие мои человеки.

Отлет на веки вечные. Блестят самолеты изгнанья. Не все, но один из них мой. Так и светится пока лежащая на земле перекладина. Будь здоров, как вздернет в небо.

«Будь здоров!» — пьем отходную. Стоят поодаль мои провожатые в кепках мышиных, хотя и январь. Стоят, переминаясь с ноги на ногу, и не скрывают злорадства. Думают, что работы у них поубавится. В пол-локтя вам в зубы, товарищи. Найдутся еще кандидаты на вылет...

Сейчас я пойду не оглядываясь и все равно увижу и друзей, как хоронящих меня, и всех, кто пришел со мною проститься, будто и впрямь для них умираю... Глазастая память последние слепки берет с дорогих — невеселых — лиц. Да мы ж не на кладбище. И вот мы уже хохочем. Юмор — спаситель, только надо знать, как его рассмешить. Уйду не оглядываясь и увижу страну-застенок с другой стороны, доселе мне недоступной, и не с птичьего полета, где хоть птичьи, а все же права возвратиться когда пожелаешь, а земно-преземно (это тем хорошо, кто тюрьму проезжает и не ведает, кто в ней сидит)... И поднимусь на пока лежащий свой крест комфортабельный, где и привязь не тянет. И спустя сколько-то там минут запульсирует дымный, чуть пламенный след. Это что-то во мне полыхнет и сгорит, от привычного отлипая. И еще все пути к отступленью сгорят. И еще все мосты — вот так-то их и сжигают. Жизнь вчерашняя самолету под хвост. Прах взлетел, от кремации теплый еще. Чиркнул об окна остатками молний и ушел в облака. И еще я сверху увижу, к стеклу привалясь лбом, как к Лобному месту... Да нет, ничего не увижу — взлетел высоко. Три часа лету, и закончится, отбежит и ужмется в рубец все, что звал я когда-то отчизной. Не за рубеж — за рубец, вот за этот кровавый, лечу. Три часа лета, и где-то там все спеклось и осталось. Не то чтоб смельчилось, но малым глядит... Колыбельная песня, а последний куплет похоронный. Быстротечна ты, жизнь! Не успел оглянуться — и вот он, крутой перевал, за которым, как в пропасть, рухнуло прожитое, и какое еще! Только дым глубины достигает подошв... Мама, мама, как же давно ты меня к себе прижимала! Ныне память моя что боль, — это внешне все с горизонта исчезло: и Площадь

Красная Стены, что являет собой продолженье всех камер тюремных, и взнаглевшая власть, только что выбивавшая ящик стола из-под рук (из-под ног она тоже умеет), где белизною слепила бумага, и хватавшая исписанный лист.

А пока в разношерстной толпе неразлук и разлук стоят и мои дорогие Разлуки, и сетка решетки уродует их лицо. Мать-разлука. Сестра-разлука. Брат-разлука. Любовь-разлука. Земля с моим отцом — разлука. Вдохновение, говорившее со мной на русском, неужели и ты остаешься?

Прожитого не засунешь в чемодан, да и поднять ли его, когда б оно там очутилось чудом (себя, молодого, я, старый, несу)... Нет, все там осталось. И звонкая песня жизни моей былой, с золотой серединой куплета. То была жизнь до шмона. И ничего не осталось после него. Все отобрали. Голый, как снова родившись, иду улетать навсегда.

Гражданин, не толкайся лицом, или Рожденный ползать — вали самолетом!

Не это поднимает ввысь...

Б. Пастернак

Когда-то я уже родился в самолете, что едва не стоило жизни всем находившимся на борту. В то время летательные аппараты были еще мало приспособлены для появления на свет. Напротив, они куда чаще укорачивали жизнь своим пассажирам, больше падая, чем летая. Ныне они тоже бьют иногда земные поклоны, но все же не так часто, как в те времена, когда авиация сама себе ставила свечки, утыкая землю собою, как именинный пирог. А потому сам факт подобного прихода в мир уже романтичен и многообещающ. Если бы еще родиться над территорией, достойной такого необычного рождения. Или вообще не приземляться, даже на таковую. Как выяснилось впоследствии, эта земля для обитания — не самое лучшее место. Но я приземлился. И не просто на грешную землю, а на самую наигрешнейшую ее часть. Из чрева матери я свалился в Сибирь. И вдобавок еще советскую. То есть дважды лютую, если взять за основу колымские, где колом дыхание, лагеря, где уже в то время был ледовитый океан народу. Бог задумался, на мгновенье отвлекся, и самолет не дотянул до земли обетованной, если, конечно, она где-то есть.

Прячь подальше свой бортовой журнал, судьба-фаталистка, знаю заранее, что нацарапано там кириллицей. Именно в России не обязательно родиться мудрецом, пророком, провидцем и ясновидцем, чтобы предсказать судьбу только-только родившегося человека, тем более еврея. Всем до совершеннолетия не сообщают национальность. Мне же указали на нее в первый же день. Видно, сильно ссыльный я был младенец.

Узнаю тебя, моя будущая родина, — никто не хочет удостоверить факт моего рождения. Здесь куда охотнее убеждаются в противном. Здесь даже когда везут расстреливать, и то пишут на крытых грузовиках: «ОСТОРОЖНО — ЛЮДИ!», чтобы, не дай бог, их не убили преждевременно. И не потому, что им надлежит еще помучиться, прежде чем умереть, а потому, что смерть здесь должна быть всегда запланированной и оприходованной, то есть законной, но никак не случайной. Здесь любят перевыполнять законы. Именно призвание этой ржавой державы (мы еще доживем до момента, когда она рухнет) и заключается в кропотливом и старательном усовершенствовании этой некогда стихийной, безалаберной и безответственной человеческой привычки — исчезать с лица земли, никому не докладывая и ни у кого не спросясь. Отсюда такая нетерпимость к самоубийцам, этим недисциплинированным и вечно спешащим выскочкам. Куда торопиться? Дойдет и до тебя очередь. Это миллионы лет до нашей эры (вернее, звероэры) были всего лишь несколькими часами научно-популярного фильма. Вот миллионы отнятых нашей несравненной в кокошнике (укокошить, видимо, отсюда пошло) — вот это и есть то самое долголетие с бессрочным паспортом и вообще с нескончаемыми сроками лагерей и тюрем, любых, на выбор — психиатрических или уголовных, в смысле поголовных. А также ссылками и поселениями, коммуналками и воротящими с души работами, здесь ведь тоже надо отбыть свой срок. Ну и, конечно, очередями за всем, чего нет. И за всем, чего не будет.

Стена, сосущая теплоту твоей крови. На ней проступает чье-то лицо. Настенная живопись. Уж не замурованных ли заживо повыступили краски и подвигли первых мазил. Потом на смену другие на стену. Не в нее, а поверх – расстрельные, они экономней и проще. И тут уже горельефы пошли, оттого что горе рельефно, хоть и высекают пули не глядя.

Неужели и вправду я сросся с этой стеной – не я, так другой там остался. И тюрьма его профиль к себе примеряет для посмертных своих галерей. Тут и сон – репетиция смерти. Спишь, как в могиле, ведь жизнь наверху, и ты видишь ее во сне. А проснешься – стена на полмира, чтобы, если сбежишь, все равно бы в нее уперся. Так и будет тебя обгонять, шустряка, то покрепче, а то лишь руиной. Или только намеком, что будет стоять. Стена, где в бетоне продышан колодец. Чистота студеная наших неволь. Неужели никогда я тебя не встречу?!

Запад – это еще и моя фантазия – молодцом. Рисовал-то его, что называется, не глядя, по обрывкам, кусочкам, от случая к случаю. Ай да фантазия – конь на дыбы. Все, приехали – становись на копыта! Брыкнул конь и обычной рысью пошел. И вот уже вышедший из зоопарка показывает справку, что он человек, а ему говорят: «Да что вы! Мы и так вам верим! Так что считайте, сэр, ваше дело в шляпе, но, здороваясь, не забудьте ее приподнять!..»

Приподнял и сдержанно поклонился.

– ...Вот ты глядишь на неведомый мир и глазами такие картины вдыхаешь, что зрячие рядом с тобою – слепцы. А меня они глубже еще заглотнули, силясь переварить... – слышу как свой своего, что и говорить, спаялись мы в нашей неволе. – Красота, а какую под боком тюрьму допустили. А может, и красивы эти тридевятые и бескощейные государства из-за холеной своей безразличности ко всему, что поодаль от них? Чем равнодушнее, тем красивей? Так что откуда им знать, как пойманный ветер воняет. Нет, нам заведомо можно на них положить, как минимум, палец, который потолще... — Улыбнулся, наверно, он там за своей высокой стеной, хотя едва ли улыбка тяжеленный камень растопит. — Представляю синь да лазурь, и бывшей родины — ни в одном глазу...

И действительно, пошла-побежала навстречу свободная и ничем не стесненная явь. И скорая помощь гостеприимства тоже летела навстречу и делала все, чтобы эта земля не казалась чужой приезжающему со своей, где всегда три погонных метра к твоим услугам, где ее никогда не жалели, родной, чтоб присыпать тебя напоследок, — Россия большая страна. Комфортабельная чужбина. Не потом, а сейчас она будет пухом, земля. Это там остался звенеть по мне колокол. Не слышен он здесь. Улетела назад пуповина, натянулась — и нету ее. Да и кто сказал, что эта земля чужая? Да я в город родной приехал, только не видел его никогда. Знал, что он есть, что мой этот мир, хоть его отродясь и не видел, потому что держали меня в старокаменном веке, а отнюдь не в XX, да вот миновали века (день как год, а год отсидеть — что столетье в родимой), и только открылась скрипучая дверь, за спиною зло лязгнув, как в мгновение ока я стал современником здешних людей и увидел воочию век их XX, слава богу, что хоть конец повезло застать.

Мрамор немоты — красота бессловесна. Как красив незарешеченный мир.

Как же быстро и лихо все приключилось. Черно-белый контраст, до конца еще не смонтировалась стремительная кинолента отъезда. Черно-белое действо все еще откручивается назад к изначалу, не боясь там остаться, а ведь и вправду залапят как «неподлежащее вывозу из СССР». Я — вперед, а память тянет назад. Вот они, на колесах моих тормозные колодки! Все еще лезет чужими бакенбардами в уши. И светит прожекторами допросных ламп. Будто жалкие эха еще додрагивают в паутинных углах остановившегося прошлого, с невыносимостью жить дальше, не то что осуществлять замыслы на бумаге, которую каждый раз подшивают к твоему Делу. Запреты, запреты, запреты... и вот она — прихожая полета. Узкие выходы приземистых выпусков за границу.

Какие-то попутчики. Обыски. Ощупывания. Завидущие пальцы в банке с кофе... Ими же сломанный и раскрошенный шоколад сынишки. Пограничник, как отпускающий диверсантов. Газующая душегубка автотрамвайчика, все еще не спешащего к самолету. Духота в самолете. Потом чуть прохладный подъем... Завтрак, проплывший в первый салон, будто первый салон уже летит, а второй еще нет... Но вот наш ковчег, набравший было в рот высоты, начал выпускать ее понемногу. Потянуло вниз. Затяжелило. Скользнуло холодком по спине. Явно трюм, переполненный барахлом, к земле прижимает. Крохоборская страсть людская, вот что до времени нас угробит... И вдруг мы влетели в небесную мойку. Освежились. И снова вошли в синеву, за которой посадка. Шершавая ладонь уже шарит под нами. Вот она ловит, как бабочку, нашу тень, а потом и нас самих принимает...

Вена, красавица Вена... А память все лижет побитый свой бок.

На сей раз я, кажется, приземлился более или менее удачно. Я прибыл налегке, без скафандра, но это не значит, что я появился не на другой планете. Так, по крайней мере, мне тогда казалось.

Мадам Говори, или Не размахивай конечностями, товарищ, ты уже господин!

Надо же, за каких-нибудь семь дней и сотворить такое. Одна рабочая неделя — и есть на чем ходить, а главное — куда ходить и зачем ходить. Всего-то одна неделя — и есть чем дышать, и, заметим, свободно. Вот только богом забытый край один и остался, где мы имели несчастье родиться. Вот только там и можно посетовать на торопливость Господа — явно семи дней ему не хватило, оттого и не дошли до бедных сих у него руки, как здесь, на Западе, до многих еще не дошло — и что же такое — Россия... Едва переводил я дух, когда меня едва переводить успевали на иной, не свойственный мне язык, но тем не менее меня вполне выражавший. Господа, я просто-напросто вернулся... Вот рядом летел специально летевший разочаровываться в западном образе жизни художник. Ничего странного, получил человек такое задание и кличку, скажем «очарованный странник», и полетел. Кому же неохота этот мир посмотреть отвязанно, а звали его, кажется, Эмма, и фамилия его была — Говори. И был этот «мадам Говори» заведомо мрачен. С самого Шереметьева ему все абсолютно не нравилось. И неудивительно — он был истинный патриот советского образа подобия жизни. А уж как сошел на новую землю — и подавно глядеть не хочу! — закрывал он глаза и без того маленькие... «И не просите!» — будто в жмурки играл. А потом и спрашивает: «А где здесь бардак?»

И другим попутчиком не обделил ОВИР — поэт с чучелом Земли под мышкой. Третий тоже, кажется, из бывших коллег — ну весь Союз советских писателей на Запад подался! Этот пребывает в грустях.

— Представляешь, — плакался он мне в новый пиджак, — чтобы наскрести на отъезд, я унаследовал все до копейки последней еще до того, как умер мой любимый родитель. Оставив несчастного в чем мать родила. Одно и успокаивает, что в старости, как и в младенчестве, быть без штанов не стыдятся. И что же в итоге — здесь не обязательно быть писателем, чтобы хорошо жить. Да и поэтом тут никого и никогда и ничем не удивишь (а приехал он, разумеется, всех удивлять, не давая им, что называется, с земли подняться). Представляешь, здесь даже самый завалящий говнюк — сэр и в дорогом «кадиллаке» ездит. Да ладно — абориген, а то вчерашний Сердюк сегодня — сэр Дюк... и пальчик тебе заместо ладошки тычет... Всю жизнь я мечтал прийти в наш писательский клуб, нет, не с гениальной книжкой, а с расписной да увесистой кадушкой паюсной и черной от дороговизны икры, сплошь валютной и простым смертным никак не доступной... и метать, метать, метать эту самую икру себе в рот на виду у всех, опять же расписной — в золотых петухах — ложкой, чавкая при этом безбожно, причмокивая бесстыдно и жмурясь всем телом от удовольствия. Теперь я могу себе это позволить (продал пару прабабкиных икон), но клуб-то остался там...

Трудный бизнес гостеприимства — как бы гость с перегрева не спятил. И от волнения не занемог (ему есть что увидеть и ахнуть), потому и везут поначалу в отель захудалый вездесущей мадам Битини, чья любовь к эмигрантам далеко не бесплатна. И где стены — уж лучше б руины, чем такой антураж. До чего же он напоминает Россию в самом худшем ее исполнении во времена ее первых коммунальных берлог. Это самым первым прибывшим цветы и в отель дорогой, современный или в не менее дорогие квартиры. И костюмы на выбор, и несессер, чтоб ногти не грыз от волнения наш человек (и не то сгрызает), и зонтик, и плащ, если дождь, хотя без единой слезинки погода. И везли в ресторан, а потом в мюзик-холл. Представляю, как ошарашили бедных пришельцев из-под серпа и города Молотова. Но и в такой насыщенности удовольствий, когда ни за что ни про что еще деньги стыдливо суют вместе с чеком на модную в ту пору одежду и пособия просто на жизнь, умудрялись все же несчастные беженцы наши минутку урвать и момент улучить, чтобы еще и на базар смотаться и сбыть как старые вещи свои, так и новые, включая несессер и плащ однобортный, но зато с изнанкой двойной, и купить что-нибудь поценней. Не единым несессером жив человек. Кто-то уже отрыгнул драгоценные. Кто-то истинно по-большому сходил и — о чудо! — такую россыпь увидел, что едва не ослеп. Кто-то просто все браки свои на пальцы надел, чтобы сбыть их с рук поскорее. Хомуты золотые, ни пальцем не двинуть, ни шеей покрутить... Другое дело — венчальный бы обруч, и не на палец, а на талию супруги безмерной, да чтобы пошире, без вазелина чтобы налез. Короче, каждый хотел с новым миром хоть как-нибудь да обручиться. И еще повадились чеки терять. В день по сотне разинь их теряли, на поверку давно отоваренные. И, что же делать, давали по новой. А квартиры, какие квартиры! Но опять же привычка тесниться — куда ж от нее, и теснились, и драли три шкуры за свою тесноту с таких же, как сами. И люстры звенели, трясясь на рынок, ставший уже «толчком», где толпились другие такие же люди, тоже урвавшие минутку-другую из перенасыщенного радушием дня. Это раньше у эмиграции сначала были сказки венского леса, потом римские каникулы и только потом американская трагедия.

Так что ныне везут нас к мадам Битини в ее пансионы публичных домов, где с обшарпанных стен объявления лезут в глаза: «ГОСПОДА, УЧИТЫВАЯ ОПЫТ ПРОШЛЫХ ЛЕТ ЭМИГРАЦИИ, ДОВОДИМ ДО СВЕДЕНИЯ ВАШЕГО СЛЕДУЮЩЕЕ: 1. СТРОГО ЗАПРЕЩЕНО – ВЫБРАСЫВАТЬ ЧТО-ЛИБО ИЛИ КОГО-ЛИБО ЧЕРЕЗ ОКНО ВО ДВОР. По этим объявлениям можно судить, какие господа сюда прибывают. К тем потертым листам нелишне добавить еще (может, где-то висит и я не заметил): «А ТАКЖЕ ГРАБИТЬ ХРАМЫ, ЗАКРЫВАТЬ ТЕЛЕГЛАЗА В МАГАЗИНАХ (чтоб сподручнее было вещь уволочь). И ПИСАТЬ ДРУГ НА ДРУГА ДОНОСЫ, ВЫ УЖЕ НЕ ТОВАРИЩИ, А ГОСПОДА!» И еще бы немного о правилах хорошего тона (все же Европа – цивилизации колыбель): «НЕ ПЕЙТЕ ИЗ УНИТАЗА, А ЕСЛИ ПЬЕТЕ, ТО, ПО КРАЙНЕЙ МЕРЕ, НЕ СЁРГАЙТЕ, НЕ ЧАВКАЙТЕ И НЕ СОПИТЕ! И, ПОЖАЛУЙСТА, НЕ СТАНОВИТЕСЬ НОГАМИ НА СИДЕНЬЕ, А УЖ ЕСЛИ ВСТАЛИ, ТО НЕ МИТИНГУЙТЕ, ВЫ Ж НЕ В РОССИИ!» И так далее. Вполне предвижу и такие воззвания, если их нет, надо было внимательней глянуть. Наверняка были, правда, не таким крупным шрифтом, как это: «ЭТО НЕ БИДЕ!» – над фонтанчиком для питья в туалете. «Кстати, что они этим хотят сказать?» – каждый раз спрашивали меня эмигранты. «А не оставляй товарища в биде! – говорю, тем более что он на него уже уселся. – Здесь полощат рот, а не наоборот».

Да, преимущество побега – величайшая победа. Вчера за одну лишь попытку подумать об этом вгоняли в мерзлую землю, даже не разрыхлив ее. А сегодня отъезжающие, обремененные своими телесами (это нечто новое в беженском облике) да тоннами товарными, багажными, ручными и тележными (что тоже не очень-то вяжется с бегством), возмущенно ропщут на узость вовремя не пододвинутого трапа, по которому они устремятся в самолет, легко перелетающий через границы. И при этом еще топают ножкой в нетерпении (правда, уже после досмотра). В Вене они возмутятся, что им тут же не вынесли золотые ключи от города — каждому персонально. В Риме, куда их привезут, охраняемых, как золотой поезд, будут искать Колизей... для торговли своим барахлом, пока не найдут Американо и не оккупируют Остию — римское приморье, где гостеприимные итальянцы без боя, но за умеренную плату все же сдадутся, то есть сдадут свои приморские хоромы и слегка ужмутся в своих уютах жилых. В разгар не столько купального, сколько беженского сезона квартиры здесь станут дороже дворцов — еще бы: столько купальщиков набежало. И тогда появятся еще и «маклерские», не итальянские — кровные наши. И начнется спекуляция чужой, но гостеприимной жилой площадью. Пока жилой, потому что скоро начнется разграб ее недвижимости. Чем гостеприимнее и жилее площадь, тем наглее разграб. Недвижимость, а как еще двигают! Стояла веками, а как еще толкают все на том же «толчке». Давненько Запад этих базаров не видел. И вот уже всюду висит: «НОН ОДЕСА» — «НЕ СДАЕТСЯ». Но Одесса не сдается, хоть и оскорблена: «Антисемиты — они нас просто сбрасывают в море...» И селятся чуть поодаль у самого синего моря, пора и ему почернеть. Воровство в магазинах («Я больше не буду!»), повсеместный обман и доносы, когда одолживший деньги старается, чтобы не пустили в страну, куда он едет, того, кому он должен. Затянувшиеся и влетевшие итальянцам в копеечку телефонные разговоры с бывшей родиной («Шлите кораллы бочками!») и с будущей («А можно ли их и там продать?») — телеграф там шлет счета через несколько месяцев. «Ничего, евреи за все заплатили, и нечего „мама мия!“ кричать...» А что вы хотите, господа, они по-своему правы — евреи за все заплатили. И потом, вы уж слишком много хотите от товарищей, господа. И еще неизвестно, кто беженец — беженец ли приехавший сюда и положивший ноги на стол и вообще на все положивший, или сам хозяин, убегающий из собственного дома, спасаясь от наглого и прожорливого гостя, которому всю жизнь внушали, что вы жулики больше.

Как сказал поэт: «Запад есть Запад, Восток есть Восток». Свободный мир у нас звучит как «Это место свободно? Разрешите!»... Разрешили. А швейцарцы и японцы не разрешили. А где восточное гостеприимство! А что с них взять? И вообще непонятно, как эти японцы в такой близости от советских границ еще умудряются называться Страной Восходящего Солнца, вызывая улыбку у советских астрономов, пока их терпенье не лопнет, ибо каждому младенцу у нас известно, что солнце всходит только у нас, а уж заходит, понятно, у них, а посему свет с Востока и должен прийти (если, конечно, ноги ему не переломать, бандиту). А так как без «Авроры» не может быть утра (согласно новейшей мифологии нашей), считайте, что первые птички Восхода к вам, несчастным, уже летят.

Лазурная Италия — сон голубой. Чужая красота притронулась к чужому небу, да враки — родное оно, просто мы не умеем дышать. Глаза бегут к вискам, вобрать желающие все безбрежье... И вдруг тебя заворачивают назад, да не просто назад, а в самую глушь этого зада. Будто не бежал, как в лес, ото всех «эс-эс», не отстреливаясь даже, в толпе спасенных, от которых бы еще доспастись.

Свободный мир. Свободный выбор свободных людей... Нет, лучше не смотреть грустными библейскими глазами на эту новейшую эмиграцию — слишком уж она веселая. Их бы заботы да тысячам оставшихся в лагерях — социалистических по форме и национальных по содержанию, где и форма пообносилась, и содержание поубавилось до двенадцати копеек в сутки. Их бы заботы да в арестантские роты.

Однозвучно звенит колокольчик... на бойню. Буднично и привычно. Но смотри — сигануло в сторону несколько силуэтов покорных, бросив тень на стену патриотизма, красную от непатриотов и уже почерневшую от бессовестных в ней. И куда это смотрит погонщик? Робко-робко, а стали выпрыгивать из бетонной коробки. И вот уже толпы опустились с носков да на всю не привыкшую бегать ногу. И с места в карьер — туда, где давно живут по-людски. К ним потянуло стада подъяремные и доселе послушные, к ним, родимым, еще не бывавшим в ярме.

Да оставьте копыта, ребята, и хвосты, и покорность свою, и — счастливый вам путь! Хватит бисер метать отупевшим от страха, где даже на стенах и то экономят — одна и та же стена для расстрелов и выставок показушных. Одна коммунальная. Это на Западе каждый живет за своей стеной. Если уж голосом Бог наградил — отовсюду достанет. Только что ему голос наш — молчаливому большинству, отдающему сынов своих на закланье. Везуны, вон как везут вас! И чем глубже везут на Восток, тем сильнее тянет на Запад. Но как сбежишь с нашей родины милой, куда возвращают силой, когда лучше смерть, чем возвращенье домой? Как нам быть, не привыкшим бегать, напротив, лезущим на рожон, будто и впрямь мы свободу знаем, будто были свободными и вот заплатили рабством, чтобы понять наконец, и что же она такое — свобода, заморская невидаль, с чем же ее едят и действительно ли она, лапушка, что-то стоит, если так настырно ее отнимают — и это при том, что не давали ее никогда?.. Да, но рискует потерять свою рабскую жизнь только тот, кто свободу знает. Это он в отчаянье на стену лезет, берлинскую или какую еще. Это он подрывается на минных полях приграничных и пробирается на Запад в запаянных бензобаках, если еще согласятся его запаять. И прыгает на полном ходу в товарняки, идущие в благословенную сторону, ломая при этом себе шею или, как минимум, ноги. Или с отчаянья угоняет самолет в надежде, что вдруг не выдадут, а посадят в клетку, там, на свободе. А то и взрывает себя в безысходной тоске, не живя, так хоть умирая свободным... А может, неоплаченная, она — пресна? Не добытая — и не свобода вовсе? Дар небесный, который на земле отнимают. Нетипичное чудо внизу...

Бьется эхо головой о Кремлевскую стену. И вот уже в ней зияет дыра. О, Пролом для экскурсий на Запад, сколько лет тебя пробивали! Все ж чуть-чуть, а отодвинула задницу партия-мама, разрешая тем самым на Запад взглянуть, и не только взглянуть, а пожизненно там остаться. И тогда не узники, не соузники и даже не союзники тех отчаянных узников засуетились. И впрямь не стреляют. И семью семь раз отмерив и один раз обрезав — пошли косяком, разумеется, мимо земли отцов, а если и туда, то ненадолго (пока не отдал долги). Так пролом стал прологом большого утека. Бунтуют одиночки, а восстают народы. Если и не с оружьем в руках, то, как минимум, с чемоданом, не умея восстать по-другому. Но это еще не выход, тем более из СССР. И даже не лаз, а только пролом минимальный, да и то пробитый не ломом, а лбом, да и то не с разбега.

Три часа лёта – и как до Луны пешком

Еврей – прирожденный спринтер, он бегал всегда. Бежал вчера. Бежит и сегодня. И что бы ему завтра не побежать? То он спасается от царизма. То удирает от нацизма. То снова от русского, но уже советизма. А то и с обетованной своей бежит. Но бежавшие от нацизма все же знали мир в докоричневом цвете. Да и первые россияне, хотя и до них бежали, и не только евреи, все же семь месяцев, а жили при демократии. Да и при царизме, едва ли страшном, если его так легко спихнули, ездить по миру не возбранялось, как, впрочем, и ходить по миру с протянутой рукой. И белая спасалась Россия. И трагедия сбежавшей не в том, что ее юный юнкер и в старости так и остался юнкером, а в том, что армия его, когда он был еще юн, раз и навсегда проиграла судьбу своей родины, предоставив будущим поколениям выбираться из дерьма самим. Бежала Россия и в сороковых. Эта была попроще уже убежавшей. Не так воевала, как гибла. Окруженные армии безоружными клали себя под фашистские танки. И если русские и нерусские красноармейцы еще могли сдаться, а население меж двух зол выбирать и впоследствии на Запад уйти, еврею сдача в плен не годилась – расстрел на месте, а населению – Бабий Яр. Безоружные дети, женщины и старики, а тут солдат сдается или, тем более того, политрук (вот они, парадоксы: или тыловая крыса – или «За Родину, за Сталина вперед!» и обязательно громче других). Защитник не своей родины, он мог поднять только одну руку, да и то на себя. Так, наверное, и сделал мой отец, попав в окружение. Доброволец, чуть ли не с радостью пошел умирать, спасаясь от повальных арестов.

В отличие от других беженцев, знавших свободу не понаслышке, россиянин всегда спасался абы куда, будь то фронт поопасней или тыл поглубже, почужее чужбина или пуля в висок — здесь умеют крутить рулетку. Другое дело, все беженцы не нашего мира всегда бежали к себе, как бы уменьшаясь в границах, как бы ни уменьшался в границах свободный мир. Россиянин же всегда — на чужбину. Свободные люди спасались в свободный мир. Россиянин — всегда за границу, и свобода ему представлялась всего лишь как с жиру беситься.

Мировые потопы, то и дело чернь набегает, да и Ноев ковчег ныне утлой лодчонкой.

Мировые исходы с пулей в спине... Чего не скажешь о едущих и летящих сегодня все из той же России, неизменной в веках. Именно едущих не спеша и летящих с комфортом и едва ли замечающих, что они свободны уже (разве что от ОБХСС — все те же торговцы).

Нет, немыслима метаморфоза, тем более сразу, если только и делал, что приспосабливался и пресмыкался всю жизнь. И детям своим наказал по-пластунски ползать молчком да бочком, уже хотя бы этим помогая и способствуя самому бесчеловечному режиму. Или тех, кто своими руками строил этот режим, отдавая ему и талант и душу, а сегодня случилась вдруг бесплатная возможность переиграть эту, скажем честно, гнусную жизнь, и он переигрывает как ни в чем не бывало, будто это не его советская власть по образцу и подобию своему. Будто друг друга они не дополняли. И круговой порукой не спаяны, все человеческое в себе растоптав. И кто уж кого там нивелировал под себя, при этом омужичивая женщин, а мужчин, наоборот, обабив, приучив и тех и других как на духу доверять свои тайны, когда они еще были. При такой-то власти и чтобы еще человек оставался. Это уже из области чудес, что в живых остались. Но еще меньше тех, кто самим собой остался. Кого все это закалило и сделало кремнем, правда легко ранимым и незащищенным (привычность быть голым среди волков — вот что значит этот гранитный эпитет), но те немногие не берут ноги в руки. Они либо сидят в лагерях, либо лежат в еще не опознанных ямах, трижды живые в нашей памяти (в данном случае память уже Пантеон), либо их выгнали вон или сделали все, чтобы они уехали сами.

Вся провинция ныне поехала в центр. Кстати, Вена и есть самый центр Европы, где окраин я что-то не замечал. Первый город по ту сторону жизни советской, ей бы в герб да ладонь на глаза — вот настоящей жизни советской эмблема — ничего-то не видеть и знать. Вена, владевшая империей целой, и была рассчитана ее представлять. Увы, ее уже нет. Но Вена осталась музеем былой красоты (нетленная, разве ж она стареет!), былого могущества и былого великолепия, как Ленинград, переставший однажды быть Петербургом. Такие города не могут не столицами быть. И не просто столицами, а государств огромных. В этом смысле они побратимы, когда-то могучие. Их куда как больше жаль, чем от бомб пострадавшие города. Те хоть отстроить можно, а этим надо вернуть несбыточное.

Вена старых и добрых времен. Одни старики с тех эпох и остались. Остывающий камень былого. Чистота и покой. И в любую погоду приветливость лиц. Смотришь вокруг и недоумеваешь — отчего все не так в России? За что ей такое проклятье — неспособность ее вековая хоть на грамм посчастливеть? Что далась ей извечная спертость ее — духота, на таком-то просторе бескрайнем? При таком-то огромном небе и нечем дышать. Только здесь и увидишь — как же им, иностранцам, у нас неуютно. Только здесь и заметишь — как же им тяжко в суетливых и задерганных наших загонах. Только здесь и поймешь, почему, возвращаясь, они от радости плачут. А ведь был и у России шанс стать Европой однажды. Но не пространства, не морозы, а отсталость ее вековая подняла Наполеона на вилы, сорвавшись с которых он и бежал, да уж коснулся проклятого места и сам вскоре сгинул.

Бог ты мой, как же далеко все это осталось... Да так ли уж далеко?! Три часа лету — и как до Луны пешком.

Ёган

— Когда я приезжаю в мою Вену, представь себе, за мной идут мои московские «топтуны», — говорит мне Ёган, знакомый еще по Москве.

— «Вернулся я на родину...» Надо полагать, они идут не на цыпочках, — говорю, — в сорока километрах от твоей Вены — в Братиславе, на всякий случай их танки стоят.

Но именно сейчас мне стало обидно за Вену. В таком великолепном городе даже мысль о «топтунах», да еще наших, — уже оскорбление. Но рыскают чуть ли не толпами в нейтральной уж очень.

— Ну и как — умыкают? — спрашиваю.

— Случается, — привычно венец ответил, — есть тут собор знаменитый, так под ним целый город нарыли и крали людей за милую душу. И не только перебежчиков...

— Наши миллионы поштучно, — сказал я, — крепостным не положено разбегаться. А что касается работ земляных, так это ж древнейшее российское занятие, доведенное до своего апогея, — подрыв-подкоп. Вот только отсталому земледелию своему не могут помочь...

И мы отошли от темы, заодно откинув в сторону венские стулья, венские булочки, венские вальсы и венские лыжи. Вена и без того хороша. Не случайно здесь жили Штраус, Бетховен, Моцарт и Ситников Вася живет, кстати, как он здесь поживает?

— В Зальцбурге Вася, и в трауре он. — И Ёган поведал тому причину: — Все мы щедрые люди, — начал он сагу о Васе, — вот так однажды и он отдал монастырю икону, всю осыпанную и, как он полагал, малоинтересную, а сам подался к нам. И вот он читает где-то, а может, случайно слышит, что на выставке в монастыре, куда он отдал безвозмездно доску с пометкой, что «это подарок от Васи», — неприметная та икона не что иное, как XII век, и еще какого письма! Правда, сокровище покоилось под несколькими Слоями, и что за привычка писать свое на чужих шедеврах? Богомазы несчастные, они и сейчас свое на талантливом мажут. И надо же, чтоб так им везло! Специалисты визжат и плачут от восторга. Верующие просто плачут, думая, что это знамение. Атеисты потирают руки — не страна, а изобилия рог, и еще больше Бога поносят. А Вася — в трауре и с полотенцем на голове. И весь наш край — тоже. Везет же людям, — заключил он невеселый рассказ.

— Ты знаешь, людям, как правило, везет меньше, — огорчился и я за Васю, — а в сравнении с нелюдями так просто катастрофически не везет. Либо они везут на себе, либо их везут в «воронке» к себе в меблирашки, где необструганной нарой им давят бока. И где очень болезненно отдирается само понятие «люди». Какое уж тут везение!

— Я представляю, с каким нетерпением им надо бежать, — говорит Ёган, — чтобы спасти свое человеческое достоинство...

— Было бы что спасать, — соглашаюсь, — конечно, куда лучше спасать это не очень модное в России приобретение, чем просто место, где оно должно быть. После стольких отниманий эта редкостная штука должна быть еще ценнее и стойче.

— А что делать, если у них ничего не осталось, кроме воспоминаний о нем? После такой-то жизни в советском «раю», ведь снова родиться они не могут...

— В советском «раю» надо быть грешником. Только тогда оно и остается в первозданном виде. Достаток достоинства, это, конечно, не материальный достаток, но, как говорится, кому — что...

Мы шли по Ринго и вдруг увидели низкорослый наш «запорожец». Вот и запорожец за Дунаем. На поверку он оказался «фиатом». И ничего-то тут советского — с радостью я отметил, — кроме наших эмигрантов. Вон они толкаются, новоприбывшие господа, и тележки с вещами своими толкают — «толкнуть» на «толчке». И сбитый с толку и с ног таможенник, рядом с нашим просто брат милосердный, никак не ухватит: ужель свет с Востока, это чудо чудес, на которое Запад с большою надеждой взирает, а также загадку русской души везут в чемоданах? И сколько ж ее, этой самой души, под завязкой, как, впрочем, и света в контейнерах?

— Им еще предстоит нелегкий выбор — куда, в какую страну поселиться, — говорит Ёган, — мир все же велик...

— Куда, в какую и зачем? Запад, дорогой Ёган, если на него глянуть из местечка, затертого в карту Российской империи, выглядит Марсом — так далеко. С точки зрения маленькой глуши, — это глушь большая. Так думает старый еврей, собираясь в дорогу. А потом завязывает свои кости в узел и эмигрирует. В Вене он не поедет в Израиль, а в Риме будет выбирать. И, глядя на карту, его глаза погрустнеют, как у чао-чао, всех вместе взятых. Ты не знаешь, что такое чао-чао? — спросил я. И, не дожидаясь ответа (откуда ему про чао-чао знать?): — Китайцы их веками откармливали себе в пищу. Несчастные собачки, их давно уже не едят, но глаза их все никак повеселеть не могут. «Австралия?» — предлагает ему его ведущая — нянька на Западе (потом община будет его учить ходить по новой земле, терпеливо объясняя, как пользоваться пипифаксом). «Что я там забыл?» — «О'кей, Новая Зеландия?» — «А вы уверены, что она новая?» — «Канада?»... Может, он и осчастливит Канаду, именно Канаде и надо, чтоб он ее осчастливил. Или, в крайнем случае, США, в которых все, кому не лень, живут. Какую уж он предпочтет? Кому доставит радость, если, конечно, его не пошлют куда подальше, что на всех языках звучит одинаково? Но до чего ж терпеливы устроители его новой жизни, а какие настойчивые — так и норовят поближе устроить. Поближе к Америке, чтобы от Европы подальше. Тем, кто помоложе, тоже не позавидуешь — кругом идет голова, глобусом. Вертятся, крутятся, предлагаются материки и континенты, страны и города с пригородами, что побогаче, и попробуй установи — какой из них лучше? «Понимаете, Нью-Йорк чуть лучше Бердичева, но с Винницей его не сравнить, как, впрочем, и с Житомиром, со временем он, конечно, будет походить на эти ваши древние города, но только с очень плохим временем, а пока Нью-Йорк, этот самый худший в Америке город, — столица всего остального мира. Вот если бы вы родились пару тысяч лет назад, вам, разумеется, был бы прямой смысл остаться в Риме. Тогда именно Рим был пупом Земли. Ну, для сравнения — какой у вас в Кисриловке порт?..» — «А что я там буду иметь?..»

— А они, то есть мы? — спросил Ёган.

— А вы уже имеете его, — говорю, — и вам только остается переварить это приобретение, вам не привыкать уплотняться. У вас даже собаки и те под охраной закона, а тут человеки бегут от пустого корыта туда, где оно пополней. Так, по крайней мере, мне одна эмигрантка сказала: «У нас в магазинах ничего невозможно купить!»... Представляешь, в какую даль за продуктами едет! Свободный мир, тоже где-то уносящий ноги, беженцы — ныне эмблема его. Но из всех прибежавших — наши, конечно, заметней. Ты не находишь?..

И венец сказал: «Нахожу». Знай наших, если еще не знаешь.

Беженцы... А ведь я их уже видел однажды. Все та же война мировая. Мама гордая голод несет с базара, а где-то еще несчастнее люди пошли миллионами в газовую печь. А в колымские холодильники скоро пойдут все новые и новые ископаемые — будущие и доблестные штрафбаты, спасшие еще худший фашизм.

Тыл. Ташкент — город жаркий, где еще до войны мы жили, отогреваясь от ссыльного Севера, и откуда пошел воевать отец и в числе первых погиб. И я тоже хочу добровольцем, чтоб отомстить проклятым фашистам, но меня не берут.

И тогда я сбегаю на папин фронт, но на первой же станции меня возвращают и говорят «Подрасти!» и конечно же кормят...

Пыльный, жаркий, а теперь еще жалкий, если на нас посмотреть. Стреляные воробьи, они отныне лежат в гастрономах, и очередь ждет не дождется вкусить и сглотнуть их хилые тушки. Исходит слюной. Маленькие небесные моллюски — на один-два зуба, не больше, их можно было вполне повесить вместо синеньких ламп, что грели нам флюсы. Нет, с тех пор меня моя бабушка уже не звала воробышком, хоть тоже синеньким был.

Поздняя осень. И вот они, грачи, налетели. И сразу же появилась «Коммерческая столовая Капустянских» с золотой фаршированной рыбкой, если судить по цене. И если тебя судить за это не будут — «И где ж ты столько денег добыл, чтоб жрать ее, тоже на два укуса, подпольный ты наш Рокфеллер? Бесчестные, наглые, с золотыми зубами —

это им по зубам. Но смотри, никто не сидит — всех подкупили». Да и скупили все на корню. И базары, куда нам теперь не соваться, и вещи наши, которые нам уже не носить.

Где-то шла война, спотыкаясь о трупы, а глядя на них не скажешь, что где-то она идет, самая зверская из всех уже бывших.

«Уплотнение» — так называлось подселение их в нашу жизнь. И мы уплотнялись в полном смысле этого слова. А как же — жертвы несчастные, Бабий Яр, мальчики, седые от бомбежек. Их действительно усыновляли узбекские семьи, вечно полные детей — любят их на Востоке. Мы уплотнялись. Они же, напротив, разрастались, уже вываливая чужих птенцов из тесного, но гостеприимного гнезда. Коммунальная жизнь стала вдвойне коммунальной. И какие же склоки тут начались! Потом они отсуживали чужие квартиры. Потом отстраивали свои хоромы, оставляя на улице тех, кто их временно приютил. Потом они селились сообща. Почему-то всегда они селятся сообща, особняком, сами себя запирая в свои районы.

«Кашгарка» — так назывался в Ташкенте их первый, пусть глинобитный, но бастион. Именно сюда ударит самое разрушительное землетрясение. Именно «Кашгарка» станет его эпицентром, но годы спустя, положив начало новому Ташкенту, когда их здесь уже не будет. И вот тогда-то я понял, что я тот самый еврей, который, напротив, бежит из гетто, но никак не стремится туда попасть, будь то хоть сам Израиль — всем гетто — гетто. Маленький был, но, видно, смышленый. Всюду вдовы, сироты и старики. У них же в полном комплекте семьи и здравицу Сталину поют, и обкладывают кафелем свои бассейны, и детей своих в ТАШМИ ведут — мединститут ташкентский, где приемный экзамен стал стоить 20 тысяч с тех пор, разумеется, тем, кому два пальца легче всего послюнявить, чтоб их отсчитать. Сколько их *выташмило* — эскулапов, которым я ни разу не дал на лапу: слава богу, здоров.

Ужасы Бабьего Яра, когда бы приснились они тогда в Ташкенте, ставшем сплошным базаром, с жиру бесящимся посреди нищеты. Нет, не приснились они этим жирным хапугам и обнаглевшим рвачам, всей этой своре, глумливо вопящей на своем (кем и когда?) придуманном жаргоне, с этим вечно плачущим акцентом, жадной до умопомрачения и ничего-то, кроме отвращения, не внушающей. Нет, что-нибудь одно — либо я еврей, либо они не евреи. «Ты — еврей, как и я, — сказал народный поэт Узбекистана Гафур Гулям — первый учитель мой, написавший в разгар (какой по счету) антисемитской кампании книгу стихов „Я — ЕВРЕЙ“ и получивший за нее Сталинскую премию, — ты еврей, а они — никто, спекулирующие на самом святом. Я — еврей, хотя и узбек, потому что все поэты гонимы, как евреи. И все евреи гонимы, как поэты...»

«Ну и плюнем на них с минарета», — сказал я себе, подростку. И пошел в Старый Город, минуя Анхор, чтобы самый высокий найти минарет.

Да бросьте в меня камень... античный, если не прав!

— Дай бог мне выдержки, как вину, и я ударю тебе в голову!

— Чудак! — кричу я сквозь государственную границу, туда — в его толстые стены, — да не Ему: Он слишком далеко забрался. Это сколько же надо тебя выдерживать и в каких подземельях, чтобы такую выдержку получить? Давай-ка, брат, ударяй поближе. По мне, ты вполне до кондиции доведен. Я считаю, что тебя достаточно подержали в подвалах. Да и расстояние не сравнить — я всего ничего и отъехал...

В дверь, хорошо запираемую, хорошо постучали. В наш отель «Цум Туркен» просто так не войдешь. И вот мне кричат уже через три этажа, чьи лестницы едва не рушатся от любопытных: «К вам, между прочим, уже журналисты идут!»

Ну, брат, везет же тебе. До чего же кстати писаки приперли. Я вызволю тебя, дорогой, из твоих пессимизмов, что в душу уперлись железным своим каблуком. Скажу, мой герой в России остался. Коллега, товарищ, брат и смелый к тому ж человек, который вправе и сам героя иметь. Каждый вправе иметь своего героя, а художник, которому сам Бог велел, но власти ему не велели, — тем более. Господа, даже самый бездарный и самый трусливый — и тот на поверку героя имеет. Другое дело — такого же смельчака. А если не имеет, то обязательно с ним на сносях — по всей физиономии отравления пятна. Сразу видно, какого героя зачал и от кого. А уж ему — не робкого роста, а также десятка, состоящего из нескольких единиц посреди многосотенцев черных, что с красной шагают хоругвью, ему — всегда жалевшему эту страну, что только в героях нуждалась, а смелость при этом каленым железом жгла, ему — никогда не имевшему в жизни героя (сам, слава богу, еще ничего) — тем более непростительно его не иметь. Вы уж, пожалуйста, господа, поймите, — скажу, — никак мне нельзя без него — своего, посреди-то ваших непуганых и мне пока неизвестных, хоть и очень знакомых. Хватит жить через стену! — со всей прямотой я им заявлю, — нам пора пообщаться в свободной манере, абсолютно свободно в мире свободном, пока он свободен еще.

И вот он, стук в мою дверь. «Милости просим!» (здесь не принято говорить «Войдите!» — еще не тот войдет). И входят корреспонденты, интервью не берущие, а просто свидетельствующие тебе свое почтение и говорящие при этом, что они из самой правдивой, невероятно оперативной и смело атакующей прессы, к тому же всесильной.

— Но, милейшие, — приветствую я их, — в атаку, ползая на животе, не ходят.

На что рослый господин средних лет, и другой господин среднего достатка, и третий господин средних способностей мне отвечают: «В красивом городе красивый народ — красивое зрелище, если, конечно, его не бомбят. А посему перед сильным соседом не грех и на животе поползать. Мы практичные люди — у нас спецодежда для маскировки ползком, ну а дома — домашние масхалаты...»

И вправду, костюм их в глаза не бросался, разве что на локтях запасная, изрядно потертая кожа и на коленях — тоже. Вот на заду не заметил — пятясь ушли.

Друг ты мой незастенчивый, хоть и застенный, ну и как ты там? Всегда друзей я хочу увидеть воочию, а не в лупу догадки сквозь толщу стены, где тысячи лиц до тебя спрессовались. Там бетон — не стекло. Это здесь научились делать его прозрачным. Я надеюсь, твой рост еще не усох, душа изо рта, которая, между прочим, у коротких людей не в рот упиралась, не вылетела. Я надеюсь, ты все так же красив, друг мой, сквозь камень гость. А может, и тебя, как всех нас, выперли в шею. Тоже вдруг развязали, чтоб полетел. Летите, голуби, летите, всегда пожалуйста, если назад захотите. Чем я лучше тебя, чтоб тебе сидеть на бетонной подстилке, а мне лететь на сиденье мягком и приземляться, как пух (как же мягко поначалу здесь стелят!). Почему это я вылетаю в трубу (в данном случае аэро — отечественную), а ты сидеть остаешься всей своей и без того приплюснутой от долгих, чрезмерных и частых посадок фигурой, когда из всего организма тоскующего, пуще всех его членов, седалище кричит: «Отпустите!» — и требует элементарной свободы передвижения.

Нет, конечно же ему тоже вставили перо реактивное, он же общался со мной. И я невольно мог оказать на него влияние, тем более когда он еще в дурдоме лежал, — радужно предполагал я, — ему тогда еще следователь по особо важным персонам говорил: «Это все сосед ваш мешает вашему выздоровлению. Это он все мутит и без того не прозрачную вашу воду. И как только умудряется сквозь стену на вас влиять?!»

«Еще вопрос, кто на кого влияет», — отвечал ты ему, насколько я помню, всегда талантливый и неисправимый, но должное мне отдавал и, почесывая галстук (в возбужденном состоянии это называется несколько по-другому), вполне очевидно заканчивал разговор.

На всякий случай я на недельку-другую в перевалочной Вене остался. А вдруг прилетит. Все, кому не лень, сюда прилетают. Кто только не встал на крыло и носом воздух не резал. Кто только сюда не вбегал, ничего-то не видя, пока не пройдет багаж, будто кто его проверять собрался. И только севши в такси-«мерседес», позволял себе оглянуться.

Слава богу, было на что. Но в ладоши не бил и мужскую скупую слезу не выдавливал... «У нас у Киеве тоже соборов много, и в Виннице звонница когда-то была... Вот магазины, вот это соборы — надо же столько продуктов собрать!..»

Нет, в транзитную Вену мой друг не приехал. Но, будем надеяться, догонит в пути. А все пути, как известно, ведут только в Рим, куда я и еду под опекой имени писателя, и к тому же тезки, — оглянувшись вокруг напоследок, сажусь в вагон, не «Столыпин», напротив, широкоспальный, закинув на полку нехитрый багаж с парой белья запасного, если от радости в слезы ударюсь (с чего б это вдруг?). И аккуратно бутылочку ставлю отменного зелья на случай встречи. Да вот не нагнал, но, наверно, нагонит — писателей нынче вместе с их героями выметают, а мы друг у друга в героях ходили всегда. Это гора с горой не сходится, а стена со стеной всегда образует угол, куда нас всегда загоняют. И потому мы всегда имели свой, персональный угол зрения. И вообще героев у нас не выбирают, поскольку выбор героев в застенке, как правило, небольшой. А то и вовсе отсутствует. И здесь надобно, чтоб очень и очень уж повезло. Но ввиду того, что мы оба лезли на стену от тоски и одиночества, и стенали друг другу навстречу, и оба боялись шмона, а потому и делились своим сокровенным (там потрошат и душу, полагая, что и она карман), и оба отвечали по всей строгости советского беззакония, призванного искоренять свободомыслие, столь удивительное в советских условиях, и ставящего в пример, напротив, недомыслие, нам ничего иного не оставалось, как вот так, шутя, говорить на серьезные темы. Потому что говорить всерьез, согласитесь, еще смешнее. Нет, шутка — единственный способ выражаться всерьез. Так что — шути, мой герой! Шути, политпсих, ведь недаром щекочут нас так нещадно. Не случайно же доводят до полного идиотизма, когда уже слюни текут, не стесняясь, и взрослый, солидный, почтенный и уважаемый, гордый и порядочный и достаточно пострадавший начинает шагать на четвереньках в так ими желанную ногу. Только таким он и в состоянии принять советскую действительность. Но шутки — шутками, а уже забрезжила щель — пусть робкая, но улыбка свободы. Но ей еще далеко до хохота в полный рот. Прежде чем отпустить нашего брата, его топчут, плющат, как Плюща, вот до чего узкая щель, что надобно делать человека поуже, иначе не пролезет. Но мы раскачаем ее — я тебе обещаю.

Проводник предлагает передвинуть стрелки назад. Здесь не торопится время. Здесь оно дома, недаром же Вечный город Рим. И градусы, тоже не второстепенное наше — сразу же с Цельсия на другую фамилию перескочили, едва-едва по телу разлилась теплота. И вот уже мили портянкой пошли пеленать наши ноги. И поезд в тоннелях, словно в чулках, как старая дева. Будто землю роет, как наш заключенный — на Запад попасть. Где-то там впереди она, невиданная и лазурная — аппендикс Европы, сапог и так далее — Италия. Въезжаем в сапог, прохудившийся. Это в нем прогрызен тоннель. С разбега в него нырнули и чуть ли не час по нему идем.

Все пути обязательно в Рим приведут. Вечный город для вечных тем. И если ты Вечный Жид — обязательно должен сюда приехать. Как, впрочем, каждый художник обязан увидеть, что же сделали до него. А может быть, даже лучше него, чтобы уже другие в будущем отдаленном вот так же о нем говорили: «Ты только посмотри, кого раскопали!» Как говорится — дайте сначала волю, а уж потом попробуйте переплюнуть. Нет, ты должен сюда приехать — нельзя же зрячим быть в вечных потемках...

Бог ты мой, кто рядом с нами только не едет. Тут тебе и ведьма партийная — метла у нее отказала — на самолете летит, хотя мы, между прочим, в поезде едем. Вот чей-то призрак обрел исхудалую плоть и уселся рядом. Явно едет подкормиться на Запад. Чинно прошествовали три толстяка. Шагает жулик, который тебя обвешивал вечно. И мясник, что в фарш обязательно что-то несвежее клал. Вот с орденом Ленина едет торжественно какая-то дама (кто-то почетные грамоты везет в целлофане). Вот с самоваром едет туляк (потом он с женою в Париж поедет). Женщина, похожая на Орлову с негритенком своим... Цирк, да и только. А это едет с костями предков когда-то многочисленный клан. Какие-то полреспублики едут в Израиль, другая половина хочет в США.

— Вы политический? — спрашивает ведьма.

— Что — политический?

— Ну, беженец?

— Почему обязательно политический? Лично я эмигрировал по чисто эстетическим мотивам — не желаю видеть их рыла, слишком много в них светлого будущего. То есть сразу видна конечная цель. Вот только когда им ветер флаг на морду бросает, тогда и отдых глазу. А в будни невмоготу... Так что я, скорее, эстетический беженец. В отличие от большинства нашего нацменьшинства я не писатель (от вечной нехватки бумаги там ими стали все поголовно здесь), не борец за права человека, ибо прав там отродясь не бывало никаких и вообще это иностранное слово, а, как известно, у нас идолопоклонничать перед заграницей не любят, не друг академика Сахарова (никогда не думал, что у него столько друзей: каждый приехавший первым делом сообщает, что он друг Сахарова — мог бы и поразнообразить немного: один день называть себя другом Сахарова, другой пусть бы Сахаров называл себя его другом), не еврейский активист, мне вообще еврейская активность не нравится — всюду с обрезанным лезть, даже бородой его не маскируя, как это делал товарищ Маркс — неплохой наш портняжка — таки сшил нам всем по красному флагу. Правда, пока он это делал — Энгельс делал ему детей. Не клиент валютных «березок», мне на этот символ российский с самой высокой колокольни хочется положить (как вы могли заметить — я рослый мужчина). И мне не надо соавтора, чтобы уже вдвоем переводить бумагу. У меня к ней осталось почтительное отношение, как к вечному дефициту, настолько трепетное, что просто совестно не гениально писать.

— Но вы же сказали, что вы не писатель! — удивляется ведьма.

— А настоящие писатели суеверны. Скажешь — «писатель» и перестанешь писать. И еще я мастер тонко-тонко очищать картошку, что тоже чисто российская черта. А политических беженцев вы наверняка встретите на Американо, то есть Порто Портезе, они преимущественно там толкутся.

— А что они там делают? — спрашивает ведьма, будто не знает (сама, небось, кораллы везет, а уж матрешки — подавно).

— Как что?! Снимаются во французском фильме, без отрыва от своего «разложил товар купец».

Но вот опять мы выскакиваем из тоннеля. Резкий в глаза ударяет свет, обнажая всю никчемность нашего разговора на фоне вечно красивой Флоренции. Да вот же она, Фиренца, где русская церковь, явно не на крови — вегетарианка, нелепою гостьей стоит посреди торжественного спокойствия, такого привычного, как Санта-Мария дель Фьоре. Стоит себе от фундаментов своих подальше, от страданий извечных тоже вдали.

Плывут по бокам какие-то купола необычной посадки, дротики готики в небо торчат, а поток все несет и несет. Но вот он остановился. И тебе, как грациозному животному, хочется отряхнуться и фыркнуть всеми своими инстинктами.

И вспомнил я генерала-гэбиста слова:

— Ах, вот что вас смущает! Вот отчего тормозитесь — не хотите в общем потоке отваливать. Подавай вам отдельный самолет. Отпускаем народ ваш, не весь конечно, так и езжайте с ним вместе с ветерком попутным. Какой русский... писатель не любит быстрой езды! — спросил генерал, картавя, как Гоголь, особенно на слове «русский». — Обетованная земля зовет!..

Суперфосфатный, она же и тебя призывает. Ты даже не представляешь, как она по тебе тоскует, почему б и тебе не утолить ее чернозем?

Тяжелые плиты забвения, где стертые буквы великих имен... Но вот среди напластований Венеры безрукие, случайно откопанные, но не случайно поставленные для всеобщего обозрения, — валяйте, благоговейте. Так бы стоять им, когда они были с руками. И не только своими, но и с теми, золотыми, сваявшими их. Но плачет Скопас, гонимый и нищий в веках, поодаль, сотворивший Менаду не лезет в глаза. Затем он и один из всех, чтобы все на одного за эту самую единственность творить велико. Великий Бах только через триста лет и будет понятен, а пока расшаркивался с каждым, кто был хоть на копейку богаче его, и каждодневно ходил на службу. Паганини, которого щупали старухи, полагая, что он дьявол, только сейчас и достал своим волшебным смычком. Да кто не выбрасывал руки, как ненужный балласт, в минуты, освистанные людским равнодушием — неистовый Бетховен или божественный Моцарт, изгнанник Петрарка или безухий Ван Гог? Миллионеры посмертно, подыхавшие с голоду в жизни.

Вот они, Пантеоны Европы в цветах запоздалого внимания. Да бросьте в меня камень... античный, если не прав, да вот он у вас под ногами!..

И действительно, топчем святая святых. Где-то в глубине моря бьется китовое сердце, уставшее от гарпунов. Красит до горизонта... Страница за страницей, и вот мы уже в глубине его пульсов. Красные своды. Приемный покой, но рыбешки глубоко не ныряют. Они больше на поверхности стрекочут своими плавниками. И почему самоотверженность одного должна восполнять недобросовестность многих, когда один искупает вину тысяч, хотя вовсе и не обязан это делать?..

Площадь, так вот где она, стоянка улиц. Здесь они собираются на ночь. Паркуются. И площадь, как волчица капитолийская, их ужином кормит. Точь-в-точь как тех близнецов знаменитых.

Площадь. Да вот и она сама незанятым блещет сосцом. История Рима высосана отсюда. Это потом из пальца начнут. Это первые авторы легендарны, когда не бездарны. Рим. Эта поэма писалась явно двумя руками. Пишущая машинка дымилась, так шла вдохновенно, пишущая машинка в футляре ничем не примечательной головы. Абсолютно ничем, если глянуть толпой любопытной, приподняв капюшон непогодный или даже лавровый венец. Упадает куда-то к себе в середину висок и пульсирует, мягкий, как сердце. Все написано кровью, толкающей руку, потому, не иначе, живет века. Но это еще предстоит мне увидеть.

Великие немые звукового кино, или Будете проходить мимо – проходите, пожалуйста!

— Вы тоже по Фонду? — спрашивает Семен Исакиевич — наш новый сосед по купе. С тех пор как я покинул Россию, я в сплошном нейберхудстве, то есть соседстве, живу.

— А вы почему не по ХИАСу? — спросил я в свою очередь.

— А я уже был на земле обетованной, так что ХИАС мне уже не помощник. Еврей тогда еврей, когда он едет в Израиль. Он еще им остается, правда с натяжкой, если он едет в Америку или в другую какую страну, но из Израиля он уже выезжает не евреем.

— Значит, вы теперь и не еврей вовсе?

— Откуда вы знаете, что я Вовси?

— Я сказал «не еврей вовсе», не имея в виду вашу фамилию.

— А получилось — «Вовси, вы не еврей вовсе». Выходит так, — и не думал грустить Семен Исакиевич. Помогли и мне, старику. Худо-бедно, мизерно, нехотя, а все же помогают. Да и дареному коню под хвост не заглядывают, в данном случае спереди смотреть бесполезно — беззуб, а сзади — тем более. К тому же российская нищета международна. Матушку всюду узнать.

— И кто это сказал, что нас не густо, — начал я оглядываться потихоньку, пока кроме воздуха спертого ничего не видя, а воздух сам рисовал себя. — Давайте окно откроем! — Семену Исакиевичу я предложил. — И не одно, а два, чтоб сквозняк устроить, ибо сильный духом едет народ. Вполне можно свежего воздуха заглотнуть без закуски. Он даже зернистый от скорости за окном, наконец-то свободный и заграничный. Запретный, капиталистический, одно удовольствие им дышать. И легкие свой корсет расстегнули — гоника нам свежего, и побыстрей!

— Давайте, — сразу старик согласился и анекдот рассказал, хоть и старый, но, можно сказать, эмигрантский — там тоже слово «волна»: стоят двое, вполне погруженно, уже утонул подбородок (человек воспитанный, он ни за что не хочет сказать — где, а главное — в чем стоят эти двое, но так ли уж надобно объяснять?) — стоят и не разговаривают, боясь хлебнуть (опять он скрывает — чего), а сверху бросают третьего. И первый кричит ему: «Не делай волны!»...

Очень даже пошел анекдот, хоть и старый, и вылетел в трубу окна, вполне Апокалипсис. О, хляби будущего, и за какой вы горой? Будем надеяться, не за этой, что поезд дырявит.

— И почему бы не выпустить такой красочный плакат, где бы улыбались в обнимку и красовались в охотку три представителя трех волн российских сразу? — спросил Семен Исакиевич постфактум. Его тоже потрясала особенность наших бывших сограждан, как бы они ни были рассеяны — дух их скалой. Никогда не выветривается, ни при какой погоде и ни при каких обстоятельствах, напротив, крепнет. Бог троицу любит, и вот она, Третья, пошла, в дополнение к двум.

Катился вал безоружный, но все же с вещичками (в тюрьме всегда выкликают: «С вещами!»). У этого пока истории нет, но, будем надеяться, будет.

— Отвыкли, небось, от ароматов привычных, — спросил я почтенного, — забыли, наверное, свое место, где пол подошвою зажат, а потолок — дыханьем?

— Да не очень, — улыбнулся он белым протезом звонко, — кто хочет пахнуть, он везде одинаково пахнет. А там, где пахнуть его даже просят, будто в мире по запаху люди и узнают друг друга, вы представляете, насколько типично он пахнет, что нос бы себе оторвать.

— Вы, конечно, имеете в виду националистический душок? — спросил я на всякий случай. На эту тему я давно уже нос заложил, и не в ломбард, обоняшку. Он просто заложен, как кирпичами окно. Терпеть не могу национальных запашков букеты, тем более когда пахнут хором и наперегонки — кто кого перепахнет первый...

— Ну, тогда вам в Израиле нечего делать, — покачал головой Семен Исакиевич.

— А я и не еду туда. Я в неизвестное еду. Мне бы воздуха посвежей.

— Когда я туда направлялся, — сказал Семен Исакиевич тихо, — и смотрел в окно — птиц перелетных увидел. Вон лебеди в Африку нас догоняют! — сказал я, как старый мальчишка. И кто-то заметил: «Загаженные лебеди — из какого смрадного воздуха улетают!»... И он был не прав. Россия — страна отсталая, и, следовательно, там воздух чище, чем здесь. В промышленном отношении, но он, видимо, имел в виду моральный воздух, когда пахнет Кремлем, да чем — не важно, но если воняет, так это уже не свежо. Тем более если столько лет не проветривать помещение. Да здравствуют сквозняки!

И я его понимаю отлично. Сквозняк Аэрофлота — и вот уже запах по миру кочует, и лебеди — не лебеди, а гуси лапчатые летят и отравленным воздухом пахнут, добавляя к нему еще и сугубо свои испарения. И давайте устроим конкурс на самый пронзительный запах. И чемпионов пустим вперед, а Запад пусть своих выставляет. И тут-то мы и посмотрим — кто кого перевоняет. Да вот незадача — где взять противогаз на самые крупные поры нашего тела? И опять же с намордником как же жить? И вообще, куда девать чувствительное обоняние от всеобщего навоняния?

— Куда мне ехать со своим мишпухес? — когда-то показывал я на свое огромное семейство. А теперь, как видите, еду один. — И Семен Исакиевич заблестел глазами. — Каждый по-своему любит людей. Фашисты тоже любили человечество, но только хотели, чтоб его было поменьше. Коммунисты, те, напротив, хотят, чтоб человечества было побольше, но только в их лагерях, все подневольные страны так и называются — лагерь социализма. Я имел счастье быть у тех и у этих. Вы знаете, что такое улица?

— На которой они давно обещают праздник?

— Именно это я имею в виду. Так вот улица — это то, куда нежелательно, а также опасно выходить с авоськой, когда все идут с флагом. Кстати, узкие улицы стали шире с тех пор, как в моду вошли визжащие сиренами скорости. И вообще — когда едут догонщики, будто шарахаются в стороны берега домов, а ты бежишь, как и бежал, по узкому их простенку. Дыханье твое что дырявый мешок, и ноги — не лучший для спасения транспорт, и ты еще надеешься на что-то, но не надейся. Все в этом мире помогает тебя ловить, так и норовит ухватить за фалды. И как же тяжело тебе бежать, в отличие от зайца, который бегает нагишом. Баланс природы — так нас спасают от вырождения. В мире круговых порук и коллективных преступлений невозможно человеку побыть наедине с собой. Раз человек один, значит, он замышляет что-то. И тогда у коллектива срабатывает безотказный инстинкт гнать его, пока он не упадет и не попросит лошадиным голосом пристрелить его великодушно. Люди малозаметные и одинакового роста прячутся в коллективе. Люди выше среднего стараются быть ниже. Люди высокие — малочисленны и разбросаны, подозрительны и суеверны и больше трех, как правило, не собираются. А если и собираются, то под лилипутским потолком. Под которым опять-таки не встать в полный рост, не подняв головой крышу и не потревожив сборища над собой. Коммунальная квартира — это та же улица, только намного шумнее и разгороженнее, с чисто символическими запорами от приходящих по твою душу. Я потомственный гражданин среднего роста, но это не значит, что я не хочу побыть один. О чем бы я ни думал, что бы я ни делал, а губы мои заученно повторяют, как молитву: «Бросьте, пожалуйста, меня на произвол судьбы. Не обращайте на меня никакого внимания. Будете проходить мимо — проходите, пожалуйста. Идите себе своим светлым путем и даже можете прибавить шагу...» Я очень устаю на работе, а еще больше устаю, когда туда добираюсь, но я покорно надеваю свои нарукавники — эти намордники на локти, хотя они у меня не активнее, чем у других, и сажусь за арифмометр, куда громче меня считающий, что лучше бы его выкинуть вон. Работая на «Мосфильме» одним из бухгалтеров и оперируя несметными сметами, я не имел ни копейки покоя, то есть одиночества, которое, по сути, является пределом моих мечтаний. А с некоторых пор я вообще забыл, что это такое. Когда вы смотрите на экран, мельтешащий героями нашего времени, вы видите их или не видите, но вы смотрите кино (уже не увижу — чуть не плачу я от потери) — я же, не глядя, слышу, как шелестят миллионы и миллионы рублей, выхваченные острым лучом на белой стене. Если вообще кино — обманщик, то наше — жулик, каких свет не видывал. Ну да о чем речь?! Так вот, кручу я свой арифмометр, а они идут чередой — деятели здравствующие и да здравствующие. Идут великие немые звукового кино, так и не сказавшие ни единого стоящего слова. Идут знаменитые лжецы и мелкие, но с пятерней загребущей и превышающей их самих в десятки раз. А у другого, посмотришь, не ладонь, так, пустячок с когтями, хоть и сам верзила, а сгребает он этой ладошкой тысчонок по сто враз. Вот они, захватчики народных сейфов без взлома. Разевают роток и растопыривают пальцы на миллионы. И при этом берут как свое, идут как к себе. Конечно, каждому — свое, но получил ли свое — каждый? Дать бы им по их непомерным потребностям, да еще наподдать по способностям, которых кот наплакал, чтоб другим неповадно было. Да что с них взять? Вы любите, конечно, «Соловья» Алябьева, так вот Алябьев палками наказывал солдат, а Балакирев сошел с ума от противоречий и, как Мусоргский, спился. И сегодня любой жулик свою отмычку называет поэтично — «Скрипичный ключ»... Взять, к примеру, хоть этого А., — упомянул он самого известного гомосексуалиста советского кино, его познания, однако, не ограничились только этим жанром, — или не менее сановного Б., — вспомнил он не менее аморального режиссера, — или П. и его профуру жену. Или Ж., — в данном случае он имел в виду другого корифея, о котором можно сказать, перефразируя Пушкина: «Одна жена спешит другую сменить, дав ночи полчаса»... — Или... — все еще сыпал классиками Семен Исакиевич, но здесь мы не будем беспокоить солнце русской поэзии.

Однажды Семен Исакиевич проглотил свой язык, видимо, со страха, ссыпав в желудок все буквы нашего славянского алфавита, и речь его с тех пор была несколько странноватой. Но, с другой стороны, не Цицероны же должны работать бухгалтерами, тем более на «Мосфильме», где ему если и давали отпуск, то зимой: «Ты ведь все равно, Семен Исакиевич, не пьешь теплое пиво и не любишь потных женщин», — говорили ему в месткоме.

— Как-то к нам в отдел, что сразу у кассы, повадился за авансами негр из массовки, которому иногда давали маленькие эпизодические роли в виде политического поощрения. Ходил он с белым платочком в кармашке и без галстука, он, наверно, вызывал у него неприятные ассоциации, хотя их шеи давным-давно оставили в покое. «Сколько можно получать авансов?» — спросил я его, хотя человек я здесь маленький. «Ну да, конечно, я — негр, мне и аванс уже нельзя получить! Мало того что я получаю гроши, так и те надо выклянчивать...» Тогда я ему ответил, этому Отелло, который удушит за копейку: «Вчера только за пять минут стояния на месте, к тому же теплом, ты получил сотню рублей. Позавчера — две сотни. И сегодня пришел за тремя, которые тебе положены только через неделю. А я за месяц наинуднейшей работы получаю всего восемьдесят целковых, так кто же из нас негр?»... Так что вы думаете — пошел в партбюро и сказал, что я расист. А я такой же расист, как он актер. И тут уж совсем моя жизнь стала публичной. Меня стали прогонять через кабинеты, как моего дедушку сквозь строй со шпицрутенами. Потом меня стали оскорблять даже в проходной, где несчастные пенсионеры в гимнастерках ВОХРа по полчаса изучали мой служебный пропуск. Потом какие-то молодчики мне чуть не устроили суд Линча на автобусной остановке у самой работы. Все у нас бегут куда-то. Кто от инфаркта по системе Амосова. Кто на работу. Кто по магазинам. А я решил бежать в Израиль, тем более там был еще жив мой папа, за отъезд которого я уже хорошо заплатил в свое время. Это вы, молодой человек, из поколения, видевшего его в гробу, а я из поколения — век бы его не видеть. — Тут он имел в виду уже Отца народов. — Другое дело, пока я ехал к папе, а ехал я к нему несколько лет, он уже иссяк, меня ожидая. Так что теперь я уже не Семен Исакиевич, а Семен Иссякиевич. И когда я добрался наконец до земли обетованной и папиной в столько колен, кроме этой земли я так ничего и не увидел. А впрочем, нет — таки увидел на базаре в Хайфе своего следователя, впаявшего мне хорошенький «четвертак». Каждая нация имеет право на своих выб...дков. При этом она даже вписывает это свое право в свою конституцию (в Израиле ее, кстати, нет). К ничтожествам любой нации я отношусь индифферентно. А вот паскуды своей кровной – уже оскорбление. Можно сказать, плевок в кровь. Да неужели она у нас всех общая? – каждый раз удивляюсь, да не хочется мне с ним иметь ничего общего, тем более кровь. К тому же я не знаю, чего в ней больше – скрипичных ли концертов или звона монет? Пророческих осенений или крохоборских подсчетов прибыли? Буйного темперамента или холодного цинизма? Соли смысла или уксуса бродильного? Ростовщичество, эдакая доброта с процентами, неужели это только еврейская черта? Приспособленчество, неужели это только еврейская специальность? Христа вспоминают, когда видят Иуду, но никто не вспоминает Эйнштейна, когда видит торгаша. Напротив, всю нацию за прилавок ставит. А может, наша нация не имеет середины? У всех наций она есть, а у нас нет. У всех есть середнячки, а у нас – либо – либо. Если уж еврей талантлив, так за многих, а если уж сволочь, так всем сволочам пример. Может, оттого у нас сплошь и рядом контрасты. Теория невероятности и вероятность самой гнусной практики, где паразитизм и спекуляция естественны, как дыхание. Достижимость недостижимого и косность фанатиков. Космос и спертый дух местечкового галута. Корчак, в обнимку с детьми идущий в газовую камеру, хотя никто его туда не толкал, а банковский процент все ж придумали евреи... Палестина, Палестина, где корни мои. Общая кровь, этот багаж идет без таможенного досмотра. Кровь, летящая в голове величайших открытий и озарений, да не оглядывайся ты на вырождающийся свой хвост. У всех наций он одинаков. Особенно когда вырождение само себя за хвост хватает... – как мог успокаивал я себя, но это потом, а пока я еще был здесь, в совершенно другом климате. Старый еврей, а со мной обращаются как с молодым бегуном на дальние дистанции. О, слепая кишка московских улиц, они гоняли меня так, будто я собрался бежать в Израиль в прямом смысле этого слова, не переводя дыхания и блестя высокими пятками, как древнегреческий марафонец или древнеримский бегун... Кстати, Вы не знаете, Везувий запомпеет еще раз, — глянул он в окно, за которым была уже Италия, готовая уже сейчас поддержать Израиль в его праве на оккупированные территории, если евреи освободят Остию и Порто Портезе.

Порто Портезе, или Клара у Карла украла кораллы

Наше советское море лучше, хоть и черное.

Из патриотических разговоров

Так где тут у вас к зверюшкам бросали? Непременно хочу в Колизей. «Синьор, это не проблема!» — сразу же показали, где Колизей — ныне туда все эмигранты стремятся. Он главный у них ориентир. Дело в том, что рядом находится Американо — самый главный эмигрантский базар.

На стенах римского «Банко Национале Дель Лаворо», где бедным беженцам нашим пособие выдают и где однажды поутру пробежала толпа этих беженцев несчастных по сбитой с ног восьмилетней девочке, затоптав ее насмерть, кто-то метровыми буквами вполне выразительно начертал: «ФОРСА ЛУПА! — ВПЕРЕД, ВОЛКИ!»

Это как же понять, господа? Добродушные итальянцы, а стали язвить. Особенно это заметно, если ты похож на когда-то желанного гостя, беженца из советских зон, еще не полиглота, интересующегося Колизеем.

Рим. Знаменитое Порто Портезе. Ворота к порту. Когда-то они были в древней стене, опоясавшей Вечный город, и вели к Тибру. Но на реке был как бы предбанник порта, а в Остии Антике, где начиналось тогда море, и сам порт. Позже море, обмелев, отодвинулось на несколько километров от Остии Антики просто в Остию, как бы желая быть подальше от Порто Портезе, может предчувствуя что-то или так, на всякий случай. Соответственно переехал и порт. Через какое-то время он перебрался еще дальше — в Фьюмичино (их там ныне два — морской и воздушный). Где будет следующая его остановка, пока неизвестно, но Порто Портезе не намерен менять свое бойкое место. Он мелеть не собирается, в отличие от Тирренского моря, как бы там ни было, а сбежавшего от своих ворот, хотя впритык к ним и не находилось. Еще в III веке до Рождества Христова, когда возник Рим, здесь раскинулся римский толчок, в меру черный и в меру шумный. С течением веков он превращался в тысячеглавую барахолку, темпераментную и алчную, красочную и выразительную, как все южные базары. Я бы не сказал, что это был черный рынок, скорей это был смуглый рынок, разнообразный и даже экзотический. Приходили сюда патриции или нет, доподлинно неизвестно, но то, что они обожали покупать коралловые нити для своих возлюбленных, перенявших страсть к украшениям у еще не родившихся папуасов, бесспорно. И сегодня кораллы еще будоражат не стареющих в этом смысле римлянок. Вот уже столько тысяч лет смакуют они каждое зернышко этой розовой морской плоти, перебирая их, как капуцины четки.

Порто Портезе. Здесь можно купить все, что угодно, включая и заморские дефициты. С конца Второй мировой войны с присущим американцам размахом пошел сюда заокеанский товар. С легкой руки победителей этот рынок стал называться Американо. Фраза «товары наводнили страну» — начиналась именно здесь. Отсюда Италия выводила своих клопов, в жилах которых конечно же текла кровь древнейших аристократических фамилий. Здесь она натягивала на себя ковбойские джинсы и садилась за руль «кадиллаков» с непременным «мальборо» в зубах. Но с начала семидесятых, к тому времени уже окончательно черный, рынок вдруг стал розоветь — и коралловый остров стремительно вырастал прямо из фибровых чемоданов наших советских евреев, преимущественно украинских, бежавших не спеша и прибывавших не налегке: щедрый Джойнт, бросивший несметные средства на вызволение несчастных, позаботился, на свою голову, и об их багаже — тонны и тонны его здесь — на Порто Портезе. Правда, карабинеры уже начинают потихоньку изымать кое-что — кубинские сигары, например, «зениты», бинокли и подзорные трубы. Их тут такое количество, что можно увидеть далеко вперед всю перспективу эмиграции, а также сфотографировать ее этими лучшими советскими фотоаппаратами. Потуги итальянцев пресечь нарушение государственной монополии пока еще очень и очень робкие — политические беженцы все же, но грядет облава, грядет.

Доктор архитектуры сидит на корточках, разложив перед собой нехитрый товар. И ты, Брут? Туда же! Доценты и кандидаты наук, музыканты и технари... Действует Италия на гены древней мены, ведь Иудея была столько лет римской провинцией. Предки, небось, тоже здесь торговали. «Трешку за матрешку!» — кричит доктор архитектуры. Мешая итальянскую и малоросскую мову, его перекрикивает рядом стоящий, тоже интеллигент. Везут все. Кто-то припер чемодан презервативов, полагая, что раз в Италии запрещены аборты, то советские чехлы как раз будут кстати, мол, на Западе резину только жуют и на другое ее, естественно, не хватает, вот ужо заработаю! Не спрашиваю — как его с такой непрочной продукцией пропустили. И что таким сокровищем не поделиться. Ну все-то советское напоказ. Вот сидят еле живые мощи. Не иначе, бюрократы откладывали похороны и дооткладывались до того, что покойник встал, более того, эмигрировал. Вот он сидит и торгует «Зенитом-МЕ» и сигаретами «Аполло-Союз». У большинства восточных народов при переезде принято перевозить еще и кости предков. Очень неудобная традиция. Видимо, он и это учел.

С настойчивостью динозавра, так и норовящего вымереть, хотел один чудак получить визу на выезд из СССР. Игра стоит свеч, тем более когда тебя самого задуть могут. Приехал. Вздохнул полной грудью и... пропал. Хиас перерыл весь Рим и окрестности. Нет. Как в море канул и почему-то не всплыл. Большинство все же всплывает. А может, не в море, а в Тибр. *Стибрили,* может быть? Может, в последний момент схватились за голову, закричав: «И кого же мы потеряли?!», и решили назад возвратить? Кто-то посоветовал поискать по родильным домам — он говорил бабьим голосом и систематически мыл посуду, да и торговал здесь дамскими кофточками, связанными еще дома, может, решил родить?.. Другой всю жизнь шел к цели, как велосипедист к «Волге». Наконец, достиг. Получил выездную визу. Приземлился и увидел, что здесь владельцы куда лучших «волг» садятся на велосипеды. Но это Европа, а Америка? «Ты знаешь, боюсь — и там не понравится!»... И поехал он в страну, где без автомобиля даже в магазин не пускают и туша барана глупого стоит по-нашему — рубль. И вот тут-то он заскучал по-настоящему. «Слезы брызжут из глаз — как тоскую по родному бараку и по пайке — „вынь да положь!“. В лагере хоть работа была! — жалуется он, — а здесь нужна инициатива, а где ее взять?»... А зачем же ты такой безынициативный ехал? — спрашиваю. «Собаку отвяжи, и то убежит, — отвечает, — а человек, в этом смысле, куда привязаннее собаки. И место, где его обесчеловечивали и мордовали, притягивает его как никого другого...» Во все сезоны он ходит в комбинезоне времен прошедшей войны, купленном по случаю и по дешевке на римском развале. Комбинезон этот невероятно вместителен, явно рассчитан на сытое армейское питание. А посему он ест за троих штатских, и все равно еще остается достаточно места: руки, ноги, плечи, зад — все это пребывает пресвободно. Вот лишний вес головы как бы ни к чему. Не вяжется голова с этой экипировкой.

— Может, есть смысл тебе еще каску одеть, — посоветовал я ему, вылитому десантнику с полей антикоммунизма, принадлежность к которому здесь считается плохим тоном, — без каски в этом костюме ты выглядишь просто нелепо...

— А ведь это мысль! — воскликнул он из своего камуфляжа.

— Вот и спрячь ее в железо и храни, как рыбку в аквариуме, — сказал я ему, — в мирное время каска вполне за сейф сойдет. Я бы сам купил, да вот от головных уборов у меня мозги потеют...

Вот так сидел, сидел человек, а потом встал и поехал. Приехал. Осмотрелся. И пополз назад, несчастная жертва сионистской пропаганды, те же советчики, только с другой стороны. И возгордились холуи, его холуйству учившие. Раз просится назад, значит, хочет к коммунизму вперед. А раз хочет к коммунизму вперед, значит, наш нищий рай — самый лучший. «Потанцуй перед воротами!..» Танцует в комбинезоне и в перерывах на Американо толчется. Чем уж он там промышляет? Наверно, многобеременными матрешками русскими, а может, и экзотическими балалайками, которые в России днем с огнем не найдешь, но зато здесь их навалом и еще в окнах Аэрофлота. Но это фольклор. Мелочь... Главное — это кораллы. Тирасполь, Киев, Бердичев, Винница и конечно же Одесса-мама... Я и не представлял, что они стоят на атоллах коралловых. Тогда горсть Земли родной, естественно, их щепоть. Вот ее-то и везут сюда ведрами, предусмотрительно прихватив еще и складные столики для бойкой торговли. Каждое воскресенье на древних камнях бывших портовых ворот (ветхие, здорово же их расперли!) идет распродажа этого розового тельца, когда-то попавшего из Италии на Украину. Сколько же кораллов перекочевало однажды, если Радяньска Витчизна все шлет их и шлет. Коралловый остров уже перерастает спрос на себя. И тогда ушлые торговцы снимают зерна с ниток и шлют их назад в былые свои Палестины. А там не менее ушлые их сородичи продают их отъезжающим сюда и еще не знающим, что спрос на кораллы упал. И так до скончания этой мутной волны. Своих-то и так надувать! Ближний Восток — родина любви к ближнему. Вспомни свой первый атолл, сукин ты сын, прохиндей и позорник, и как же тебе не стыдно! Вот кого надо было бить тогда двухвостой плетью в Гефсиманском саду, когда точно так же Клара у Карла украла кораллы — занижал, негодяй, на них цену, сбывая оптом с нечистых рук. Дальше — больше: кто-то ограбил Клару и кто-то кого-то повесить хотел, да вот почему-то спасли набежавшие карабинеры, правда, компаньоны успели устроить друг в друга тир и сунуть недострелянного головой в муравейник. Течет себе древний Тибр. Эта вода уже все повидала.

Есть в Риме арка Тита, сына Веспасиана из династии Флавиев. Поставлена в честь победы над Иудеей, кажется, так и написано на ней уже современными буквами. Это под ней побежденные головы свои пригибали, а победители, напротив, их гордо несли. «Евреи, — кричит какой-то ребе на площади, — вот где однажды мы проходили с позором и где-то рядом тут было первое и самое древнее наше гетто, а потому мы ныне плевать хотели на эту арку...»

И плюют. И обходят брезгливо. И когда шел в Романский форум, не огибая ее, — за руку схватили — нельзя!

Вчера и сегодня. Рим и евреи. Прямо-таки доисторическая связь. Что и говорить, издалека бежим.

Неподкупные, там же торгуем? Еле-еле душа в теле, а сам в партии. Но это там. А здесь, если верить его анкете, товарищ даже в пионерах не был. От былого патриотизма охрипшим голосом рекламирует свой товар и незатупившимися локтями его охраняет. В Америке ему покажется, что ему, никогда там не работавшему, платят слишком мизерную пенсию. И это такому заслуженному и такому старому члену КПСС! И как же вам не совестно, капиталисты несчастные?.. Но вдруг осекся, и грудь-колесом в обратную сторону покатила. Вспомнил, старая перечница, как клялся-божился, какая он жертва несчастная. Вот он разложил товар, товарищ.

Неподалеку — тоже советское, значит, отличное: за версту видать — птицы-тройки, ведьмы вы партийные, и почем ныне ваш марксизм-ленинизм, залетные? Не взгляд, а суды-трибуналы, правда слезящиеся и уже не сдирающие рогожу с расстрелянных тел, чтоб вдогон еще плюнуть.

Народные заседатели — попки безгласные — тоже здесь. Прокуроры бывшие и следователи по особо важным делам — да вот же они — уцелели, целки невинные. И где еще найдешь истых «истов», как не среди перевертышей. После падения Муссолини фашистская партия в один день перешла в партию коммунистов, так, по крайней мере, утверждают сами итальянцы. Смена партбилетов — только и всего. Завтра приди к власти опять фашисты — и коммунисты встанут под их знамена, если их не поставят к стенке за неумение краснеть под своим красным флагом. Наш советский не исключение, наоборот — от нашего доки по смене личин и пошла по земле зараза. Он даже еще больший умелец по этой части, чем все остальные. Иной такой дряблый член, что скользкий червь, — сколько их от зависти в земле разорвется, глядя на его умение извиваться. «Командировочные», ну кто не использует такую возможность? Уголовники, заодно почистили свои ростовы. Пенсионеры — пусть Запад их кормит. Ударники сталинских призывов, ведь уцелели! Послушники, охрипшие на партийных собраниях и гвоздившие мировой сионизм, а теперь — нате вам — кормятся в Хиасе, где на каждый доллар еврейский дядюшка Сэм кладет еще два, и здесь бы не спутать — кто в самом деле добрее. Творцы пятилеток, растянутых на двадцать пять лет истребительной каторги — каждая, отдавшие свои ордена. А ведь заслужили! Отсидевшие свое полицаи времен последней войны, не успевшие попасть во вторую волну. Надзиратели тюрем — полицаи уже советские, тоже решившие пожить по-человечески. Меховщики, дравшие три шкуры за свою пушнину в стране и без того освежеванной. Снабженцы. Торговцы. Артельщики из мест запропащих. Вчерашние подписчики «Правды» — помойные ушные раковины, бравшие на веру все, что выльют, и даже здесь благодарные ее чтецы. Ничего себе свежатинка, ничего себе вытяжка для пущего американского динамизма. Старьевщики и часовщики-специалисты по дедовским будильникам, впервые увидевшие электронные часы. Стоматологи, отставшие лет на двести, но быстро вошедшие во вкус, вспарывая челюсти, как отбойный молоток — мостовую, полагая, что именно в челюстях мы свои деньги прячем. Непризнанные гении и недоучившиеся Эдисоны — один согласен ехать в США только по личному приглашению президента, так как считает, что сделал научно-технический переворот, придумав утепленную кормушку для свиней. Чем не находка для северных штатов. Другой предлагает открыть ГУЛАГ на Аляске для перевоспитания преступников... в эскимосы, которым и без того Аляска мала. Как, впрочем, и преступникам весь континент стал тесен. А негров выселить под Нью-Йорк, где миллионеры живут себе тихо. И прочие рационализаторы, усовершенствовавшие кайло и лопату. И прочие графоманы, не написавшие шедевра, но уже начавшие писать во все инстанции по восходящей, чтобы их признали сразу и безоговорочно, тут же и бесповоротно. «Сколько положите?»... Да что там — целиком положили. Знатоки совискусства (был искусствовед в штатском, теперь искусствовед в Штатах). Был ругатель сюда, теперь хулитель отсюда. Там считал своим долгом просигнализировать. И здесь считает своим долгом куда надо сообщить.

— И почему ваши люди так много доносов пишут? — удивятся видавшие виды эфбиайщики. — Ну почему?

— Загадка века. Но они же еще и призывают бросить эту пагубную привычку, — попытаюсь я сгладить их нелестное впечатление о наших дорогих соотечественниках, — в «Новом Русском Слове» чуть ли не каждодневно можно этот призыв услышать. Вот, например, кто-то призывает доносы искоренить. Вот кто-то еще возмущается этой практикой гнусной всегда, везде и на всех их строчить...

И вообще, господа, скажу я эфбиайщикам дошлым, люди еще были неграмотны, но всегда писали доносы с самых древнейших времен, полагая, что без них никакая цивилизация не случится. Да, наша страна поощряла и поощряет с детства тряхнуть стариной и даже гордиться этим, а наш Павлик Доносов — самый первый у нас герой. Но даже в такой отсталой стране, как Россия, между прочим, доносчиков бьют, и основательно, часто и дружно. Потом их портреты уже никак невозможно вывесить нам всем в пример. А у вас за доносы поощряют. Вся ваша прыть на доносах, и мне непонятно, на что вы жалуетесь? Вы же сами призываете доносить.

— А вы не знаете, кстати, почему ее поджигают?

— Кого?

— Ну, эту самую старейшую, самую русскую, самую еврейскую и самую антикоммунистическую газету в мире?..

— Вы забыли добавить — самую лучшую, — поправил я их.

— Вы имеете в виду художников, которые ее делают светочем?

— Что за вопрос — конечно же, чтоб светила! Это дельцы прогорают дотла, а художники, должен заметить, сгорают. И тут едва ли им могут помочь ваши вездесущие пожарные, от усердия которых у меня лопаются барабанные перепонки, нарушая тем самым мой абсолютный слух. Такое ощущение, что ваши файер-маршалы тушат пожары звуком... Но заземленные люди, они скорее всего не этот пламень священный имели в виду...

— Мы просто удивляемся — зачем здесь поджигать газеты, когда они сами с успехом у нас прогорают?

Но вернемся в Италию, потому что очень хочется туда вернуться, хотя с некоторых пор некогда шумные итальянские дворики и увеличились в объеме голосовых связок.

Порто Портезе. Базар, растоптавший символ вчерашнего беженца, если и торговавшего, то собственным исподним или спустившего с себя все, до белизны кальсон. Нет, нынче у нас широкий потреб, да и на пищеварение хочется натянуть что-нибудь поизящней. Торжище. Политические беженцы. И вот уже французы снимают о нас, ненаглядных, фильм. Видимо, красочный получился, если Кремль его с таким вожделением приобрел и даже язык их французский выучил, чтобы громко сказать: «ГРАН МЕРСИ!» А в ФРГ что придумали капиталисты корыстные — ввели зуммеры в продаваемую одежду: выходишь из магазина, забыв оплатить костюм, а он кричит, что его украли. На всю Европу орет, как зарезанный. И что это за страна, да еще свободная, и что это за мир, да еще цивилизованный, где даже церковь и ту нельзя обчистить — до того бедна, что мыши церковные от нечего жрать перешли в другую веру, а туда же — тоже сигнализацию ставят. Нет, правильно нас в школе учили: «Они хоть и с крестом, а креста на них нету». И в институтах правильно говорили: «Этот мир подозрителен. Ох как подозрителен!» Иезуиты — следят и еще жалеют: «Бедные вы, несчастные, тоталитаризмом испорченные — воруйте на здоровье, с нас не убудет...» «Во, Европа!» — лыбится наш блатарь и думает — что с них взять? «Что с них взять? — разводит руками Европа. — Их же мордовали, бедных, на родине, очень уж строгой, такой безжалостной и нехристианской... Ну, мимоходом с вешалки взяли доху на приеме в их честь. Ну, угощение с „а-ля фуршета“ с собой унесли, не докушали, значит, вкусное блюдо, вместе с блюдом и уперли. Не звать же полицию!» Другое дело — Америка — здесь и стрельба незаметна. Биг дил! Подумаешь, новость! Привычно. У самой отмычку пора помещать в государственный герб.

Удивительный прогресс – как же наглеет советский человек, еще вчера боявшийся своей тени. Лишь чуток отрыгнула советская общественная, а уж к носу платочек, а если всерьез дыхнет своим перегаром... И это Россия неофициальная, не советская, недоперемолотая, как ни перемалывали, частица ее, гонимая самая, из века в век?

Кто же бросился в узкую щель легального выезда, ведь они должны быть полной противоположностью (по меньшей мере) тем, кто беспрепятственно разъезжает от имени великого русского народа, народцев, народностей и прочих нацменьшинств, ставших его насильными братьями. Но что-то мало походит разнородная наша масса на ту магму, которая и выплеснула эту эмиграцию политических (!) беженцев. Нет, они совсем не похожи в массе своей на тех, кто изумил мир своей жертвенностью и геройством, подвижничество которых пока еще не знает себе равных в нашем мире сегодня. Неужели это те, кого мордовали шестьдесят лет, и вот они наконец-то обиделись? Или те, кто сам помогал мордовать и вдруг поимел совесть? Неужели это те, кто так и не смог стать советским, как ни старался? А может, наоборот, – пытаюсь я их понять, – попротивился для приличия, а потом и запродал себя с потрохами или, как минимум, в перелицовку. Вот так с давным-давно отнятым лицом и сбежал. «Да на тебе же лица нет!» – говорит ему его родственник дальний, который уже успел пожить на Ближнем Востоке. «Зато ты отъел его за двоих», – отвечает.

Кукиш в кармане, но с партбилетом. Сегодня можно вынуть свою подпольную фигу. И какой же микроскопический прыщ – протест – столько лет он держал в кармане! Или, напротив, бил себя в грудь, постукивал и стучал, а на поверку стукач и только, а смотри, свободно поехал.

Вот так мы всегда не замечаем прогресса, считая его в порядке вещей и как само собой разумевшееся, будто он, желанный, падает с неба. Стоит нам его только захотеть. А ведь, казалось бы, только вчера пошли на отсидку первые узники на эту тему. И пока волокли их в Мордовию мордовать, успели все же столкнуть с мертвой точки железный засов. Сдвинули. Узкая щель — прошмыгнули первые счастливчики. Потом самые первые везуны. За ними самые шустрые. Какие-никакие, а все же смельчаки. По мере заполнения лагерей и ответного эха что-то начавшего понимать мира щель стала шире. И хочется, и колется, и мама-родина не велит... Еще раздумывают будущие толпы. Еще колеблются. А так и тянет потянуть счастливый билет, не выходя на эту проклятую лакмусовую Красную площадь, которая тобой же и покраснеет. Нет. Пока подождем. Подождем, пока он станет совсем бесплатным. О, демон демонстраций — жажда уехать, пусть он науськивает других, провокатор, в ловушку. Пусть демонстрируют другие. Грызть решетку золотыми зубами? Выставляться взашей из приемных (кабы так выгоняли из тюрем!)? Заявлять, чтоб тебя выявляли и потом брали? Нет уж, пусть это делают другие. У них и голос помоложе, и тело посильней, и желания убежать побольше. Слаб человек — вот в чем его сила... Не похожи они на умеющих жертвовать собой и идти в лагеря и психушки. Нет ничего в них общего и с другими диссидентами, недоссидентами, а также диссидеями (диссидент и иудей в то же время) и с прочими, больше жертвами, чем героями. Разные и всякие на первый взгляд, они мало походят и на страдальцев, больше иуд, чем святых. Бегущие с давным-давно тонущего корабля (утонул бы, да разве ж Запад допустит!), в массе своей это просто приспособленцы, уже получившие наградные за свою мимикрию, но пожелавшие жить еще лучше, еще насыщеннее (и не о духовной пище здесь речь), но что такое «жить лучше» рядом с вечно российским «не до жиру, быть бы живу», когда бегут из лагеря или от лагеря, из психушки или от психушки, когда из ссылки на Восток бегут на Запад — в ссылку более человечную, как бы доказывая еще и еще, что разумный мир не может противостоять насилию. Когда это он перебарывал свой животный страх перед ним? Когда это он ощущал в полной мере свой инстинкт самосохранения? Разумный, он придумал компромисс, совершенствуя его с каждым разом из века в век. Именно с него, уступчивого, как нельзя лучше и очевидно: там, где кончается компромисс, там начинается СССР. Нет, легче всего люди находят не клады, а себе оправдания. Однажды пожертвовали буквой. Потом строкой. Дальше, пусть со скрипом, абзацем, чтобы спасти страницу своей морали. Потом страницей, чтобы спасти главу. А сегодня и главой пожертвовать рады, чтобы спасти уже книгу. И где гарантия, что и ее, когда-то неплохо написанную, не понесут на алтарь очередной жертвы, и жнец голов человеческих потрясет их наконец своим неумением ее прочесть...

...«Впервые в истории у нас в Австралии ограбили банк. Вот так новость!» — удивляется австралиец. «И кто же?» — «Да ваши!»

Не наши. Это Советский Союз вас не мытьем, так катаньем завоевывает. Да сдайся вот таким способом СССР — и конец всему Западу. Как, впрочем, и самому СССР, если к нему придет сдаваться Китай.

Странная у нас эмиграция: те, кто должен ехать — сидят. А те, кто должен сидеть, хотя бы на месте, — едут.

Mea culpa

— Странный язык английский. Я еще в Италии это заметил. Бог у них — Гад, папа — поп, а священник — фраер... Назвать моего друга падре Нило фраером, да у меня просто не повернется язык. Как он там поживает — дорогой мой падре? Небось, по-прежнему к нему эмигранты наши валом валят. На Востоке я видел тараканьи бега, никакого эффекта, вот плач взапуски — это да! И тут уж он всем без разбора по пятьдесят тысяч отваливает, правда, если перевести их на доллары, это будет не так уж много, но все равно ни с того ни с сего, ни за что ни про что и даже не за красивые глаза 50 долларов?! Потом на своих барахолках они же над ним и смеются. Тоже, впрочем, до слез. А на Остинском почтамте, где собирается их бомонд-орава, они на его добром имени еще и подрабатывают. «Хочешь получить деньги?» Ну какой же дурак не хочет? «Значит, так, мы тебе покажем, где их бесплатно дают, а ты, получив их, нам отдаешь половину — и по рукам». «Кстати, ты как — честный человек?»... Ну какой дурак скажет, что он нечестный? Я говорю: падре, да гони ты их на воздух, вон какой он купальный! Здесь же самый средиземноморский курорт, один из самых и самый из одних наилучших мировых и так далее... А он мне отвечает: «Я им иногда прямо к морю деньги привожу, если им трудно сюда за ними приехать...» Я говорю: падре, я в том смысле, чтобы ты гнал их в шею. Они же из советского профсоюза, где издавна умели слабинку надыбать. Вон сколько лет без зазрения совести кормятся вами и при этом кричат, что вы их самые злейшие враги. Они же даже гоголь-моголь из собственных яиц сделать не могут. Им заграничные подавай, как минимум, порошком яичным. Они же кроме собственной лапы сосать ничего не умеют. А уж как сажать наловчились, а все одно — не растет, потому что всю жизнь не то и не тех сажают. И застрельщики любого дела, и застрельщики любого тела, а все по чужим закромам побираются — благо дают. По принципу — не дашь, все равно уворуют. И дают. И, заметь, дорогой мой падре, не по морде откормленной вами же, наглой, а в завидущие руки, да самый жирный кусок. Запад прямо-таки упарился коммунизм им строить, отирая пот и в благодарность плевки. Он с таким остервенением копает себе могилу, будто и впрямь ему жить надоело. Даже крематорий в Москве и тот западные немцы сработали. Правда, тут недолго думали-гадали, где его заказать. Все же опыт был, и не малый — с десяток миллионов сожгли не моргнув. Ничего не скажешь — работать умели. И вот задымила достопримечательность наша — немецкая печка с русским дымком. Кстати, овчарки у нас тоже немецкие, где человек человеку двоюродный брат их на людей напускает, прежде чем положить их в братскую могилу. А братская могила у нас происходит из самого христианского лозунга: «Все люди — братья!», можно сказать, корнями уходит в него. И вообще, падре, чем выше у нас слова поднимают, тем ниже значение их и подлинный смысл. Скажем, Вера, Надежда, Любовь — три сестры, три бабищи партийные наши. Должен признаться, падре, более отъявленных курв я не видел. Но обрати внимание — как же громко взывают они с фасада, как когда-то Ярославна с Путивльской стены.

— Но, сын мой, — мне возражает падре, — но, сын мой (хотя мы почти ровесники с ним), ты же другую троицу видишь, не этих, прости меня Боже, засранок. Ты же в состоянии видеть повыше этой стены, почему же другим не сподобиться и не увидеть? Вас же немало в огромной вашей стране...

— Падре, я даже умею видеть сквозь стену. И допускаю, что каждый в подполье укромном своем держит свою и надежду, и веру, и, может быть, даже любовь. Но нельзя же вечно им быть нелегально. За надеждою надо идти, и веру свою не прятать, и уж, конечно, любовью своею не торговать. А что на поверку? Надежда сама по себе уходит. Вера полегче находит крест, а то и вообще посчастливей звезду (красная вот-вот лопнет от крови). Ну а любовь — продажна, слишком кривить душой научились. И если уж врут на присягах под флагом этим кровавым, то и себе они тоже правду не говорят, а уж друг другу в этом осведомительском мире — подавно. Мне тоже, падре, в порядочность хочется верить даже самых отъявленных негодяев, а вдруг сподобятся и человека явят? Видимо, не может человек ни во что не верить. Испокон веку он верил и в идола, и в тотема, и в Гитлера, и Сталина и не казался себе примитивом. Верил истошно всем, кто поперек его жажды верить вставал и над ним поднимался. И не всегда это был античный Олимп. Это потом он опустит своего Бога на Голгофу, никак не ожидая истинной ее высоты. Человек не может не верить, не умея верить в себя. Но если, веря в Бога, он все еще, мягко говоря, далек от идеала, то кем же он был бы, если б вообще ни в кого и никогда не верил? Страшно подумать! — прямотаки навел я падре на очевидный ответ. Разумеется, он сказал: «Безбожником». Безбожники, — говорю, — да они самые верующие фанатики-утописты, утопившие в крови всех не верующих в их утопию, которая выеденного яйца не стоит. Запутались в бороде своего Маркса, а побрить — и король-то голый. Частично побрили — поубавился их былой фанатизм, хотя делать нечего – надо по-прежнему жарко глазами гореть, слишком далеко зашли и заехали – тоже. А посему каждый пытается держаться от них подальше, каждый норовит в свой заокеан уехать, но и там знакомая Челюсть ковшом, из которого брюхо лезет. Да стряхните с себя наваждение. Это просто вставными зубами сам от страха стучит наш кремлевский старпер, как его предшественник бил о трибуну ООН своим снятым ботинком. Хватит класть им в пасть, так и самим туда можно попасть. Совсем по-другому ее затыкают. Обувь оставляют перед входом в мечеть. В старых и ветхих музеях надевают тапки – танки всюду пройдут. Или еще не трещит земля, расползаясь на все новые и новые границы? Да оглянитесь! – кричу, – бронированное стадо, хотя и без тыла-зада, гремит в вашу честь, а вы о хрупком паркете, над которым пророс одуванчик вчерашнего вдохновения. Это вам он по душе, а у них от него аллергия. Руки чешутся смять...

И зарделся мой друг падре Нило, черный цвет сутаны только и ждет лицо подчеркнуть. Осенился крестом, ну а я уже не на шутку завелся:

– Я тут видел, верзилу сопляки обирали, угрожая ножом перочинным, между прочим у всех на виду. По-моему, они сами боялись своего же оружия, до того вспотели от страха и волосы мокро за шею текли. Это потом при таком-то отпоре они окрепнут, естественно обнаглев. А пока до чего ж они жалкими были, что я даже подумал: дяде совестно их отпихнуть, потому так безропотно им потакает, а зрелище, надо сказать, недостойное глаз мужских. Ну, добряк, – про себя я отметил, – ну никак не желает им дать по шеям. Это какое же мужество надо иметь, чтобы вот так сдержаться! Нет, я человек не мужественный – я им сейчас преподам урок, соплякам охамевшим, – вскипел я, будто это меня потрошили. Я и шага не сделал еще, как рванули они наутек. И сразу ожил народ в округе. И, о боже, как же тогда возмутился детина: «Если вам надоело жить, это не значит, что я умирать собрался. Они же могли обозлиться и пырнуть в мой живот ножом!»... И затрясся, и пошел кумачово – у него, видите ли, наступила разрядка. Вот она, ваша *разряд-*

ка, которую вы дарите нашим бандитам, одно-то понять и способным, когда им сдачи дают. Да так, чтобы сразу с копыт опрокинуть. Не случайно же у нас по большому загулу слезно так просят: «Ну, врежь мне по морде, коль ты меня уважаешь!» И дашь ему по анфасу загривка, где зубы глаз покрупнее, и вроде опять человек. Слышал я, здесь при чековых книжках все одно носят деньги в кармане, чтобы тут же отдать их, если попросят (ныне нищие с пушками ходят). Мол, зачем же просителя волновать? Еще удавит тебя за копейку, еще укокошит, позарез ему, видно, деньги нужны, раз нож вынимает. Э, подумал я, господин хороший, если ты перед этой угрозой сопливой так сплоховал, что же будет, когда затопочет орда (да уже топочет, просто еще до тебя не дошла) — заспешит, распаляясь от белого мяса, как когда-то от белого хлеба с вековой своей голодухи, — паричок не успеешь с завиточками снять, так сказать, вторую свою прическу, чтобы каску надеть. И кофе допить не удастся, чтоб ножку резвее закинуть на танк, как бывало на девицу, какая получше. Кошелек накопить ты умеешь, а вот защитить заодно и себя... Их тьма и тьма, и имя им легион, совсем не почетный, дорогой мой падре. От любого общежития меня воротит. Так и хочется спрыгнуть с самой высокой горы, да вот высоты боюсь. Так и хочется разбежаться и головой своей такой расчудесной да в эту проклятую нашу стену, естественно никак не надеясь ее прошибить, а всего лишь не видеть. И подвигся однажды на этот я шаг. И — о чудо — в стене просвет забрезжил. И это при том, что разбег мой был маловат (какие в камере одиночной метры!), а может, кто-то долбал и с другой стороны, не один я такой настырный? А может, жизнь не такая уж беспросветная штука? Но так или иначе, а в крепостной зазияла дыра, и я очутился в неведомом мире, снова родившись, эдакий крупный ребенок в распашонке своей тюремной, ибо счастливых сорочек тюрьма отродясь в каптерках своих не держала. И, как видишь, предстал пред очи твои, вместо того, чтобы попасть повыше — под самые, что называется, очи. Но раз уж ты доверенный на земле исполнитель Его и работник, конечно ж без исповеди не обойтись. По инерции я все еще там — в своей камере одиночной, или палате дурдомной, или выпущенный во двор подышать, короче — дома и, как всегда, по общению с равным себе тоскую. Но на самом-то деле я здесь. И отчего-то мне не визжится от радости, падре, а я ведь даже не смел и мечтать о приволье таком, где пасетесь вы безмятежно средь тучных своих хлебов посреди благолепий таких, да если бы знали мы, сидя у зловонных наших параш посреди наших дружных народов, все как один вдыхающих их, если б знали мы, как вы разлюбезны с вертухаями нашими, что красно-парадно к вам приезжают без овчарок своих и обязательно к вашему папе спешат, когда их, как минимум, следует к маме послать хорошенько, а вы — единоверцы наши и братья — устраиваете им пошире прием, и в вашем лазурном небе безоблачном такой провисает чмок прямо-таки жаркого поцелуя, что темнеет в глазах. Это надо видеть. Это надо сюда приехать и видеть, не веря своим глазам. И уж тогда засмеяться до слез, как мы это делали дома. Или заплакать всерьез, что нам пока незнакомо. Сидя там, мы, конечно, знали, что Запад уступчив. Был бы покрепче — и мы б не сидели по тюрьмам, руки сложа. Доходило с трудом сквозь глухую ограду про минутную слабость его — вдруг спасти вопиющих несчастных, а потом на съедение их же отдать, подгоняя их в спину прикладом. Или Вьетнам защитить, чтобы опять же вернуть палачам с извиненьем — был *Вьетвам,* а теперь он *Вьетнам.* Или к другу давнему вдруг повернуться спиной — да гори ты огнем! А то еще близоруко в какой там по счету Мюнхен приехать... Но это опять же своими глазами потом мы увидим, а сидя там взаперти сквозь намордник высокий окошка, веками немытого, кто же мог там увидеть такое, да и мыслимо разве было представить, как цветущий и розовощекий Запад, спасшийся от одного фашизма, пойдет брататься с другим. И при этом будет сгибать свой рост исполинский, чтоб на него плюющим еще удобнее было плевать. И еще подкармливать их, чтобы во рту поганом не сохло. А ведь чуть посильней надави — и дух испустит ваша угроза. И вот уже поток мутноватый попер. И кто-то в потоке этом родную парашу унюхал... Свобода, свобода... Куда я попал?

Приехал в Рим и вдруг вижу отечественный палец в Венеции (в данном случае это был нос советского посла, бесцеремонно сующийся в традиционные венецианские биеннале). Посмотрел на Везувий, а он спокоен — никак не реагирует на хамство советское и совсем не светское. Вот оно, горячее итальянское хладнокровие, как и всюду на Западе, с той лишь разницей, что певучая речь здесь осуществляется всеми конечностями, включая язык! И тогда я вспомнил — когда меня провоцировали и брали, на мне были американские наручники. Втолкнут был я в полицейский «мерседес», а эскортировали меня на итальянских «жигулях» с японской аппаратурой, вкупе с французским «секамом»... Кстати, об аппаратуре — американское посольство в Москве подслушивается и облучается своим же специальным оборудованием, проданном прямо с выставки, здесь же в Москве, за что сотрудники посольства получают двадцатипроцентную надбавку за вредность.

«Там он за тридевять земель в стороне заморской...» — так теперь обо мне говорят в невеселом и мрачном краю — все еще не верил в скорый приезд свой — так лихо все со мной приключилось.

Мне уже виделась эта страна. Тогда она была куда загадочней, правда. Все же ни с чем не сравнимо счастье детства, даже несчастного, когда видишь мир еще беспечно и красочно и не находишь слов. Да и не нужны они в том состоянии сладостном. Не обязательно в детстве писателем быть.

Вот он, оптимус мундус — лучший из миров!

Вот она, милый, — говорю я себе, — колыбель человечества — посреди морей, самое что ни на есть Средиземноморье. Смотри внимательно: сейчас из пены родится она...

И действительно, выходит. Истинно богиня — какие формы! И белоснежно ступает на черный песок (в этом море Тирренском танкеры промывают танки свои), а за ней семенит, спотыкаясь на ножках коротких, господин непонятных лет с явными признаками двуполости и с зубами набекрень, я даже сбился со счету, считая его подбородки спереди и еще на затылке — сзади, когда он за ней пробежал.

— Афродита с гермафродитом... Ну разве можно придумать большее оскорбление? — сказал я священнику-другу, — надо же так опошлить и унизить песенный миг причащения к изначалу начал. Я, можно сказать, окунал свои чресла в купель, где сама История мылась, а он мне в молитву частушкой похабной, где каждый куплет его внешности — в душу плевок... Падре, можно я пробью в его колокол звонкий, я же не в сане...

— Не благословляю, но разрешаю, — сказал падре Нило, и ассистирующий ему Паскуале (тоже, естественно, падре) его поддержал, — тем более это советский ваш. Видишь, кальсоны надевает прямо на пляже...

— О'кей, — сказал я, — и да простят мне ваши боги! — И с удовольствием даже пробил.

И в земли он вмялся.

— Понимаешь, падре, советский человек не может долго без земли оставаться. Он должен припасть к ней, чтобы силы набраться и заодно инструкции получить.

А Венера тем временем снова в море залезла, но вполне разрешила, как рыбку, себя половить.

Италия... А вон и дедушка римский, который Папа и еще не славянин, уж он не будет с коммунистами целоваться (правда, за это его подстрелят). И что он там делает, старичок? Кажется, Громыку встречает, вот уже и губы вытер для отеческого поцелуя... Будь я папой, я б его встретил.

— Вот видишь, падре, как я абсолютно прав! А ведь будет у вас еще настоящий папа, который впервые в истории покается за грехи, совершенные паствой за последние две тысячи лет. Извинится за церковь, утверждавшую величие своей веры жестокостью и насилием, и попросит прощенье у Господа Бога Христа. Еще будет знаменитая *Mea culpa* понтифика. И — что любопытно — представлять сей исторический документ будет сам префект могущественной конгрегации по вопросам вероучения Йозеф Ратцингер (когда-то эта структура римской церкви называлась — Священная Инквизиция и возглавлял ее небезызвестный Торквемада — тоже еврей).

Италия... Здесь даже апельсины пахнут, как ни странно, керосином. Оказывается, так и должны отдавать настоящие цитрусовые. Что-что, а апельсины здесь настоящие. И в Испании они, видимо, еще больше пахнут началом костра. И почему керосин ассоциируется у меня с инквизицией, просто, наверное, климат хороший, здесь он вспыхивал сразу, высокий костер. Вот в Англии, там погода сырая, там ему не гореть, разве что целой нацией дуть и раздувать из искры пламя... Но это опять-таки только в России умеют, ледовитая страна, у ней всегда на уме погреться.

Италия... Нестрашная старина, и ей далеко до матушки нашей, где старое не стареет. Где даже Средневековье вполне современно выглядит. И ему еще далеко до музея. Не скоро наше варварство музеем станет, хотя давно на пенсию ему пора.

И тут на пути нам попался оракул (они всегда попадаются на нашем пути) – «Что ждет нас, вернее, не нас, а нас приютивший Запад? Его конечно же завоюют классическим путем – монголо-советским вторжением?» – ищу я подтвержение моим недобрым предчувствиям.

– Нет, – отвечает оракул, – его ждет потоп: в России лопнет канализация, и все дерьмо хлынет на Запад.

Кентавр

– Позвольте, все подмывает спросить. Все спросить подмывает... – А потом это слово полностью уж ей овладело: – Я все подмываюсь спросить, – разъяла вконец анфас миловидный Венера, к тому ж бакалавр чего-то, зачем-то – и так хороша, – все рисуют у вас Кукриниксы, их еще в шею не гонят?

– В три шеи, – поправляю ее, слегка возмущаясь, – нашла про кого спрашивать, и где – в таком живописном музее, посреди – и каких! – культур.

– У вас в Союзе был союз молодых гениев – СМОГ – как поживает? Я всегда живейшим образом интересуюсь искусством, кстати, есть ли вообще оно у вас? – доокручивала она пуговицу на моем блейзере новом.

– Ничего поживают, когда пожевать дают, – говорю. – Только теперь он не СМОГ, а СПОГ – союз пожилых гениев.

И я бы даже сказал — СППОГ — то есть союз пожилых по-страшному пьющих гениев. И возят их преимущественно в каретах медвытрезвителя, на которых написано: «Алло, мы ищем таланты!» А ввиду того, что они уже гении, им поначалу по-хорошему говорят: «Гений, иди домой, пока не развезло...» Но их, как правило, быстро развозит, и вот тогда их уже развозят и, как обычных талантливых, тоже в постельку несут. Дерут, конечно, до самой исподней кожи, но что поделаешь — сервис.

— То есть как освежевывают?! — вскричала бакалавр-Афродита, а по-римски Венера.

— Освежают, — ее успокоил и перевел разговор на художников: где ж еще о живописи говорить, как не в музее, — как, по-твоему, художник Ге был признанным?

— Разумеется, — подумав, сказала бакалавр-Венера из Миннесоты, но живущая в Турине.

— Так вот, лучше быть непризнанным гением, чем признанным Ге.

— А правда, что Моцарта отравила Сальери? Боже, и скольких великих людей отравили жены! — перескочила она на композиторов. — Что по этому поводу думают у вас? Кстати, русских, между прочим, можно любить, а уважать очень трудно. Вот немцев легко уважать, но любить... Я обожаю Россию! Говори мне про мать твою Русь.

Каждый раз, когда я рассказываю о первой своей неотчизне, я поражаюсь инопланетной наивности моих слушателей. Так, например, каждый третий американский студент уверен, что Михаил Горбачев — балетный танцовщик. Еще он думает, что СССР находится где-то в Польше. Ну, при такой-то осведомленности было бы странно, если бы СССР не находился в Польше. И не только в ней. Святая простота... Ну а кто такой Сталин? Этот заурядный партийный секретарь и по совместительству вождь всех времен и народов? Нельзя сказать, чтобы здесь не знали о Сталине. Каждый третий американский студент считает, что это оперный певец, хотя на самом деле он балетмейстер. И мне искренне жаль, что здесь незнакомы с его лучшими постановками. Другое дело — Ленин. Они его часто путают с Гришкой Распутиным, особенно когда он в парике, но о Ленине я, как правило, не говорю, он совершенно усох в моей памяти, а посему я давно уже вынес его из ее Мавзолея.

— Я люблю Италию, и мне предлагают здесь стать министром их прекрасной культуры, — восторженно говорит бакалавр Афродита-Венера из Миннесоты, слегка прижимаясь ко мне бедром и страстно желая, чтобы я подарил ей что-нибудь свое.

Книгу? — не думаю — одна у нее уже есть. Американцы, как правило, больше одной не читают. Видимо, она хочет сразу поэта, у которого будет много книг.

— У вас, кажется, тоже была женщина-министр культуры... Ты ее не боялся?

— Я не боюсь министров культуры — я всегда боюсь культуры министров, — отвечаю я ей и одновременно ею любуюсь — до чего же прекрасна глупая красота! До чего же чувственна эта теребенькающая мадам, особенно когда она вдруг замолкает.

— Не будучи представленным, лучше разреши спросить: что это за козлотур? — показал я на Вакха. — И почему он меж ног такой низкорослый, ведь это же символ и еще какой вакханалии, — задел я его за живое и, как бы извиняясь, потрепал по рогам, — он же, я имею в виду символ, должен быть, как море — по колено, пьяному всегда море по колено?

Что уж она отвечала, я не расслышал — шел дождь, лазурная дымила не лучшей погодой и чем-то еще, к тому же террористы балуют. Где-то взрыв звезданул, а на Пьяццо Паяца коммунисты кривляются. Нет такой площади, но комедия есть. Демократия все разрешает, но, слава Богу и Папе Его, страна еще не плюнула на свою тысячелетнюю историю, чтобы стать окончательно современной, хотя уже и урну поставила. Итальянцы эротическая нация, эмоциональная — с восторгом принимают все: и христианство, и фашизм. И если еврею от «ура» до стенания — шаг, им и того меньше, но прекрасный народ — эти бывшие этруски!

А вот и Гарибальди — итальянский Чапай, почему-то похожий на Верди. «Привет, Джузеппе!» — ему мы сказали. И памятник нам кивнул головой.

Мимо пролетали пролетарии на «альфах ромео», как эльфы с Джульеттой, и в отличие от наших пеших никак не мимо настоящей жизни.

— Куда они несутся как угорелые?

И бакалавр пояснила — в Термы. Раньше римляне всю жизнь проводили там. И даже Форум туда переехал. Бывало, патриций встречает патриция и говорит: «Приходи в баню, есть серьезный разговор. Заодно и помоемся...» И дневали и ночевали только там. Изредка забегут в Колизей, если новых рабов завезли, и опять на полку возлягут...

— А вот гунны зря времена не теряли — не помывшись пришли, — замечаю я, — и, почесывая свой мозоль от седла, первым делом разрушили римские бани. Варвары, им показалось кощунством расходовать так много воды. Степняки, у них она на вес золота, хоть и награбленного...

И так мы почти всю Италию прошли. С ее краю Помпеи на юге. С моего — Флоренция на севере. А где-то Бах почему-то с Манхэттена шел. И при этом, заметьте, бок о бок шли. По осевой летели машины, компактные, юркие, споловинив сидящих, летящих и что-то кричащих и вполне дружелюбных людей, и дамы с собачками по краям.

— Есть оружие холодное — колющее, шпыняющее, режущее, так и норовящее влезть в тебя, как в свои ножны. Есть оружие горячее. А это оружие кусачее и в то же время химическое, — показал я на сявок, с лаем и без лая поднявших ногу на самое прекрасное в нашей жизни — цветы. Дружно мочась и приседая, собачки по мере сил и возможностей сделали тротуары сплошь непроходимыми. В прекрасном и вечном Риме нам стало просто трудно идти. Правда, однажды вляпавшись, идешь себе, не взирая уже ни на что. В этом смысле Рим не Лондон, где владельцы собак за ними со снятою шляпой спешат и ловят их стул на лету, потому что пять фунтов штрафа грозит им, когда не поймают, а хорошая шляпа стоит куда дешевле (знаменитый английский котелок, к примеру, очень удобный для этой цели). Здесь же люди по-южному ходят без шляп и к тому ж ни копейки не платят, полагая, что собачий помет, напротив, украшает их город. — Кстати, Толстой и Гете тоже не выносили собачек, — снова вляпавшись, я сказал, — и, заметим, в лагерях не сидели. Представляю, как бы они полюбили собачек, если б чуть-чуть посидели, и непременно со сторожевыми по обоим бокам.

И, ступив уже твердо (мы вышли на центральную улицу Рима — Виа Национале) и бакалавра под локоть держа, вдруг я увидел Сведерского.

Но сначала он оглядывался в музее и шептал что-то про случай-король и про королеву-случайность...

«Это сколько же здесь богов!» — восклицал он, тоже втихую... «Сколько надо, столько и богов», — объяснили ему и попросили с самим с собой не трепаться в музее, куда шагнули парадные лики олимпийцев. Появились из облачных высей чьей-то фантазии буйной и встали с глазами навыкате и свысока, в назидание ему, смертному, настолько, что нелепицей покажется его мольба о лишнем часе поверх отмеренной, какой-никакой, а жизни. Лоскуток, отрезок, который под конец уже пробегаешь с одышкой. Дистанция, где мы все бегуны-спринтеры-стайеры, из последних сил стремящиеся к своему финишу, а Он сверху с секундомером в руке следит, чтоб не жульничали, чтоб каждый падал у своей черты. Даже здесь, в почтительной тишине, кто-то брякнулся на инкрустированный паркет. Прибежал.

«Да расстегните ему ворот!» — посоветовал Сведерский, частый здесь посетитель, частый до мозолей зрачка, потому что работал он, как правило, по ночам, имея возможность лишь днем вдохновляться. Несчастного унесли куда-то, где звонки трамваев дергали воздух, как на спящем одеяло. За окном неотъемлемая часть пейзажа здешнего — дождь, и если к нему применить десятипальцевую систему, то шел он так себе, пальцев на пять-шесть, не больше. Прикрываясь своей кумачовой тряпицей от назойливой влаги, бежал пионер — мальчик без национальности. Спешили куда-то старухи под черными абажурами своих старомодных зонтов.

Трудно единственной ниткой прикрыться, о боги! — подумал Сведерский и глянул на стоящего поодаль Аполлона. Тот, как всегда, катил на него свой белый мраморный взгляд. — Печатаешь, печатаешь, а в бюджете все равно белый лист, — привычно пожаловался он. — Нам бы вывесками махнуться. Тебе — мое прыщавое от воздержания лицо, а мне — твое, напротив, от прелюбодеяний усталое, — подмигнул он очень популярному богу. — Тебе хорошо, ты не обедал, а я пообедал, и мне тяжело, поскольку обедал я, как всегда, за чужой счет. И до того безобразно сыт, что навстречу мне какие-то ничем не отягощенные, ну абсолютно ничем не заземленные лица плывут. Легкие и не отмеченные ни на йоту. Сплошные сыры с дырками глаз... Послушай, а не братья ли мы, я — Сведерский, а ты — Бельведерский, какая разница? И у моей матери был древнегреческий нос. Это, конечно, не имеет большого значения. В появлении людей и богов не носы решающее значение имели. Но ведь когда-то и обо мне говорили лестное. И что бы ни делал, утверждали — от Бога. Так что не заносись. С тех пор, как упразднили и, что называется, опустили богов на землю, все мы равны. Все мы — братья. И все мы чуть ли не одним листочком прикрываемся, по случаю истощения растительности как таковой. Было бы что прикрывать. В этом смысле кентавры получше, лошадиная сила и человеческое лицо. Мечта одиноко спящих красавиц, только и ждуших, чтобы их разбудили. Эдакого жеребца и листочком прикрыть — смешно! Да, не мне наклоняться над ними, в этом смысле я не царевич, хоть по паспорту тоже мужчина. Мне б найти жену, чтоб служила как пишущая машинка, взамен не требуя ничего и еще читая, что написал, а то клиенты жалуются: много ошибок делаю...

Секретут-машинист, первопечатник, в том смысле, что единственный в своем роде мужчина, взявшийся за нелегкий женский труд машинистки.

...Уже не железо, но еще не желе, — подумал он, видимо, о пальцах. И вспомнил, что у его отца была вечно расстегнутая ширинка и на просьбу ее застегнуть старик всегда шутил: «Когда в доме покойник — всегда проветривают помещение...» — Смешной был у меня папа... Всегда не преминет меня спросить: «Почему, когда ты здороваешься, то резко выбрасываешь зад, или ты своей внешностью еще недостаточно развил у окружающих чувство юмора?..» О какой самоотверженной привязанности тут говорить — смеются жены и бегут, бегут и смеются...

Блестела окон гололедица стеклянная, и миллионы женщин под стеклом спят и видят, чтобы их разбудили, и каждая ждет непременно только царственную особу или, как минимум, что-нибудь особенное, но это в сказках от одного поцелуя просыпается женщина. Только в сказках одного поцелуя и достаточно, чтобы ее разбудить... И тут он увидел кентавра, человека-всадника, кавалериста в одном лице с лошадью. Или тело у него — лицо. Или лицо у него — тело. И чем-то он походил на него самого, хотя ничего лошадиного в лице Сведерского не было отродясь, как, впрочем, и ничего мифического. Рядом летел кентавр, и цокот его новых, только с витрины, копыт бил по инкрустированному паркету...

— Гроб распирало от все прибывающих газов. Одной слезинки было достаточно, чтобы вызвать нежелательную реакцию. И я заплакал. И похоронная процессия взлетела на воздух, — поведал Сведерский, почтенный мужчина лет сорока девяти плюс, почему-то всегда не учитываемые, девять утробных месяцев, — покойника след простыл, а провожающие его в путь последний, как говорится, поехали вместо него. Говорят, взрывная волна разметала их по всему белу свету, да и сам я из родного Санкт-Ленинграда черт-те где оказался. В Австралии живу под грибочком китайского и чего-то атомного. Это раньше они зонтики делали, а теперь водородные бомбы испытывают и еще терпение наше, фейерверкщики несчастные. И черт меня дернул идти его хоронить...

— А кто хоть умер? — спросил я его, немного контуженного.

— Да в том-то и дело, что не помню, какую свинью подложили нам в гроб. Последнее время я плохо стал вспоминать события и факты, а также фамилии с именами-отчествами. Видимо, хрупкий цветок распустился в мозгу — коралловый остров склероза. Не говоря уже о больной ягодке сердца. Кажется, это был начальник Ленинградского ОВИРа, — изо всех сил напряг он свою память и легкою мыслью побежал назад — в Эрмитаж, где всегда пребывал безвылазно и по сей день бы там находился, если бы не злополучные эти похороны. А за ним, гремя и бизоня и сметая все на своем пути, устремились стада непонятные и доселе невиданные. Если в Ленинграде, где отродясь не бывало кентавров, и он умудрился тем не менее их увидеть, то здесь — на земле, их когда-то родившей, — конечно же запросто их вызывал. И — что удивительно — они к нему приходили, если не врет. Так неужели за ним устремились? На что он им сдался, этот типичный хлюпик антигеркулес, этот завистливый импотент и баба? Но вовремя подоспевший грек-итальянец, служитель местного музея и к нему прилегающих развалин, очень даже понятно мне объяснил:

— Дело в том, что кентавры сбегают в мифы. Потому их не видно на улицах наших многонаселенных городов. Ваша бывшая родина — миф, не слишком удачный, но все же, как говорится, лучше, чем ничего, для кентавра конечно.

— В мифы, но не блефы! — вскричал я, забыв о тишине музейной, чем многих туристов ввел в колотун.

— Вы забываете, что они не люди. Они всего лишь кентавры. И разницу между мифом и блефом им еще не поймать, — терпеливо продолжал объяснять мне грек-итальянец (у них, между прочим, одна античность была на двоих), — не улавливают они еще таких нюансов, не понимают. Может, со временем до них и дойдет — куда занесло их, несчастных — и вернутся. Но где мы тогда им древность возьмем, которой у вас навалом, и труд лошадиный, которого тоже у вас хватает?

Золотые бигуди

— Встретила человека. Полюбила. Я к тебе привыкаю, — говорю ему (надо сказать, что говорит она громко).

— И я к тебе привыкаю, — он мне отвечает взаимностью, — между прочим, мы уже приехали, дорогая...

— На что ты намекаешь, ведь ты же хотел семью? Или у нас уже есть расхождения? Или мы уже расходимся?

— В данном случае мы не расходимся, а разъезжаемся, — он отвечает, — так как я не понимаю, почему должны жить рядом, тем более вместе, человек, который плачет у Стены Плача, и женщина, которая смеется над тем, как он утирает слезы? Мы уже не можем улыбаться друг другу как ни в чем не бывало.

— Да это не Стена Плача, она в Иерусалиме, а мы пока в Европе. И вроде ты не собирался ехать туда рыдать...

— Все равно, — говорит он, — у меня волосы встают дыбом, там где они еще растут и почему-то завиваются, от сознания, что мы должны вместе коротать такую прекрасную жизнь. Ее, наоборот, удлинять надо. Я уже почувствовал себя вполне свободным в этом мире, свободном уже давно. И мне море по колено — Средиземноморское, — присел он по грудь и поплыл себе вдаль. А я осталась загорать на солнце.

И они разошлись, как в море корабли, сами по себе летучие голландцы, благо на их борту еще не было детей. И немудрено: здесь климат — блондин, а погода — брюнетка ветреная.

— Теперь у него другая, — продолжала она свою грустную повесть, — говорят, совершенно пожилой человек, если не сказать глубокая старуха. А может, это была цветущая девушка и он ее враз состарил. Несчастная старушка с бигудевой головой. Между прочим, бигуди не простые, а золотые, и, может быть, она спит с сейфом на голове и даже сигнализацию держит.

— И где красивейшие женщины? — задается вопросом наш советский развратник (кажется, фамилия его Шибсдей, а ее — Цундап, и у нее еще есть дедушка Додик и бабушка Дора). — Где они? — спрашивает он себя, гладя квадратную голову приютившей его бабуси. — Наверное, они ходят не здесь, а там! Нам туда переезжать надо, туда, где они ходят... — И бабушка дом продала и купила новую виллу, расставшись с парой золотых на голове.

И опять он спрашивает:

— Ну, и где же они? — И сам себе отвечает: наверно, они не ходят пешком, купи-ка, бабуся, и мне лимузинчик!

Купила, недолго ломая голову, еще отвернув золотой. Что же будет с ее прической?

И опять он спрашивает:

— Ну, и где же они, наконец? — И сам себе отвечает: наверно, летают, раз нету их на земле. И просит себе самолет персональный.

Что делать — бабушка козлика очень любила. И вот он уже за штурвалом сидит и ладошку к глазам бесстыдным подносит. И опять он их не увидел, Гомер несчастный. Тот хоть вслепую писал стихи, а этот, видите ли, красивейших женщин ищет, которых, кстати, всюду всегда хватало, а уж здесь!

— Да редкость! Редкость — они! — не выдерживает старушка и по миру с голым идет черепком, поскольку все бигуди, не простые, а золотые, на него просадила, таки сделал ее нищей, подлец, но, не пройдя и двух с половиной кварталов, скончалась от горя.

И я здесь же на пляже заказал «Амаретто» за ее упокой и еще пармезанского сыра — отличнейший сыр, хоть и делают его коммунисты в Парме.

Ша, я еду в США, или Поглядим Австралию — и далее

> — Ну, и где побывал, небось весь мир объехал?
>
> — Вот проявлю фотопленку, тогда и узнаю.
>
> *Из туристических разговоров*

Пьета — мраморный плач, застывший навеки. Европа. Все грехи прощены. Все преступления оплаканы. Только Россия — сама по себе... колымская богородица.

Европа, бок о бок соседствует здесь величие и низость. Искусство и смерть. Скользок обрыв человеческой крайности, куда сорвавшимся лифтом летит История, но вот будто кто-то подставил ладонь — и снова-здорово наверх полезла. И так без конца.

Прохладно в металле стоять исполинам, да и в бронзе едва ли теплей, а в чугуне вдобавок — и гулко. Один лишь мрамор кровеносно молчит, прожилками светит...

Прохладно в музее, будто мамонты ходят — мамочка-мамонт и мамонт-отец, видимо, ищут средь чучел сыночка. Знобит, — глотнул я из фляги заветной, — трясет, словно это меня самого откопали. Глубокий колодец музея, что лифт во вчерашний день. Какое счастье, что может наверх он подняться...

Эй, бабушка, а что-нибудь повеселей?! И старушка История предлагает Помпеи, где знаменитая фреска с древним, как мир, сюжетом: две огромные чаши весов, на одной все золото мира, а на другой то, что мы на него положили и что, конечно, его посрамит. Я не болельщик на стадионах, но тут я болел, как последний «тиффози». Да я ли один. Крик стоял на стене и вокруг, и такое тут началось ликованье, будто это случилось сейчас — не вчера. Мужчины вопили, как женщины, а женщины, те просто на стену лезли. И было на что. Красавец! Гигант! Между прочим, с таким человечеству было грех не выжить. Не случайно все партии мира с тех пор не что иное, как жалкие подданные Его, когда любой шмикильдявка-партиец членом себя называет, но куда им всем до него, только-только пошедшего в гору.

Помпеи, засыпанные пеплом и лавой, а теперь и славой, я был потрясен впервые увиденным миром, который первым делом мне не язык показал.

Потом побежали паучки ее рук по клавишам. И никакой натянутости, кроме струн рояльных, но это я, кажется, вперед забежал. Здесь в банках не музицирует что-то. Это у нас на Манхэттене в банках любят попеть. Я мыслю, значит, я на что-то существую — смотрю на первый свой чек. Кто не работает, тот не ест. А кто ест, тому зачем работать? Это там. А здесь не думая — не проживешь. Это там — мысленно махнул я к чертям на кулички, чтобы только не думал, тебе и баланды погуще нальют и даже зарплату повысят, ибо там кто думает, тот не ест. А тот, кто думает, что он ест, на самом деле сидит голодным. Здесь же все наоборот — или думай и ешь. Или не думай, и твой организм пусть отдыхает тоже. А посему вокруг сплошь мыслящие существа. Вот она, цивилизация, дружище! — говоришь ты себе. — Все озабочены, будь то проблема космическая, типа: «Ну и когда ж, наконец, они сядут, эти неопознанные объекты нашего внимания?» (кстати, почему попы и папы не приветствуют инопланетян? Может, именно потому они и не сядутся?), или сугубо земная — стремительное повышение сахара в крови у непьющих. Я уже не говорю про общество озабоченных гомосеков и доводящих себя до отчаянья лесбиянок. Да здесь столько обществ, что сам по себе идущий уже оригинал. И чтоб не слишком выделяться, я вошел в одно озабоченное и сел. Вспыхнул свет, будто известь пролили. И докладчик поправил на носу пронзительный взгляд. И второй в нетерпении свой нестареющий взор протирал руками. И третий, немигающий, тоже откуда-то вынимал. И лишь четвертый челюстью, будто ложечкой, звонко помешивал что-то в стакане. Доклад назывался: «Его не любили ни женщины, ни дети, но зато он сам обожал их пытать». Вторая часть этой лекции шла под девизом: «Да, он негодяй, но зато он не курит».

Я попытался поймать выражение его лица, но так и не поймал. Да хоть расшибись ты в лепешку — неинтересен ты мне! — сказал я ему и вышел.

По небу разлилась глазунья полудня. Белесые края его загибались от перегрева. Ни одной прожилки ветерка. Ни облачка. Но синоптики обещают бурю. Италия нюхает розу ветров. И то лучше, чем российскую затхлость.

Так куда ж мне податься на вечное поселение? Столько стран пред глазами. Вот свалилась задача. Еще вчера я почел бы за счастье просто прогулку в замызганном нашем дворе квадратном, тюремном, где сверху свисает тоскливое небо и еще не менее тоскливый взгляд. Тяжелый — затылком в шапке его ощущаешь. Вот так повесит — и ходишь как с гирей на голове. А летом полжизни отдал бы, чтоб вывели в пахнущем домом белье, а уж сверху плевать, пусть будет тюремная роба. А сегодня — гляди какой выбор. Можно сказать, смягчился режим. Или, еще точнее, отечество мое ныне без стен, где простудная сырость и серость бетона, расчлененного на квадраты, секции и рубежи, где даже тень не убежит, да куда бежать — в другие отсеки?

Как же прыгает, целясь в ладони, мой пульс без тени решеток и тени сомнений, что вот этот мир и есть моя родина — гуляй — не хочу! И можно в сторону из потока. И можно с потоком: и у него выбор есть — в чужой монастырь со своим укладом.

«Экскузьми, сэр, вас тут какая-то соска спрашивает — куда ж вы наконец решили поехать?..»

Будь я одесситом, я бы, не задумываясь, сказал: «Господа, держите меня за что хотите, только не держите меня за дурочку — сами знаете куда, конечно, в нашу дорогую США—АМЕРИКУ с тремя восклицательными и стоящими, как нога мертвеца, знаками». Но я не одессит. Может, в Новую Зеландию? А так ли уж она нова? Ничто под луною не ново. В Канаду — не надо: с Россией играет. И не только в хоккей, а еще в поддавки, как и весь остальной Запад, который конечно же доиграется в эти, куда более скользкие, чем хоккей, игры. К тому же бывшая ссылка, как и Америка вся и Австралия, ускакавшая кенгурой вообще на край света. Хочу в пампасы, в прерии, не очень чтоб далеко, все же я европеец. Мне бы поближе — где-нибудь в Париже. А может, действительно во Францию — столицу обеда, книги и женщины. Именно она все это и создала, без чего мне никак не прожить. Да вот друг Володя Максимов никак не советует, как бы намекая, что большие люди едут в большую страну. «Это Галич тебе Францией голову кружит, не стоит она того...» Гуляем по Риму (по вечному вечно гуляют), а он своим респектабельным, уже отрощенным буржуазным брюшком малу-помалу, а Францию от меня оттесняет. И, когда совсем уже оттеснил, говорит: «Я бы сам с удовольствием оттуда уехал, да вот, понимаешь, кормлю много душ...» Да они же бесплотны, — удивляюсь, — а смотри, просят есть?! В Рим тебе надо, Володя, второй капитолийской волчицей кормящей... Или, как минимум, возьми какой-нибудь псевдоним сисястый, кормилец ты наш... «Да тесно будет тебе в Европе...» Ты хочешь сказать — надо вовремя затормозить. Только-только в авто своем разогнался, глядишь, и страну какую-то уже проскочил... Не то что в Штатах — как прижмешь на хайвее и лети себе, пока не остановят. Да, брат, масштаб! Им что Небраска, что Марс — все одно достижимо, до всего им рукой подать...

Выходит, Франция для лилипутов. Значит, США.

— Ша, я еду в США! — говорю ведущей, везущей, а также сосущей (вечно за щекой ее леденец). Вот только странно: почему так торжественно руку жмут, поздравляя...

Уймитесь, сомненья и страсти, заткнись, безнадежное сердце!

— Вы таки будете все там иметь — говорит мне консул. Не исключено, что в США, где все мы будем, за исключением тех, кто уже там, именно так и говорят с тех пор, как Брайтон-Бич стал «Одесса-Бич», а «Одесса-Бич» стала бичом Бруклина. А Бруклин, соответственно, стал бичом Нью-Йорка — и без того веселого города, ставшего, в свою очередь, бичом всей Америки, с ее крепко соединенными штатами, которым не грозит сокращение, а, наборот, разбухание. И не только им, но и далее, куда ступит нога вдруг ни с того ни с сего накатившей волны, и чтоб я так жил, если на нее не будет свой Айвазовский, тоже с бичом. Вполне вероятно, что с таким же акцентом крикнут и в самом Израиле, если уже не кричат, хотя и должны терпеть до последнего, но, думаю, вырвется обязательно — «Бей жидов — спасай Израиль!». И тут уже будут иметь в виду не только одесситов, а всех российских евреев в целом. И это, по-видимому, будет последний лозунг на эту тему, по крайней мере в Израиле. А что — знай наших! Наша эмиграция — герой. Кстати, о герое. По закону жанра он должен быть собирательным, не с миру по нитке, но все ж. Не из городов и весей советских, но тем не менее. Еще куда ни шло, были б вольные города, тогда бы и он был моим вольным преломлением, дающим право автору выйти из тесных рамок собственной биографии, потому что никогда еще биография одного автора, какой бы она ни была бурной и насыщенной, богатой и поучительной, не являлась достаточно просторной для его героя, тем более символического, обязательно избирательно-собирательного, но непременно похожего на своего создателя, даже если он все еще там — герой — за стеной своей на стену лезет, скован, связан, по стене размазан и с кляпом во рту (так вам сразу его отдали) и никак не ощутим. Но зато вполне ощутимо изгоняется автор из своей страны, которая оказывается вовсе и не его страной. И едущий в страну чужую, которая оказывается вовсе и не чужой, а, напротив, чуть ли не мамой родимой, вот-вот тебя распеленающей и уже расстегивающей свою никогда не опадавшую грудь... И здесь мы ставим первый громоотвод для громов и молний читательских, как бы заземляя повествование, а то, чего доброго, еще поверят, что это легенда, далекая от реальной жизни.

Так где же герой? Он всегда впереди. Настоящий, он там остался, такое у меня подозрение. И может быть, даже нам его и не отдадут. Герои, как правило, не суетятся, а в несгораемом месте сидят. Герои нынче — валюта. Это здесь, в рассеянии, их никто не держит, а там, в России, они довольно-таки скученный на нарах народ.

Россияне в рассеянии, сколько их! Европейцы — рассеянные, когда им говорят про ГУЛАГи и прочие благи — этих еще больше, включая сюда и турок, лежащих на Босфоре и получающих за это немалую мзду на покрытие своей волосатости. Иногда мне кажется, весь мир — сплошные турки. А если не турки, то все равно затурканные и мало чем отличимые от россиян, которых я знал. Или американцев, тоже многонациональных будущих сограждан моих.

— А африканцев? — свешивается с верхней нары совершеннейший не эмигрант, невзирая на отдаленность свою. И что он зачастил сюда не приезжать?!.

— И в Африку ехать не надо, — говорю, — вот они, запоздалые дети свободы, гуляют, увешанные по привычке цепями, правда уже золотыми. И как они только сморкаются — с кольцом-то в ноздре?.. Это вы там сидите, а все бегут. Что третий мир, что четвертый, что пятый. Итого по три миллиарда на каждый глаз. Дети разных народов, их столько, что жизни не хватит с ними со всеми здороваться, будто именно для этого нам жизнь и дана...

И я силюсь вспомнить, кого ж я еще не видел, какую расу в перечне своем упустил? Кроме Австралии сумчатой, я, пожалуй, всех уже перечислил. А может, махнуть в Австралию? Поглядим Австралию – и далее, и пусть стена сменяется стеной, но самая большая за спиной. Худо-бедно, я ее обгоняю с той самой минуты, когда в Шереметьеве, их Поиметьеве, прекратили доступ к моему телу, сказав провожающим: «Хватит прощаться!», и на мой вопрос: почему? – сухо ответили: «Вы уже за границей». И действительно, подумал я, здесь я уже не умру. Вечный Жид в Вечный город едущий, с призванием тоже вечно крамольным, вечно без денег и с вечным пером, я тогда уже знал, что Россия за мною двинет. Я тогда уже понял, что за мной устремится она, хотя и закрыта надолго и сплошь. Другое дело – зачем мне такая нужна? Между прочим, только здесь я понял, почему Россия закрыта.

– Почему? – интересуется он из глубин.

– А чтобы можно было только Кремлю побираться.

– Ну теперь-то уже можно всем.

– Нет, это позже наступит, пока же едет привилегированная голытьба.

Лежу на пляже и решаю – и куда ж мне ехать?

Плещется море – прачка-русалка, пена мыльная, и вот они, белоснежные облака. Плавит солнце песок, будто не пляж тут, а завод стекольный. И среди Средиземноморья не мираж, а воочию русская речь. Не такая родная, как если бы сам говорил, но все же.

Граф

И тут появился граф Заиметьев-Борзани-Делакруа, большой поклонник Феллини, и громко задумался:

– Это кто же ее, интересно, страждет, когда мои собаки на охоте?

При виде красивых женщин он неизменно задается этим вопросом. Оглянувшись, я увидел идущую к нам бакалавра, имевшую обыкновение всегда появляться из пены морской. Я, естественно, познакомил с ней графа, который не преминул заметить, что перевод как жена: или красивая, но неверная, или верная, но некрасивая. Видимо, он посчитал ее моей переводчицей только. И вообще это донорство (будто без него я не знал) – и какой идиот задаром отдаст тебе кровь? А потому здесь сплошь и рядом переливание из пустого в порожнее. И меня ему жаль, ибо, насколько он понимает, по-русски я один из самых первых поэтов. На что я ответил, что первых много, а я, скорее всего, второй. И вообще поэтов, в отличие от цыплят, по осени не считают – не у каждого она Болдинская и золотая. А что касается переводчиков, то мне нужен соперник и нам на равных следует говорить. А не щелкоперы, что ядра глотают, а шелуху выплевывают в зал. Это у нас из любого Хемингуэя можно Кафку сделать. Гений у нас под своей фамилией зачастую писать боится, вот и отводит душу на иностранных хулиганах. Потому у нас если уж Шекспир, так Шекспир. «Принц помешался... и на какой же почве? На датской, милый мой, на какой же еще?..» Если ты, твое сиятельство, найдешь это у Вильяма – еще одну псарню куплю тебе племенных жеребцов, чьи уши торчат без крахмала... Вот оно, наше проклятье – язык, который до Киева и доводит, когда взаперти и между собой. А высунься в мир и держи за зубами. Язык мой – враг мой, так это же дома?! А здесь, где международно, межзубно, междуусобно и так далее меж, – чудодей, говорящий на русском, – нем. Здесь, где рукописи не сгорают, поскольку не жгут, а, напротив, хранят в назиданье потомкам... Да, но рукописи на ИХ языке и микрофоны тоже на ИХ языке. Нет, я уж буду по старинке, как итальянцы, руками, словам помогать. Писатель, он тоже жестикулирует. Только на бумаге.

– Это твоих рук дело? – спросит издатель.

– Моих.

– И ты не умываешь руки?

– Нет.

– Ну, тогда не пойдет, – скажет он. И еще добавит: – Ты бы еще Софокла сюда приволок! Читателям совсем не это надо. И вообще, пиши-ка ты, брат, левой ногой, и я пожму твою левую ногу!..

— Не ровен час, так и скончаться творчески можно, — говорит его светлость граф Заиметьев-Борзани-Делакруа Всеволодович.

— Кстати, «не ровен час» они переводят как «кривой», — говорю я, почти что расстрелянный переводчиками, которые, переводя, напевают «Ах вы, сени, мои сени», то есть «вестибюль мой, вестибюль»... В этом отношении здесь все страны равны. Все страны здесь равных возможностей, а какие могут быть возможности, если все равны? Где-где, а в творчестве демократия невозможна, и не только потому, что оно уже демократично по своей сути...

— И у нас там либо Крезы, либо крези[1], — сказала бакалавр из Миннесоты, но живущая в Турине и сбежавшая однажды из Нью-Йорка, где тоже итальянцев хватает, когда мы спросили ее, почему она покинула этот город, замечательный уже хотя бы потому, что я туда еду.

— Там я жила как в Африке.

— Что, голыми ходят? — буквально в один голос спросили мы с его сиятельством.

— Не совсем, хотя и раздевают догола, и частная школа для белокурой дочурки, не слишком желающей выделяться среди своих черных сверстников, и квартира, чтобы уже всем нам не выделяться, и восьмипроцентная такса наша нью-йоркская (и как еще там воздух бесплатен!), и вечная проблема парковки наших непомерно больших автомобилей... И вообще там очень дорого стало жить белому человеку, хотя в Европе — еще дороже, — грустно сказала она, в меру милая и в меру образованная, видимо, она обожала золотую середину и по возможности избегала крайности. И действительно, в Америке чем легче потерять жизнь, тем она дороже стоит.

— ...Но зато у нас страна равных прав и неограниченных возможностей... даже для ограниченных людей, — продолжала она (благодаря ей я уже частично въехал в Америку,

[1] Сумасшедший (*англ.*).

с таким же успехом я могу утверждать, что был и в других странах нашего вполне объятного мира, например в Тунисе), — у нас демократия, — взволнованно говорила моя бакалавр, — мы не вправе презирать человека, даже если он полный идиот. Да и как бы иначе мы замечали людей способных, необычных и талантливых, не будь пускающих слюни дебилов. У нас даже негры и те белеют. То есть становятся с белыми на одну ногу, отчего у последних несколько изменилась походка...

— А что будет, если черные окончательно встанут на ноги... белых? — поинтересовался я.

— Ну, прежде всего они захотят, наверное, чтобы их называли светло. Как минимум, «Ваша светлость!», — улыбнулась она нашей собственной светлости — его сиятельству графу, — уж в Нью-Йорке-то точно.

— Но ведь Нью-Йорк это еще не вся Америка, — воскликнул граф, — а многие вообще считают, что к Америке Нью-Йорк не имеет ни малейшего отношения, настолько он сам по себе...

На это она заметила, что вся Америка рядом с Нью-Йорком — провинция. Так что получается, что в центре жить всегда дороже и опаснее, ведь все без исключения хотят в центр. Никто не хочет быть конечностью, каждый хочет быть пусть маленьким, но все же пупком этой вселенной, имя которой — Нью-Йорк. Ворота страны, их никто не минует, более того, здесь и остается. Дальше не тянет. Плыл-плыл, да я ж не Колумб, черт возьми! — говорит наконец-то прибывший, — я и так долго плыл...

И если уж меня к Нью-Йорку прибило, зачем же мне дальше-то плыть? И всплывает...

— Но Нью-Йорк ведь только начало США, — вконец разволновался наш граф.

— Ну, если весь мир туда сэмигрирует, а к этому есть предпосылка, вполне окажется, что и конец, — заметила бакалавр, которая конечно же была не против эмиграции как таковой. — Тебе, дорогой, еще предстоит открыть Америку, — говорит она мне, — уж для себя хотя бы, и я не буду и не хочу лишать тебя этого удовольствия...

— Нет, Америку я открывать не буду, — сказал я ей убежденно, — она настолько открыта, что удивительно, как не лопается еще от едущих и оседающих в ней, особенно в последнее время, когда, ее проклиная, в нее бегут, как бы прикрывая Америку своей спиной на утлых своих лодчонках и на комфортабельных самолетах (слава богу, не среди акул). А может, когда-нибудь повернутся грудью? — с надеждой в голосе я спросил, и голос мой зазвенел булатом и потянуло на брань.

— Да нет, побегут дальше — к благополучию, — заметил граф, — ведь чем открытее общество, тем больше туда и охотнее едут. И потом — кому не нравится на голове ходить. А уж вы-то точно там ходите вверх ногами, как, впрочем, и вы в России вниз головой, — улыбнулся он мне, — но если у вас отвисают мозги и никто на земле не обращает на это внимания, хотя творят черт-те что, то американское хождение вверх ногами просто сводит всех с ума. Земной шар прямо-таки округлился от ненависти к Америке, просто удивительно — за что вас так ненавидят?

— Вот именно, за что? — чуть не заплакала бакалавр.

— Это просто такая форма любви, — успокоил я ее.

— Но почему же тогда нас так любят? — не унимала свое возмущение бакалавр, все же американка в душе, хотя и живет в Турине.

— А действительно, за что мы любим США? — стал обращаться я ко всем подряд, кто сидел, лежал или просто занимался своим делом. Один по старинке сразу же послал меня за океан к своей маме, а некоторые вполне дружелюбно отнеслись к моему вопросу. И даже остановились, что просто удивительно в этом невероятно деловом мире, потому и расчетливом.

— Все дозволяет, — сказал один интеллигентного вида синьор, — там даже в ООНе, среди нескончаемой вони, можно сходить на нее по-большому. Это называется «Иду на вы!».

И действительно, один снимает ботинок и по столу им колотит. Другой, вероятно, запросто снимет штаны, заведомо зная, что пинком туда не ударят. Напротив, спросят — и что он так обидчиво щечки надул? Третий на мягкое кресло вскочит ногами, чтоб голосом более высоким, чем сидя, Америку заклеймить, да он, может, затем и слез со своей пальмы, чтобы у бледнолицего брата в доме вот так шалить. Я думаю, Америку любят за скорую помощь не важно кому – будь то злейшие друзья или добрейшие враги. Любая странишка, недоразвитая или перезревшая, скромная или обнаглевшая, может рассчитывать на ее помощь. Всем от мала до велика поможет – и дистрофику, плюющему еще на себя, хотя и целился в нее, и уже вполне окрепшему – сверхдержаве у самого своего горла, где и нас сверхдержали, пока не сбежали, ибо нас не очень-то радовала перспектива: ваши – нашим, а нас еще глубже в параши.

– Ну а Европа? – спросила бакалавр.

– Ну а Европа? – спросил я интеллигентного вида синьора, который оказался арабом (это его пассионарные братья когда-то на кривых своих саблях принесли ислам).

– А ее не надо было спасать, – сказал он, – никто не хочет, чтоб его спасали. Это унизительно, когда тебя спасают. Это дважды унизительно, потому что они дважды вступали в войну, чтобы спасти Европу. Старушка знала, на что шла, – распалялся араб, который по документам оказался немцем, к тому же восточным, изредка наезжающим сюда туристом, – вечно янки лезут не в свое дело.

– Вот видишь, дорогая, ну зачем вам надо было ввязываться в эту историю? Я понимаю, когда не от хорошей жизни идут воевать, но вы же всегда преотлично жили. Иногда даже хочется вас спросить: «Ну и как вам не совестно так преотлично жить?»...

– И потом, они вшюду демонстрируют свое богатство, – осторожно вклинилась в наш опрос вполне миловидная дама, видимо, чья-то бабушка, долго не решавшаяся высказать свое мнение, – они шмеются над нами, – вдруг стала она шепелявить смелее, вероятней всего от волнения, – и вообще они гангстеры и филантропы и всю мафию нашу к себе переманили, «шволочи»...

– У нас они чуть Колизей не купили, – поддержал ее многодетный старик – на нем сидели, лежали, стояли и прыгали очень милые крошки, хотя он был древен, как чуть не купленный Колизей, но еще бодрый, по крайней мере, он не демонстрировал своих развалин, — но мы им сказали — наша история неподкупна!

— А у нас Парфенон, — вмешался, видимо, грек — бывший эллин, — правда, они много чего понастроили, будто кто их просил. Но мы им тоже сказали: будущее — не продается. Мы — гордые люди своих развалин.

— Не иначе вы всех хотите сделать американцами, — говорю я своей ненаглядной, — ну какого, спрашивается, рожна надо было восстанавливать разрушенное не вами, а если и вами, то разрушенное не до конца. И что это за манера тратить миллиарды на своих бывших врагов, а бывшим друзьям, которые тоже враги, прощать лендлизы, также миллиардные. Не в Троянского коня корм...

— А затем, чтоб уже не на старых, а нами отстроенных стенах прочитать: «ЯНКИ, ГОУ ХОМ!» — ответила она — американка, любящая свою страну, правда, издалека, но наверняка часто туда наезжающая, потому что нет ничего радостнее, чем встреча с родиной. Тем более с такой. Вот я лично с Марса буду тосковать еще больше по всем родинам сразу. Сотни ностальгий будут разрывать мое бедное сердце до той поры, пока я вновь не вернусь на землю, чтобы снова с нее улететь куда-нибудь подальше, откуда она не видна. Чем дальше родина, тем она ближе, особенно та, куда мы уйдем...

— Не грусти, дорогая, добрый и отзывчивый народ другого ждать и не должен, — как могу ее утешаю, — человек — вещь паршивая, особенно паршивый человек. Не бери в голову то, что в голову не берут. Не случайно же раньше палачи ворчали: «Вот напичкают всякой всячиной свою башку, потому и не катится, а как легко отделилась!» Они почему-то считали, что, не в пример заднице, голова должна быть легкая. Решено — я еду в твою страну. И как я мог еще сомневаться, что твоя страна — не моя страна.

И она помахала мне ручкой, моя милая бакалавр. И вскоре стала размером с грудного ребенка — так высоко я поднялся.

Глядя на нее сверху, так и хочется ее охранить, так и хочется ее уберечь, малютку, — видно, подумал я вслух.

— Ты о ком? — спросил сосед самолетный и совсем не застеночный, незастенчивый и вообще не сосед, а просто рядом сидящий.

— О планете нашей, — и в голосе моем послышались слезы, — с высоты она такая безобидная — агнец и только. И потом, мы-то знаем, какую уготовили бойню этому барашку с голодухи. А ведь и впрямь Золотое Руно для каких-нибудь аргонавтов, летящих к нам на всех парах, но конечно же не успевающих...

Сверху Земля действительно казалась безобидным барашком — кудряшки лесов и колечки озер, а шерсть океана, та просто лезла в глаза. Но стоило ему пропасть, как снова и снова лоснился каракуль ее, пока крепко сбитыми плотами не поплыли внизу города.

Мой сосед, благообразный профессор, больше похожий на петуха времени не только видом своим, но и умением кукарекать с кафедры, заметил, что СССР не следует называть Россией (будто СССР — Монголия только), Россия — это нечто совсем иное, и если она и допустила СССР, то только потому, что русскому человеку свойственно пострадать. Дай ему страдание само по себе, он его не возьмет, наш русский человек, но пострадать публично — это пожалуйста, с удовольствием.

На что археолог, решивший сэмигрировать в будущее, заметил:

— Вот держу, бывало, череп чей-то в руках и думаю — этот уже побывал на том свете. Белые промоины глаз. Провал, зияющий посередине. Если б он глядел, то теперь-то уж точно видел бы дальше своего носа. Теперь-то нос ему не мешает. Вот как заставить свой череп видеть при жизни? Копаясь в прошлом, мне иногда кажется, что я ворошу будущее...

— Ну и что нас ждет впереди? — спросил мастер на все руки — и топор и скальпель, в общем, слесарь-гинеколог. Голова его была налита злостью, как капюшон гремучей змеи. Он явно мучился с похмелья и еще тосковал по любимому псу, которого звали Антабус, — ему не дали его увезти. Рядом с ним сидел бывший член Союза писателей, можно сказать Тургенев, тоже решивший пожить в Париже, а вот теперь передумавший и летящий в Нью-Йорк. «Летим, братцы, летим!» — чистил он перышки, особенно тщательно то, которое ему вставили. Вот им-то и будет писать, если будет писать.

Легенда

Россия-матушка... Ну, все кому не лень бегут в Америку, а однажды даже американец туда сбежал. И кто-то вспомнил старую колымскую легенду, как завидел он в бухте торговый корабль, мало ли их заходит, и как защемило сердце у нашего зека. Что-то доставило ему глаза — и увидел он судно с родным флагом. Как уж это у него получилось, но кинулся он в ледяную воду и поплыл навстречу своей родине. Спаси, мол, родимая, чем так жить, лучше уж умереть у тебя на виду...

Заметили его с корабля. Двинулась шлюпка навстречу. Но и с нашего берега не дремали. На перехват были вызваны застоявшиеся без дела и не тунцеловы, а самые удачливые «зеколовы», которые и со дна кого хочешь поднимут. И если шарахнут из главного калибра, так крысы с труб на палубу, как горох, посыплются. А пока лишь вохровцы палили почем зря, высаживая в море все пули, чтоб на их долю потом не досталось.

Всем богам, какие только есть на небе, молилась тогда Колыма. Вмиг о побеге узнала. Просила об одном: дай доплыть несчастному, пусть успеет за всех, корабли хотя и быстроходны, а шлепать им еще и шлепать, а он у самой свободы выныривает. Защити его, Боже! Дай ему дожить за всех нас... Еще немного, ну еще удержись, родной, уже в крик болела... Так, рассказывают, когда он терялся среди волн. Когда белела черная вода вокруг пловца — какие силы у нашего брата? Да и вода эта страшная, будто напиталась нашим берегом — лютой лагерной цепкостью, скручиваясь на нем свинцово... Но доплыл американец — брат наш мученик. И ухнула облегченно наша родная неволя, подавившись криком радости. Никогда не достать ей до такой судьбы, даже посмертно. Невысокий борт спасительного рая, а не доплыть до него ни в жизнь. Не достучаться до этих выпирающих из воды ворот, поверх которых полощется свободой полосатый, будто нам, арестантам, в издевку, флаг.

Но доплыть это еще пол-удачи. Пока там оттаивали беглеца-счастливца, эсминцы уже отрезали бухту у самого носа. Чуть ли не вся армада советская пришла ловить одного несчастного зека. Здесь всей страной ловят. Там всей страной спасают. Видя такое дело, американский капитан, разумеется, спешно доложил своим — такие вот, господа, пироги!.. И приказал сам президент США, тогда еще сталинский союзник, поднять этому самому пароходику безоружному в наших водах флаг ВМС страны. Вся родина американца как бы взяла его под свою броневую мощь. Таково уж у них самолюбие нации — не бросать на произвол судьбы, не то что наш человек человеку друг, особенно когда из тебя выпускают дух. Тронуть его — значило всю Америку зацепить.

И отвернули свои расчехленные жерла эсминцы. Дошло и до них, видимо, Москва в их пеленг отчетливо материлась. Попятились задом, отпустив буруны. И отошли по сторонам, освобождая горловину бухты. А недоступный американец поднял якоря. Задымил в полнеба и хотел было развернуться, но прошел по самому краю скалистому тихой ловушки. И, сделав прощальный круг, сипато загудел напоследок. Белый платочек пара затрепетал, забился у опоясанной красным трубы и тут же исчез, будто всем это привиделось только, приснилось воспаленным глазам... Но вдруг пароход загудел еще и еще. Изошелся изо всех своих сил голосищем больше себя. И на этот раз прощание было долгим.

Прощай, Россия. Подо мной уже Новый Свет. Совершенно новый, пока самолет не пошел вприсядку, как залихватский танцор, и не побежали огни навстречу, замедляясь и увеличиваясь и вдруг взмывая, будто это не я прилетаю, а город взлетает, увидев меня, — хочет в воздухе прямо со мной лобызаться.

«Добро мне пожаловать!» — кто-то бежит, как родной, с цветами. И даже таможенник руку жмет — не чемодан. И как же светло на душе, белозубо. Нет, эмигрант здесь Золушкой входит в хрустальный дворец. Другое дело — пассажир Аэрофлота, этот ступает в болото и ножкой трясет, белоручка, хоть дома по горло в дерьме. Да вот они, вохровцы наши — тоже сюда прилетели.

— А это зачем? — удивился сосед.

— Оонить, — ему растолковываю, — организованно нации разъединять, они ведь только называются объединенными, к тому же опыт работы с нацменами есть — пятнадцать республик скрутили в бублик. Вон сколько их, стран! Почему бы их также не сцапать и не согнуть в какой-нибудь африканский рог?

— С таким-то рылом и в Новый Свет?! А сколько меха привез! — удивляется бывший профессор.

— Да это он расстегнулся, — близорукому я говорю, — это жарко ему с непривычки в неведомом мире. Он же к нему не летел, а полз, вот и взмок. Ничего, оклемается, сволочь, и ехать отсюда едва ли захочет назад. Костюм от Кардена напялит и скажет: «На тот не желаю свет!»

И точно — политического бомбоубежища попросил, не успели мы вещи сбросить свои.

Нью-Йорк. Знаменитая статуя Свободы. И что ж ты не с распростертыми объятиями, май фер леди?

Конечно, здесь свобода видна и без статуи. Это дома, где по странной прихоти архитектора почему-то всюду решетки на окнах, хотя сам дом еще и в клетках, а между клеткой и решеткой масса всяких лозунгов и призывов, зазывов, отзывов, позывов и вызовов... Западу, лежа и в рост голосящих, вопящих, кричащих, орущих, зовущих, манящих, шумящих, гремящих, будящих, будто здесь сплошь нищие ухом и бедные глазом. Это там позарез нужно слово «свобода», а сама она ни к чему. Хоть бы памятник ей, что ли, поставили. Мертвецу он положен. Или хотя бы статую Несвободы. Пусть хоть в этом Москва походила бы на Нью-

Йорк, где у Свободы нет достойного антипода, столь выпукло изображенного и так прочно поставленного. Да и символы двух великих держав вполне бы тогда могли поспорить. Одна задыхается от свободы. Другая от отсутствия ее. Одну омывают два океана простора и свежести и еще размывает либерализм. Другую сдавили ГУЛАГом ледовитой жестокости и произвола. Нет, пусть уж стояли бы они друг против друга — две прародительницы одного и того же человека. У одной в руках факел. У другой конечно же пожарное ведро.

Вы не знаете, как пройти на Голгофу?

— Я не знаю, на каком я свете..
— На новом, — ему говорю.

Это с моря встречает Свобода. Не с неба. Как бы намекая, что с неба она не падает. Оглядывался я вокруг, пока не придвинулась прямо к дверям самолета труба-коридор. Дальше шаг ступить уже не давали — везли. Эскалаторов услужливые ладони на лету подхватывали мои подошвы, где-то там закругляясь и ласково показывая зубы. Здесь если и принято их показывать, то только с блеском. Кондишен. И уже прохладный ветер гуляет... в карманах. Но боже упаси, это еще не прохладный прием. Замечаю — и ни рытвин тебе, ни колдобин, а все равно как на рессорах, чтобы никаких тебе встрясок, стрессов и прочих бесов. Как на блюдечке подносит к размеренной и вседовольной... А может, это мне на блюдечке подносят под нос прекрасную эту страну, ну никак не плодящую мучеников, справедливо полагая, что незачем их плодить. Не тот, на поверку, это тип человека, чтобы ставить его во главе угла своего зрения. Тем более человечество давно уже поделило свои функции кому как жить — героическими рабами, лелеющими идол своей неполноценности, когда чем хуже, тем лучше, или высокоразвитыми народами, только и смотрящими, кому бы свалить проблему выживания на Земле. Видимо, чем выше забирается мысль человека, тем беспочвенней его проживание на ней. Что и говорить, высота — вещь хорошая. Всегда лучше быть «над», чем «под». И подвиг, он тут скорее надвиг, как небесная хата — с краю. А может быть, здесь все художники, не желающие откликаться на все, лежащее там, внизу? Ну с какой стати и почему он должен касаться того, что его не касается, тем более что здесь нет соцзаказа и где никакой путь не заказан? Почему ему не быть выше, когда ему сам Бог велел быть выше? И отчего бы ему не послать куда подальше весь этот муравейник тем наболевших, взять да и послать по почте, правда не слишком здесь надежной. Короче — плюнуть на них свысока, как бы говоря самому себе:

— И что ты, как балласт, виснешь на своей стремящейся ввысь фантазии, опутывая ее мелочностью забот суетливых, принижая ее к земле, где ей не место. Да уходи ты в зенит, что над тобою звенит!

А фантазия твоя тебе и отвечает:

— Рада бы в рай, да грехи не пускают твои. Видимо, это и есть притяженье земное. С одной стороны, я — как пилот-высотник, когда высота кислородом пьянит, ударяя в голову свежестью, особенно после спертости земных общежитий и духоты повседневных дел, а с высоты так вообще делишек. А с другой стороны — ты же сам мне устроил нескончаемый волок, рвущий меня на части. Боль, нечисть, страдания... Да что только не обступает твой вдохновенный верстак, твою комнатенку-творильню. Толпятся и требуют всей настоятельностью момента. На время забытое снова и снова лезет вне очереди. И снова вскрывает затянутой было тончайшей пленкой нарыв. Подавай ему свежую кровь!.. А, простите, с какой это стати? И почему ты должен откликаться, как баталист мелких драчек, но размахавший свои полотна на целую жизнь и продающий их на метры, если Бог дал тебе совершенно иной масштаб, чтоб рисовал картины во всех смыслах повыше, все ж в этом главенствует высота?

— Да, но и там безвоздушность. Он тоже отмерил предел, наш Создатель, — я ей возражаю.

— Но есть же второе дыхание, — не унималась моя фантазия, — повыше включается вторая, что ли, ступень... Для художника ничего не должно быть сокрыто. Хватит слепыми щенками тыкаться в загаженную колыбель. Достаточно и того, что снизу свой виток начинаю, напитав его пронзительностью оголенных своих проводов, зачищенных для контакта. А, как известно, — внизу все дотла сгорает...

— Ты хочешь сказать, что мы с тобой голые на все времена?

— Голой фантазии не бывает — обязательно одежонку найдет, будь то мрамор или даже клочок бумаги.

И мне захотелось в бронзу отлить и в мраморе запечатлеть, а также в чугун запрятать ее веру в меня, так растрогался я, вот так однажды ее послушав.

— Ну, вот ты в мире ином. Это я не знаю границ, а ты с такой легкостью их переходишь, а теперь и перелетаешь на крыльях чужих, имея мои за плечами. Пора дать волю и мне.

— Да кто тебя держит — лети! Здесь высота не схвачена за уши. И гомон вокруг, будто все в состоянии ее достичь...

И она замолчала, будто пожелала остаться эпиграфом, то есть на самой высокой наре любой порядочной литературы.

И действительно, вокруг что-то стало повсенародней. И куда подевалась бесшумность и чинность, когда ты въезжаешь в эти врата.

Сновали таксисты, туристы, путешественники, паломники, беженцы, гастролеры, а также верующие туда и назад. Видимо, это они наперебой раскрывали рты. И вот уже можно с трудом их расслышать:

— Ну когда же мы полетим, побредем, поедем? Нам невтерпеж! Когда, черт возьми, мы тронемся в крестный наш путь?

Гид отвечал невпопад и на древнееврейском своем матерился.

— Не хотим больше ждать и сидеть сложа руки. Мы готовы пешком по воде, как Он... Вы только скажите — как пройти на Голгофу? В вашей брошюрке ничего не поймешь...

— Господа, не волнуйтесь, сейчас полетим. Ша, болельщики, потерпите!..

Стеклянный собор аэропорта. Праздничный (и это понятно — наконец-то и ты прилетел). Хрустальная мечта, хрупкая, но осуществимая. Мираж, ставший оазисом. Возвращение блудного сына, отродясь не бывавшего здесь.

Стеклянный собор... Весь спектр неистощимых красок, беззвучных доселе, задышал многоголосым органом, густея под куполом, там их купель...

А это еще что за всполохи-вспышки? А, любопытная пресса сбежалась, будто цирк привезли. Тоже понятно — чем железнее занавес, тем всегда неожиданней сцена. Приподнялся чуть-чуть — и вот уже ноги бегущих видны. Вон как пятки сверкают! Ну а если повыше поднять этот ржавый подол — вся Россия на цыпочках топ-топ-топ — и сбежит. Не случайно на Западе любят русский балет, чья лучшая половина уже своей ножкой «гуд бай» махнула.

Запад с его лондонским Сохо и Пикадилли. С Колизеем, Форумом и фонтаном Треви. С Веной и Венецией. С Амстердамом и афинским Акрополем.

Запад с мадридским Прадо и конечно же с корридой, где человеко-бык, в отличие от кентавра, сам себя убивает. Но, правда, есть еще хота и болеро.

Запад с его Елисейскими полями и Монмартром... Француженка-Свобода — и вот он, Нью-Йорк.

Стерильная Швейцария и никак не фильтрованная Америка. Чистенькая Швейцария с поштучными гражданами (в отличие от потолпных США), как если бы в Древнем Риме ходили только сплошь патриции и никакого плебса, то есть плебс-то, конечно, есть, но он прет уже из самих патрициев, как бы подчеркивая их аристократичность. Стерильная Швейцария и, напротив, сточный Нью-Йорк.

Туристские залы Земли. То отлет навсегда, то прилет навечно. Таки попал на Тот Свет. А что, для России я умер, а для Америки еще не родился, хотя нет — вон со «Свободы» уже пеленки несут... (это настоящая встречает с моря). Да и сосок здесь много, заткнуться чтоб — изобилье. Вот-вот младенец заплачет, и Мама-Свобода прижимает его ко груди.

— Вы уж поосторожней, понимаете, нас и так ведь глушат... Боже, храни Америку. И царя — тоже, — подсказывает его сиятельство — бывший таксист.

— А что, недостаточно хранит?

Вот почему здесь грудные младенцы с пистолетами вместо зубов молочных, а уж взрослые дяди, небось, с базуками наперевес.

Неслышно подкатил лимузин многоспальный. Щелкнула дверца, как негритянка жвачкой, но прежде чем влезу, я вот что вам не премину сказать: «Конечно, я лобызну, и не в щечку, новую маму, но позвольте мне сделать это по возможности самому. Я ведь откуда приехал — из страны Советов. А почему я приехал — хочу без советов прожить», — сказал и в лимузин многоспальный залез и откинулся на сиденьях удобных, разумеется, шторки раскрыв. И начал я лучше позже, чем никогда. И поехал я лучше дальше, чем никуда, ибо дальше некуда было жить там, где одна лишь польза из всех и была от бетонной стены — в нее колотили словами весомыми. Была бы обычной — говорил бы, как все. А так, глядишь, из тюрьмы и выходят поэты. И все еще по привычке на слова нажимают, будто все еще там сидят. А посему простим им, когда ярче обычного говорят здесь, где словом не надо бетон таранить. И вот на тебе — просят выступить поскромней.

Но поздно — кляп свой я давно уже выплюнул, господа.

До чего ж хороши здесь дороги — едешь и хоть бы раз тряхануло. Едешь и останавливаться не хочется. Так бы и ехал и ехал не оглядываясь, куда глаза не серые глядят. Неостановимый синдром антиоседлости, а может, просто неостановимость крови вперед с той самой минуты, когда попросили катиться на все четыре стороны, зная заведомо, куда покачусь. Вот только в тоннелях, как в трубу, вылетаешь, но, правда, потом взлетаешь невесомый, как дым, и вот уже по бокам золотые нити мостов, сквозь ребра их видно, как схвачен простор.

После уютной и ухоженной Европы, так и цепляющейся за пережитое, американский масштаб вырастает с размаху. Прочная фактура уходящих ввысь небоскребов, будто строившие их прежде всего хотели подчеркнуть тщедушность, хрупкость и недолговечность первых поселенческих хибар той старой пакгаузно-сарайной Америки, слишком пуританской в своей архитектуре. Крепко стоят на земле красавцы — небо раскачивает их, а может, это они раскачивают небо? Чем ниже фундамент, тем выше их крыша, сосущая это небо воронками своих кондиционеров. В полный рост здесь стоят города, задирая квадратные свои подбородки, лишь только в столице выше Капитолия строить нельзя.

Широко размахнулась Америка, будто вечно жить решил человек. Вот он, как в зеркале, в деянье своем, едет вдоль, поперек и навстречу, как бы говоря всем своим видом — хочешь показать нечто стоящее — покажи! Было бы что показывать. Вынимай, не стесняйся, свою мощную мысль — всегда лучше быть «над», чем «под». Всегда лучше быть над схваткой...

Как акушер? — спрашиваю. И встречный смеется мне встречно и дальше несет, вернее, везет свой крест, а точнее, крестик.

Это с вами ходит свами?

Хохлома ли, Оклахома, где мы дома.

Стандартная Америка — и вдруг Нью-Йорк. Пакгаузный Нью-Йорк — и вдруг Манхэттен, остров, купленный за бутылку, видно очень желанную, когда невтерпеж и когда все отдашь за нее, проклятую. Конечно, алкашам нельзя иметь острова, тем более такие. Продали и теперь в резервации сидят. Хотя, если честно, то это ныне здесь железо — бетон, а бетон — стекло и еще золотые, не только от солнца, банки (величие нищенкой не бывает) — истинный храм с каруселькой дверей, а тогда это был лишь продолговатый кусок земли, что впоследствии станет столицей мира.

Где главная церковь конечно же банк, где поодаль, вместо нищеты с протянутой рукой, кто-то с жиру уже бесился и что-то кричал. Вот она, гласность — сила любого открытого общества (у закрытого их должно быть две). Если танцевать от этого банка-дворца, то на той стороне, у Карнеги, бил барабанщик с подрисованной прической. Черный пот стекал с его сосредоточенного лица. Работал он с блеском свой брек. Упругая дробь – позвоночником ритма и ящик железный, почтовый служил ему барабаном, и в данном случае от почты хоть какая-то польза была. Вот он, наш задохнувшийся пульс. Вот дыхания нашего кость. И по мере того как она нарастает – на нее нарастает все, что растет. И тогда человеку кажется, что он тот самый кит, на котором города простерлись. И еще ему кажется, что он глотает не то, потому что его все время мучает жажда. И всякие комплексы одолевают его. И сомнения не покидают совершенно не умеющего ходить на компромисс (и ездить – тоже), и тогда он, в который раз, задается вопросом:

– Это почему же ты, милейший, считаешь, что ты сам по себе наилучший и наиудачнейший вариант человеческой особи, какой непременно должен сохраниться?

– Потому что я другим не умею быть, – сам себе отвечает.

– А ты пробовал быть другим? – снова спрашивает он себя как на духу.

– Нет.

– Так какого же черта?

– Бесполезно – прежде чем создать тип такого человека, как я, природа в поте лица варьировала такое количество копий и оригиналов, что мне просто совестно ей возражать и тем более не верить. Видимо, я уже законченный человек. И потом, именно таким меня обожали (особенно женщины), а я привык доверять ближним. Нет, Николай Угодник – не мой святой. И союз дельца и золотого тельца – не моя гармония...

Жажда жажды – океан воды холодной с рыбами и кораблями, за которыми стронция шлейф. Нет, здесь эмблема ее – «Кока-Кола».

«Хау ар ю!» – говорю барабанщику без оркестра (может, где-то рядом ходит без армии генерал).

«Хай!» – он мне отвечает и продолжает свою искусную дробь.

Далее мне повстречался свами (он не с вами, а с Кришною заодно). Чтобы уточнить, я спросил:

> Это с вами ходит свами,
> любуясь ивами и вами,
> в кальсонах белых с выпуском рубах,
> тот самый хлыщ, что давит прыщ,
> а надо бы раба?
>
> И он мне тут же в ответ стихами:
> Это с нами ходит свами,
> мы давно уже не ходим сами,
> всюду траки бьют по сраке,
> потому что все на краке[1].

Пляски и тряски и клоун без маски. А также голые нудисты (или это нудные пацифисты обнажили свою безоружность). Тихо подъехавший полисмен очень вежливо спрашивает за мир страдалицу: «Вам не холодно, мисс?»

– Ей не холодно, ей просто свежо, – говорю я копу и еду дальше.

Улыбки, радушие и снова улыбки – не то что в Москве, когда тот, кто встречает иностранцев, приходит домой и бросает в стакан ослепительную, а с нами уже только шамкает.

Конечно, эта страна уже в будущем. И давно. Вот только в каком – в своем или в нашем, где так отчетливо видно, что нас ждет впереди.

Оборотная сторона Земли, нашей круглой медали, разумеется, здесь все должно быть наоборот, тем более США еще молодая страна. Это особенно заметно, когда ее политики впадают в детство, а со стариками нянчатся, как с детьми. И я сразу вспомнил наших в главном городе пенсионеров с его Кремлем – самым старческим домом на планете. Бывало, бежит-наяривает старушка еще с детсадовским бантиком на голове, в бобочке своей древней и в юбочке, тоже еще гимнастической, а также в кирзовых, середины последней войны, сапогах.

---

[1] Популярный наркотик.

— Куда торопишься, бабуся?

— Голос свой отдавать!

— Так его и так у тебя не густо, потому как чуть ли не шепотом говоришь...

Может, с перепою или раньше уже митинговала. Или на кухне непредусмотрительно сорвала (общественность, она супы коллективно варит и голоса свои зачастую срывает, как с вешалки лихо пальто, и чем уж она тогда голосует за родную и очередную партию очередного правительства, по сути того же самого?).

Греют, душки, свои тушки и в ус себе не дуют, потому как давным-давно нагрели руки.

И еще меня потрясли в каждом автобусе лифты для инвалидов и специальные туалеты для них, правда не на каждой их остановке. И то, что у каждого немощного — «хоум аттендант» (домашний интендант, он же слуга и сиделка, нянька и санитар). Наши иммигранты просто обожают эту должность. Позже мне расскажут про Сосивовчика, отличившегося в этой профессии, — однажды он толкнул коляску с порученной ему бабушкой дальше, чем следовало, и, когда бабушка докатилась до своего естественного конца, был беспощадно уволен. Здесь просто души не чают в своих увечных, а политическая корректность так высока, что если ты громко выразишь свое недовольство своим, мягко скажем, не слишком приятным соседством в сабвее, как это сделал один известный здесь бейсболист, то тебя, как и его, подвергнут всеобщему остракизму и оштрафуют тысяч на пять.

«Ин Гад ви траст» («Нас Бог хранит») здесь даже на деньгах (не то что у нас «Храните деньги в сберегательной кассе!»), и мне даже кажется, что деньги здесь — Бог.

Еду и думаю: ну разве мыслимо больше любовниц деньги любить, даже если любовницы эти — за деньги. Или больше творчества, тем более непродажного. Больше отечества с мамой и папой (вот его-то как раз продают здесь вразнос и кому — вонючим гэбэшникам). И мне показалось, что больше всего на свете здесь любят деньги. Их любят, а они бегут и бегут и становятся все меньше и меньше, не то что совсем переводятся, но как-то скукоживаются на глазах, будто стыдно им, что так их, никчемных и низменных, любят. И чем больше они ничтожны, тем маниакальнее их хотят.

Права бакалавр, действительно, много людей загорелых, но зато на их фоне чернорубашечники не видны. А уж черная совесть вообще представляется светлой, а впрочем, какие могут быть тут контрасты, которые всюду, везде и всегда: черное – белое, умное – глупое, жадное – доброе. На фоне черных (или – как их здесь называют – афроамериканцев) белые, конечно, еще белей. Особенно когда белеют от страха, если черные чернеют от злобы, хотя Бог и дал им такие огромные губы не иначе как для благодарственного поцелуя и пения аллилуйи Америке. Кому-кому, а им Америка – рай. Отличает их еще «афро» – это когда волосы стоят так, как если бы ты сам стоял всем своим ростом и никогда не садился. И не только на стул электрический, а даже на стул обычный. А так я особых различий поначалу заметить не смог, тем более когда смог или просто туман. Но то, что здесь сервис отличный, я сразу узрел. Здесь парикмахер всегда тебя спросит: «Не беспокоит?» А в обувном пред тобой стоят на коленях и тоже беспокоятся – не жмут ли тебе башмаки, когда их всем магазином тебе примеряют. Здесь вообще чуть ли не в ногах валяются, только чтобы продать. Здесь отличные ландри – прачечные-автоматы. Кто-то из наших уже их опробовал. Зашел в ближайшую, разделся догола и преотличнейше постирался, тут же сушил и там же гладил. Правда, каждый раз говорил: «Экскузьми!» Тут главное вовремя сказать «Экскузьми!». И тогда не будет считаться предосудительным все, что предосудительным может быть. Но это уже самообслуживание. Здесь даже у посаженного на электрический стул справляются, удобно ли ему сидеть. А раньше у посаженного на кол тоже интересовались – не жмет ли ему преждевременно, так сказать, до зачтения приговора. Остряки в таких случаях отвечали: «Щекочет». Что и говорить, сервис здесь превосходный.

Город Большого Яблока. Вавилон. Коктейль с бетонной соломинкой. Новосветопреставление. Американский Алма-

Ата — как сказал бы казах, почесывая пах и при этом плюясь нещадно. Еще один повод для войны Троянской. Это еще ООН раздоров с Трояновским во главе (импотенты, им не нужна Елена Прекрасная, им хочется знамя воткнуть здесь красное).

И здесь к восторгу нелишне статистику подпустить. Каждый метр Америкаса — Авеню всех Америк — стоит столько золота в унциях, тоже троянских, что человеку там даже страшно стоять. Другое дело, зачем ему топтаться на месте? И он опускается вниз, где ежедневно пробегает 13 179 поездов, перевозящих 7 миллионов пассажиров, и где ходят пешком миллионы крыс. 40 тысяч собак ежедневно загаживают 882 парка и сквера, и каждые 5 минут здесь рождается будущий президент. Каждые 5 минут здесь происходят насилия. Каждые 7 минут заключаются браки, едва ли счастливые, если в последующие минуты разводятся куда больше. Здесь у каждого свой английский, с которым в Англию едва ли есть смысл соваться, но зато можно зайти в 33 тысячи ресторанов, как правило затемненных, ибо готовят — не бойся — не проглотишь язык! Кстати, чтобы их обойти и посидеть в каждом, потребуется 16 лет. Но зачем обходить — во-первых, дорого и невкусно, а во-вторых, есть 100 тысяч такси, чьи практичные спины горбаты рекламой. И все о том же — уронись мошной! Утони в ширпотребе, споткнись и купи! А я поначалу думал, что на этих спинах лозунги возят типа: «Родители, не роняйте своих детей!» Только подумал, как на меня чуть взрослый не уронился, но, слава богу, его на лету уговорили, и он раздумал дальше лететь.

Нью-Йорк — символическая птица — синица (интересно, а есть ли в Штатах штат, чья эмблема журавль в небе? — да ни в жисть! — здесь все реалисты), дерево — клен, число графств в штате — 62, великие озера — Онтарио и Эри. Самые высокие горы Адирондакские. Свобода — статуей и не только, а нынешний мэр — прокурор... Но это потом, а пока я еду.

30-е улицы — и вот уже стали сновать хасиды с косичками пейсов, в неснимаемых своих лапсердаках и в лисьих шапках (и это в тропическую жару?!). А ближе к даунтауну замелькали китайцы, но уже без косичек. В небе плывут дирижабли с рекламой, а внизу проплывают шляпы, чалмы и сомбреро, а также фески, ермолки и что-то еще. На улицах тесно, но это не значит, что все шагают в обнимку, разве что геи — эти в обнимку всегда, так что в сравнении с Парижем влюбленных что-то не видно. Разве что влюбленные в свои права лесбиянки, чей лозунг «обнимемся» — однопол. Далее призывали к объятьям уже всех без разбору. Обнимемся, братья и сестры, почему бы нам не обняться?! — подумал я от избытка чувств, меня охвативших. Я же так мечтал узреть патриотов планеты — космической нашей провинции, пусть солнечного, но уезда, настолько заброшенного, что просто бессовестно быть патриотом только своего угла-континента и только своей халупы-страны. Никто же не кричит, что он патриот своей улицы или что он патриот только своей постели, будучи при этом и патриотом своего желудка, то и дело бегающего к врачу, ставящему беспощадный диагноз — скоро он вообще переберется жить в унитаз. И настоятельно советующего отрастить еще одно мягкое место, чтоб хоть как-то сохранить фигуру. Не будучи диетологом, я тоже замечаю, что дистрофики здесь с таким мешающим походке задом, что в Сошиал Сервис Собес не влезает. По-моему, им еще и приплачивают, чтобы он не худел, исходя из совершенно правильной мысли — с толстым задом не побунтуешь. Америка — страна толстяков, и больше всего их в Нью-Йорке.

Заинтригованный величием Запада, где даже заложников брать невозможно — тут же просят их навсегда оставить, я, безусловно, допускал, что в сравнении с Востоком Запад — рай, не без ада, конечно, но все же Эдем. Ну а если не сравнивать Запад — кто же Запад тогда? Несравненный, он станет обычным. Но Земля должна иметь своего орла и решку, а также извечный спор — кто зад ее оборотный, а кто пусть неважное, но лицо. Это сверху виднее, а я, между прочим, пока понизу еду.

Нью-Йорк — черно-белая улыбка, где даже бродяги немытые и опустившиеся не спеша опускаются дальше (было б откуда) и принципиально не берут положенных им государственных денег. Это банкроты от безденежья сигают вниз головой с высоты многоэтажной Америки, так сказать, опускаются сразу. А эти вон как царственно перебирают ногами. Но это когда-то сигали с сигарой во рту банкроты, ныне в самый момент приземления им подставляют мешок с деньгами. Здесь забота о ближнем, тебя потрошащем, превыше всего. Так что прикрыли трубу, в которую они вылетали. И вообще самоубийцы здесь почему-то любят публичную смерть. А вообще-то смерть здесь частное дело. Смерть тут отнюдь не государственный промысел. Сыновья Свободы ночуют под сенью ее, в отличие от тех, кто прямо в ней спит, хотя полиция считает, что не принято в символах дрыхнуть. Один клошар, а по-здешнему — бам, когда его благодати этой лишили, сказал: «Ведь ее, между прочим, французы отлили, а американцы лишь на ноги ставить ее помогли, а у французов именно с женщиной принято спать...» Вот он, символ Свободы, в утробе которой спит клошар, эмбрионом согнувшись.

И еще здесь практичные люди. Скажем, падает «Скайлаб», и вот уже каски с тем же названием продают. Это чтоб на голову он, космический, вам свалился и не застал бы врасплох. Кстати, каждый месяц на каждую квадратную милю наших белых воротничков выпадает 171 тонна сажи. Говорят, этот город неотразим. Отразим и еще как в отвесном зеркале стекла и бетона и сам свою отбрасывает тень. Воспет, заснят, заспектаклен и заэкранен, захвален, затуркан, заплеван, загажен и вечно горит. И я какую-то цифру пытаюсь вспомнить пожаров, но, увы, так и вижу, как книги горят. Конечно, сапожник заметил бы, что сапоги сгорают. Загадка — сколько бы убили людей в Америке за 1980 лет, если только за один 198[illegible]од в одном только Нью-Йорке было совершено 1980 убийств?

— Останови-ка, приятель, свой сейф на колесах, я спрошу одного историка здешнего, этого пророка наоборот, не хочет ли он переквалифицироваться в провидцы?

— Нет смысла заглядывать в будущее, в следующем 1981 году каждый из нас может стать 1981-й жертвой. Все мы имеем абсолютно равные шансы, — скажет он не слишком радостно.

— А может, лучше, если это будет наш добрейший губернатор, всем туловищем легший против введения смертной казни в нашем штате, хотя этот факен пейзен слишком охраняем. А как известно, чем больше он охраняем, тем больше он гуманист, а чем больше он гуманист, тем безнаказаннее бандиты, от которых он охраняем, — вознегодую я тоже, — да все у вас раком, и не только у мужчин с гомоэротической ориентацией. У вас даже черствость и та всегда свежая, а хамство всегда белозубое. У нас, например, когда отказывают человеку, то говорят: «Хрен редьки не слаще», намекая им тебе в зубы. У вас же отказ с непременной улыбкой, правда, каждый зуб величиной с редьку. Все у вас иначе, начиная с окон-гильотин, экономично не распахивающихся, кухни, которая прямо в гостиной, и туалета, надо полагать, посреди кабинета... Нет! А я думал, что посреди святилища ему самое место. К тому же у вас чиновников миллиард-человекочасов (я имею в виду время, которое они отнимают. Спрашивается — откуда я знаю, ведь я только еду? — А я вижу вперед.).

— А у вас что, меньше? — спросит историк, не желающий быть провидцем.

— Так то у нас, — я ему отвечаю, — там и положено его отнимать... вместе с жизнью, к тому ж там жизнь такая, что сам с удовольствием ее отдашь. Это у нас называется «умереть за Родину»...

И тогда историк процитирует немца-писателя, что избежал ограбленья в Нью-Йорке, а потому хорошо о Нью-Йорке сказал: «Пространство! — в такой большой стране можно разрешить любой кризис...» — сказал он, имея в виду не только наш город, а всю Америку вообще.

— Герр, — скажу я историку, — Россия еще больше, однако, простите, в очень глубокой дупе сидит (профессор был поляком, и я, естественно, говорил с ним по-польски).

Язык не стрелка – его нельзя перевести

— Очень густо пишете, — говорит Яков Моисеевич Гуль-Седовласых, — неэкономно, тут же на пять книг, — глянул он на газетную полосу, где я уже бросался в глаза, — понимаете, на пять потрясающих книг!.. — И выписал чек на 25 долларов — по пятерке за книгу.

Это там Анна Каренина нашей литературы ложилась под локомотив «Феликс Эдмундович Дзержинский». Это там она Павликом Морозовым доносила на своих родителей, а также Сашей Матросовым кидалась на амбразуру дота, прикрывая своим худым телом ее и давая тем самым остальным подняться. Это там настоящее честное слово стоит тюрьмы, лишений, голода-холода и прочих героических неудобств. И — как говорил Назым Хикмет — «За первую книгу, мой брат, ты должен получить по меньшей мере пару пятилеток нашей советско-турецкой тюрьмы. Иначе и быть не должно...» И очень огорчился, когда меня еще не посадили, но все же надеялся, что наступит признание и посадят. Очень в меня верил Назым, да и мне не хотелось его огорчать. И тем более кивать на цензуру, не дававшую выразиться до конца, так и берегущую тебя от кабы чего (в свет) не вышло и вечно боящуюся твоим соавтором стать, если всего целиком пропустит и, чего доброго, в одну каталажку с тобой пойдет. Ничего, Назым, еще не вечер! — говорил я своему наставнику и другу, а также старшему брату, напутствовавшему меня в мой тернистый путь, да и самому умевшему посидеть в неволе не раз и не два. К тому же приговоренному к смерти за вечно живое слово, когда за стихи сажают по горло в трюм с нечистотами, а потом, для контраста, в султанский дворец и чуть ли не золотом осыпают и через пару часов снова-здорово в дерьмо. Представляю, что бы сказал мой крестный, увидев здесь гонорар мой вшивый. Он бы сказал:

— Посмотри, брат мой, какую дохлую мышь родила эта гора, на которую мы с такой надеждой глядели. Ну кто бы мог подумать, что Запад такой крохобор...

И я опять должен был бы сказать:

— Еще не вечер, Назым, это, видимо, еще не Запад, а все еще Россия, эдаким землячеством без земли. Россия без России, но пахнет так, будто ее и не уносили от меня так реактивно и молниеносно в панике, что я вдруг раздумаю и с самолета сойду. Слишком долго я, видимо, упирался взойти на ковер в самолет.

— Россия — и на свободе! — конечно бы удивился Назым.

— Да видел бы ты эту «Свободу», приютившую эту Россию, — сказал бы я, — ее куда смелее глушат, чем она вещает. Так вещает, будто ее и впрямь стращают, а может, уже за глотку взяли, если хрипит...

— Не может быть, — не поверит Назым.

— Век бы мне свободы не видать! — (так клянутся в лагерях блатные и обязательно коготь свой при этом куснут) — старый лагерный волк, хоть и турецкий, он превосходно это поймет.

— И кто ж там последний, чтоб в очередь встать?

— Да первые все, — говорю, — гей, славяне! Жены работают, а мужья спасают Россию.

— Бок о бок с теми, кто ее проморгал? — конечно же поинтересуется мой покойный наставник и друг.

— Не только. И с теми, кто ее обожал, но сбежал и еще сбегать продолжает, а шепот свой псевдонимом подписывает. «И где ж твое право решающего голоска?» — «А он засекречен», — быстро-быстро он мне отбормочет и дальше спасать побежит.

— Ну а «Грани» тети Мани? Этот журнал расовый мадам Тарасовой? — безусловно, спросит Назым.

— Так это ж один хрен (точнее, орган) с «Посевом». А как известно, дома не сев, не ходят в «Посев». Мы, видишь ли, им интересны, покуда сидим. Давайте наоборот, — я им предлагаю, — вы садитесь, а мы постоим и повосторгаемся вашим мужеством, если вы его вдруг обнаружите...

— Посев, поссав, досааф, короче — что посеешь, то пожнешь, — видимо, уже посокрушается он. — Ну а этот, как его — толстый?

— Журнал? (В чужих руках все журналы толстые.)

— Нет, редактор, вот черт — вылетел из головы. А впрочем, не важно. Есть же еще «Время и мы»...

— Да мы-то ничего, а вот время — так себе, — говорю, — непонятно, на кого работает. Да и потом, если меня не печатал Чак — кагэбэшник, то почему меня должен печатать его подручный? Кстати, как сказал мой друг Бах — «С немного оттянутым „Я“ он выглядит куда правдивее – „ВРЁМ Я И МЫ“».

– А «Континент», этот «Новый Мир» парижский?

– Ну, там-то я тиснут, невзирая на очень строгий отбор. Но мне этого мало. Ты же знаешь, что я межконтинентальный.

– Как ракета, – подтвердит Назым.

Есть еще, правда, «22», «37», «64», «ВСРХД», «Вехи», «Смехи», «Эхи», «Охи», «Ахи».

Или этот третьесортный и коротковолновый, чей редактор, как паровоз, – только успевай подставлять рельсы... И перо сзади, чтоб с этих самых рельсов не падал. Да что говорить – журналы ныне растут, как грибы в русском лесе. Вот новый собирается выходить... из-за угла – «НЕ УХОДИ, О МУЗА, ДАЙ ЖЕ КОНЧИТЬ!». За ним выглядывает что-то еще и еще... Можно подумать, вся русская литература сбежала и ей негде печататься, а Запад спешно изучает великий русский язык, который ему как китайский. Но ничего, дай бог, осилит. Куда ж ему деться, коль столько талантов пригрел. В глазах темно – сколько просоветско-антисоветских изданий. Пальцев не хватит считать, а писать когда?

– Видимо, изгнанье, оно, брат, везде изгнанье, – посетует сам первостатейный изгнанник, – и выход один – всемирным писателем становиться и выйти сразу на всех языках.

А что, над этим стоит подумать, соглашусь я, главное, чтоб книга на иностранный язык попала, а уж на зуб отечественный всегда попадет. А сам думаю: язык не стрелка – его нельзя перевести. Но это не значит, что я под откос собрался.

А может, это не Запад, ведь компаса не было под рукой, говорит Даня, летел сломя голову, и скорость радовала глаз, да и кровь пьянило от ощущения, что так быстро назад все опостылевшее отлетает... Может, это просто воображение шутит? Собор аэропорта уже следующего века, а рядом средневековый хасидский район, где в субботу тебя закидают камнями, если вздумаешь там проезжать. Забредаем мы как-то с приятелем в какой-то район непонятный и видим, красные флаги висят, — неужто к коммунистам в гости попали? Да нет, оказались брачные простыни, вывешенные напоказ, — видите, какие у нас честные дочки! Мы, оказывается, наткнулись на древний обычай то ли амишей, то ли еще каких староверов — у них, оказывается, вчера коллективная свадьба была. Но это что! Когда мы увидели невест вчерашних — мой приятель в ступор попал, так испугался. Представляешь, до ближайшей станции сабвея нес на плечах. Тут же заехал на Брайтон и поделился с кем-то про этот район, пытаясь выяснить — кто же это на самом деле были. А мне говорят: «А черт их знает — мы в Америку не ходим. В современную — еще куда ни шло, и то только первое время, а в древнюю тем более зачем ходить — у нас самих здесь местечко...»

— Гулять надо в Европе, — говорит Ефеня, — иду как-то по Парижу и вижу, сидит на корточках Сартр и прямо на тротуаре нашего сифилитика *маоюет*. С удовольствием ему на свежий глаз наступил...

— Мой дедушка тоже пел «Марсельезу» в застенке, мечтая о республике. Эти же поют ее в республике, мечтая о застенке, — возмутился Ардальон.

— Позади мне все известно, а впереди лишь догадка блещет. Не оглядывайся, — говорю я себе сквозь зубы, — возвращаться — плохая примета: снова посадят. Так что вперед! — очень хочется быть оптимистом мне.

— Ну куда вперед, — интересуется Даня, — если сбежавший кагэбэшник здесь куда охотнее принимается, чем сбежавший от КГБ, а действительный член Академии как аспирант, а член союза писателей совсем не так, как исключенный. Одному официально сюда приезжавшему так понравился прием, ему оказанный, что он вообще здесь остался. Но — увы — больше его не принимают, а если принимают, то не так. И он уже купил себе очень прочный галстук, больше похожий на удавку, очень модную для прыжков со стула, если ее закрепить хорошенько на потолке. И вообще, в Европе я чувствую себя человеком, а приезжаю в Америку — будто в чем виноват.

И все равно — гуд лак, дорогой! Ты преотлично бездомен и не затем, чтоб назад возвратиться, хоть трижды озолоти, да не тебя — твою клетку с английским замком, но с русским засовом, с венским стулом, но с советской обивкой, с французской булкой из заокеанской пшеницы, отчего-то названной «городской», с японским транзистором, с западногерманской полицейской сиреной, с американскими наручниками и прочей западной аппаратурой. Отечественными там остались только шланги для насильственного кормления. Когда мы просто голодаем, как все, — это пожалуйста! Но если мы вздумаем не как все голодать, вот тут-то и раскрывают нам рот пошире. Как это делается — обедающим самим и регулярно, а также с аппетитом, — этого пока не понять. Вот навалятся на них однажды наши кормильцы, разожмут их гордые челюсти, да как втиснут в их красноречивую гортань наконечник клизмы-шланга с обжигающей нутро жидкостью и при этом еще попросят пробулькать «спасибо», вот тогда другое дело. А сегодня они еще могут возразить: «Миллионы советских людей едят не так!» Должен заметить — миллионам советских людей вообще нечего есть — ни спереди, ни сзади. Да и потом — где взять столько питательных клизм, если в стране такой огромной вдруг все от голодовки тихой и привычной перейдут к демонстративной?

Я уже на Западе, откуда слали дубинки на мою голову. Здесь они явно ни к чему, да и не настолько это действенное и эффективное средство, если Москва все еще пользует свой старый испытанный способ, рядом с которым дубинка вызывает смех. Ей нельзя рисковать. Ей надо защищать Несвободу, а это куда трудней и накладней, чем оберегать Свободу. Да и не в клетке же ее держать. На то она и свобода, чтобы идти куда пожелает. Не забрела бы только куда на рожон.

— ...Но ты уже, конечно, почувствовал разницу, — снова спросит Назым с того света (не иначе астральная «вертушка» у великого турка).

— Безусловно. Раньше я был несвободен говорить в Стену или того хуже — за Стену, потому и в застенке сидел. Теперь же я волен в нее говорить. И за нее — тоже.

— Ну и какая поупруже?

— В смысле отскока слов?

— Именно это мне интересно.

— Ну, наша, естественно, глуше, но зато при необходимой убойности, то есть силы слова, я хоть рикошетом, но мог в кого-то попасть. Здесь же это исключено.

— Почему?

— Понимаешь, там Стена — недвижимость, глухая, но парадная, всегда торжественная — она на виду. Здесь же их как таковых не строят, но каждый живет за высокой стеной. А некоторые так вообще ее с собою носят. В данном случае идя навстречу полиции, — всегда есть к чему прислонить подозрительного и обыскать как следует. В таких случаях, наши славные копы здесь говорят: «А ну, повернись к стене персональной!» (Полицейские здесь как писатели — к ним всегда поворачиваются задом. О иноязычных — я уже не говорю. Это в России иностранцев всегда обожали.) Для Америки важно спасти иностранного писателя (отечественного они тоже будут спасать, если он попадет в какую-нибудь московскую передрягу), а что он тут будет делать — его личное дело, тем более что писатель — понятие надгеографическое, надсуетное и межконтинентальное. Весь мир ему читатель, правда, сквозь толщу разных и всяких посредников, будь то цензоры-держиморды, сами рабы, или свободные и невежественные дельцы — ловцы коммерческого успеха (интересно — когда это у настоящей литературы был успех, да еще коммерческий?).

И я пытаюсь сравнивать, где нашему брату жилось тяжелей:

— Писатель, лауреат Нобелевской премии, — сторож на дружеской и вполне музыкальной даче. Драматург своей национальной премии — истопник. Актриса, не только в семье своей знаменитая, — домработница, и не в Израиле, где их тоже только на эту должность берут и где интеллектуалы наши лихо метлой машут. Кто-то всемирно увенчанный — банщик. Тоже бывший творческий человек, уж не помню, чех или поляк, — в монтерах (да будет свет!). Физик всемирно известный, лауреат Нобелевской премии мира, а также ленинских, сталинских и государственных СССР и трижды Герой их труда, не считая личного героизма, — ссыльный. А уж какой-нибудь будущий Эйнштейн — обязательно плотник. И при этом обоснованно гордятся — видите, какие у нас перспективные плотники!

— Но это у нас — в славянах, а у вас — в англосаксах? — тут же спросит великий турок Назым Хикмет, тоже отчасти поляк — внук Домбровского и вообще обожавший полек.

— Кинорежиссер от Бога — Миша Богин — дорман, то есть в приличном доме швейцар. Другой творческий работник — в кабаке вышибала. Оперный певец — в синагоге поет. Знаменитая эстрадная певица — в кабаке захудалом (там их несколько, наших знаменитых певиц). Диктор — доктор — нелегально массирует. Ну, это диктор радио. Диктор же телевидения — легальный у нас массажист (было телевидение, теперь теловидение). Доктор наук — студент. Саксофонист — пошел в монахи. Физик-лирик — грузит кошерное мясо. Лирик-физик — тоже физический труд — таскает подносы в столовке. Писатель по соседству — подсобник, то есть моет посуду, а вот в Москве даже за собой не мыл. Другой — на пособии. Третий — таксист. Четвертый — пешком рысист. Пятый — русист. Кто поспособней — пишет порно. Кто удачно вышел замуж, кто в публицистах — в своем семейном кругу утирает слезы родной газеткой, а кто на ювелира пошел...

— С ножом?

— Нет, учиться. Кто-то просто учится — абы чему. Следующий — тоже студент. А за ним — вообще школьник — хочет начать все сначала. А кто-то хочет, напротив, начать все с конца и пенсию получить (здесь ее дают и дня не работавшим). Поэт... Ну, поэты всегда были выше забот меркантильных... Помнишь, да нет, я не успел тебе это сказать:

> Поэт, он лев, а значит, прав
> всей своей сутью из-под спуда,
> да вся литература — сплав
> *двух-трех глаголов в радиусе чуда.*

Нерудов

— А вот меня отпустили не брав, — говорит прозаик Нерудов, взявший себе имя Падло в честь тоже никакого Неруды — Пабло (он слегка спутал его имя). Настоящий Неруда был чех и погиб как герой, а Пабло не только не погиб в борьбе с фашизмом, а еще и зад его тогдашнему союзнику вылизывал, прямо из Чили доставал языком до Москвы, а уж когда приезжал — и подумать страшно — что им вытворял. Но они были почти из одного места — Пабло Неруда — из Чили, а Падло Нерудов — из Чилика. Именно к ним в Чилик, затерянный где-то под Алма-Атой, тоже черт знает где примостившейся, любил наезжать из Англии сэр Макмиллан — большой гурман в смысле выпить, обожавший «Чиликское крепленое» (подозревают, что он им мыл ноги), и вообще большой друг Советского Союза — именно его правительство вместе с американцами выдали Сталину два миллиона русских после войны. И что уж с ними усатый сделал, думаю, объяснять не надо. Нерудов как раз приехал сюда написать об этой трагедии, но его опередили. Какой-то лорд уже написал и крикнул вместо всех русских, будто всех русских свалила ангина.

— А какая все же главная причина, что ты уехал? — спрашивает Бах. — Вот у нас, например, не считая того, что нас просто турнули, необычайно развито любопытство. Может, ты чахнул, как Чехов?

— Чихал я на них, а не чахнул, — отвечает Нерудов, — просто мои темы эмигрировали раньше меня, видимо, я родился вольным художником, но в силу сложившихся обстоятельств был вынужден задержаться в своей детской люльке, рискуя в ней остаться и до глубокой старости, но судьбе было угодно, чтобы я все же выполнил свой священный долг... Каждый день я занимаюсь чистописанием, плавно переходящим в священнодействие, готовя шедевр, который ожидает Россия: к тому времени, когда она будет свободной, будет готова и моя книга. Настоящие вещи должны писаться не торопясь. Так что у России еще есть время освободиться.

— Литература — хобби, раз денег не приносит, — соглашается Бах.

Мне же почему-то послышалось — *разденет и сносит* (со мной это часто бывает).

— Я думал, что это увлечение писателей и еще художников и никого больше — ан нет, — говорит Даня, — работая истопником в одном из филиалов одного из многих американских издательств, я особенно это почувствовал — чтобы избавить ридеров (то есть издательских чтецов) от необходимости перечитывать рукописные тонны, их попросту жгут... В отличие от нас, ко всему привыкших, здешние авторы пускают себе пулю в лоб, когда не находят издателя. А как его найти, если жгут не читая? Так поступил, например, некий Д.К. Тул. Правда, лет через двенадцать после его смерти его книгу «Федерация тупиц» все же наградили Пулитцеровской премией.

— Это, наверно, оттого, что здесь засилье крупных писателей-евреев — Сол Беллоу, Сэлинджер, Рот, Мейлер, Буковский, Доктороу, Миченер и педрила-поэт Аллен Гинзберг, не говоря уже о крупных писателях, которые еще неизвестны, — смутно догадывался кто-то из нас.

— Да, но знаменитые педы Хэм, Тенесси Вильямс, Гор Видал, Трумен Капоте и другие не были евреями, — возразил Ардальон, — после тысячелетий рабства и унижений наступила наконец-то эра, когда к евреям стали относиться как к людям. Другое дело, что это явилось для них полной неожиданностью. Как сказал Артур Миллер (тоже, кстати, еврей, помнящий вывески: *«Евреям, собакам и неграм — вход воспрещен!»*): «Мы празднуем свое освобождение...» Поэтому эмансипация писателей-евреев в Америке не случайна...

— И не только в Америке, — дополняет Одиссей Моисеевич, — в Израиле союзов писателей — два, и, по-моему, собираются открыть третий. Иногда создается такое впечатление, что все евреи стали писателями.

— Естественно, не татары же Библию писали! — говорит Ардальон. — Другое дело — они даже Бога исключают из своей компашки и, по-моему, даже Мессией Его не считают, а если считают, то не столь уж важной. А ведь Бог-то — еврей! Его даже антисемиты любят. И еще говорят, что евреи обожают друг друга.

— Ложь! — восклицает Одик. — Такой вражды, как в Израиле, я нигде не видел. И не только среди писателей. Там друг другу вцепляются в пейсы даже абсолютно неграмотные. Лично я там потерял часть своей шевелюры...

— А меня никогда не тянуло в Израиль, меня всегда манило и гнало в США, — сказал Вадя — бывший младший научный сотрудник, так и не ставший старшим оттого, что сотрудничать не умел, — правда, я не знал, что и здесь евреев приравнивали к собакам и неграм. Я-то думал, что они давно скупили все эти заведения и поменяли вывески, разумеется тут же вычеркнув себя. Я еще в детстве увлекался и зачитывался Вальтером Скоттом, так и не уразумев, почему это Вальтер — Скотт, да еще с большой буквы и с запасным «т»? Постарше я уже читал наш настольный, настоятельно рекомендуемый и всеми нами любимый «Уголовный Кодекс» со всеми его положениями, уложениями и приложениями. И конечно же, географию на предмет — а не рвануть ли отсюда, а если рвануть, то куда? Мне почему-то всегда казалось, что ехать дальше некуда. Древние говорили: «*Око* никогда не насытится зрением, руки — делом, а сердце — любовью». Я бы добавил: «А ноги — путешествием». Как заметил Юлий Цезарь: «Путешествия избавляют от предрассудков». Умный был человек. Жаль, что убили. Может, поэтому география мое давнее хобби, а книги типа «Земной шар глазами нашего мира» или «Атлас Мира глазами нашего шара» всегда стояли на всегда походных полках моей готовности убежать. Вот и сейчас я частенько перелистываю «Атлас Мира», слава богу уже другого, и диву даюсь — даже в Аргентине есть провинция Кукуй (тоже, хочешь жни, а хочешь куй!). Одно и утешает, что этот Кукуй едва ли сравним с нашим Кукуем, где даже двенадцатилетним еще вчера командовали: «*Эй, детки, хрен вам в зубы вместо конфетки! А ну-ка, на шлепку становись!*» (в нашем Кукуе расстрел почему-то всегда называли шлепкой) — и что вы думаете, становились как миленькие («*сейчас вылетит птичка и клюнет*»). Те, кому повезло пережить легкомысленный возраст, тоже вполне дисциплинированно шли потом в эту, пока еще живую, очередь, как-то примирившись и осознав, что коммунизм, тем более кому-то, добровольно не строят.

— Тем более что эти кому-то давно в коммунизме живут, — соглашается Ефеня-скульптор, — и тут уж ничего не попишешь, будь ты хоть трижды писатель, — сказал он и нехорошо посмотрел на Нерудова, ежеминутно подтягивавшего новые джинсы: ну вылитый ковбой, оседлавший свою судьбу.

— В нашей одной шестой, где мне тоже было тесно, — отвечает Нерудов, — и где я, как Незнанский, тоже чувствовал себя Робинзоном среди сплошных пятниц, так и не ставших средой, так вот, на нашем острове что писать, что не писать — действия идентичные — то и другое запрещено в неположенном месте.

— Да там только правительство смелое, а народ, прямо скажем, стеснительный, — говорит Одиссей Моисеевич, — это здесь, в Америке, все наоборот...

— А писатели, как известно, у нас все из народа, в рот фронт! — с жаром говорит Ефеня-скульптор-сварщик-конструктивист и как-то очень недобро обращается к Падле Евгеньевичу Нерудову, нашему прозаику, еще не ахти плодовитому: — Вот ты, Падло, писатель своего слова, я хочу сказать: ты лично — хозяин своего слова? — спрашивает наш пловец и герой, как Бомбар, переплывший однажды Черное море (ему оказался нужен берег турецкий, а вот Африка, да еще с Израилем, ему пока совсем не нужна).

— Между прочим, господин Разудалов-Попович, здесь тьма-тьмущая писателей, — возмущается Нерудов, — одних только членов союза имени Льва Николаевича Толстого, к тому же орденоносного, — чертова дюжина, вы лучше к профессионалам обратитесь, а не ко мне, отцу-одиночке своих произведений. Вот народ, — поднимал еще выше свои новые джинсы Нерудов, — как из лесу вышел, был сильный мороз, смотрю поднимается... — вдруг вспомнил он детство свое наизусть.

— Ты народ не трожь! — на всю галерею загудел Ефеня Разудалов Попович-Бомбар, — в рот тебе фронт! — Сверкнув своим обликом, он еще одним нецензурным словом украсил наш слух. И неудивительно — писатели в России всегда были в центре внимания народного. Это в России они пророки, это там даже Евтушенко больше, чем поэт, а здесь они проходят, как какие-нибудь совслужащие, пока их не вырвут из тьмы безвестности и не ослепят прожекторами, как бы говоря народу — вот он, сукин сын, — про нас с вами пишет, и телекамера почему-то показывает его ноги, можно подумать, что телевидение у него в ногах валяется. Или намекает, что он ногами пишет. Мгновенье — и вот мы уже видим какую-то мадам-кондитера. И правильно — народу куда интересней, как пекут пироги. Это в России народ смотрит чтимо-поносимому писателю в рот. В то время как чтимо-поносимый писатель смотрит ему в ухо, чтобы с глазу на глаз, но не получается у них с глазу на глаз. И тогда они как ни в чем не бывало играют каждый свою роль. Артисты! Кто-кто, а народ давно народный артист Советского Союза — так счастливца сыграть! Да его на любые подмостки возьмут не глядя, потому что, если на фоне его, многомиллионного, какой-нибудь угрюмец начинает строить из себя несчастного, как бы всем своим видом говоря, что он недоволен, — он сразу же попадает в разряд сумасшедших, где его всем миром будут лечить. Наш Даня тому живой пример.

— А также презирать всем народом, — договаривает Казя.

— А может, даже и по миру отпустят пойти, — не остается в стороне Ардальон, — руки трясутся, щеки пляшут, ноги подкашиваются...

— Глаза горят, — подсказывает Бах, — ну кто не подаст?!

— Вот именно, — соглашается Гудя, — наша большая Белая Медведица, говоря по-северному, только на это и рассчитывает (явно имеет в виду он родину-мать), — навалить-то навалила, а вот кому расхлебывать эту нашу кашу с могучей кучкой посередине, разве что всем миром...

Нарциссов

И тут, как бы подтверждая эту истину, что миру пора хлебнуть, появился Зяма Нарциссов, опустившийся несвойственно своей благоухающей фамилии, но уже частично побритый. В руках он держал огромное зеркало, в упор на него смотрящее и никого-то не видящее, кроме него. И получалось, что два Нарциссова к нам пришло.

Зяма приехал сравнительно недавно. Он не мог больше жить в отрыве от западной культуры в своей абсолютно нецивилизованной провинции. «Кроме лампочки Ильича, мне там ничего не светило! — запинаясь и волнуясь, говорил он в Толстовском Фонде, потому что ХИАС, опекавший только евреев от крестьян, почему-то отказывается, как бы не веря, что евреи могут быть крестьянами, да и «Нарциссов», видимо, не слишком типичная еврейская фамилия. Так или иначе, а мы с ним шли по одному Фонду — Толстовскому. «Отрезанные ломти быстро черствеют, — сказал он тогда, имея в виду, что все мы изюминки одного пирога, — я, можно сказать, весь крошусь, но я все же успел, и вот я тут!» Будто кто сомневался, что он приехал. Когда-то пахарь нечерноземной полосы, он жил в каком-то удмуртском районе с природой в обнимку и про цивилизацию, как он утверждает, только в книжках-брошюрках читал, и то только первое время, когда эти книжки-брошюрки были не так полемичны. «Я решил не принимать участия в спорах, — вспоминает Зяма, — потому эти брошюрки рвал наискосок и вешал в туалете вниз головой. Когда же с них стекала вся полемика, вот тогда их и можно было уже применять по назначению. Что я и делал вполне успешно. Но вот однажды я увидел иностранца, который выходил из нашей Районной Центральной Публичной Общественно-Политической Дворца имени Культуры Уборной, короче — из нашей гордости выходил и, оглядываясь по сторонам, вытирал платочком свои руки. Не иначе что-то пальчиком вывел, — подумал я, — какой-нибудь капиталистический лозунг. Надо будет почитать. Ишь ты, руки умыл. Мне и в голову не приходило ни разу, что человек, да еще с высшим образованием, просто обязан вымыть после уборной руки. Тем более после нашей. Извини меня, нездешний иностранец, что плохо о тебе подумал, непривычно и неприлично у нас руки мыть — сразу видно — писатель настенный. Не принято, дорогой, потому в сердцах изобличил я тебя и, можно сказать, указал на неправильность твоих действий. И на сколько же километров мы отстали от них?! — подумал я, весь потрясенный, и решил примкнуть к активистам на выезд, тем паче что положительная характеристика уже была.

Следующий появился вполне побритый Лева Неврозов, с ходу ставший судить «Нью-Йорк таймс», едва сойдя с самолетного трапа. Он также не видел перспектив роста в стране, напрочь исключившей библейское понимание евреев. За ним пришедший Сакс вообще не понимал, как он жил, вернее, как он мог жить там, где даже само слово «жить» недвусмысленно ассоциируется со словом «жид». И что бы он делал, не случись с ним эта счастливая возможность раз и навсегда распроститься с СССР? А Ефеня, всегда любивший посидеть перед дальней дорогой? Следуя этой искони русской традиции, власти всегда ему шли навстречу и услужливо пододвигали на чем посидеть. Мебель тут чередовалась в зависимости от «куда ты собрался?». Каково было ему? А Даня, обнаженный даже в дубленке, рафинированный интеллигент, который и пьет-то не иначе как с отодвинутым пальцем последним, вот так — с мизинчиком на отлете, и топит себя в рюмашке, глуша неизбывную жажду высказаться или еще какую нужду, как он мог жить там, посреди такой вопиющей дикости нравов, где и без того хорошо подвешенный язык еще и хорошо подвязывают петлей на горле, то есть как бы еще и внешне его подпирают.

— Долго в узде нас держали, — выдохнул кто-то.

— Где-где? — спросил Одиссей Моисеевич, ему явно не то послышалось.

И только Мелик Цыпкин покинул СССР по чисто этическим мотивам — ему по утрам не хотелось с ними на одном поле сидеть. Он так и сказал: «Даже на одном поле с ними не сяду. И не оттого что противно, а потому, что один в поле не воин...» Сказал как отрезал и немедля подал документы на выезд, — как истинно воспитанный человек, пропустив впереди себя три волны. И действительно, куда торопиться? Все мы там будем.

— Нет, — возразил Одиссей Моисеевич, — первым прямой резон уезжать — не смоет потоком. Я уехал, когда только-только струилось. Да и внимание к первым не сравнить. Только ступил на грешную, но когда-то святую землю, как тут же навстречу бегут с этой самой земли. Ты думаешь, что тебя встречают, а они попросту дальше летят. Но кто-то, конечно, и к тебе подбегает и виснет на шее, руках и ногах, чтобы тоже дальше не двинул. Это самые-самые первые до дыр зацеловали бетон Тель-Авивского Лода, но потом им сказали: «Хватит целовать землю, пора на ней и построить уже что-нибудь. Нельзя же так долго ее приветствовать...» Потом тебя окружают корреспонденты, тоже отрезая пути к отступлению: «А скажите-ка нам, мэтр (творческого роста, не иначе, — немедленно я подумал и даже стал выше ростом), почему на вашей бывшей родине стоят за своих убийц горой и всегда за них голосуют, а за себя даже маленьким холмиком постоять не могут и даже не голосят, только и делают, что сидят в лагерях с детства, начиная с пионерского, где, видно, недостаточно исправляют, если потом следует исправительно-трудовая колония, где тоже явная недоработка, и, наконец, настоящая зона, где нет даже зондажей общественного мнения? Ну почему, за что и с какой стати? — скажите Вы нам наконец!» — одолевают тебя тутошние журналисты, до чего же они смелые здесь — на Западе, в отличие от посланных туда — на Восток. Да потому, что нам песня строить и жить помогает, — отвечаю. «А скажите, мэтр (добавим — с кепкой), а правда ли, что Вы двух хористов умертвили на время?» Вы имеете в виду тех поющих товарищей, которые в свободную от пения минуту ходили за мной по пятам? — спрашиваю этих дотошных господ. — Да, я их столкнул лбами, и они, что называется, временно вышли из строя. В акте было сказано, что удар был нанесен тупым предметом, но я пояснил высокому следствию, что просто присел Одиссей Моисеевич в тот момент, когда они ринулись в панике, боясь, что его потеряли, и удачно столкнулись, дав несчастному уйти незамеченным. «От нас не уйдешь!» — сказало высокое следствие, но, как видите, я здесь. Между прочим, я даже помню фамилии этих двух прохвостов, — сказал я коррам, прямо-таки обожающим достоверность, — Рабинов и Хаймов, а придумал им так называться Моня Гольфарбер, который тоже Владин. Все мы в одном пели хоре им на радость, себе на горе... — и Одиссей Моисеевич смахнул слезу, — правда, о себе я не скажу, чтоб очень уж надрывался, в отличие от моих коллег. Но и ныне сосет под ложечкой моего давно не солнечного сплетения, как вспомню себя поющим в этой самодеятельности, сжирающей все интимное время с официальным в придачу. Бывало, молчу, но громко при этом рот разеваю, а моя судьба эдак пальчиком мне: «У, пипка! Шалун! Да ты вполне еще ничего!» И вдруг, как парторг, добавляет: «Молодец, да ты и не еврей, наверно...» Это высший у них комплимент. И гладит меня по головке и что-то еще в сторонку себе говорит, белея всем гипсом своим, поскольку на самом своем переломе... Как бывшая моя соседка Марья Феофановна Цехновицер, которая потянулась однажды в постели и... хрясть — сломала бедро. И я подумал тогда, прибежав на этот звук непонятный, — как же все в этом мире непрочно!

— По-моему, наши художники до неприличия ушасты, — говорит Бах, разглядывая какую-то картину, — если их, конечно, сравнивать с Ван Гогом или, как минимум, с нашим Даней.

— Не говоря уже о том, что все до одного передвижники — вон куда передвинулись, аж за океан. По-моему, они тоже Ван Гоги — что-то ведь тоже отрезали (я не имею в виду евреев-художников, тем более ортодоксальных), — говорю я, — а Париж... как он устоял? — и туда столько их набежало. Говорят, теперь в аэропорту Орли уже спрашивают каждого прилетевшего: «Вы, случайно, не русский художник?»

— Ну, это с легкой руки одного нашего галерейщика, пригрозившего порезать картины в Лувре, если не выставят его коллекцию, — говорит Юля Гном, все-то у нас знающая, — он мне сам рассказывал, как там ножами размахивал, пока его не скрутили. Да вот он — легок на помине.

Навстречу бежал маленький человечек с большим кавказским кинжалом за поясом, сзади его волочилось чье-то чучело, кажется Брежнева.

— Ба, кого я вижу прямо из Парижу! Вот вспоминал об ком, ну и как там наш обком? Действует? — приветствуем его стоя, ибо сидеть здесь абсолютно не на чем.

— Спрашивается, и чего они сюда зачастили? — говорит Бах, — вот еще один через океан к нам бежит пожаловаться.

И действительно, кто-то с опросо-доносом бежит на очередного нечистого — не так о Пушкине написал. И как он посмел, какой-то Абрам, о нашем солнце словесном так выражаться?! Был жив — следили за тем, что он написал. Умер — следят за тем, что о нем напишут. Уже учредили всероссийское Четвертое Охранное Отделение — «Пушкинский Дом», строго бдящее за тем, что о нем сказали или только еще скажут, свои ли, чужие — не важно. Небось, уже и дровишки для костров запасли — мало ли еретиков на свете.

— Ну и какую казнь уготовили? — спрашиваем патриота (ну, все патриоты — сбежав). Еще не знает, но Терцу Абраму — несдобровать, это уж точно.

— Лично меня только «Литгазета» в Москве да какой-то уж очень древний критик Рафальский с отважным псевдонимом — Ский в полфамилии своей кусает, — говорю, — думал только они, ан нет — еще одна сявка куснуть объявилась, но эта совсем уж позор, ну ни хрена за душой. Видимо, от буквальной его недостачи и окрысилась, бедная...

— Ее можно понять — весь Добровольческий Корпус, который не гнушался ничем, давно уж в земле, — говорит отставной штабс-капитан Гржымайло, вполне еще бодрый старик, но отчасти уже мумифицированный.

— ...Особенно меня умиляет, что эта клизма читает лекции в Свободном Университете, настолько свободном, что и впрямь кому не лень там лекции читают.

— Да вот и она! — показывает Бах на квадратный метр сытого человека (в данном случае природа слишком фигурально выражалась).

А вот прошел человек, необычайно похожий на Керенского.

Еще заглянул к нам на огонек будущий посол Соединенных Штатов в России Индик (девичья фамилия его Индюк).

Далее шел Рыгор, он приехал к родственнику на Аляску, погостил и остался.

Кто-то приехал из Коми АССР — комивояжер. Кто-то хочет в Либерию, там, говорят, настоящая либеризация происходит. Кто-то хочет к нам — в США, где отсутствие воли к сопротивлению любому злу уже получило философское обоснование, например, преступность — из-за наркотиков, о'кей! — так дайте наркотики в свободное пользование, и не будет преступности...

А этот пожелал быть в Париже — не дальше и не ближе. Ну зачем ему быть в Париже? «А что я — рыжий?» «Ну раскрой секрет!» Раскрывает:

— Иду себе шагаю по Москве, по их, так сказать, столице нашей родины. Так и хочется, чтобы и обо мне заговорили вражеские голоса. И, если можно, — погромче, ведь говорят же о ком-то — почему же не обо мне? А вот и Красная площадь. Иду на вы! Иду на красный цвет запрещающий — Красная площадь ведь тоже своего рода светофор, сплошь красный, все под запретом, что не вяжется с ее лозунгами и вообще что против шерсти ее брусчатки (эту мысль мы обрамим в образную ткань, а то речь его на черт-те что похожа), — но в данном случае я просто иду на красный свет, так как в голове уже дерзкий поднимается план. Раздался милицейский свисток. Иду себе дальше. Вижу, открывается стакан, в котором пребывает регулировщик моего уличного движения, — и ко мне, продолжая свистеть. Не спешит, но торопится явно. Ясно, оштрафовать меня хочет...

— В рот ему фронт! — подсказывает Ефеня. — И ты, конечно, говоришь, что у тебя нет денег, как, впрочем, и желания с ним говорить...

— ...Точно. «Тогда пройдемте, гражданин, в отделение!» — за словом он в сумку не лезет. Зачем в отделение? — говорю, — сейчас позвоню и деньги приедут. Можно сказать, два штрафа тебе заплачу — один за нарушение, другой за ожидание. Так и быть — разрешает и к телефону-автомату ведет и даже двушку любезно подсовывает, тоже мне, гуманист недоделанный. Звоню: «Корпункт ЮПИ-АЙ? Это говорит я, что на Красной площади арестован — у Мавзолея — шел к вождю возмутиться. Да, да, я весь вдоль и поперек схвачен, и, заметьте, не аксельбанты на мне, а ремни — весь связанный с вами свободными скороговорю. Это у меня еще от сталинизма осталось, он тоже очень быстро и очень неграмотно говорил. Но я в данном случае от волнения, а он, сукин сын, от сапожника – от полной неспособности по-человечески говорить. Да, да, его Россия не понимала. Это он хорошо ее понимал. Так вот и передайте, чтобы весь мир взбудоражить. Спешите, пока не погиб...» И так далее, в том же духе. Для пущей правдивости, разумеется, несколькими фамилиями известными сыпанул. И вот видишь, не только разрешили, а попросили уехать, так я им надоел. Не они мне, а я им, бандитам, условия ставил. Нет, что ни говори, а находчивый я человек...

За окном догорали костры. Это наши воинственные феминистки сжигали свои бюстгальтеры. Наверное, за ненадобностью. В отличие от амазонок, когда-то для удобства стрельбы из лука отрезавших себе грудь, и, как утверждают историки, – очень даже неплохую и пышную, современные воительницы избавляются только от ненужных покрышек, что и говорить – мельчают бой-бабы. Да и какие это костры?! – так, костерики, сверху и не заметишь, к тому же их тут же затоптали мгновенно набежавшие полисмены, но их грязнодымные тени, пусть недолго, но все же успели прилечь на и без того прогорающие картины наших художников – ну хоть бы кто их решился купить, как, впрочем, и книги авторов наших, лежащие кучками при входе абсолютно свободно, – ну хоть бы кто их решился украсть! Может, стоит их тоже поджечь – вдруг набегут, спасая?

Одиссей Моисеевич

Это дерево с жиру бесится – капает маслинами.

Это дерево убежать не может, потому и горит.

Били там-тамы, и красавиц было не счесть. «Привяжите меня к мачте!» – попросил Одиссей Моисеевич. У него была неимоверно легкая на подъем фантазия.

Ну и тип, подумал я, глядя на этого не в меру восторженного почитателя женской красоты, который и в будний-то день жаждал чего-то необычного, а сейчас, будучи именинником, весь убегал в этот, мягко говоря, градусник своего самочувствия.

— Он не может не только владеть собой, но даже частью себя, — замечает Незнанский и на всякий случай оглядывается по сторонам. Но вокруг все были поглощены происходящим на сцене. Там нумеровали претенденток на звание «Мисс самая прекрасная Елена», а покороче — «Мисс Вселенная».

— И что ты волнуешься, — тоже шепчу ему, — каждый восторгается как может.

Именины свои Одиссей Моисеевич справлял всегда экспромтом. И в этом была безусловная логика — а вдруг бы не дали имя, тем более такое. И наверное, дней рождений своих он также не отмечал специально. И конечно, не праздновал пышно, ведь родился-то случайно. Да и мог бы вообще не родиться, а родившись, не дожить до очередного юбилейного дня. Тем более там, где прожить один день уже подвиг и других испытаний не надо, мысленно Бога благодаришь — спасибо!

— Так сколько исполнилось?

— Ой, не говорите! — вскрикнул Одиссей Моисеевич, на лету подсасывая долгоиграющую пластинку своих зубов. Видимо, когда-то у него была острозубая улыбка. — Ой, не смешите! — снова вскричал он, сын житомирского англомана и белорусской феминистки по фамилии Секс, а посему называющей себя — англо-сексом, а также сексуал-демократом, ибо любил всех подряд без разбору в бытность свою там, откуда уехал. А ныне без пяти минут (вернее, пяти лет) — американец. — Как же здесь много детей! — говорит Одиссей Моисеевич, — любят это дело. Это я еще сходя с самолета заметил. Я тоже люблю, но у меня это не так заметно. Да и не те уже годы — фасад облезает и все скрытое и сокровенное неприлично вылезает наружу и становится очевидным. Была у меня мысль побороться с лысиной, она мне холодит ум. Так мне суют парик непотребный, а к шапкам я не привык еще со времен пышноволосых. Еще была идея посражаться со своим животом, наглец поперек батьки лезет. И скрывает обзор самочувствия. — Тут Одиссей Моисеевич явно скромничает. Его самочувствие всегда впереди него. А если его еще оперить метафорой — тут же откроет двери, и лишь спустя какое-то время, будто с ружьем наперевес, появится сам Одиссей Моисеевич, и все безусловно ахнут — какой он мужчина! Когда он наконец сказал однажды свое сокровенное: «Уж лучше зависеть от приемлемого общества, чем быть в обществе неприемлемом (нельзя же быть свободным от общества вообще!), а посему прощай, Концлагерь — Светоч всего человечества!» — его самочувствие уже в самолет садилось. Когда же он сам поднимался по трапу, оно уже было в воздухе и, разумеется, раньше его на Западе очутилось. «А сам Одиссей Моисеевич где?» — заволновались встречавшие в Вене. «А он будет позже», — ответило. И действительно, потом ему говорили: «Вместо вас какой-то член прилетел и вел себя вызывающе. Это, видимо, оттого, что вы злоупотребляли там у себя всяческими членствами. Лезли напропалую наверх, о душе не заботясь. К тому же вы были, наверно, слишком покладистый член». «Он у меня пострел везде поспел!» — любовно погладил он тогда свою переносицу, то место, откуда, собственно, и начинает свою самостоятельность его самочувствие, а может быть, даже его первое «я», которое одновременно и указательный палец его пола.

— По-моему, вы даете ему слишком большую волю, — замечаю Одиссею Моисеевичу, — так, глядишь, он раньше вас получит американское гражданство.

Конкурс красоты подходил к концу. Вот-вот должна была появиться Мисс Святая Елена — уединенный островок, где можно пожить Наполеоном, обдумывая дальнейшие шаги завоевания этого мира. А впрочем, необязательно, разве стоит этот мир того, чтобы его завоевывали? Художник, он всегда остров, правда вечно омываемый, вернее, чем только не омываемый, остров, где остро не хватает подчас одиночества. Это то же самое, что сказать — мать-одиночка. Ну какая она одиночка, если вокруг шумит столько детей!

Вот-вот должна была появиться она. Ее с нетерпением ждали все, кроме нас, потому что это не мы объявили конкурс на лучшую деву нашей жизни. Потому что мы здесь безучастные зрители, хотя и азартные по натуре. Но так или иначе, а где же она, самая-самая мисс? Видно, что-то в жюри заело. Дело в том, что ныне на подобных соревнованиях решающее мнение о той или иной красавице высказывают не мужчины, знающие в них толк, а бестолковые машины и бездушные и до неприличия электронно-вычислительные агрегаты, в которых ни искорки страсти, ни в одном глазу. Бесстрастность, а также бесполость их как бы приближает нас к будущему с его неимоверной деловитостью тронно-электронных судей беспристрастных, но абсолютно безразличных к любой красоте. У меня тоска от такого прогресса. Куда веселее, когда от беса. Короче – виртуальность не за горами, когда женщин уже не будут приветствовать, стоя всей плотью. А жаль.

По мере того как страсти накалялись в зале, на сцене было относительно спокойно. Что-то щелкало, будто пальцами, цокало, словно языком, шелестело, видимо перфокартой. И роботы строили разноцветные глазки красоткам, поочередно выходящим на помост. Но вот произошла заминка. Холодные судьи, но что-то и у них перегрелось. Немудрено – красавицы шли косяком, одна лучше другой, кому уж тут отдать предпочтение? Чисто зрительно это невероятно трудно, даже почти невозможно, особенно когда показывают их залу лицом или, наоборот, не менее привлекательным тылом, но все одно как бы походя. Остановись, мгновенье, ты прекрасно, но ты быстро стареешь! Не останавливается. Спешит.

На сцене появился факир. Изо рта его летело пламя.

Сколько же он выжрал водяры? Пару кило, не меньше. А может, это горючие слезы его горят? Или всю жизнь скрывал темперамент и вот только теперь потихонечку его выпускает? Но так или иначе, а вот так должна лететь наша пламенная речь!

Появился ведущий и своим острым как бритва голоском тут же вспорол тишину. И на сцене снова появился прекрасный пол. Выбежали тамбуристки, швыряя в нас высокими ногами. И не менее высокой, под самый подбородок, грудью. В мгновенье ока они смахнули с себя все — и прекрасный пол стал еще более прекрасным. Так всегда бывает, когда появляются они в своем антигардеробе, во всей красе своего вечного «нечего одеть». По крайней мере, в России, которая и приучила нас видеть женщин голыми, а девушек обнаженными. Это королева должна быть голой, а не король. Это намного лучше, чем голый король, хотя двадцать миллионов одних только американцев, напротив, считают, что голый мужчина — вот он — король и это куда естественней, нежели голая королева.

— Так это же гомосеки, педрилы несчастные, которые и в баню ходят, как мы на стриптиз, — возмущается Одиссей Моисеевич, — лично я всей грудью вон за ту грудь!..

И действительно, это было нечто способное убить и оживить в то же время.

— Как сейчас помню, пришла мама, принесла молока, и в такой же прекрасной упаковке, — сразу вспомнил себя он грудным. И признался, что в младенчестве ему не везло — его рано отлучили от сладкой. Присосался было, как тут же отняли. Так что в жизни ему, можно сказать, всю жизнь ее не хватало. Теперь он компенсирует. Восполняет упущенное. Наверстывает. И как он только не попался на этой приманке? Ведь, казалось бы, слишком личная жизнь, которой он в свое время посвятил свои помыслы и отдавал все свои силы (пока его не возревновала власть, очень она у нас ревнивая, сука), по логике вещей должна была захлопнуться, как в сейфе, в одной-единственной женщине (правда, она потом захлопнулась, но совершенно в ином месте), ведь это же так затягивает (по себе знаю). Не говоря уже о том, как это сближает. Иногда мне даже кажется, что мы с женщинами одно целое... Но так или иначе, а однолюбом он не стал. Было бы несправедливо, если б в жизни мужчины была одна, только одна женщина, и еще нелепее, если б, теряя ее, он терял бы смысл своей жизни. А ведь находились и такие, кто стрелялся, топился, давился, травился или, в лучшем случае, терял аппетит — из-за одной, с более или менее приличным туловищем, считая ее в своем роде единственной. Может, в своем роде она и единственная дочь, но сколько же таких родов на земле — не счесть. Не понимаю, как можно убить себя пусть даже из-за самой ослепительной звезды, будто одна только звезда в орбите нашей. Да разве стоило бы из-за одной-единственной астрономию разводить?! — видимо, читал я мысли Одиссея Моисеевича.

— Нет, ты посмотри, какая мулатка! — чуть было не сорвался он с места. Но Мисс Вселенной объявили, увы, не ее. Ею оказалась совершенно заурядная девица с явно поддерживаемым кем-то бюстом и с не менее подталкиваемым кем-то задом, как два барана, откормленным.

Ну, такую жену ласкай сам! — сказали мы старой своей поговоркой, — на то ты и компьютер. И поплелись в наш «Латем», в чьих захудалых номерах жил когда-то советский шпион Абель.

— Царевна, холодная, как лягушка. Баба-Яга, поначалу Дюймовочка... Нет, пожалуй, мы пока не будем жениться.

— Ни в коем разе, — соглашается Рыгор, — он ее любил, надоела — убил, совсем надоела — закопал. Нет, это не про нас, — все больше и больше утверждался он в своем нежелании жениться.

— Вот так сначала женился, как все. Потом поехал, как все... — говорит Ардальон, — нет, я только наполовину поддался стадному чувству под названием «куда все — туда и я». Но это куда лучше, чем куда я, туда и все. Тем более, когда ты уже нашел свое место в жизни, куда посторонним вход нежелателен. Лучше уж я пока прибьюсь к коллективу, чем потом коллектив засосет меня, и тогда уже оторваться от родимого и сплоченного почти безнадежно, бессовестно, безнравственно и вообще неэтично, поэтому я всегда держусь с краю. И пока не женюсь. Жена ведь тоже в какой-то степени коллектив, он в ней до поры до времени, пока она не начала его выстреливать по одному. А здесь, в Америке, надо быть еще осторожней. Один мой знакомый миллионер, вернее, бывший миллионер, — все до последней копейки в штанах и штаны тоже отдал ненаглядной своей, чтобы только поскорее от нее избавиться (здесь суд помогает женщинам грабить) — как-то сказал мне: «Ардальеша, не вздумай жениться. Здесь можно ставить только на лошадей, да и то на хороших, но никак не на женщин — проиграешь и просадишь все, промахнешься и прогоришь, провалишься и не вылезешь! Поверь, дорогой, моему горькому опыту...» А уж опыт у него, можешь поверить, горький. По сей день вот уже столько лет во рту у него привкус души оплеванной. Потому нет в мире человека, чаще и чище него чистящего свои зубы. А ведь какой души был человек!..

Кто-то набежал на нас, запыхавшись, и чуть не столкнул нас с нашей дороги. Он тоже, наверно, спасался от жен, как от пожара, схватился за голову, а надо бы за штаны. Так и бежал, за нее держась, абсолютно голый, далеко выбрасывая свои длинные ноги, будто они совсем ему не нужны. А ведь, пожалуй, только на них и надежда, только в них и спасение, кто, как не они, поймут будущего холостяка. Исчез. След его простыл в многолюдном Нью-Йорке, где вольному воля, а спасенному рай. А может, он просто стремительный человек — все еще бежит от государства, долго его не отпускавшего и ставшего для него не только эталоном и не только сварливости жен, а куда более невыносимой жизни. Ведь если семья — ячейка, то государство в таком случае — подсолнух, начисто расклеванный вождями, где каждый конечно же миролюбец — взасос. Но клюй не клюй, а мы пребудем вечно. Потому что всегда и везде кто-то за кем-то семенит и обязательно осемьянит. И будет снова-здорово — ничто, потом свет близости, теплота чрева и жизнь, стремительно бегущая к изначалу. Только двое помогают нам родиться, но сколько же помогает нам потом умирать!..

Да, кто прочитал русскую историю, тот уже не станет читать детективов, это уж точно, если он, разумеется, настоящий книголюб... О новейшей нашей я и не говорю, но мне все же кажется, что он от жен убегает. Мне кажется, что даже здесь, в Новом Свете, его подстерегли старые опасности, если все его бабы за ним устремились с детьми или без, полагая, что жить без него не могут, а с ним тем более. Он конечно же отмахнулся от них, вернее, попробовал отмахнуться, но не тут-то было, здесь государство на стороне самых сварливых и самых отвратительных жен, тут чем гнуснее жена, тем к ней гуманнее государство. Не может же оно быть дважды гуманным — чтобы мужа не покарать и его бывшую жену ублажить. Государство — это налог. Ничего другого оно не умеет. Государство — это вечный побор, сдирающий абсолютно всю кожу. Только на мошонке и оставляет немного, чтобы в руках не носили то, что делает нас отчасти сумчатыми. И хотя оно — ОНО, то есть среднего рода, как бы ни за мужчин, ни за женщин, а все же предпочтение отдает последним. И кто сказал, что жены — слабый пол!..

— Давай усыновим его! — предложил Даня. — Я неимоверно его понимаю. Это уже повод и основание для полного его усыновления с выдачей необходимых штанов на первое время. Я не допущу, чтобы еще и здесь страдал человек. Пусть страдает там, где ему страдать положено, и где он хочет страдать, и где ему страдать даже приятно — так мучается, что слезы из глаз в этом театре не одного актера, даже у самых бесчувственных зрителей. Пусть же, наконец, он проходит, как хозяин, необъятной новой родиной своей. И пусть он начинает петь и смеяться, как дети. И пусть ему станет с каждым днем все радостнее жить... Не иначе жены по-российски в полицию обратились. И человека как не бывало. Я ж говорю, что стерва-жена здесь что корова в Индии, святее не придумаешь. Конечно, все так и случилось: сжалился — вызвал чужую жену, а она его и подловила. Давай усыновим его, бедолагу, и тогда сразу же его отдадут на поруки, — укрепился он в своей решимости во что бы то ни стало спасти несчастного.

И мы пошли спасать нашего нового друга, случайно наткнувшегося на нас. И который ни слова к тому же нам еще не сказал. Не успел. Торопился. Или он еще не знал бытующего здесь языка, полагая, что окружающие едва ли стоят того, чтобы он говорил на их языке, да еще лучше их.

Полиция как раз принимала у кого-то роды прямо на улице. Кто-то не добежал до участка буквально несколько метров. Так что им было не до нас. И мы двинулись к следующему участку этого боро, но там допрашивали совсем не нашего друга. Потерпевшая женщина там рыдала навзрыд и по возможности отвечала на ловушки-вопросы. Полицию всегда интересует – КОГДА, КАК и ПОЧЕМУ?

– Потерпевшая, прежде всего нас интересует, когда и как это случилось?..

Далее их интересовало (вполне задушевно и перекрестно) – что она при этом чувствовала и было ли ей приятно. Но главное, что их интересовало, если не сказать волновало, – не дала ли она насильнику повода ее изнасиловать – может, она не так шла? Может, она, сама того не ведая, его возбуждала? Может, она недостаточно хорошо продумала свой туалет и допустила излишнюю фривольность в своей одежде? Еще их интересовал генетический тип ее темперамента...

В следующем участке почему-то никто не отозвался, как и в соседнем. Видимо, все ушли на фронт с понижением рождаемости в Соединенных Штатах. Во всех «полис департментах» на нашем пути, ни в том, ни в другом графстве, мы полиции не нашли. Скорей всего, она была на стрельбищах, училась не попадать по мишеням, не слишком-то от нее бегущим. Бессменная чемпионка мира по стрельбе навскид и не целясь, а также навскид и не глядя, Америка отныне училась не метко стрелять. И еще бегать во время затмений, затемнений и прочих локаутов от черных, но при этом стреляя в белых подростков, перелезающих через турникеты. В данном случае она показывала пример ногами своих когда-то медлительных шерифов.

– Я теперь понимаю, почему здесь частые затмения, – говорит Даня, – много света жгут. И это понятно. Тут даже днем иногда темно в глазах, если не сказать черно. Да и полицию я понимаю – ее убивает каждый кому не лень. При виде предупредительных и вежливых «копов» с почти оголенными «кольтами», и где – в Нью-Йорке, где сплошь и рядом соблазн их выхватить, я вспоминаю наших московских ментов, день и ночь вкалывающих руками и ногами, чья голова трясется не столько с перепою, сколько от топота собственных сапог и, по сути, только мешает, но работающих до полного изнеможения в городе, чтобы не послали работать куда подальше. Или того хуже — золото добывать. А как его добывают, ты знаешь, это смотря где. Немцы, чья забота о подрастающем поколении всегда была первостепенной, даже на душегубках писали огромными буквами по всем четырем бортам: «ОСТОРОЖНО, ДЕТИ!» — они добывали золото, как известно, из челюстей интеллигентных людей (благородные люди всегда благородным металлом пользовались). Наши, в чьих расстрельных комнатах также к людям небезразличны, — палач обязательно скажет, вернее, покажет на надпись «У НАС НЕ КУРЯТ!» и, погладив твой затылок, добавит с сочувствием: «ВРЕДНО ДЛЯ ЗДОРОВЬЯ», — эти его ковыряют из мерзлой, но уже не скулы, а земли колымской, где в основном если и есть скулы, то без зубов, тем более золотых, но природа очень даже компенсирует эту стоматологическую промашку бывших нежильцов колымских, наша земля всегда славилась своими самородками, в частности золотыми. Их-то и добывают «доходяги» — просто самородки.

Вот так, сравнивая нашу милицию с нашей полицией, мы продолжали обход в надежде, еще не угасшей, несчастному беглецу помочь. Кто-то посоветовал в штат другой обратиться, рассудив вполне резонно, если люди бегут, так, по крайней мере, бегут далеко. Во всяком случае, стараются смыться подальше. Но мы-то знали, что нашему брату бежать уже некуда. Мы-то знали, что брат наш уже прибежал.

— Видимо, она переоделась в женщину, которую мы видели, и ловит насильника, и поделом негодяю. Подонок, ему, видите ли, женщины недостаточно доступны, можно подумать, они такие недотроги, что их обязательно надо насиловать, мне это дико, никогда не уговаривавшему девушек разделить со мной ложе. А может, здесь просто не привыкли делиться ничем? И куда полиция провалилась? — недоумевал Даня.

— Под землю, — предположил я, — в сабвей, именно там чем больше полиции, тем чаще случаются преступления. Именно там статистика уже схватилась за голову. Так что было бы нелепо просто так встретить полицию. Она на работе. Она на посту. Она на охране счастливейшей жизни, ибо если ты жив — ты счастлив вдвойне, да и он, наверное, уже в Синг-Синге или в Алькатраце, окруженном водой залива, где акулы смыкают свои круги и никогда не плавают прямо — им подрезали второй их плавник. Так что ему никогда не сбежать оттуда, а с другой стороны — где еще можно спастись от жен, как не в хорошо охраняемой тюрьме. Только в ней и можно спастись. И мы прекратили поиск.

Ефеня

— Ты в каком шел потоке?
— В нескончаемом...

Из эмигрантских разговоров

— Я тоже однажды настроил себя на дружественную волну, — говорит наш богатырь Ефеня Попович, на фоне вывешенных картин еще более внушительный, — и услышал доверительный «Голос Америки». Тогда она еще подавала свой голос, не ахти какой, но лучше, чем ничего. И вдруг вздрагиваю — там говорят про Наташу. Ну, думаю, всюду Аленка со своей дыренкой, надо же — уже там!.. И продолжаю внимать с еще большим вниманием и, я бы даже сказал, пиететом. «Наша Наташа знает украинский, потому что она американка украинского происхождения, — вещал голос, — она изучала родной язык в Сауткенсингтонском университете в Австралии. В Киеве, где она гид на выставке, к ней невозможно пробиться. Столько желающих протиснуться к ней — так все хотят ее видеть. От столпотворения к Наташе выставку, вероятно, придется закрыть, но здесь она будет до 15 августа — спешите. Потом выставка переедет в Алма-Ату. Там Наташа будет американка казахского происхождения...» — и «Голос» умолк. Пишу Наташе на «Голос Америки», я ведь тоже не мог к ней пробиться, потому что не жил в Киеве: «Дорогая Наташа, ты не знаешь — почему Микоян не дополз до Великой нашей Китайской стены, окружающей Кремль, ведь они даже в смерти на стену лезут и до смерти в эту стену хотят...» Никакого ответа. Решил эмигрировать (через Турцию), чтоб уже тут спросить, но в том-то и дело, что не знает Наташа — почему Микоян не дополз до Великой нашей Китайской стены. Получается, зря приехал. А точнее, приплыл...

Тут надо сказать, что Ефеня в отличие от всех нас добирался не слишком комфортабельно, смело можно сказать — без удобств бежал, без визы и вплавь. Не то чтоб поверил, что пьяному море по колено, но тем не менее взял да нырнул с головой, сколько можно задерживая дыхание. Одно не учел, что такому блондину не следует в Черное лазить море, оно — на виду. Оно только называется Черным, а на самом деле прозрачно, как домашний бассейн. Не успел Ефеня спрятать концы свои в воду, как тут же был выловлен, как ценный морской продукт. Вторая попытка была поудачней.

— И меня взяли, а уж потом взяли и отпустили, — говорит Кузя. Вот Сосивовчика сначала отпустили, а потом взяли. Одного только Одиссея Моисеевича взяли да отпустили.

Кузя тоже эмигрировал не как все. Все ехали с женами, детьми, бабушками, дедушками, а он с собакой какой-то редчайшей породы. «Ей даже больше платили, чем мне, — как-то раз он признался, — и встречали теплей, чем меня, другое дело — она того стоит, тем более не я ее, а она меня кормит, сука моя дорогая», — и он демонстративно поцеловал ее в добрую морду. Короче, въехал наш Кузя в Америку на собаке, как истый северный человек из северной Пальмиры имени Ленина.

— Да что говорить, была страна странников, а теперь — охранников, — выдохнул Одиссей Моисеевич, — каждый охраняет друг друга, чтоб не сбежал. Я с ужасом вспоминаю вчерашний свой день. Иной раз в холодном поту просыпаюсь в том промежутке жутком, когда сегодня еще не кончилось, а завтра еще не наступило. Вот и ныне мне приснилось невероятно отчетливо, будто сижу я на бережку какого-то полуотравленного озерца и вдруг на крючке моем рыбка — умница моя золотая. Дергается, умоляет отпустить, разумеется, не бесплатно. Одиссей Моисеевич, ты ж гуманист, — говорю я себе, — не будь жлобом — амнистируй рыбку, тем более сегодня не рыбный день. И вообще, чего тебе надобно, старче, какого хрена?

— До самых пят, — что-то во мне за меня отвечает.

— Что стучат, как копыта, от долгих хождений по мукам? — спросила рыбка. — Изволь! — и с головою нырнула. Только блеснул ее хвост двумя пальцами, в которые обычно вкладывают еще и третий. И только это случилось и вода не успела рябь свою проглотить, как начал расти я вполне ощутимо. Так стремительно в рост свой пошел, правда обратный, что даже рукою взмахнуть не успел. Первым делом пиджак мой земли коснулся, будто в карманах я свинчатку ношу. Дальше — больше, и вот я всем телом стою на земле и зад мой, что называется, по ней волочится...

— Как у Мела Гибсона? — спросил киновед Сулькин.

— Остроумная рыбка! — отдал я ей должное и только сейчас заметил, что Одиссей Моисеевич слегка походил на карлика, но как же умело он это скрывал!

— Очень остроумная, — сказал Одиссей Моисеевич с едва скрываемым сарказмом, — раньше я ждал у моря погоду. Теперь у двух океанов сижу и жду. И представьте — ничего похожего не попадалось. Не случайно же здесь рыбешка на вес золота, а если б действительно попалась золотая, да еще блещущая умом?!

На что инвалид Первой и Второй мировых войн (у третьей инвалидов не будет) — резюмировал вдохновенно: «В России все покрупней. Правда, Ефеня?»

Ефеня покуда молчал. Он привык, чтоб на родине слышался его звонкий голос, но там почему-то с акустикой ему не везло. Но вот великан наш поддал хорошенько и тоже влез в разговор:

— Я тоже люблю рыбку породистую и молодую. У меня тоже губа не дура, но такси я теперь ловить боюсь.

— Почему? — заволновалось общество.

И Ефеня рассказал:

— Понимаешь, я пил тогда много, даже когда мало пил. Стал я как-то посередь дороги. Ловлю такси, а мороз меня ловит. Так прихватывает, что и такси, чувствую, не поймать. И стал я тогда оглядываться, чтоб не замерзнуть. Вижу, стоит такой же бедолага, тоже ловит такси и тоже рукой не гнется, заснеженный весь. И в такой мороз еще шапку в руках держит. Подхожу. Вместе ловить веселее. «Ну что, разопьем таксишку!», хотя этот сучий глаз нам еще не светит. Потоптались еще — никакого эффекту. Не идет к нам такси. И куда они все подевались? И я решил, что лучше идти, чем стоять. «Ну что, кирюха, может, пойдем?!» А он как-то индифферентно к этому отнесся. Может, оттого, что звука сказать не может — сок голоса его совсем замерз. Закаменел весь как есть. Ну вылитый памятник, но руку все ж по инерции тянет. А раз тянет руку, значит, ловит такси. А раз ловит такси, значит, товарищ мой по несчастью. Взял я его тогда за белу рученьку и поволок к себе. Не бросать же товарища... Еле допер, а жена мне: «И кого ж ты притащил, отщепенец?» (Она меня так называла за мою попытку с родины далеко уплыть.) «Не возникай понапрасну, пусть маленько оттает. Мы вместе ловили такси». И кладу его в нашу постельку. Спи спокойно, дорогой товарищ, чтой-то лицо мне твое знакомо, наверно, с горки одной мы на ем в раннем детстве катались и на солнце одном сушились потом. Спи, раз ты такой гордый и не хочешь со мной разговаривать, в рот тебе фронт... И действительно важный, да еще какой, попался! Надо же, кого упер с перепою — вождя. Надо же, маху дал. И еще какого! Но самая большая ошибка моя не в том была...

— А в чем? — взволнованно мы спросили, боясь, что он не того с постамента снял.

— Он, оказывается, не такси ловил, сучий потрох. Он Россию ловил, как Одиссей Моисеевич рыбку.

— Да ладно врать! — мне кричат уже там, где сразу же я оказался, куда и Макар не гонял телят, потому что телята туда ни за что б не пошли...

— А вот те крест! — говорю. — Пришли-набежали... Кто меня с перепугу схватил, кто, надрываясь, кряхтя и пыхтя его потащил, оступаясь всем партактивом. Несут в почтенном молчании его громадную черепную коробку, будто в ней что есть (когда я со сна раскидался, немного его расколол), несут, чтоб назад водрузить на плечи...

— Да что ты врешь! — кричат мне, — когда в жизни она была усохшая и пустая. Не говоря уже, что мельче раз в сто пятьдесят...

— Так то в жизни, а после смерти его бессмертной они ж его гением сделали. Сколько чугуна, гипса и бронзы, а также пресс-папье-маше извели.

— Что же, по-вашему, среди русских и гениев, что ли, не было? — возражает мне кто-то сбоку-припеку.

— Да кто из русских-то русский? — отвечаю я, вождепер несчастный, — тем более гении, они сплошь полукровки. Историю почитай, шовинист херов, Лермонтов — де Лерман — шотландец. Пушкин — известно кто — негр. Толстой — немец, как Фон Визин, Гоголь — малорос, москалей в гробу видел. Достоевский — поляк и кто-то еще. Может, какая-то часть его крови по-русски и материлась, но и мат наш, кстати, тоже пошел от татар. Левитан, который мне нравится, еврей, и другой Левитан, который мне совсем не нравится, — тоже. Блок — полу, как Пастернак — полный выкрест. Вот разве что Есенин. «Моя прабабка, — говорит, — была староверкой...» Будто татары ее спрашивали, когда ей подол задирали. Да и потом — какой он гений?

— Есенин?

— Да нет, этот наш — чуваш и еврей?!.

И добавили мне, ребятушки, тогда срок, и уже не условный, ибо язык без костей, когда он, как бы сказать понаучней...

— Не в анусе, — подсказывает наш почтенный литератор, бессменный сотрудник «Нового Русского Слова», которое всех нас призывает сотрудничать с ним, а нам не нравится само слово «сотрудничать», не говоря уже о самом Слове.

Рядом с ним стоял юноша Казя и тщательнейшим образом разглядывал чей-то усушенный член, картина называлась «Автопортрет», если не ошибаюсь... Потом он исчез, видимо ушел на женскую половину выставки. Вернувшись, он спросил:

— А где здесь картина, где Рубенс меняет колено под Саскией, когда она ему его отсидела?..

— Это в другом зале, юноша, — говорит ему Даня, — к тому же в другом городе и совершенно в другой стране.

Я уже не говорю, что это на другом континенте. И более того — в мире другом. Далеко мы, однако, забрались. Прямо отсюда и начинается сказка. Где-то за морями синими и окиянами пьяными, за долами зелеными и горами долблеными — за тридевять земель и тридесять государств (развитых, недоразвитых, зрелых и перезрелых), княжеств всяческих укороченных и королевств задроченных жил-был я — добрый молодец не в ахти высоком тереме коммунальном, пока кооперативную квартиру себе не купил. Жил не тужил, с красными девицами дружил (в данном случае красные — не обязательно комсомолки). Умные девушки, они не стремились плодиться в неволе, но это не значит, что любили не горячо, восхищаясь не только ума палатой (одних только пядей семь штук во лбу). Да что там — вполне можно партию с правительством поблагодарить за успех мой у женщин. Ведь явно считают и это своей заслугой. Если бы на единственной пяди под шляпой каждого самого ответственного члена партийного выскочило хотя бы по одному члену безответственному и беспартийному (больше не поместится) — и то картина была бы неполной — столько их было, красавиц в подрамнике жизни моей. Иными словами — сколько у них было ненависти, столько было у меня Любовей. Да что женщины — весь советский народ обожал нас, писателей, которые к тому же еще и художники. Бывало, везут в агитвагонах по городам и весям с остановками и без, в «Столыпине» или в мягкоспальном, с ветерком или не спеша, но везут показать народу отборное, проверенное и апробированное. Если Кузькина мать, то это действительно Кузькина мать, а не чья другая. А если просто мат, то самый отборный. А если писатель, то также чтоб сразу было заметно. Чтоб обязательно хоть чем-нибудь выпирал. Недаром читатели всегда на наших пресс-конференциях живо интересовались: «Как вы думаете, Бубен Бабаевский заметный писатель?» «Такой же, как Бабай Бубенов», — мы им охотно всегда отвечали. Это ныне уже не спрашивают и носом не крутят, как раньше, просто приходят в книжный, куда когда-то с ночи очередь занимали, и без всяких каталогов — «Пища духовная есть?» И им что-то там снимают с полки и уже не заворачивают, как раньше, а просто в руки суют. Да что говорить — все ему, народу нашему, когда-то по зубам было, сколько ни били его по зубам. Все мог сам ухватить, если верить нашим народникам, а ныне будто деснами ест, родимый. Все-то ему прожуй и размажь. Вот и нас ему тоже только проверенных и хорошо проваренных надо, а то, чего доброго, обидится на власть и «ура» кричать перестанет.

— Мы маленькие люди, — говорит наш люд ненаглядный. И чуть ли не плачет.

— Да какие же вы маленькие, если о вас большие писатели пишут (хорошо, что не наоборот)...

Все равно прибедняется:

— Вот раньше бывало, — говорит народ, — один наезжал, а теперь вон какой оравой писатель приехал!

— Мил-человек, так то было раньше. Он тогда был еще крупней — и народ, и писатель. И вообще, то, что раньше делал один, ныне делается коллективом. Ты, главное, не трухай и водку тащи!..

— Раньше стояли их чучела, а теперь они сами ожили, — тихо в нос себе прячет он эту свою недовольную мысль, но водку тем не менее тащит.

Причесали. Везут народу писателей показывать, а писателям, соответственно, народ. Если его согнать хорошенько — покажется. Везет писателям — везут. Народ же пешком сбирают — отовсюду зовут. Вот так с миру по гнидке и будет вшивому баня.

Рыгор

Или сидеть подольше, или бежать подальше, третьего не дано.

Из камерных разговоров

— ...Знаете, как там у них отныне называют свиную отбивную? — спрашивает Казя нас, бывших своих соотечественников, включая и тех, которые еще только приедут.

— Нет, — говорят бывшие соотечественники, стесняясь своего дремучего невежества.

— Свиная отбивная — это картошка, отбитая у свиней.

— А не объявить ли и нам голодовку в знак солидарности со всеми голодными на нашей доисторической родине? — предложил Одиссей Моисеевич (все, что было до Израиля, для Одиссея Моисеевича обозначалось с обязательным «до»).

— Не пойдет, — запротестовал Гудя, — я считаю, наоборот, мы должны плотно закусить и крепко выпить за тех, кто в горе, уж хотя бы для того, чтоб хоть что-то для них сделать.

— Демонстративно? — спрашивает Вадя.

— Очень, — уточняет Гудя.

— Я тоже не понимаю протест натощак, — соглашается Казя, — тем более у окон советского представительства, как это делают здешние протестанты. Напротив, я считаю, что следует устроить такой пир горой у этих почему-то еще не выбитых окон, чтоб жарко стало за их плотными шторами. Вот смотрите, как кормит Америка ваш бедный советский народ. Мы шли к коммунизму и пришли наконец. Не все, но пришли по дороге, усеянной трупами, а вам еще пехать и пехать... Так что глотайте слюни, придворные псы! Как вы думаете, дойдут они там в России?

— До ручки? — уточняет кто-то.

— Вот именно — до коммунизма, — говорит Казя, — чтобы потом их же самих спросили: «И как же вы, дорогие товарищи, до такой жизни дошли?»

— Дойдут, — тут все единодушны.

— При таком питании там все уже доходяги с Верховным Советом, который на них верхом... — это сказал бывший советский прокурор, ныне владелец вонючего закусерия, почему-то безымянного, но громко пахнущего немытым котлом. Он всегда таскал за собой этот запах. Как бы спрашивая: «Не хотите ль у меня отобедать?» Я однажды посоветовал ему назвать свою рыгаловку — «Ностальгия» и чтобы коронное блюдо в ней непременно называлось «баландой», а уж потом произносить свое «Милости просим!»

и услышать в ответ «Да ни в жисть!», когда, нечего делать, приходится сбрасываться на «Шато Мадрид».

Над головою, как всегда, что-то летело транзитно, то и дело норовя свалиться на голову. С океана несло полуфабрикатом озона. В то место, куда обычно впадал Гудзон, впадала совершенно другая река, ни цветом, ни запахом и даже течением на него не похожая. Вместо Гудзона черт-те что плыло, пузырясь и лопаясь. С птичьего полета, может, это и было красиво, но с нашей подветренной стороны было бы куда лучше, если б Гудзон по старинке плыл. И, как говорят японцы, мы решили повесить наши спины на совершенно другую мебель. Нам всегда хотелось сменить этот бар.

Слегка перекусив, мы опять на вернисаж вернулись.

— А это — Мандель, — представляет Одиссей Моисеевич своего друга, — злостный нарушитель паспортного режима и многолетний отказник — знал фасон солдатской шинели, когда работал в «Индпошиве», также певший, как и я когда-то, в сводном хоре МВД—КГБ — «Это чей же там стон раздается?» (при этих словах дирижер обычно отставлял свою палочку и грозил уже кулаком, — не забывает вспомнить бывший хорист). Сейчас он поет за младшего регента в церкви и еще подпевает в своей синагоге. А это Рыгор — внук шамана.

— Он что — тоже пел в твоем хоре? — спросил Ефеня.

— Нет, он не по этой части — он палеонтолог-любитель и в каком-то смысле сам ископаемый человек.

— У нас уже есть один ископаемый — наш Гудя — северный человек, не говоря уже о Кузе, который тоже в собачьей упряжке приехал. Но все равно — милости просим, Рыгор! Будь как дома.

— Спасибо, — сказал Рыгор, — но я лучше вернусь на Аляску — там я единственный палеонтолог. К тому же там еще и живые мамонты попадаются. Их общество мне куда интересней.

Но это он так шутил. Никуда он от нас не делся.

— Почему здесь такая потребность спустить курок? — спрашивает наш любознательный Казя. — Не говоря уже о негодяе: ему спустить курок — что кончить...

— Человека? — спрашивает Вадя Незнанский.

— Вот именно, — подтверждает Казя, — попрыгунчик и подлец, когда он прыгает, земное притяжение ну нисколечко не участвует. Ну ни капли не присутствует, так ему легко. Вот он сидит в засаде своего Сентрал-парка, понятно, тем пальчиком, которым он грозит женщинам, едва ли он их испугает, тем более до смерти. А ему хочется, что называется, сразить наповал. Так что ему остается? — понятно — спустить курок своего неудовлетворения.

— У него есть выход, — говорит Бах, — немедленно и бесповоротно стать женщиной. Многие мужчины, еще не успевшие обабиться до конца, пошли на эту дорогостоящую операцию и теперь вполне удовлетворенно потрясают женским бюстом и девичьим задом. И даже пытаются крутить им, тем самым вытесняя проституток-женщин.

— Куда меньше женщин, желающих стать мужчинами, нежели мужчин, хотящих стать женщинами, — сокрушается Рыгор, — я думаю, тут тоже сыграли свою роль вибраторы, с которыми уже не может соревноваться мужчина. Ну кого сейчас удивишь активностью в одну, пусть даже лошадиную силу?

— В оленью, — поправляет его Ефеня, молчун и пловец, явно намекая на его северную народность, — а у казахов — верблюжью.

— А сколько гомиков! — возмущается Казя. — Говорят, уже начали насиловать мужчин...

— Которые еще девушки, — подначивает его Ефеня, почему-то его недолюбливающий.

— Да, всё из-за них, проклятых, — кричит Падло Нерудов: ему тоже небезразлично, что кто-то гладит по головке эти ничем не одухотворенные трубы. — По ночам здесь только и слышишь: «Стой, стрелять буду!» И тут невозможно понять — полиция ли это ловит бандита, или бандит пытается поймать кайф, — разделяет он общую и неслучайную тревогу американцев, уже ищущих пятый угол от избытка оружия.

— А мне, как бывшему марксисту, кощунственно видеть лозунг: «Педерасты всех стран, соединяйтесь!» — говорит почтенный литератор. Да они и так уже стоят по всей земле, крепко держась друг за друга...

— Без рук, — уточняет кто-то и считает, что такое только перед самым концом бывает. Обязательно что-то должно случиться. Обязательно все закончится, как только закончится этот век.

— И я предчувствую это, — говорит Юз — знаток и психолог, а также художник слова, не всегда приличного правда, — а как в политике их дерут! Выступает политик — и полетел в него урожай помидор.

— Мятых? — спрашивает его Казя.

— Нет, мятыми они станут потом, когда до него долетят. Выступает другой — яйца летят.

— Тухлые? — но тут уж всеобщее любопытство.

— Нет, они стухнут впоследствии, непосредственно с ним соприкасаясь. Выступает третий. И вот уже сами их кидавшие как угорелые летят...

— С яйцами? — спрашивает Одиссей Моисеевич, всегда неравнодушный к успеху, тем более чужому.

— Нет, налегке, — подсказываю я. — И запомни, Одик, под лежачий, как камень, даже вода не течет.

Мне здесь нравится все, даже то, что не нравится

Иду как-то по Пятой авеню и вдруг раздается в Америке: «Сгреб твою мать!» Это Гудя кричит, потому что и сюда дошел (сгреби его маму тоже). Смотрю, катится в толпе живот лица. Ну, думаю — наш! Так и есть — Егудаил. И с ходу: «Мысль — не вещь, а если вещь, то несущественная. За кражу мыслей у нас не сажают, даже на койку в психушку. Или мысль уже не частная собственность? Или она должна принадлежать всем сразу, даже нечистым на руку? Или же хорошая мысль (кто же ворует плохие?), по мнению цэ-ка вэ-ка пэ-бэ, не так уж и хороша? Но вот стали сажать за воровство книг. За написание, а также за чтение книг, с точки зрения властей неудачных, у нас сажают давно. Нет, здесь стали сажать за воровство просто книг. Другое дело раньше, когда книги едва ли представляли ценность. Воруй на здоровье! А сегодня... Неужели сегодня в книгах появилась хоть какая-нибудь мысль?

— Гудя, — говорю, — ты все еще там, а я думал, ты уже здесь — тебя еще когда отпустили... Успокойся, Гудя, бежать тебе дальше некуда — все, приехал!

— Я здесь, но своим возмущением — там. Ведь я же уводил книги абсолютно без мысли.

— Я тоже здесь, но как-то еще не заметил, — продолжаю его успокаивать, — я точно знаю, что там меня нет, а вот здесь ли я, ей-богу, не знаю (я действительно первое время был немного растерян, не до такой, конечно, степени, как юноша в аэропорту, который стоял и плакал, еле слышно шепча: «И это Америка?», когда я, помнится, встречал кого-то).

— Да вот же ты! — говорит мне Гудя. — По-моему, целиком, может, какая-нибудь часть и осталась где-то, но незаметно, по крайней мере невооруженным глазом...

И снова-здорово сел на своего конька. Все никак не может понять, за что его там сажали? Ну, слегка подворовывал книги, преимущественно в библиотеках. И только советские, чтобы сдать их потом в утильсырье, все одно макулатура, и получить взамен, скажем, «Сказки Андерсена» или «Трех мушкетеров», тоже уникальное издание, не говоря уже о «О вкусной и здоровой пище», но это очень много надо сдать на вес, можно сказать, всю советскую литературу, чтобы такую книгу ценную получить, а попробуй ее собрать, а потом отволочь. Только один героический Гудя и мог. Спасибо ему, хоть он и сам говорил: «Спасибо, что это дерьмо берете!» Гудю любили. Он, можно сказать, был волк-санитар, которого не только ноги кормят.

«Гудя, а почему ты сразу не уводил „Пищу“, которая здоровая и вкусная?» — как-то спросил я его еще в Москве. «Совестно, народу и так читать нечего», — искренне ответил Гудя. Труженик, он собирал свои тонны по крохам, пока не поймали. Представляю — на каком дерьме.

Наши негры — цыгане, а вместо индейцев — свои могикане. Тут надо заметить, что Егудаил — последний, и к тому же самый, из селькупо-нганасанского рода. И — к чести его — не пошел в своего папу, который считал, что все на свете должны говорить на языке его еще не окончательно вымершего племени, пока там еще остается хоть один способный разговаривать (в данном случае он с малолетним отпрыском на руках). А посему говорить ни с кем не желал. Ни с одним не контачил народом, полагая, что народов много, а он один (Гудя еще говорить не умел и вообще был на редкость стеснительный мальчик, за неимением игрушек игравший только своими еще не выросшими причиндалами). «Вы постигайте мой язык, — говорил, бывало, Егудаил-старший, — там не ахти как много слов. Но тем не менее он тоже трудный, очень даже гортань устает. И ноги потом трясутся...» Так что не случайно сына потянуло к книгам.

Сейчас Гудя работает в одном из американских университетов. Как говорил Чингисхан: «Боишься — не делай, делаешь — не бойся!» Именно исходя из этого его главного постулата Гудя и ведет свой курс «Особенности вымирающих северных языков и основы эллоквенции — искусства художественной речи с точки зрения фаллоцентризма».

«Интер цекус люскус рекс — среди слепых и одноглазый — царь» — это было там, в его вымирающем прошлом, северном и бесперспективном, где даже сантехник с вантузом — уже интеллигент, а если еще и в очках, то вполне уже зрячий. У кинологов есть определение — длина клыка. Неизвестно, чем измерял Гудя степень своей агрессивности, но то, что он знал, что жизнь дается только один раз, а удается и того реже, — бесспорно. Поэтому на вопрос, что побудило его эмигрировать, он без запинки ответил: «Нет чуда неожиданности, без которой вдохновение и творчество умирают. И еще абстиненция — вечное похмелье советской жизни. И вообще, где эстетический и духовный экстаз, мать вашу так?!» — но это он уже позже взывал к советским властям, по «Голосу Америки», где в основном и звучали наши, сразу же окрепшие, голоса.

— Да, но и здесь литературе отказано в нравственном весе, и она стала лингвистической игрой, то есть попросту текстом, — пытается ему возразить господин Нерудов, уже, видимо, начавший читать американскую литературу на присущем ей языке.

— Как говорил Эмерсон: «Дело профессора — поднять душу с постели... Вывести ее из спячки... И это возможно. Люди ждут, чтобы их разбудили...» — с пылом отвечает Гудя, с бабочкой и профессорской косичкой на затылке. — Вот, например, мой коллега Эндрю Дельгадо тоже считает, что литература не открывает истин, — и тут же советует: «Не замахивайтесь на необъятное... занимайтесь деталями, частностями, виньетками: считайте число отрицательных и положительных эмоций у Одена... или породы животных, встречающихся в произведениях русских классиков... или обсуждайте эдипов комплекс в отношениях Льва Толстого с матерью (которая умерла, когда будущему писателю было два года)...» Так что на утверждение, что литература не открывает истин, — мы смело можем сказать: «И не надо!» — тем более если здесь просто не умеют преподавать, занимаясь своим пресловутым структурализмом и засушивая на корню то живое чувство, которое мы всегда испытываем при чтении. Человек с книгой... Скоро вообще исчезнет с лица земли этот нас так вдохновляющий образ, как ни прискорбно, дорогие мои друзья. Среди других причин убогого состояния нашего американского литературоведения многие специалисты называют то обстоятельство, что в наши 70-е, можно сказать самые десятые-раздесятые, годы в университетах возобладал критерий «publish or perish» — «напечатайся или погибни»... Все равно что — лишь бы это было опубликовано в профессорских изданиях (будто кто-то еще читает!). Число печатных работ стало главным двигателем университетской карьеры... Это, по мнению многих, сильно снизило уровень литературоведческих исследований и привело в университеты армию плодовитых бездарей... А тут еще и наша эмиграция как нельзя вовремя подоспела.

«Держу лап-топ я на коленях и вызываю поклоненье» — это Гудя скажет потом. «Был в лаптях, а теперь в лап-топе!» — это он восхитится позже. Современный спутник писателя — эдакая супер пишмашподсказка с клавишами на коленях, держащая в своем маленьком кулачке всю всемирную сеть, в момент его приезда еще не появлялась, как и скринфоны и прочие беспроводные аппараты, когда, разговаривая, можно одновременно бродить по Интернету, посылать и читать электронные письма, слушать музыку, смотреть фильмы и при этом еще вести свой лимузин. Скажем, понравился Гуде похожий на него герой какого-нибудь сериала, и даже не сам герой, а то, во что он одет. Щелкает Гудя мышью по этому самому герою, после чего на экране появляется подробный список вещей, которые понравились Гуде, название производителя и расценки. А главное — где их можно купить, опять-таки не вылезая из автомашины. Позже это ему очень помогало следить за своей внешностью.

Узнав, что Гудя наконец пошел в гору, и, видимо, поняв, что с его отъездом так нелепо кончилась еще одна, пусть малая, но вполне советская народность, его стали осторожно зазывать назад. Предварительно намекнув, что он в числе почетных эмигрантов, таких как, скажем, Эрнст Неизвестный (достаточно уже известный) или сбежавший заместитель Трояновского — Шевченко, в свое время заметно осиротивший советскую говорильню в ООН. Небезызвестный Суворов-Резун (ну, этот для почетного там расстрела). И так далее — всяк непойманный почетный у них.

— Нет, нет и еще раз — нет! — гудел Егудаил. — Я уже не могу жить без сыра «Стилтон» и коньяка «Реми Мартен». Не представляю себя без лобстеров, маш-потейтос, устриц, черной, а также красной, от вашего бесстыдства, икры, брюк «Гуччи», рубашек «Фиоруччи», обуви от «Гарри Бендела», будильника от «Ролекс» и прочих деликатесов как пищи, так и одежды — от «Роберты ди Камерино»...

— Ничего, доставим в лучшем виде. Возвращайтесь — Родина слышит, Родина знает, Родина в вас, дорогой, души не чает. И вообще хотя и сама нуждается, но всем необходимым обеспечит.

— ...А с другой стороны, — все еще воротил нос Гудя, — как же можно носить брюки от «Гуччи» и рубашки от «Фиоруччи» и прочие деликатесы одежды от «Роберты ди Камерино» — посреди всеобщей голозадости своих сограждан? Да тут совесть сожрет тебя вместе с сыром «Стилтон», «Реми

Мартеном», устрицами, лобстерами, картошечкой-маш и с черно-красной икрой, этим символом черной совести и красного стыда, когда люди еще в состоянии покраснеть. А также с брюками от «Гуччи», рубашками от «Фиоруччи», вместе с обувью от «Гарри Бендела» и прочими новинками сезона от «Роберты ди Камерино». Нет, уж лучше жить за железным вашим забором с не менее железным вашим запором и ничего этого не видеть.

И он выгнал уговорщиков вон и на все их последующие посулы решительно говорил: «У нас, буржуев, собственная гордость. На советских смотрим свысока».

— Это раньше я в безликой толпе орал до боли в ушах «Служу Советскому Союзу!» и про себя добавлял: как собака, — и вымирал себе дальше. Теперь профессор Егудаил Егудаилович Эскимосов (надо будет подобрать себе приличное и благородное английское имя с несложной транскрипцией), — говорил он о себе в третьем лице, — принадлежит только республиканской партии и ее демократическому правительству и готов встать на защиту своего нового, горячо любимого капиталистического отечества от всех на него посягающих, а посягать на него желающих много. Вон, к примеру, — показал он на шумливую группку, сплошь одетую в бабьи платки. Мы как раз шли мимо Организации Объединенных Наций, где вечно кто-нибудь толпится. В данном случае это были арабы-палестинцы, из тех, кто живет в палатках под Москвой, а сюда приезжает повзрывать немного, после «петуха» пуская слезу с высокой трибуны Дворца Наций, кстати невероятно расплодившихся. — О, нефть — черная сперма арабов! — неподдельно возмущался Гудя. — Государственные мужи Запада заигрывают, кокетничают, млеют при одном только упоминании о ней. Стонут при одном лишь запахе ее, как разыгрывающие страсть красотки. Помнишь, у Отелло: «Раз в Алеппо в чалме злой турок бил венецианца и поносил Республику. Схватил за горло я обрезанного пса и поразил его вот так!..» И так выразительно полоснул себя по горлу, что я закричал и, помнится, меня тогда вывели из театра, так убедительно показал Отелло, как режут негодяев. Сколько можно поносить Республику? Нет, что ни говори, а пример защиты человеческого достоинства здесь налицо. И вообще, наглость, она безгранична, как демократия. Смотришь — тихая гнида, а наглости — хоть отбавляй. И где она только у него помещается? Сам в чем душа, еле на ладан дышит, а все туда же — грабить беззастенчиво, и не себе подобных, а таких стеснительных, как я...

— А что, собственно, произошло? — спрашиваю. — Тебя что, уже ограбили?

— Понимаешь, прихожу в респектабельное бюро (по крайней мере, так на вывеске у них написано) — хочу получить свои деньги, оставленные в залог, а мне говорят: «И нам надо что-то зарабатывать» — и присваивают их на моих глазах, предварительно взяв у меня квиток, удостоверяющий, что я оставлял свои деньги именно здесь. Поначалу я даже опешил. И это в такой великой стране, так болезненно реагирующей на несправедливость...

— А потом?

— А потом схватил за горло я обрезанного пса и чуть кадык ему через его бессовестный глаз не выдавил...

Горяч, как Отелло, — про себя я отметил. Вот тебе и северная и давно вымирающая (или, наверно, уже вымершая) народность.

— Они, видите ли, возмущены, что мне не понравилась предложенная ими квартира-халупа с ценою в дворец.

— А-а, реал-э стейт[1], — разочарованно говорю, — я-то думал, тебя действительно грабанули в приличном месте, испугался, что и там стали так грубо работать. Это, правда, не значит, что ты не должен и там быть всегда начеку, ибо деньги не пахнут. А жаль. Если бы они хоть как-нибудь пахли, попадая в руки того или иного их добывателя, мгновенно перенимая его запах, — все было бы гораздо проще, спокойней и безопасней, а главное — понятней. Ладно — монеты, а бумажки должны быть лакмусовые. Скажем, пахнут наши зелененькие потом из всех своих пор, и ты уже знаешь — работяга. А если еще и соль выступает — значит, стахановец,

[1] Брокеры-посредники в поисках жилья.

истинно герой капиталистического труда. И наоборот, чуть пахнут — филонщик, считающий, что работа не самое главное в жизни. Типографской краской — наборщик, журналист или даже писатель. Краской — маляр или даже сам художник (чья цифра будет, конечно, меньше малярской). Чьим-то кровообращением — тоже понятно — хирург или бандит. Дерьмом — ростовщик или ассенизатор (этот обязательно с примесью одеколона). Без одеколона, но с дезодорантом — политик. Дешевыми духами — тоже проститутка. То есть я хочу сказать, что деньги могли бы стать как бы подтверждением профессии, своеобразной визитной карточкой, а также путеводителем по таким дебрям, как труд-капитал-потребитель — сразу видно, каков труд, откуда капитал и что за гусь — потребитель. Даже степень их износа должна говорить о доброте или жадности того или иного их обладателя. Например, накопления должны пахнуть плесенью и паутиной, разумеется, банки будут всячески искоренять свой паучий запах. Но даже в самом солидном, и респектабельном, и впечатляющем своим убранством банке — именно и должны пахнуть деньги, как бы их ни отмывали. Правда, нам попытаются заложить нос и, вполне вероятно, устроят какую-нибудь эпидемию бубонного насморка, но, я думаю, деньги будут так вонять, что мы и без носа услышим. Даже самые толстостенные сейфы едва ли скроют убийственный и тошнотворный их запах, а миллионеры, так те вообще будут на стену лезть, проклиная свое обоняние, и просить, чтоб им заложили нос бетоном, а то слишком хорошо устроились: видите ли, деньги не пахнут. Нет уж, получите в оскалы, господа, еще как пахнут, даже малая толика их в кармане и то смердит, а уж если их много — да тут и в рот застрелиться можно, я, конечно, имею в виду очень чувствительного человека, к тому же порядочного. Сколько, кого, когда и чего погублено из-за денег — тоже должно на них хоть как-то отображаться (Интерпол, конечно, знает, но делает вид, что только догадывается), особенно продажа секретов государственной важности и вообще продажа родины. Здесь родина настолько привыкла к продаже, что даже уже не наказывает своих продавцов, а если и наказывает, то не строго, можно сказать, по головке гладит. Это на нашей бывшей несчастного Пеньковского, кстати самого продуктивного шпиона нашего века, головой в топку засунули, хотя и был приговорен к расстрелу. А то смотри какая идиллия – портреты румяных президентов, великих художников или просто красота родных пейзажей, не купюры, а просто Лувр с Эрмитажем, такие они на вид красивые! Нет, очень и очень жаль, что деньги официально не пахнут, хотя и шибают в нос. Лично я всегда очень быстро от них избавлялся, да они у меня и не слишком водились. Просто мы стесняемся еще одевать противогазы, но с удовольствием надеваем респираторы, даже когда нет никакого гриппа, когда идем их изредка получать. Иногда посмотришь на ассигнацию в руках на вид вполне достойного гражданина, а его как сдуло – весь как есть в нее ушел, никак не желая с ней расстаться. Так и пойдет по рукам, пока вконец не разменяют ее, проклятую. Так должна же она им хотя бы пахнуть?! Но брысь, мечты! – деньги обязательно со временем станут виртуальными. В самый последний момент, как всегда, спасутся, сволочи. Я надеюсь, этот инцидент не поколебал твоего высокого мнения о Соединенных Штатах? Я полагаю, это не повредило твоему поклонению им?

Сквозь сопение Гуди я так и не понял – повредило или не повредило, но ясно было как день – денег своих он так и не вернул. Деньги здесь – жизнь, а жизнью здесь никто не сорит, разве что чужой.

– Жизнь – борьба не классическая, – говорю я Гуде, но вряд ли его успокаиваю. – Ты на родине денег, в данном случае бумажных. Это раньше люди гибли за металл, а теперь...

– За какие-то вонючие бумажки, – грустно соглашается Гудя. Он уже знает, что американцы придумали доллар, а уж за доллар все остальные придумали все остальное.

– Ничего, скоро они будут виртуальными, – успокоил я Гудю, – обязательно будут эти горы дерьма воздушными... – И едва я произнес это, как тут же появились Содом Израилевич Гомморский с женой Цилей Харибдовной Татарской и громко сообщили, что деньги уже электронными стали. И тем, у кого они есть, надо спешно обзаводиться кредитными карточками – «Виза», или «Мастеркарт», или, как минимум, «Ситибанк», или «Чейз Манхэттен банк» (да их сейчас все, кому не лень, начнут выпускать).

— А как же кеш? — заволновались наши будущие миллионеры.

— Не волнуйтесь, кешем (нашим американским налом) тоже берут пока...

— А почему это пока? — запаниковали те, кто деньги уже понюхал и, может быть, даже вошел во вкус.

— Да потому что деньги, как таковые, скоро вообще исчезнут.

— Ну, что я говорил! — гордо говорю я Гуде.

И еще они сообщили нам, что курсы ювелиров-любителей уже открылись.

— Как, уже зафункционировали?! — воскликнули хором чуть ли не все посетители вернисажа, будто с хвоста тяжеленную гирю стряхнули.

— Да! — радостно выдохнули супруги.

И все новоприбывшие дружно в ювелиры подались. Даже один знакомый писатель туда побежал, кстати необычайно большой мужчина. Не представляю, как он будет часами из себя Левшу изображать и вместо лошадей (при его-то фактуре) — блох подковывать. А потом как глянет на свой большой палец и ужаснется. Именно ювелиры глядят на свой большой палец, как лилипут на громилу, потому что, концентрируя все свое внимание эдаким верблюдом в игольное ушко, ювелир и сам становится меньше, мизерней и дотошней, в это самое игольное ушко пролезая. Иди и доказывай потом, что ты не верблюд.

Так и случилось. Приходит спустя несколько месяцев наш самый весомый писатель с работы своей миниатюрной, а дверь и говорит ему: «Не дорос ты еще в меня пальцем тыкать!» Странные шутки над взрослым и почти что набожным человеком. «Что, я с тобой должен на „вы“ разговаривать?» Мир не без добрых людей — вызвали полицию, чтобы в дверь позвонить. Попал наконец домой и привычно за стол, а он — как гора альпиниста зовет. Хлебосольный, его теперь не достать. Входит жена. И как же вдруг ее стало много! Никогда не думал, что жена у него такая большая.

Только пальцем и можно тронуть, что конечно же мало. «Разумеется, недостаточно!» — кричит жена, хотя и понимает, что мал золотник, да дорог, а велика фигура, да дура. Понимать-то — понимает, но перестает соответствовать друг другу и тут же начинает друг к другу не подходить. «Да, но вчера подходили!» — «Вчера ты был мужчиной, а не ювелиром! — плачет жена. — Вполне, можно сказать, грубым и зримым...» — «Так что же мне делать?» — «Лилипутку ищи!»

Нет, я, пожалуй, не пойду в ювелиры, а ведь с места уже привстал и, как все, чуть туда не подался (вот он, стадный инстинкт! — отец эмиграции нашей). Кропотливая, потливая, дотошная, сверхтерпеливая и совсем не подходящая мне работа. Мелко для меня сидеть горой и наконец высидеть мышь, правда позолоченную. Для рослого и вообще широкого человека это не результат. И потом, я не считаю себя до такой степени дамским угодником, чтобы посвящать свою жизнь украшениям. Я считаю, что женщин совсем не это украшает. Как справедливо заметил Одиссей Моисеевич — женщина уже сама по себе сокровище, правда не каждая.

Вот у кого жизнь была ювелирная, в смысле хрупкая и драгоценная, тем более надо было ее защищать. Такова наша дольче вита, се ля ви, а также нью-йоркская лайф. И пошел Одиссей Моисеевич за разрешением на ношение хоть чего-нибудь в кармане.

— Хау ар ю? — спросили его в конной полиции (они и в помещении сидели на лошадях). — И вообще, чего тебе надобно, бастер[1]?

Объяснил на пальцах длину ствола, а также желательное количество в него входящих и спросил: «Могу ли я?»

— Разумеется, ты можешь приобрести машинку для пресечения любого долголетия, подчас просто возмутительного, но принеси сначала портрет верхней части туловища анфас и в профиль и справку от психиатра, удостоверяющую этот портрет, где он будет клясться и божиться, что ты не псих, и покупай хоть базуку или танк.

---

[1] Подонок, в данном случае — подкидыш (*англ.*).

А что! Заодно решится и транспортная проблема с жилищной вместе, — подумал Одиссей Моисеевич, — вот парковать его будет трудновато, но зато будет мой дом — моя крепость... с круговой обороной, неприступная и за бесценок. Это сколько же зайцев я убиваю одним выстрелом, купив подержанный танк или танчок или хотя бы танкетку, пусть односпальную. Наведу в ней соответствующий уют, мобилизовав какую-нибудь танкисточку, так сказать, все еще фронтовую подругу... — И, хлопнув себя по упитанным ляжкам, он живо представил себе — с утра пораньше поужинаем и в постельку, задраив все люки предварительно, а в случае какой-нибудь осечки (мало ли чего бывает в боевой обстановке) — можно и стихи почитать. И они мгновенно родились — с выражением и без:

Ружья, ружья, ружья, ружья, ружья...
Смерти считает штабная крыса.
Первый батальон, п-простите, накрылся.

Пушки, пушки, пушки, пушки, пушки...
Смерти считает штабная крыса.
Второй батальон, п-простите, накрылся.

Танки, танки, танки, танки, танки...
Смерти считает штабная крыса.
Третий батальон, п-простите, накрылся.

В небе пели птицы и самолеты, а в одном из них пел еще и Одиссей Моисеевич:

Аэропланы, аэропланы, аэропланы, аэропланы, аэропланы...
Смерти считает штабная крыса...
Четвертый батальон, п-простите, накрылся...

Это будет впечатляющая картина, особенно в танке — женщина будет визжать и плакать. Поэт! — уже окончательно уверовал в себя Одиссей Моисеевич. — А если бы еще быть чуток обгорелым, эдак в четверть анфаса, как большинство танкистов на последней войне, — впечатление было бы куда эффектней, но ничего, и так сойдет. И так все будет в лучшем виде...

А в это время в Париже кто-то из наших вышел на площадь Согласия и не соглашался, а, напротив, внятно произносил: «Французы, вы мне не нравитесь! Вы мне не нравитесь, французы? — переспросил он себя и, кивнув, продолжал: — Лакеи вы, и язык у вас лакейский — силь ву пле!..»

И перекликался с ним Кока Кузьминский, но уже в Вашингтоне, произнося свое знаменитое «Бляди и джентельмены!». И я еще в Европе даю интервью: «Мне здесь нравится все, даже то, что не нравится!»

А в Нью-Йорке шел дождь. И по 42-й ходили, можно сказать, заплаканные шлюхи. Молодые и старые (не менять же им на старости лет свою профессию!). И лишь две стояли, никуда не спеша. К ним-то и подошел Одиссей Моисеевич со своим «Подарите мне власть над собой!». «Что?! — удивились шлюхи, — над двумя сразу?» «Нет, я обращаюсь вот к этому ветерану», — показал он на одну из них, что стояла под зонтом одноного (ну никакой техники безопасности у блядей! — наверно, подумал он содрогаясь). И действительно, бедняжка напоминала однобедренный треугольник в этом и без того четко расчерченном мире, где так одиноко и одноного. Немного поторговались и всплакнули о былом.

— Понимаешь, ему трудно отказать, даже когда он не просит, — сказала одноногая своей подруге и явно на что-то решилась.

Сафари

— ...Счастливцы — это те, кто давно счастливы. А я недавно, — подбегает кто-то после кого-то и зачем-то, — чертовски несправедливая жизнь, но все же прекрасна!

— Да, но каждую минуту умирают люди, — говорит этому нью-счастливцу мадам Статистика, которая вечно крутится возле нас.

— Наша задача сделать так, чтобы они умирали каждый час! И вообще отвечать я тебе не обязан, — и он ссылается на 5-ю поправку к американской конституции и подваливает к следующей группке. Видимо, он был как в Индии —

кандидат философии... провалившийся. Там и провалившийся все одно кандидат.

— Есть ли жизнь после жизни? — спросил я себя-невидимку (приехал — и пока послефанфарная тишина).

— Той, что была в России? — спрашивает Бах.

— Нет, вообще. Как-то я прочитал отчеты *Муди* — очень интригующие отчеты. Там абсолютно не верят в жизнь после такой жизни. Но, судя по интервью, которые этот самый *Муди* берет у только что вернувшихся с того света, какая-никакая, а все же существует на небе жизнь, не сказать чтобы очень уж безоблачная (тут не надо быть метеорологом, чтобы глянуть на небо), но лучше, чем ничего... Не далее чем вчера оттуда возвратился еще один. И первое, что он сказал: «Зачем вы меня оживили?» Я уже не говорю — сколько ему за реанимацию придется платить. «Боже, как же мне было там хорошо!» — заплакал он, оказавшись в привычном ему с рождения мире. И глаза его болезненно расширились...

— Это не он? — показал Бах на какого-то человека, тоже пришедшего посмотреть на русских художников, работы которых сверкали, как яйца праздничные и пасхальные, в данном случае просто развешанные на виду. Одет он был в свежую сорочку (смирительную), а на руках блестели новые браслеты (полицейские), но это не так бросалось в глаза — глаза этого человека явно лезли на лоб, что тоже не очень-то странно на вернисажах. Вот они приподняли его взлохмаченную шевелюру, отбросили, чтоб не мешала, и стали вовсю разглядывать потолок, а минут через пять он уже озирался затылком. И наконец исчез. Видимо, он их закрыл. Мы всегда имеем обыкновение на многое закрывать глаза, принуждая себя восторгаться не тем, чем нам бы хотелось. Лучше уж быть невоспитанным и сказать в лицо то, что воспитанный говорит обычно за глаза, в крайнем случае жене. А при чем здесь жена, да еще любимая, чужая или своя? Кстати, почему из всех величайших мастеров древности не было ни одной женщины-живописца, а теперь их навалом, даже если они и не женщины? И почему не принято задавать подобные вопросы на вернисажах? И мы стали говорить о сообществе независимых поэтов, хотя сам факт сообщества уже исключает независимость. И я предлагаю им прийти в одно из них (пооткрывали тут всяких сообществ с вышибалами и без) и попросить их бросить поэтов на произвол судьбы, так им даже лучше. Другое дело — художники. Ну стоило ли переть в такую даль, чтобы еще и здесь это видеть? — разглядываю висящее на виду и даже не одетое в форму, а если и одетое, то не в ту. Где если пуантилизм, то это обязательно засиженный мухами сыр, а если модерн, то просто бутылка кефира в чьем-то кармане. Так и хочется крикнуть: «Эй, кто тут забыл свое дрянное пальто?» И где — в Нью-Йорке — современном Вавилоне художественных галерей, удивить которые физически невозможно. Мало того что там ну любое место от подобного реализма уже не отмыть, так еще и сюда мадам Мухина долетела, при всем при том, что у мадам Мухиной конечно же крылышки коротки сюда долететь... Или взять Немухина (даже не Мухина) — тоже знал по Москве и каждый раз советовал взять фамилию Нерембрандт. Или, в крайнем случае, Нецелков, а еще лучше — Давнонецелков. И то приличней.

— Какая прелестная пара! — взволновался почтенный литератор с невероятно длинными пальцами, видимо, был когда-то гинекологом или пианистом, а может быть, и тем и другим одновременно. — Как хорош, да будь я гомосекшл, я непременно его б восхотел...

А если бы я был геем, мне бы непременно понравилась его подруга, но я не стал эту мысль высказывать вслух. Так и есть — почтенный когда-то музицировал и практиковал одновременно. Вероятно, я очень располагаю к себе — мне всегда рассказывают свою биографию. И чужую — тоже.

— А вот, между прочим, любимец публики югославско-харбинской-стамбульско-берлинской и еще двух индий, не считая двух америк... — показал он на милейшего и слезящегося старичка («А я я-я-го-о шашкой хрясть, и вот тогда-то он и стал о-о-кон-чате-льно к-к-красным»), — правда, публика была сугубо русской и узкой... Да у них очень узкий и прозрачный круг — вижу насквозь их братства и сестричества, тоже пришедшие поглядеть на лубок своей родины стародавней, ни с того ни с сего переметнувшейся к большевикам, пастушка невинная. Оттуда бы им глянуть, откуда сбежали, — мигом бы слезки высохли. Графини, княгини, княжны — своих фолиантов книжны, все еще щиплют беглянок-служанок на фермах своих, огородах. Все еще ждут на белом коне возвратиться. Да вон и «Правду» уже отмывают, чтоб назвать ее «Русская Мысль». Старая эмиграция, даже очень. Цветаева от этой компании бежала куда подальше — в еще худшую, но Россию. Прямиком в петлю возвратилась. Набоков им тоже не нравится. Благо — плевать хотел, а вот другие спились. Бедного Белинкова на Лубянке ломали. Там не сломали. Здесь добили. А ведь на вид такие милые старички, кто бы подумал?! Боже, сколько россий в одном месте! Из любой — на выбор сбегай!

— А вы, сэр, простите, в каком-с служили-с? — обращается Нерудов к кому-то. — Случайно не ее тезоименитства гусполку ее величества государыни матушки императрицы, а также его высочества светлейшего князя, запамятовал имя-отчество... Ась, не слышу-с, какой род войск? А, в советское время изволили родиться (нашел когда родиться), а я думал «Мы белая ка-ава-алерия и о нас в веках»... Я полагал, что вы скакун-с... Но смена смене идет, — а ты, часом, не марксист? — интересуется он уже с другой стороны, обращаясь к одному из приезжих, которому мало сбежать, еще и поездить хочется. Рядом с ним был некто с газгенно-пищеварительной фамилией Бонч-Бруевич...

— Да бог с тобой, уже давно анти!

А сам, бьюсь об заклад, гимн Совсоюза в душе насвистывает, а когда кончит — «Полюшко-поле» поет. Это сейчас он ушами хлопает, как летит, а может, ему просто жарко — вокруг благодушно так, что не продохнуть. Да и немудрено — кого здесь только нет! Тут и критик наш всеогульник. Говорят, у него на нервной почве геморрой открылся, и когда закроется, неизвестно. По-моему, этот хмырь умер давно, задолго до своей официальной смерти, как, впрочем, и наши бывшие вожди — идут и о свой собственный труп спотыкаются. Тут и добродушные толстяки, задавившие задами полчеловечества (вторую половину субтильные давят). И почтенные старички, посыпающие нас своим мемориальным песочком, и молодые хамы, лезущие напролом. Плебеи и аристократы. Нувориши и товарищи. А впрочем, пусть себе смотрят, нам-то что?! Вот кто-то исчерпал свой лимит высоты и опустился. Разглядываю его — божьей коровкой ползет по стене. Остановился на чьей-то картине. И вполне украсил ее. Смигнул видение — оказался мальчик, доросший смотреть на художества. Да иди ты на воздух, юный искусствовед! Какой-никакой, а не такой, к потолку припертый, хотя нью-йоркский тоже не ахти как свеж. Мне иногда даже кажется, что это не негры ходят, а закопченные люди... Одно и спасает — на окраине океан. Где так и хочется парус поставить и плыть себе, плыть.,. Да только где он — необитаемый остров с обетованной землей, что всех принимает, где просто погода без того, чтоб ее делали? Ну и климат! Как взбесившиеся собаки, за ноги кусают комары. И я подумал, меня столько раз кусали и жалили, что случись и мне кого укусить, будет мой укус смертельным. А ведь нам свойственно совершенно иное, как говорил мой старший товарищ Назым, так прекрасно умерший, как бы сам себе сказавший: «Не пухом тебе земля, Назым, а женщиной! — душа отлетает, а тело на ней остается. Тело еще не кончило жить». Боже, до чего ж мы в любви ненасытны!

А вот и Вечный огонь на могиле Неизвестного (но, слава богу, не скульптора, а солдата). Да гори ты вечным огнем, придумавший ему умирать! (По-моему, эта картина называется «Зависть».) Далее что-то светилось, искрилось и переливалось... из пустого в порожнее. Ну все-то тебе чья-то память припомнит, даже при незначительном самом. Ну по любому пустяку зажигается, расталкивая своими не всегда мыслительными локтями какой-то там по счету черед событий. И никто ей не скажет: «Ну что ты, как торговка базарная, так и норовящая свое продать? Ну кому товар залежалый нужен? Будь поскромней и помалкивай, покуда тебя не спросят...» А она за свое — «как сейчас помню!». Ну истинно старая большевичка: маразм — маразмом, а мемуары пишет. А не махнуть ли мне на другой океан — с Атлантического на Тихий. Если его хорошенько пересечь, и будет уже твоя сторона, родная моя, — мысленно обращаясь к маме, — но все равно далеко еще до тебя. Все равно на другой стороне земли и неба...

— Как она? — Вольфом Мессингом спрашивает Бах.

— А она так далеко, что даже письма не доходят (написал тебе, если получила. Напиши, если получу).

— Это у них узкий круг, — показал я на счастливо толкущихся, — а мне весь этот счастливый мир обогнуть надо, чтоб до своих добраться...

Здесь у каждого свой круг, вернее, круги... в глазах, в чьих прицельных сетках только близко знакомые. Все всё друг про друга знают: «А помнишь (это новейшая эмиграция, еще бы не помнить!)... а помнишь, как Губанов укусил за ногу Пегги — жену секретаря американского посольства — и она, бедняжка, потом сорок уколов от бешенства принимала...» Травят поэтов, а потом удивляются, что кусаются. Или пишет художник на стенах, да не картины, а суммы, которые он за них получить желает. Пишет себе, пишет. Подсчитывает себе, подсчитывает. И вот, глядишь, его уже в дурдом волокут, всего целиком как есть — с калькулятором в зубах. Один мой приятель в Москве тоже писал на стене суммы, которые как бы должно ему государство начиная с первого дня его появления на свет. Он считал, что сам факт его рождения здесь уже сам по себе событие, требующее ознаменования и премиальных. Нас мало, — утверждал он, — а посему нам надо платить уже хотя бы потому, что мы появились единственный раз в какую-то сотню лет, и где — в совершенно неподходящем месте и в совершенно неподходящее время. Я считаю, что государство передо мной в неоплатном долгу и, каким бы пролетарским оно ни было и как бы оно ни выкручивалось, должно заплатить... Долг неоплатный рос с каждым днем. Графический и недвусмысленный, требовал куда больших стен, а потому цифры хоть и прибавляли нулей, но явно мельчились. Жмотничали и, залезая друг на друга, снова плодились, видимо, он еще и начислял проценты. Но, добрая душа, он решил их простить. Потом подумал и стал вычитать из гигантского перечня цифр свои долги моральные и физические (к моральным он относил алименты, а к физическим счета за коммунальные услуги и за телефон, который ему не полагался, но он в данном случае за него платил все равно, как если б он был). Понятно, за такую «уплату» на него подавали в суд. На суде он обычно был краток: «Вы не платите мне, почему же я должен платить вам? Кто кому должен? Вы можете жаловаться, а я лично буду отстреливаться...» И начинал баррикадировать дверь. Но тут подходили очередные псевдовыборы в Верховный Совет, и он тут же ее распахивал, заодно выбивая ногой оконные рамы (они плохо у него открывались), и, будучи уже совершенно не замурованным, высовывался и кричал о том, что его лишают света насущного, и это в стране, где ученье свет, а все остальное тьма. Во дни народных ликований глас народа, как правило, слышен. И его оставляли на время в покое, и тогда свет горел у него круглосуточно, как маяк.

— А это еще кто такой, увешанный значками внимания и на руках носимый? Он что — падишах? Нет, не похоже, так чем же он так знаменит, если его не санитары несут? — ревниво, но не завистливо смотрит Даня, еще вчера его самого, как младенца, куда-то влекли, тоже, можно сказать, на руках носили... А может, он просто высокий человек и видный, они всегда, великаны, вызывают нездоровое, я бы сказал, удивление. По себе знаю.

— Скорей всего, он сидит у кого-нибудь на шее, а потому и кажется нам высоким, — предположил Юз, еще один наш друг и коллега, хотя, как известно, между коллегами дружб не бывает, — подавляющее большинство наших творческих эмигрантов, пытавшихся сбежать от своей беспомощности, сидит на шее своих жен, иными словами, подавляющее большинство очень даже их подавляет своим весом, вместо того чтобы подавлять авторитетом, — закончил свою мысль еще один наш друг. Ну никого в Москве не осталось!

— Ничего-то вы про него не знаете, — говорит нам всегда сведущая Юля Гном, — это же смотритель всех небоскребов Нью-Йорка, следящий за амплитудой их раскачки, а посему самый влиятельный тут человек (если не сказать, человечек, роста он малоэтажного очень)... К тому же он еще и рисует. О нем сам Завалишин пишет, а может быть, уже написал.

— А это кто такой настырный, активный и вездесущий? — сторонимся от шурующего локтями господина, который, как узнали мы позже, русские континентальные давно не читал, а здесь и островные похерил... «Я вообще не могу читать русские издания», — сказал он. И поразмыслив добавил: «Пишу я относительно быстро, вот выставляюсь медленно...» И пригласил нас посмотреть одну из его картин, где воины в конусообразных, как болезнь Дауна, шлемах пытались биться насмерть и чья непрочная фактура явно разваливалась на глазах до того, как ее ударят. «Вот они, цветочки смерти с ягодками взрывов. Это пока хроника вчерашняя. Сейчас я задумал картину, где цветочки будут побольше, а ягодки покрупней... — интриговал он, пока мы пробирались к его шедевру, — знаете ли, война — лес рубят — щепки летят...»

— Не летят, — говорит Ардальон, — сейчас пилы что надо, но все равно война всегда бесчестна, зато почетен мир — так мы ныне называем чувство когтя... — И отвернулся, дав ему понять, что не любит батальной живописи, предпочитая другие панорамы.

Однажды наш баталист приземлился в Нью-Йорке как всегда обратить внимание на пол беспартийный, хотя в Париже он тоже есть, и по привычке набросился на русскоязычную прессу, пестрящую объявлениями, и вдруг читает: *«Требуется женщина для урода»,* забыв что русских изданий без опечаток не бывает (а в данном случае конечно же требовалась женщина для ухода), — он возмутился настолько, что многие подумали: это он объявление срочное дал, абсолютно серьезно. «Сволочи, ведь напрочь забыли русские язык, а все еще пытаются на нем нечто величественное сказать...»

И тут он не прав. Именно опечатки и делают читабельной нашу массовую для единичных читателей прессу.

Они, и только они ее истинное сотрясение *морга* и вообще ее звездная *минета.* Через год, очередной раз сюда приземлившись, он наконец-то познакомился с очаровательнной девушкой. «Понимаешь, познакомился с хорошенькой девушкой, а раздевается — джентельмен длинноволосый и в талию, только легкая небритость лица. И как я ее не заметил?»... Видимо, с этого момента он и перестал отличать девушек от женщин, женщин от юношей, а юношей от мужчин. Вот она, истинная демократия — все равны. И действительно, какая разница, девушка ли тебя обнимает или мужчина, который в сравнении с нашими русскими бабами с серпами да кувалдами и прочими молотами — девочка длинноволосая, что уже лежит на спине и вазелин в руках держит. Да приснись он такой нашим бабищам — все до единой паспорта свои сменят, шляпу оденут и его захотят, и так его душку уделают, защитника нашего и опору, воина и так далее гражданина, что можете сразу, не глядя, уже собираться домой. Но они подождут. Я ведь только приехал. Меня всегда понимали русские женщины, ибо душа их куда шире юбок. Это здесь юбчонки до самой души, а то и выше — до подбородка. Здесь их одежда с нами накоротке.

— Войны нет, а стрельба повсюду. По-моему, пора вооружаться и нам, — призвал к топору Одиссей Моисеевич (видимо, ему опять отказали в оружии).

— Своего оружия можно и не иметь, оно всегда есть у нападающего. Так что настоящий мужчина, можно сказать, всегда вооружен, — заметил Рыгор, всегда ходивший с бейсбольной битой. Здесь это наиболее действенное средство обороны. Хотя лучше иметь пистолет — первое, что мне здесь предложили. И мой отказ сиаэйщиков сбил с панталыку: «А как же вы будете защищаться, если вас вздумают назад похищать?»

— А если нападающий тоже не лыком шит?

— Ну, тогда это уже турнир, — говорю, — ток ван до или ушу, — и замечаю, что зеленоглазые набежали. И действительно, почему бы американцам в Америке не появиться?

— Зеленоглазые? — удивляется Бах.

— Они же кроме зеленок своих ни черта не видят, мне кажется, что у них даже стенки черепа изнутри ими обклеены... И суть нашей трагедии — не денег нехватка, а зрителей недостает. Их всегда было мало... Кстати, первый американец, с которым я по душам побеседовал, был грабитель — агнец невинный в сравнении с любым добропорядочным дельцом. И это называется «я в свой заокеан приехал», но, должен признаться, в Европе то же самое.

— Да где он, необитаемый остров? — хлопает его по плечу наш старый приятель. — Все заселили, ничего-то в мире необитаемого не осталось. А тут еще вся Россия в эмиграцию подалась...

— Да не вся, а лишь малая частичка.

— Ну если частичка такая огромность, представляешь, что будет, если вся прибежит!

— Ну ужмемся на своих вернисажах. Всего-то делов...

— Из варяг в греки, а из греков куда?

— Да уж как-нибудь да ужмемся.

— Называется уехали...

— Вот кто рисует, так рисует, — показал я на дизайнера атомной бомбы, тоже забежавшего сюда в поисках новейших впечатлений, откровений и озарений, но явно разочарованного, судя, конечно, по его сардонической улыбке, неприличным почесываниям перед каждой картиной и пусканием дыма ей прямо в лицо. Наверняка он думает, что такое искусство и разбомбить не грех.

— Но не в Нью-Йорке же?! — недоумевает Бах. — А ты уверен, что именно этот абориген — дизайнер атомной бомбы, такой молодой и ранний и к тому же незасекреченный? Это что же, вариант придворного живописца?

— В данном случае — позолотить пилюлю, — говорю я, — искусство всегда должно радовать глаз. Между прочим, летчик, сбросивший ее однажды, сошел с ума, а художник, после которого эта бомба радует глаз, пока он не вытек, как видишь, жив и здоров. Скорей всего, это непризнанный художник, которого всегда отвергали и который считает, что искусство должно потрясать и взрывать в полном смысле этого слова. Максималист, вот и решил он разукрасить адские мегатонны... Но судя по тому, что их еще не бросают, сделал он свою работу недостаточно хорошо.

— А вот еще один наш знакомый! — говорит Бах. — Явно с панихиды на панихиду спешит...

— Буквально из крематория на минуточку забежал, — шепчет он вместо приветствия.

— Как поживаешь?

— Да все плачу, в смысле рыдаю. Должность такая. Послезно платят. Ну а ты как? — обращается он к нашему режиссеру. — Все ставишь спектакли, чтоб не падали. Ну и как, стоят? «Ну что, не выходит у тебя камень, Данила-мастер, мать твою за ногу?! Ты уж поднатужься, сукин сын, милок...» Данила тужится — и вот он, камень, выходит. Шум, гам, грохот — и зритель упал. По принципу: спектакль стоит, когда зритель падает... Или царственные львы догрызают свою антилопу-гну. Гнут и догрызают. И глаза их при этом вполне умиротворенные, да и жуют неторопливо. Где-то трубят слоны и неприлично зевают гиппопотамы, не гибкие, но зато по-настоящему неповоротливые. Что толку, что косули гибкие, когда их жрут за милую душу, а вот сожри носорога — желудочек свой поцарапаешь, сладкоежка ты наш ненаглядный, вон он какой рог посереди твоего аппетита, как бы говорящий: накось выкуси! Здесь звери на воле, как в любом приличном зоопарке. Это когда-то они были сплошь клетчатые, кольчатые и концентрированные, как все у людей. Невыносимо вонявшие, и когда все равно лучше было попасть в них, чем в белую или красную книгу окончательно истребленных, — вдруг заговорил он о сафари, куда явно мечтал попасть. Сафари — это когда звери предоставлены сами себе, самые обычные звери, хищники и кровопийцы, кровососы и кровонюхи и так далее нечистоплотные существа, тоже по-своему респектабельные.

Боже, как же далеко они убежали от человека, считая его куда большим зверем, чем все они, вместе взятые. И попробуй с ними не согласиться — не они, а он носит их шкуры — приболел он душой за зверей.

— Сафари, — замечаю, — это когда звери на свободе, а ты в автомобиле, из которого не следует вылезать, как в Нью-Йорке или в любом другом большом американском мегаполисе, где они тоже на свободе, но, мне кажется, куда большей, чем в Африке.

Двенадцать

Брайтон-Бич. Соленый воздух. Океан народу. Рядом еще океан. Прошел почечник, и в воздухе провис запах немытого унитаза. Проследовал кто-то еще. Тоже, небось, в карманчик свой ходит. Интересно, сколько стоит здесь сострадание? Почем нынче забота о ближнем? Хау мени ныне человека спасти? Мне кажется, человека спасти — слишком здесь стоящее дело. Человек здесь в состоянии заболеть при одной только мысли, что он вдруг заболеет. А умереть — не приведи господь! Невероятно дорогое удовольствие это. Вся трагичность смерти просто блекнет перед кругленькой суммой оплаты своих похорон. Истинно неутешные родные после умершего остаются. И если они были богаты, все одно останутся бедными родственниками. Нет, не случайно смерть здесь рисуют не с косой наперевес и безносой, а с глазницами бессчетных нулей, в которых, как в топках, сгорают последние сбережения. Вот это и есть смерть.

— Это, видимо, специально, чтобы люди не мерли как мухи, — предполагает Ардальон, работавший в самом религиозном театре, к тому же за копейки, а ныне плачущий на похоронах.

— Вот ар ю токинг ебаут?[1] — вскрикивает Вадя Незнанский. — А охрану здоровья со столь непомерным высоким тарифом как ты объяснишь, ведь библейские «око за око» и «зуб за зуб» уже вполне применимы к дантисту и окулисту, а «почка за почку» или «кадык за кадык» — ляринго-логу и почковеду с терапевтическим уклоном.

— Очень просто, — отвечает Даня, — это же своего рода профилактика и гигиена, а также пожелание «Будь здоров!». «Ну зачем тебе болеть, человече, — как бы говорит Здравоохранение, — пусть тебе будет неповадно болеть, — ставит диагноз оно, — впредь старей не болея. А еще лучше — старей молодея, тогда все будет о'кей! И, как говорится, подавись ты своими деньгами». Носители самой гуманной профессии на земле, потому они так высоко и оценивают

[1] Ты о чем говоришь? (*англ.*)

свой труд, как бы говоря нам: гуманнее это еще не значит — покарманнее. Это когда-то исцеляющие руки были на нашем пульсе. Ныне они на нашем горле. Вот так и держа их на нем, как на Библии, мне кажется, и должны эскулапы давать свою невероятно торжественную клятву Гиппократа. И не на сцене своих анатомических театров, а на многолюдных стадионах при огромном стечении народа, то есть своих будущих клиентов, во избежание иллюзий, что человеколюбие спасительное обязательно бескорыстно. «Господа, все операции на вашем сердце прежде всего — банковские операции. Это не что иное, как очистка желудка перед тем, как его разрезать. Вот мы и клянемся, что все будет сделано в лучшем виде. Это заодно создаст предпосылку необходимой после операции диеты. Очистка и еще раз очистка! И вообще охрана здоровья должна быть вооруженной. Ведь к нам идут только в неотложных случаях, а где профилактика и гигиена? Где организованный и обязательный приход к врачу в пронумерованных колоннах, возглавляемых правительством и прочими лидерами нации, которые, кстати, больше всех нуждаются в нашей помощи? Или вы думаете, что мы ничего у вас не найдем? Будьте покойны — обнаружим, драгоценные вы наши!..» И здесь, как видишь, заложена мудрость. Самоубийцы засоряют реки, полагая, что вода дешевле земли. И уж намного дешевле откачки, если их извлекут из воды раньше, чем они захлебнутся. Самые отчаянные прыгают в землю, забираясь повыше, чтоб сразу и наверняка, а главное, поглубже войти в дорогую, иными словами, быстренько и бесплатно. Подобное самообслуживание, они полагают, куда дешевле. Но, упадая, они нарушают закон, эти злостные неплательщики своей кончины. Здесь и так очень трудная жизнь, дорогой, чтобы болеть или, тем более, умирать. Непозволительная роскошь это, да и кощунство, — скорее забежали они в бар, чтобы сказать себе: «Будь здоров!» В баре было, как всегда, интимно и весело, настороженнососредоточенно и шумно. Грустно и в карманызалезающе... «Мы будем пить и смеяться, как дети!» — сказал Вадя, потирая руки, как доктор-щипач-карманник перед тем, как вырезать у тебя кошелек. Постепенно глаза привыкли различать свой стакан, где на огромном льду развалилась капля живительная, непростительно маленькая на таком айсберге, какой бы ты двойной дринк ни брал. Нет, после России здесь пить невозможно. Здесь льют, как пьют, а пьют, как льют, трясясь рукой дрожащей. И это понятно — на глазах твоих недоливает. Все буфетчики — жулики между народами. Самый щедрый бармен, конечно, ты сам... Но это можно себе позволить лишь дома. А здесь — одна только музыка льется. Все остальное лишь каплет. Сквозь непомерно громкую они различили смутный, но все же невероятно знакомый силуэт Одиссея Моисеевича, тоже сидевшего с самим собой и говорившего, соответственно, тоже с собой, как друг с другом, к тому же любимым. Он почему-то был лыс. «Скоротечная чахотка облысения, — быстро констатировал Даня, — и потом, это уже слишком, чтобы на одной-единственной голове были и ум и волосы одновременно. Но он, по-моему, и так красив, как Бог. Хотя никто еще не видел красивого Бога, да и некрасивого — тоже, — погладил он Одика по его мыслительному шару. — Неужели мы все действительно по образцу и подобию Его? Если это так, тогда я понимаю, почему такое количество неверующих людей».

— Аморально-политические качества советского человека здесь никуда не годятся, — тут же сказал Одиссей Моисеевич вместо приветствия, — уж насколько паскудским был Паскудский, а здесь все же ушел из Большого...

— Театра, — догадался Вадя.

— Нет, секса, — продолжал Одиссей Моисеевич, — Паскудский теперь у нас семьянин. Купил автомобиль. Говорит, колеса — тоже не стоят. Или еще один мой соседик — сначала бросил курить. Потом жену, и только потом бросил пить. Ну, ну, — говорю ему, — все бросаешь, а когда же поднимать начнешь? Или другого взять — сначала он сломал ноготь, рискуя сломать палец. Потом палец, рискуя сломать шею, но между ними он таки сломал кому-то жизнь — ну, ну, — говорю, — все ломаешь, а когда же строить начнешь?

Третий сосед Одиссея Моисеевича был летун каких мало. При виде красивых стюардесс у него без удержу текли слюни. И это понятно — кормят-то нас в самолете сплошь стюардессы, и все обаяшки как на подбор. Еще Павлов заметил интенсивное слюновыделение перед обедом...

— Да, но у собачек! — нервно вскрикивает Одиссей Моисеевич. — Но никак не у мужчин. Это собакам простительно пускать слюни при виде супа и стейка и не замечать стюардесс, а если у тебя другая ориентация, то и стюардов, но не мужчине в самом соку, когда даже уши его изнемогают от желания этот сок пролить... Ну-ну, — говорю, — все летаешь, а когда же сядешь и где?

— Выпей, страдалец, — говорит Даня, — выпей сначала, а потом говори!

Но Одиссей Моисеевич отказался. Он был занят судьбами человеческими. Все же есть в этом мире хоть кто-то о людях пекущийся.

— А еще что нового? — спрашивает Даня.

— Да вот русских не понимают, — жалуется Одиссей Моисеевич.

— Когда говорят талантливо?

— Нет, когда говорят обычно.

— Ну, милый мой, да тут и талантливых не всегда понимают. И не только русских, способных уже в силу сложившихся обстоятельств, но и мира сего молодцов. Понимание это ведь тоже талант. Но, между прочим, когда человек говорит необычайно, едва ли кто задумывается тогда о его национальности. Ты же не спрашиваешь соловья и откуда он такой взялся, — какие уж тут вопросы, когда поет соловей. А может, они уже настолько понятны, что дальше нет смысла их понимать? — все же нет-нет, а возвращаемся мы к себе — в Россию, что с паспортом у нас отняли.

— Все может быть, — соглашается Одиссей Моисеевич, — вот клуб бывших русских писателей открылся. Настоящими они были там. Были, да всплыли — каждый где смог, там и вынырнул. Глотнул воздуха и вроде не тонет... Мобилизованные и призванные — демобилизовались...

— Не все, — защищает Даня нашего брата, — те писатели, которые по призванию узковедомственному — здесь два океана да плюс Миссисипи, им есть где топиться или в крайнем случае переквалифицироваться в суперы (по-нашему — в управдомы). Те же, кому это на роду написано, — им без разницы, где творить.

— Да и Россия ждет не дождется своих запретных книжек, — говорит Нерудов, — полагая, что чем запретнее плод, тем он слаще... Не без помощи КГБ, конечно, и впредь поможет: бдило, бдит и будет бдеть. Разумеется, верят в нас читатели наши, где ж, как не на воле, их радовать нам, но чем больше в нас верят, тем грязнее грызня среди наших святош. И когда ж они пишут?

— Пи-пи, шут гороховый, — вдруг взвизгивает Одиссей Моисеевич, — пи-пи-шут с ним... с супер-писателем, с нашим супер-фениморо-мухоморо купером... максимом исаичем некрасогладилиным по головке, — вдруг забился он в каком-то творческом экстазе...

— Что с ним? — спрашиваю.

— Ничего страшного, — говорит Даня, — с ним это часто бывает, видимо, тоже хочет к нашей бражке примкнуть. Или, может, переживает, что Синявин уехал, этот ползун на животе на предмет возвратиться. А может, передрочил в голове. Сейчас отойдет. Понимаешь, старик, примитивистов я люблю в живописи, но никак не в жизни. Вот говорят, что Париж любую замарашку делает элегантной, только окажись она там, — видимо, имел он в виду одну из наших многочисленных поэтесс, — вполне допускаю, но только не нашего литератора. Умение остаться провинциалом даже в центре мира — первейшее его от всех отличие. А почему? Да потому, что каждый такой цветок, даже поникший своей давно не глаженной головкой, всегда эмигрирует со своим горшком и ни в жизнь с ним не расстается. Не говоря уже о том, что его заботит до иссушения извечный вопрос: а обильно ли он его удобряет? Чего-чего, а это они под себя умеют. Щедрые люди — и другим с удовольствием отвалят. Между прочим, когда они сдают часть себя на анализ, их всегда спрашивают: «Ну зачем так много?» — хлопнул он вдруг ни с того ни с сего несчастную муху. Какое-никакое, худо-бедно-сякое, а все же крылатое существо. Кстати, убитая, а все же спланировала... И далее продолжал: — Это поэты видят наперед. Кажется, еще Велимир-свет наш Хлебников предсказал, что каждые двенадцать лет Россию будут трясти катаклизмы начиная с 1893 года, двенадцать лет спустя после злодейского убийства ее более или менее сносного царя Александра Второго. И действительно, отлистнули двенадцать — и вот тебе 1905 год — революция, первая, так сказать, ласточка. Еще двенадцать — 1917-й, можно сказать, более удавшаяся. Тут уж всей птичке двуглавой конец. И пошло, пошлее не придумаешь, — 1929-й — истребление крестьянства на корню. 1937-й — всех подряд, ведь не только крестьянской держава была. 1941-й — война, и еще какая мировая. Страшнее ее мир не видел пока. 1953-й — подох вседержитель российский, коему все остальные тираны и в тень не годятся. Ничего не скажешь, уделал матушку. Вон как по нему убивалась!.. Извлеки мертвеца — и сегодня лоб расшибет. Вот 1965-й — почему-то пауза. Правда, годом раньше скинули Никиту, что тоже в новинку, очень уж они не любят сами с трона слезать...

— Ну а 1977-й чем знаменит?

— Да наш с тобой исход, — отвечает, — и кому же хуже, что выперли нас? Опять же ей, разнесчастной. Вот и скажи теперь, что художник может прожить без политики, да еще в таком резко разделенном мире с капитулянтски пасующим его авангардом, — просил налить он себе по новой и залпом глотал, закусывая сладкой селедкой. Он и не представлял, что здесь настолько сладкая жизнь. — Там нас было мало, а здесь и того меньше. «За нами Москва — отступать нам больше некуда!» — помнишь самый патриотический этот лозунг, а ведь спас белокаменную нашу столицу... кровопийства этот сучий лозунг. Пора и Западу взять его на вооружение, за ним, ненаглядным, неотступно идет когда-то не взятая. За ним шелестит знаменами, да если бы только знаменами, только и ждущими своей красной подкраски. Сколько ни проливай кровушки под ними — все мало. Это сколько же им ее понадобится, чтобы над всем миром реять? Вон и Европа сбежавших, говорят, запаниковала вследствие Нового Закона о Гражданстве СССР, считающего всех нас своими подданными, хотя ими же на Запад мы и проданы. Все же по 500 рэ заплатили, не считая, сколько сердобольный Запад им за нас отвалил. Не одними ли его уступками да вспрыскиваниями, а то и явным коллоборанством они и живы. По мне, сотрудничать с оккупантом, да еще будущим, — дважды предательство. Так что есть отчего нашим цуцикам паниковать. Опять же на ум приходит не слишком давняя выдача русских. А вдруг, мол, надавят танками и дрогнет Запад и снова отдаст? Опыт есть, да и монолита ему по-прежнему не хватает... А с другой стороны, я думаю, раньше Кремль возьмут с голодухи многочисленные советские народы, нежели танки двинут сюда. Ведь даже при всеобщей повинности многонациональной, чтобы дальше вот так же повиноваться, надо хоть что-нибудь на подмогу этой самой повинности бросить. А бросать-то скоро совсем будет нечего, тем более если Запад танками взять, Запад — последнюю надежду советскую подкормиться. Это здесь живот выпирает дух. Это здесь он выскальзывает, как мокрое мыло в ладонях... И потом, мы зачастую судим о Западе по не лучшим его представителям. По восточным представителям судим о Западе. Сплошь мазохисты, везде и всюду подставляющие свою дряблую оконечность, они же из кожи вон лезут, чтобы их били. Они же кайфуют при этом. А мы думаем — и что это так надрываются заднеротые? Чего им не хватает? Пинка. Но тут они разборчивы очень. Им отечественный не годится. Им иноземный пинок подавай! К тому же соотечественники их к ним вполне равнодушны. Их волнует все, кроме политики. В том-то и смысл — кабы они осознали свою свободу, как мы несвободу свою. Потому-то и смотрели спокойно, как выдают на погибель живых людей... Вот только странно — почему там не было ни одного литературного критика? Допускаю, что Западу три наши волны уже вполне до подбородка доходят. И даже шибает в нос. В массе своей они довольно-таки духовитые. Ведь кого только матушка из глубин своих не выдала. Такую выставку приняли, что уже в зоопарк не надо ходить, действительно: попроси их назад СССР — с удовольствием бы отдали, но кто их назад-то попросит, когда самим кусать нечего. Я думаю, этот Закон и придуман затем, чтобы назад не возвращались. Даже туристами, очень уж не любят в СССР контрастов, а лагеря и тюрьмы с психушками переполнены, и так сидят миллионы — баланды не напасешься...

— Всегда напасалась, это почему же теперь не напасется? — спрашивает Вадя.

— Да скоро воды на нее не хватит, а уж крупы! Доселе безгласная природа, от которой, как известно, не ждали милостей, и та становится антисоветской, вернее, по-советски скоро руку протянет, если раньше рук не протянет ноги... И неисчерпаемым залежам приходит конец. И потом, я оптимист — этот мир настолько порочен, что его победить невозможно. Тем более каким-то бесштанным альтруистам, прячущим свою срамоту в танках...

Большой несбегаемый

Большой театр уже не большой — сбегают...

Из закулисных разговоров

Вот и Одиссей Моисеевич отдохнул и задумался о различиях между писателями. И действительно, какая разница между ними? Между американским, скажем, и африканским? Один, видимо, обрезан. Другой — нет. И речь здесь, конечно, не о цензуре. Или арабским и еврейским? Ну, тут никакого различия — оба обрезаны, — морщил лоб Одиссей Моисеевич, — это, конечно, важно, если они пишут тем, что подлежит обрезанию, но главное отличие все же в языке, хотя тоже болтается...

— Вот ты чей автор? — вдруг спрашивает он Вадю.

— Я? — удивился Незнанский. — Не только ничей, но даже не автор...

Раньше писало тоже много людей, и если кто интересовался, то спрашивал: «О чем ты пишешь?» Теперь же моих коллег, кто труд свой вывез в своем тайнике, в который при личном досмотре заглянуть забыли (и как поместился — тысячестраничный!), спрашивают: «Чей ты автор?» То есть — к какому органу приставлен. Опять же раньше было наоборот — орган пытался быть органом, приставляясь к хорошему писателю. С одной стороны, как бы выпячивая его, а с другой — и себя выставляя в выгодном свете... Наверняка Одиссей Моисеевич тоже стал писателем (и неудивительно — здесь все ими стали, в какой-то степени сказалась всеобщая и обязательная грамотность в СССР), но по привычке российской скрывает. Там ведь пока ты не профи — обыска жди: еще назовут твою писанину листовкой и доказывай им потом, что ты Лев Толстой. И когда же Одика писать потянуло? Гудю — это понятно, когда появился досуг. С некоторых пор он уже не регентский профессор с программой, какую выберет сам, а ленивый, то есть числящийся и что-то читающий, если слушают. Видимо, и Одиссей Моисеевич не смог задавить свой позыв откликаться на животрепещущие темы. Он и там — в СССР — пытался скорей всего нечто такое сказать на бумаге, легко ранимая душа его наверняка желала ею промокнуться, а может быть, даже и подтереться. Ну а власть, которая за это по головке не гладит... Он ее, конечно, блистательно игнорировал, будучи выше ее, тупой и неграмотной, хамовитой и неэстетичной. Правда, она иногда садилась на голову, и не затем, чтобы волосы редкие его теребить (когда они еще были), а также переживать, что лысеет талант. И тогда, конечно, трудно было ее не заметить, особенно когда перед носом немытою пяткой махала — кому ж, как не поэтам, надобно задавать нужный ритм... Сколько лет он блистательно игнорировал советскую власть — решили не уточнять. Вот интересно, как Одик относится к классикам? Наверно, почтительно равнодушен, — подумал я, — тоже вполне понятно — свое наболело. Выписываться пора, а не учиться, да и чему и у кого? И без того известное дело — вольнонаемно писать. Громко, но воровато, смело, но с оглядкой... Велика ныне разница между классиками и неклассиками. Те учились друг у друга. Эти, напротив, стараются друг на друга не походить. И в гости друг к другу не ходить. Если заложат, так чтоб только своими творческими планами делился. Тем, как говорится, и перо в руки. А этим стыдно сказать — куда, чтоб летели себе подальше, если уже не сидят. Так что чему прикажете у старых мастеров учиться? Да и потом, на общей протоптанно-проторенной колее, в этой толпе непролазной всяческих последователей, следователей, расследователей и преследователей, разве ж мыслимо шаг ступить? Тут и упасть невозможно, потому и монолитно стоят. И пыли стоит стена. И куда лучше издали на них чихать... И потом, там, где тонко, там и рвется, будь то кожа или сухожилия. Ты ей, власти, — тонко, с юмором, ты ей тонко-тонко, а она — танком. Так что на поверку не та эта власть, чтобы ее игнорировать, да еще блистательно. Просто стоим до поры до времени друг перед другом. Пока у нее не было времени с тобой сходиться. А уж коли сошлись, тут надобно либо договариваться с ней. Либо драться. Это ныне вдруг непредвиденный шанс появился — бежать — тем, на кого она насела. Правда, бегут и те, кто к ней лоялен вполне. Я знаю, что такое политический беженец — это человек, которому на колу не сидится. Я знаю, что такое художник, переезжающий в другой свет неблизкий, исходя из понятия «Земля — дом человеческий». А что такое вообще эмигрант, да еще приехавший жить поштучно в таком, казалось бы, индивидуальном мире и тем не менее постадно, постыдно и все одно скопом, чуть ли не коммунальным, — не понимаю. Не иначе книги писать, так сказать, свою сотворять нетленку и навсегдашечку.

— Насколько я понял, ты книгу настольную нам всем уже написал, — спросил я пламенного Одиссея Моисеевича, на него как раз упали первые отсветы солнечных лучей, утренне густых и, говорят, полезных.

— Нет еще, но кое-что вывез, — решил расколоться он — была не была.

— В здоровом теле? — спрашивает Даня.

— И в щетках сапожных. Один меня научил. Сам вывез десять тысяч микрофильмов своих рукописей, — сделал он ударение на предпоследнем слоге, — между прочим, он тоже здесь, романист, как и я, — из Одессы. Французское издательство «Галиматье» уже издало первые три тома его эпопеи «Калитка». В ней он прослеживает историю всех, кто в нее вошел с начала века и до последнего дня, пока сам из нее не вышел. Сейчас он задумал тетралогию «Небоскреб» с циклом прилегающих к нему зданий. Это будут как бы повести, обрамляющие цикл бесчисленных романов, поэтажно растущих в высоту. Разумеется, в каждом окне которых будут те же герои, что вышли однажды из «Калитки»... Не считая того, что он еще и эссеист, написавший пятьдесят тысяч статей на тему «Сверхчеловек – белокурая бестия – бывшая жидовская морда», где даже старушка Ахуинбер и та великая поэтесса...

Не иначе, глядя на него, и стал писателем Одиссей Моисеевич.

– Каждая армия везла своего писателя (при слове «армия» Одиссей Моисеевич весь преобразился). В армии Наполеона был Стендаль. У Буденного был Бабель. До чего же разные – Стендаль и Бабель, как Буденный и Наполеон. Что и говорить – не в ту армию попал Исак. Мне кажется, было бы куда справедливее, если бы вы поменялись. Вы оба из Одессы. Оба писатели. Ты, не махая шашкой, дошел до Нью-Йорка в бесчисленной армии, правда без полководца (Андропов с Брежневым не в счет, они в арьергарде) – вызови коллегу, говорят, сейчас можно переселить, если, конечно, Израиль вызова не зарубит. Главный по вызовам, потому так вызывающе и ведет себя это маленькое государство, что в состоянии вызывать с того света. Только ему и разрешено это чудо пока сотворять. В крайнем случае вас обменяют – душу на душу, чтоб уже жить душа в душу, но по разные стороны баррикад. Большой писатель не может быть маленьким человеком, – задевал я его за живое, – еще Пушкин – негритянское чудо русского народа утверждал: гений и злодейство – вещи несовместные, и вообще маленькие люди – злобные корыстолюбцы...

– Нет, я попробую быть Бабелем сам, – сказал Одиссей Моисеевич.

В это время в баре вдруг воцарилась мертвая тишина. Явно кто-то в эту минуту родился. Может быть, даже писатель – на Белый Свет, как на белый лист. И действительно, Вася родила пятицветного младенца, все ж втихую, а пела «Интернационал» да и «Правду» о правде на ночь глядя читала, а советское кино, на которое валом валила, как всякий нормальный и ненормальный наш эмигрант (о советских выставках и не менее советских поэтах – одиноких гласах в пустыне зрительных залов даже там — у себя, а тут — нате вам — Вася их слушать бежит, я и не говорю). Говорят, Москва по такому ей милому случаю (ей и не снился приварок валюты такой) — для всех своих бывших подданных, мнимых и подлинных, недосбежавших, недообожавших, недоаплодировавших, а также недоучивших историю ВКП(б) и прочих недоделанных — БОЛЬШОЙ НЕСБЕГАЕМЫЙ хочет в Большом Нью-Йорке построить. Уже переговоры ведет. Явный подарок для девушки Васи. Ах, Вася, Вася!.. Ей не то что хотелось быть мужчиной, девушке это как-то не очень идет, ей очень хотелось быть еще патриотом. Очень уж ее прельщали не женские окончания женских имен, как правило иностранных — Мерседесе... или просто Бесс. Николь (Коля) или Марго (Марик). Элеонор, или просто Элен, или Айрин... Они казались ей намного звучней и красивей ее собственного, да еще двойного — Бася-Рахиль, где тоже не явно по-женски, но и как-то не по-мужски окончание, что неизменно вызывало недобрую улыбку там, куда она относила свои документы, будь то техникум носильщиков переходящего Красного Знамени или фабрика все и всех заменителей имени Серпа и Молота... Нет, имя явно надо было менять. Это она понимала давно и отчетливо. Конечно, хотелось бы найти какой-нибудь русский эквивалент всем этим Бесс, Улисс и Джоан, все же она была русской еврейкой, можно сказать, с молоком матери впитала культуру российскую из-под полы и ненависть, более легальную, чем культура. И вот после долгих и мучительных исканий, раздумий, борений, сомнений и взвешиваний «за» и «против», она стала называться Василис Варварович Голубкина. А что, вполне! Молодец, Вася!

Вот так постепенно Хавкин становился Гавкиным. Зусман — Зуевым. Малкинд — Палкиным, а Залкинд — Заворотниковским...

Невольно вспоминается эпизод недавнего конкурса на новый госгимн СССР. Вскрывают конверт, чтоб выяснить, что же это за гусь, написавший всем понравившуюся музыку, а победителем оказывается еврей, да еще с несмененной фамилией. Так и остался гимн старым.

Здесь, конечно, нас возмущает – и почему же достойная музыка не стала госгимном? Но никто не задается вопросом – а почему это еврею надо обязательно писать гимн Советского Союза?

– Кстати, а как поживает Сосипадла Ностальгиевна с Софьей Власьевной? – спрашиваю у окружающих дымов отечества, очень уж воровато пьющих свой дринк в полутемном американском баре (здесь во всех забегаловках и даже фешенебельных ресторанах темно, многие думают – для интима, а на самом деле – чтобы не видеть, что пьешь и что ешь, а главное – счет, который потом приносят). – Так как поживают, говорят, супруг их совсем обеззубел. Есть теперь где дикции его разгуляться, блистает теперь без цензуры зубов. Речь – это не что-то путное речь, а стеречь, чтобы путное не выходило. Так мы, гаврики, жили. А как ныне живем?

– Припеваючи, – сказали дымы (молчал лишь один художник Синявин, днюющий и ночующий в советском поспредстве), – вон, у черных танцующая походка, а у нас пересохло в глотке... – Намекнули. И я заказал им по новому дринку.

«А почему бы и нам на свою голову по паре таких же спикеров не напялить?» – подумал я, глядя на слезших с радиофицированных лиан Чебурашек. Идет человек, и ноги его машут ушами, и все сплошь плывет в глазах, которые тоже, как уши, закрыты, только изредка вздрагивают, когда лезут на лоб. Кстати, именно здесь все, что плывет по рекам, – не тонет. Особенно это заметно весной. Именно весной нас много чего омывает, застывших в удивлении...

– И не только весной, – замечает Гудя, – мне кажется, нас и здесь омывает, хотя мы и сидим на высоченных табуретах и возвышаемся на столько голов. Если бы я был не лопарем, а евреем, я бы не медля сменил свою фамилию на «Айсберг» или, как минимум, на «Торос». «Егудаил Торос», а что, звучит!

– Тебе сам Бог велел – ты Эскимосский. Можешь еще добавить – клык моржовый.

Казя

Не боги горшки обжигают, не боги на них и садятся.

С Казей мы впервые увиделись еще в Италии — незабываемой стране, где вдали море, а вблизи наши эмигранты... Плывут корабли, да все в этом море плавает, будь то сало с одышкой, что шло баттерфляем, а рядом, дельфинчиком, чадо его, будем надеяться — не утонет, или просто маслянистое нефти пятно. А если спиной к панораме сей встать, то обязательно кто-то уже приехал, прибыл уже, наконец откопался и с места в карьер: «Не подскажете ль мне?», будто я суфлер-подсказчик на этой сцене.

— Мне женщина нужна, чтоб вступить с ней в ночлег, — сказал тогда Казя, — я слышал, есть здесь такая религиозная и к тому же набожная организация...

— Но ведь тебя уже везут, кормят, поят, фондят и охраняют, чтобы назад не украли. О тебе же уже пекутся, вон ты румяный какой! — говорю. — Это я по другому статусу — одна нога здесь, другая там — на весь мир разрываюсь, все меня хотят, а я вот не знаю, что захотеть, а потому не решил еще, где жить, как жить, зачем-то — я знаю... И вообще такое ощущение, что не весь уехал, и то в ус не дую, поскольку сбрил. А ты все же из почтенной и международной лиги «Спасайся, кто может», а я вот спасен и никакого эффекта. Спасают же тебя, как однажды великих ученых. Их, между прочим, в бомбовом люке спасали, чтобы в случае чего удобнее в океан было сбросить (спасают не затем, чтоб назад отдать). А тебя, сокровище, вон с каким комфортом везут. Тебя, между прочим, мафия итальянская охраняет. Кстати, почему бы тебе не попробовать сицилианку?

— Да мне хоть бы кто! — проглотил он слюну. — Они как — филантропы?

— Да их тут хоть пруд пруди — каждый только и норовит поделиться с ближним. Каждый только и ждет, чтобы ближнему помочь своему. И чужому. Но здешний ближний воротит нос. Вот разве что ближний дальний, в этом смысле он, как сифилитик, безносый...

— Там я был ближний дальний, теперь я — ближний, приехавший издалека... Теперь я нос к носу — ближний, может, есть все же соответствующая женская филантропическая организация, что могла бы пойти мне навстречу в этом вопросе?

— Так это же монашки! — удивился я его полному непониманию западной жизни, — и откуда ты такой Эйнштейн приехал?

— Из Бельц. — И по привычке стал излагать свою анкету, из которой явствовало, что с пионерского возраста он сирота. А вот сейчас, в комсомольском, еще и брат потерян.

— Что, навсегда потерялся? — спрашиваю.

— Да, не отпустили.

— Что, он на секретной работе?

— Вот именно — оставили в Бельцах пожизненно, — сокрушался Казя.

— Атомщик в Бельцах? — удивляюсь (я всегда был за утечку любых мозгов).

— Хуже. То есть еще секретней...

— Да кто же он, черт возьми! — не выдержал я.

— Музейный посетитель — играет толпу.

— Один?

— Нет, их там чертова дюжина. И все на окладе, когда нет бесплатных туристов. А так как туристов там отродясь не бывало и с улицы прохожих тоже отчаялись загонять, все про это дело давным-давно знают, им, беднягам, приходится вкалывать со страшной силой. Без выходных и отпусков. Они даже болеть не имеют права. А женщины, соответственно, уходить в декрет. Вот так всю жизнь напропалую и кричат, восторгаются, кого-то цитируют и чего-то поют. А главное — подталкивают людей к экспонатам. Это их основная обязанность. Вы даже не представляете, как надоела братишке эта работа. Народ должен знать, что свято место пусто не бывает, а потому там никакой тишины музейной. Я представляю, что творится в Главном, если в филиале такое происходит...

— Да, работенка, прямо скажем, гнусная, — говорю, — а что за музей-то? Не иначе Революции...

— Он самый. Теперь в каждом селе по такому. Вместо краеведческого в память былой природы — мемориалы будущей счастливой жизни. Но раньше хоть флора с фауной была на черно-белых фотографиях. А теперь только митинги на фоне былых фотографий былой растительности, где самым говорливым памятники стоят. Говорят, их скоро будут в каждой коммунальной квартире ставить. В полный рост и на самом людном и шумном месте...

— На кухне, значит, — говорю, — где страсти кипят и где кастрюли, как граница, на замке...

— Раньше мы жили на Кавказе, — продолжал сирота Казя, — там хоть в музеях один усатый стоял. Особенно нравился он мне в палеонтологическом на фоне мамонта. Правда, мамонт был что мышь рядом с ним... Но в Грузии тебя и вином напоят, чтоб только пришел на него посмотреть, и, если надо, барашка зарежут. Обходительный народ — грузины. А у нас — в Бельцах — жлобье. Я сначала назад хотел — в Грузию ехать. Там город есть такой Телави, но смотрю, наша улица вся поднялась на закорки друг другу и на Запад глядит. «На хер тебе Телави? Давай в Тель-Авив!» Ну, и я с ними. Вот братишку жалко. Даже по ночам кричит «ура!» и боится, чтоб на «пора!» не походило...

— Так и быть, угощу тебя проституткой, — растрогался я.

— Смерть на сцене или в кровати с любимой женой? — спрашиваю Казю уже здесь — в Нью-Йорке, — что бы ты выбрал, Казио (как называл его в Риме) — голубок ты наш разбойник! (Казя в каком-то хоре поет, смешанном, как коктейль, где в основном только хвалят, но платить не платят.)

— На сцене с любимой чьей-то женой, — говорит разбойник наш голубок.

— Тоже красиво, к тому же интим, — говорю, — ведь в театрах ныне никто не бывает. Есть троица замечательных моментов в жизни мужчины (иногда поучаем мы нашего юношу): первый — это голос свой ощутить, певческий. Второй — в небо подняться, без помощи, самому. И третий — самый простой — залезть не на Эверест, а на самую обыкновенную в твоей юности тетю, потому что, когда не хватает теть, все в альпинисты с горя лезут. Мне иногда кажется, Казио, что ты смотришь на женщин, как Ленин однажды смотрел на лису – замер и слюни пустил, и зуб гнилой, как сейчас помню, в обоняние лисе очень чуткой ударил.

– Это когда не смог он стрелять, наш Ильич, в такую красу, огненно-рыжая, она его покорила? – спрашивает Казя.

– Совершенно верно, – продолжаю я, – «Ничего, на другом отыграюсь!» – сказал он тогда. И отыгрался – стрелял миллионами, Казя, а потом, говорят, освежевывал трупы, чувашишка и мирового пролетариата вошь...

– Вот и у меня был знакомый, тоже только смотрел, – вспомнил Казя, – так любил, так обожал мой знакомый женщин, что трогать их даже пальцем не смел.

– Уж не Параджанов ли твой знакомый?

– Нет, другой.

– Так вот откуда пошли гомосеки – от сверхнежности, – удивляюсь, – а я и не знал...

– И я, не пойми меня плохо, на них с обожаньем смотрю, – говорит наш Казио – подросток наш юноша, который конечно бы выдержал свалившуюся на него гражданку типа Венеры Милосской, томную, преданную до самозабвенья, скромную, нечестолюбивую и добрую, в меру испорченную и без блуда в глазах, короче, дотронься – и сердца наступит разрыв – упадет соловьем, когда он берет свое «до» высочайшей октавы и сердце свое разрывает (попробуй эту ноту возьми!). Это только однажды в жизни бывает, да и то не у всех, даже лучших певцов. Это женщины просто берутся и часто. Просто женщины у просто людей, которым конечно же одного обожания мало.

– Грешно тебе, милый, только смотреть, – внушаю ему, – ты же не локомотив, чтобы жить под парами и, тем более, на ручных тормозах спускать. Или ты в букваре своего счастливого, спасибо товарищу Сталину, детства нашего национального Луку не читал, которого великий Эйзенштейн всю жизнь мечтал экранизировать. Когда его однажды вызвали в ЦК и спросили: что бы он хотел запечатлеть на экране после «Октября» с «Броненосцем „Потемкиным“» и «Иваном Грозным» в придачу? Он просто-таки выдохнул: «Луку!» «Это что же, библейское что-то?» – переспросили его руководители всех вдохновений во всех областях нашей искусственной жизни. Да нет же, о темные люди! – чуть было не вырвалось у него сгоряча. – «Мудищева!» – И чуть не заплакал, потому что всю жизнь не то снимал.

Вот я и говорю, стыдно, юноша, после такой классики женщин одним только пальцем трогать, и то на картинке.

– Да я здешнего языка не знаю, – чуть не всхлипывал Казя, как будто у любви язык иностранный.

Ай лав Нью-Йорк

– Ай лав Нью-Йорк (пропади он пропадом).

– А я люблю Москву (гори она вечным огнем), – говорит Даня. И мы оглянулись вокруг, а по всей округе в воздух чепчики уже летят и «ура!» раздается. Это, видимо, начался литературный кросс.

– Это что, марафон? – спрашиваю.

– Литературный, – дружески мне отвечают.

– С препятствиями?

– Да нет, здесь свобода.

– А-а-а! – искренне удивляюсь. И раздумываю: бежать – без препятствий я не умею, а с препятствиями надоело бежать. Пусть бегают сами, тем более что ни в одной конституции не сказано, что кому-то нельзя быть писателем.

– Демократия – это когда все фонтаны работают. Все без исключения, – замечает Даня, – люди всю жизнь молчали, как рыбы. Вот и выпускают воду. Эмиграция для них не что иное, как облегчение, – защищал он, скорей всего, нашу многочисленную колонию, взявшуюся за перо двумя руками и наводнившую и без того узко-русскую прессу невероятным количеством своих анускриптов (а где еще прикажете им провозить свои скрипты) и куда лучше не соваться даже с самыми что ни есть шедеврами – и так уже подбородок захлестывает. Впечатлительные американцы могут подумать, что их уже оккупировали и скоро заставят по-русски читать, им, кому и по-английски это несвойственно. Несколько частей Нью-Йорка, к примеру, принципиально не говорят на языке своей новой родины – пишут. Там даже «Ну и как –

скрипишь?» — вместо приветствия. И если кто-либо перестал скрипеть, с ним уже не здороваются. И все это обрушивается на старую и тоже скрипучую мельницу врага, подтверждая его вечное бахвальство, что этого добра у него навалом, потому и не держим. А уж Союз их писателей, тот вообще, наверное, весь в Толстых ходит, поначалу зажмуренный в страхе, что всех Толстых отпустил сюда. Я думаю, они даже запросто могут уже вписать в свою невероятно солнечную конституцию: «НА РУССКОМ ЯЗЫКЕ РАЗРЕШАЕТСЯ ПИСАТЬ ТОЛЬКО ПО-СОВЕТСКИ, ЕСЛИ УЖЕ НА ЗАПАДЕ ТАК ПОСТУПАЮТ, ТО НАМ САМ БОГ ВЕЛЕЛ...»

Обвал. Поток — что соседняя Ниагара. И это невзирая на то, что на убежавшем русском читают единицы (как, впрочем, и среди полумиллиарда никуда не сбегавших и тоже не читающих по-английски), — везде в основном любят поговорить, а вот почитать... И на Западе почитаемый писатель не обязательно читаемый писатель. И здесь на него плевать хотели, как на окружающую среду. Он не менее общественное и загаженное место. Потому первым делом он говорит о том, что в человеке все должно быть прекрасным — и грамотность, и хоть какой-нибудь интеллект, и одежда, и надежда, и жилье с настольной лампой, а также настольной книгой (это он на себя намекает), и запах, и зарплата, и все прочее, что ему не чуждо. А главное — улыбка, пусть не золотым, но и не фальшивым слитком. Ведь сам факт улыбки — это уже признание в чистом виде. А один наш самоубийца так вообще эпитафией написал: «И кроме свежевыстиранной сорочки, скажу по совести, мне ничего не надо...» Дурак! Ну какой же это белый воротничок, если сидят на шее и ты повязываешь свой галстук поверх чьей-то задницы. Другое дело — свободный художник в рубашке своей апаш-нараспаш. Ничем не обременен. Да он и не должен быть чем-то обремененным. Тем более деньгами. Нет цензуры — нет и денег, это у русских всюду (и на свободе тоже) цензура, а денег все одно нет. Вчерашние и позавчерашние строители самого светлого будущего, какое когда-либо было, будет или есть, они ведь как считают: если ты там в неволе вкалывал под кнутом бесплатно, то здесь на воле ты просто должен визжать от радости, что работаешь не за пряник даже.

— А за что? — сразу вскричали многочисленные мои коллеги, постепенно меня окружая.

— А ни за что! — говорит мой друг Бах, везде и всюду раздаривающий свои шедевры и оформляющий книги за копейки, ибо художнику нужна отдача. Правда, и питаться ему тоже необходимо.

— Может быть, за идею? — робко предполагаю. — Не могут же безо всякой идеи, вот так, за здорово живешь, нагло обирать нашего брата. Обязательно должна быть высокая, выше их роста, идея. Именно за нее, они думают, не то что пот — кровь свою отдать не жалко, и не на донорских пунктах, где она хоть что-то стоит. Истинные россияне, для них ведь жертва — не беда. А уж ныне тем паче. Ныне Россия, как любая порядочная катастрофа, просто должна потрясать количеством жертв. Другое дело — идеи зачастую и гроша ломаного не стоят. Тем более — какие уж тут гонорары! Это в России если не печатали, то соответственно и не платили. Здесь же печатают и тоже не платят. Свободный и еще при этом хочешь заработать! «Свободный художник, а о чем помышляешь, да уж не меркантилен ли ты, брат?! Вот они — птицы высокого полета!..» И тут же предлагает: «Ты лучше сходи с высот и ломай свою гордую выю, пытаясь в подколенном воздухе отыскать очистительный озон». На что я отвечаю: «Съешьте свои яйца, господа, орлы видят с высоты, но это не значит, что они с высоты упадают покопаться в навозной куче. Даже если там и есть хоть какой-то шанс отыскать жемчужину».

— Да что говорить о сиюминутной и ежедневно выбрасываемой прессе, когда вечные книги здесь не идут, — говорит почтенный литератор.

— Русские идут, но не книги, — согласился литератор менее почтенный. И почесал свою голову, в которой роились сюжеты один другого печальней («Русские здесь!» — я еще снимусь в этом фильме).

— Успокойся, и у американцев на весь эшелон писателей единственный спальный вагон пассажиров... И вообще в этом мире с книгами принято спать, — замечает другой литератор, как Ленин, всегда носящий с собой газеты, отчего и выглядел полногрудо.

— Похоже, что биологические часы этого мира показывают полшестого, — не остался в долгу литератор следующий.

— А сколько на наших? — спрашивает Бах. — Не пора ли обедать?

И мы отложили русскоязычную прессу, сплошь авангардную, если верить названиям: «Новости», «Новейшие новости», «Вот так новость!», «Новое Русское Слово», «Новости Зарубежья», «Новый Свет», «В Новом Свете», «Новый меридиан», «Новый Курьер», «Новое Время», «Новый Журнал», «Новая Газета», «Новая интересная газета», «Новый Американец». Одна только «Русская Мысль» — не новая. Да и «Новый Американец» — как цветок, пересаженный из одной проруби в другую. И кого он *удовлетворяет* — за кого он — за Демократическую партию или Республиканскую? — не поймешь. А теперь это уже два цветка — они уже разделились — на «Новый» и «Американец».

— Между прочим, вчера открываю газету и в скорбном листке, где обычно мертвые душечки, читаю о рождении еще двух новых газет, — говорит Бах.

— Это которые «Ваша газета, ну и делайте ее сами»? — спросил Лоуренс Кусачкин с подозрительно круглой женой. Когда-то Валера, отныне он все русское «завязал» и бороду отрастил по просьбе жены, а то за сына ее принимают, к тому же иностранного.

— Наш Федул опять кому-то вдул, — заметил Ефеня, — а ведь кричал: «Я сам — ребенок!»

— Не Федул, а Лоуренс, сколько раз говорить? И не вдул, а совершил адюльтер. Нет, с русскими невозможно общаться...

Но остался стоять. Куда ему деться? Здесь любой день недели — среда. И когда говорят «среда заела», имеют в виду не столько общество, сколько время. В России мы обычно недоумевали: «Пьем, пьем, а все четверг».

— Честное слово (новое русское), если мы уехали из России той, то почему бы нам не сбежать и от этой? Не пора ли и нам англосаксами стать? — спрашиваю Баха.

— А там еще хуже, — отвечает Бах.

— А может, все же есть резон стать англосаксами и быть англосаксонистее их самих, а то, получается, мы совершили сразу две ошибки: первую, что эмигрировали, и вторую, что эмигрировали не туда. Кстати, ты не знаешь, почему коровы всех стран и народов не эмигрируют в Индию, ведь там они неприкосновенны, но они предпочитают отечественные бойни месту святому и безопасному. Точь-в-точь как все подтоталитарные интеллектуалы, что могли бы эмигрировать в мир свободный, пока он свободен еще, но большинство из них все же предпочитает никуда не уезжать. Может, в отличие от коров, они боятся попасть на бойню, где их уже не будут доить, а попросту прихлопнут за измену, и даже не родине, так охраняющей их стойло, а привычному образу их скотской жизни? «И с какой это стати вы вдруг вздумали менять свою жизнь? – спросят их пастухи, а также кухарки, которые у власти. – Млекопитались-млекопитались и нате вам – потянуло жить без в хвост и в гриву, а также откинуть копыта?! Что, мы мало вам рога обламывали?»

– Старик, у них перед глазами стоит наш пример.

– А меня вчера чуть не линчевали, – сообщила Юля Гном.

– За что? – поинтересовались мы хором, отчего окончательно облупились стены, нас окружавшие.

– Стою в сабвее и как всегда читаю «Новое Русское Слово». И вдруг кто-то с остервенением вырывает из моих рук газету и что-то кричит. И, что удивительно, обычно ко всему безразличные и всегда молчащие пассажиры его поддержали и тоже стали что-то кричать про мою агрессивность. Кстати, какой у нас сейчас кризис – афганский или польский? Куда мы, черт бы нас побрал, снова вторглись?!

– Надо же, дома не бегал по редакциям с высунутым красным русским своим языком, а здесь – как мальчишка-посыльный, правда собственных рукописей, – говорит почтенный литератор (хоть убейте, не помню фамилию). – На чаевые живу, гонорары ведь здесь – что в московском туалете чаевые. Сам давал больше, чем здесь получаю...

– А почему это ты не печатаешься, дорогой? – спрашивает меня Бах. – Ты же у нас профессионал...

– Вот именно поэтому, – отвечаю.

– А что делать? – продолжает все тот же почтенный литератор. – Приходишь в одну русскую редакцию, а там сидят в пейсах и ермолках. Приходишь в другую русскую редакцию, а там сидят в ермолках и пейсах. Заходишь в третью русскую редакцию, а она вообще не русская. А если русская, то не приведи бог. С дегтем сидят наготове. Ждут погрома. Ну мракобес на мракобесе. Думал, с трапа схожу в будущее, а приехал по меньшей мере лет на сто шестьдесят назад...

— Но позвольте, вы все же приехали в Америку, — говорю я почтенному литератору, — она же, слава богу, портретами русских царей не обложилась. Или некуда свой великий и могучий язык приложить — к ним тянет, так сказать, из России в Россию, какую в душе носили? То есть из средоточия русского языка битого-избитого, но родного, с ним наперевес, да в русский язык, что в рассеянии. Да он же у нас классовый. У него гражданская война еще не кончилась. И никогда не закончите, хотя мы самые мирные существа на свете по сути своей. Одно и плохо — не умеем мы мыслить в коллективе. И классически мыслить не умеем. И в ногу. Нас всегда загоняли в классы. И мы всегда были не успевающими им поддакивать. Мы всегда были двоечниками на уроке Истории. Лично я никогда не усваивал преподанный мне урок. Но, слава богу, выперли нас из этой школы. Не всех, но турнули в кругосветное турне. И только сейчас и заметно — кто ж все же умудрился ее окончить. И кто сподобился даже отличником стать. А посему лучше быть последним в деревне олимпийской, чем первым в городе, безразлично каком. И вообще лучше попасть в десятку, чем ходить в сотнях, не важно каких — черных, красных, желтых или коричневых... И уж тем более становиться классиком...

— А кем же еще, как не классиком? — спрашивает почтенный литератор взволнованно.

— А никем, — говорит Даня, — лично я на вопрос «Кем ты хочешь быть?» давным-давно ответил: я уже есть. Вопрос не по адресу — я уже состоялся. Между прочим, вольный и в неволе свободен. А уж в пампасах пасись — не хочу. Так хорошо, что аж плакать от счастья желает. К тому же в родную стихию попал. Все ж, как ни крути, а россияне всегда и везде неизменны. Вот и язык наш бурлит, как в первые дни своих революций, да и белогвардейцы — вот они, рядом. Правда, одряхлели очень, но зато местечковость бывших окраин как и была — молода и дремуча. Вот и сейчас мы зачесаны на Запад, а глаз повернут на Восток. А может, Восток повернут на Запад, а Запад повернут уже к стене? Вот и Лева Неврозов, завернувшись в черную тогу, пророчествует без очков: «История пойдет либо с вами, либо без вас...» И бровей его уже будущий век касался. Я думаю, их две истории, и уж как-нибудь эти старушки поладят, если будет куда им идти. А вот к нам и впрямь привычное наше идет и минует границы по нашим же визам. Неистребимое наше, истреблявшее нас. Новый эфир да старая песня... Нет, все причины — отчего и как случились в России ее революции — налицо. А я-то думал — ну почему? Ехать надо куда подальше, чтобы понять, хоть и кажется, что далеко ходить не надо — рядом были и наяву. Но в том-то и дело, когда нет свободы — и рабства не видно, но стоит ей появиться — и вот оно, прет.

Прометеев

> Это нищий от родины отрешен,
> Любя ее до последнего вздоха,
> А тот, кому жить на Руси хорошо.
> Тот и на чужбине живет неплохо.

— Ба, кого я вижу — Приставкин!

— Привет, Холуев!

Так бы они приветствовали друг друга там — в России, где трудно быть не Приставкиным и не Холуевым. Где истинно подвиг остаться самим собой, особенно если ты ни к кому не Приставкин и, тем более, не Холуев. Другое дело — встреча в Нью-Йорке:

— Ба, кого я вижу, Глаголов!

— Привет, Помощников!

Это раньше, если у предка не было денег купить благозвучную и благородную фамилию, он так и оставался каким-нибудь Однорыловым до десятого колена или Черномординым до двенадцатого включительно. Нет денег — живи с кличкой, зачастую смешной и обидной, обрекая и потомков так называться. Теперь, получая американский паспорт, можно назваться хоть Лоуренсом Оливье. Вот только Ян Туфейсов вместо одного лица взял два (жадность, а может, он всегда был двуликим и мы просто не замечали), да бывший монтер Столбов стал Люциферовым, когда узнал, что Люцифер – «это тот, кто несет свет».

И мы с Бахом (который Вагрич, что по-армянски – Тигр) вспомнили Гену Цыферова – сказочника, умершего незадолго до нашего отъезда. Вот от кого исходил свет.

И тут, пожалуй, пора его представить полностью, но свои парадные имена мы пока попридержим за зубами, как маршалы свои мундиры с иконостасом орденов (маршалам куда удобней ходить в кальсонах, чем в таких тяжелых доспехах), – мы, в конце концов, в своем кругу, чего уж тут официальничать, тем более когда нам дают такие пышные имена, которые просто грех упоминать всуе, да и неудобны они в употреблении, тем более всуе. Очень звучные они у нас, а те, у кого не очень, – здесь их запросто поменяли, и они стали еще более труднопроизносимыми, просто язык не поворачивается их во всеуслышание говорить. Да и к тому же бесполезно их здесь говорить – американцам они абсолютно ничего не говорят, а уж остальным народам – тем более. А потому Даниил Прометеев (Данко наш несравненный) будет просто Даня, Ардальон Аполлонов-Таврический – Ардальон или Ардальеша, Егудаил Егудаилкин-Эскимосов-Клык моржовый (взял-таки!) – Гудя, Казимир Бельционский – Казя или, в крайнем случае, Казио (как звали его в Италии), Вадим Незнанский-Узлов-Гордиевский – Вадя, Одиссей Моисеевич Улиссов-Шнеерсон – Одя, Иосиф Владимирович Леонидик-Спартанский – Сосивовчик и так далее. Прости, дорогой, что перебил.

– Ничего, – промолвил Даня и начал снова.

– ...А я сам полез на рожон, – говорит Даня, – придя на Лубну, я спросил: и почему это меня не арестовывают? Прошел уже месяц, как я дал интервью иностранцу, судя по его вкрадчивому голосу – явно из капстраны, и допускаю, что он меня запродал с потрохами, то есть с моим нутряным и сокровенным. Ведь именно эти писцы с очень дорогой шкурой, забывшие про коготки своих перьев, боятся ее потерять. В отличие от нас, конечно. Явно мои мысли там запахли телом чужого языка, а то и просто обернулись против меня. Знаю я этих златоустов, у которых чести не густо. Вместо «били» напишут «любили» с большой буквы и объяснят это разрядкой... Сколько раз так бывало. Я буквально разжевывал и внушал: господа, жизнь — досуг для провидца. Времени больше чем достаточно, чтобы увидеть. Больше, чем надо, чтобы предостеречь. Это гонщик скоро проживает свою жизнь — скорость, да и в спину подталкивают, торопят будущие поколения (гонщиков). Это художнику небезразлична быстрота самовыражения. Хочет успеть. Провидцы, да откуда их взять, а вот художника есть взять откуда. И берут, и ловят с поличным, если он не прячет своего дарования. Если он не баталист их коммунальных битв и вообще не гример их всенародного вырождения. Господа, продуцирую я им свою главную мысль, — художник, он пропах своей собственной кровью сквозь тонкую кожу. Он полагал, что в этой дикости у него опять, как тысячелетия назад, отрастет шкура, зазвереет глаз и закаменеет сердце. Но боль, господа, без которой немыслим ни один настоящий художник, любит сосуды тонкие, та самая, чьи краски или слова пишут этот мир, где и можно либо творить, либо давить, либо давать, либо грабить. Мир-Шар-Живот — и поверх его, всепожирающего, сердце с трассирующей, и как еще ощутимо, ознобно и пламенно, кувалдой и в то же время ниточкой пульса. Да разве вы когда-нибудь понимали эту морзянку извечного нашего «SOSа», — говорю я им, как космонавт, уже наверху побывавший, которому сверху наша планета, что баранье яйцо, за которое тащат его на костер, как Джордано Бруно, только съедобного. Да много ли стоил бы этот ни черта не стоящий мир без этой хрупкой, но все же непрерываемой нити?

Звоню своему другу Баху и говорю: «Вот он я! Иду!»

— Уши на месте? — спрашивает Бах.

— На месте, — отвечаю.

— А то все хотят быть Ван Гогами, но уши жалко, — говорит Бах. И с чего он взял, что я хочу быть Ван Гогом, меня и так в дурдом упекут.

Дом, где ищут виновных, а хватают невинных. Видимо, работы у них и так хватало. Или они привыкли ловить сами — меня не стали даже слушать. Я, скорее всего, хотел объяснить гэбистам из первых уст все, что меня давно волнует, мешает и бередит мою бедную душу, да и отвлекает тоже. Что уж за мной следить. Давайте я сам послежу за вами...

Сотрудник толкнул меня в какую-то дверь, привыкшую к неожиданностям. И перед тем, как захлопнуть ее за моей спиной, дружески потрепал меня по щеке (это ныне к художникам внимание... бульдозерное, истинно землю роют перед нашим братом, а тогда мы еще не были виноваты во всех прегрешениях российских, включая недороды и прочие беды). Вскоре невесть откуда появилась старушенция вся в белом, как ангел, добрый ангел морга, эдакий божий одуванчик, и стала водить своим костлявым пальцем у самых моих глаз. Лицо ее при этом было еще в начале гримасы. Такое ощущение, что она вот-вот чихнет. Много позже я понял, что это было обычное выражение ее физиономии. Не лик человеческий, а многообещающий чих, которому не суждено состояться. Она спросила — кто я по профессии?

— Живописец.

— И конечно же неплохой?

— Конечно, — опередил я ее на две одышки.

— Почему вы так считаете? — улыбнулась старушенция, явно считая меня идиотом.

— Ну хотя бы потому, что в комбинате, где я работаю, меня считают лучшим живописцем. — И я развил свою мысль: — А так как комбинат лучший в Союзе, следовательно, я лучший живописец в стране. А так как в нашей стране самая передовая живопись и вообще искусство, то я лучший художник в мире.

Вообще-то я из другого союза — писателей и, чтоб заниматься основным своим делом, вынужден, как большинство из нас, подрабатывать живописцем мертвецов, всегда живых и с удовольствием позирующих. Вершители судеб, они желают красоваться буквально во всех областях, районах и жанрах нашей широкой и необъятно искусственной жизни с литературой искусства и искусством литературы.

Не говоря уже просто об искусстве нашем искусном, где хорошо подвешенный язык, кисть, резец, но не режущий, а, напротив, ласкающий, и прочие инструменты висели всегда наготове к дотрогу их, наших самых великих, самых мудрых, самых фотогеничных и уже забальзамированных отчасти. Вы скажете: эстет, и где ж твое чувство брезгливости? Отвечаю: здесь даже творцу наиголубеющей крови, как и аристократу не менее белой кости и духа, еще не выпущенного, чувство брезгливости неведомо, как, впрочем, и другие многие предрассудки. Неведомо – и все тут, хотя он отлично ведает, что творит, а главное – кого творит. И вообще, красочный лубок нашей жизнерадостной панорамы с лобком Лобного места на фоне Главной Стены их захоронений уже давно убран и украшен цветами. Иными словами – хоть сейчас клади ненаглядных в гроб, где они будут вечно живые. Так вот, живописуя их, я в какой-то степени был как бы освобожден писать их еще и в литературе (что-нибудь одно, милейшие!), в теле которой они были куда более главным сосцом, питающим как эту литературу, так и все остальное, включая кремлевскую елку, где пропойца дядя Мороз – красный нос и тетя Снегурочка, недостаточно подмороженная, чтобы выглядеть посвежей, с Павликом Морозовым на руках – это в детстве, а в юности Мороз уже пробирает по коже и щекочет бородой Карла Маркса, а вместо Снегурочки уже Фридрих Энгельс, тоже недомороженный. Дальше – больше, уже весь сонм вождей, основоположников анекдота, самого неостроумного в истории. Когда я вижу их портреты, у меня возникает ощущение, что борода у них одна на всех. Но если у старого анекдота борода с годами увеличивается, то у основателей-шутников, напротив, она, как бы поначалу раскидистая, становится все более жидкой и худосочной. От когда-то густой Марксовой она сначала уменьшилась до менее впечатляющей Энгельсовой, а потом и вообще деградировала в клинышек ленинской, каутской, Троцкой и прочей негустой бороденки. Жалкие подражатели ленинского едва заросшего монгольского подбородка, видимо, чтобы не выглядеть густобородее вождя, выщипывали волоски, оголяя и без того неприлично голую и наглую физиономию, пока их бороденка не стала двухволосой и жалкой, как у Хо Ши Мина. Сейчас после безбородого Сталина, тщательно выбривавшего народы, как свой подбородок, и понимавшего, что борода анекдот только старит, все по заведенному им обычаю бреются, но это не значит, что анекдот свежеет. И чем больше он не свежеет, тем побритее выглядит наша страна. Бреются даже женщины, чтобы не отстать от мужчин, а в некоторых случаях, чтобы мужчины их догоняли, во многих отраслях производства они уже давно мужчины. Их и называют «передовики» (не звать же их «передовицами», которые у нас пишут опять же мужчины). Сбриваются кладбища и леса. И вообще, если глянуть с птичьего полета — вся страна Советов, как, собственно, ей и советовали первые ее парикмахеры, выглядит до неприличия голой (кстати, самые первые евреи, покинувшие Россию, были портные — синицы в руках, они вдруг выпорхнули и стали журавлями в небе). Так вот, на фоне всеобщей побритости всех и вся особенно заметна драчка столпотворения у главсосца. Взрослые люди, рядом с которыми грудные младенцы — царственные аристократы, буквально впадали в ясельный крик и в прочие расцарапы, чтобы хоть на сантиметр быть ближе к этому источнику вдохновения, а также светочу (гори он ярким огнем). Дяди и тети явно не грудного возраста, а скорее седалищного, у которого не по летам хвост трубой и чей транспорт еще не катафалк, но уже каталка, вместо того чтобы о душе подумать — о грешной плоти своей пеклись и причмокивали от удовольствия, когда к нему подпускались. Нет, я их в упор не видел в литературе, ни их, ни самих вождей, а если и видел, то только в гробу, и то уже хорошо захороненном, а следовательно, даже вооруженным глазом невидимом. Литература бедно-горько-тихо-донная, многоплановая в смысле невыполнимости и многословная, она же сплошной мавзолей, бедняжка, вот уже без малого век смакующая живые трупы. Особенно поэзия, эта жизнерадостная покойницкая. Поэты всегда рисовали неплохо. Другой мой коллега — поэт, следуя моему примеру, тоже работает отнюдь не Писарро, а просто писарем надгробий, правда, получает за это несравнимо меньше.

Когда-то я пытливо и вдумчиво перебирал варианты своей пригодности в этой жизни. Чего только не перепробовал. В чем только не проявлялся и в чем только не утверждался, пока не плюнул и не стал абсолютно не ищущим себя искателем. Вокруг сокрушенно покачивали головами: «Смотри, не может, ну никак не найдет себя человек! И как же жить он будет?» И чуть ли не лупу суют, будто я муху ищу. Я тогда еще отчаялся здесь что-либо найти. Тогда еще, как безуспешный кладоискатель, раз и навсегда отбросил в сторону свою поисковую лопату. Заодно и закинув куда подальше анкету — да кто я такой, какая такая моя профессия, на что я пригоден и на что гожусь? Поживем — увидим, сказал я себе и вспомнил, что знал старичка, он сразу на память пришел, стародавний, проживший без малого сотню лет и так себя не нашедший, хоть очень искал. Кладу место в земле. Закопали. А ведь меня, несравненного, всегда осеняло раньше других. Не случайно же за мной всегда ходили с блокнотом, ловко присваивая на ходу как бы между прочим оброненное (сколько их было, россыпей невзначай!), а потом, припрятав блокнот поглубже, но чтобы был под рукой, выдавали себя за меня. А меня просто выдавали, даже когда моей выдачи никто и не требовал. Это потом начнут основательно за мной следить. Я всегда старался высказаться. Эта потребность была не случайной. Видимо, моя голова еще не потухший вулкан. Хочешь — не хочешь, а все равно свою плавку варит. Я знал, что это меня до хорошего не доведет. Жизнь моя не станет от этого лучше и интересней. И действительно, чем больше я любил мать, тем дальше я жил от нее. Чем лучше я писал, тем меньше было у меня шансов выпустить это в свет. Вот так он в удушливом брезжит тоннеле, из которого ты выйти не можешь. А ведь, по сути, у художника один только и выход — выход в свет, пока он не погас, конечно. Недаром он всегда напоминает зарешеченное отверстие канализационного люка, к тому же еще прикрытое тяжелой плитой... Мне иногда казалось, что судьба просто подло хихикала надо мной, столь щедро наделенным природой, и уж, конечно, сулившей мне совершенно иную судьбу.

«Да ты не одинок, — как-то сказал мне в пивном баре один хмырь-экзекутор, как балерун, рано вышедший в отставку, — никому нет везения в этом мире... А уж человеку моей профессии — тем более. Природа наша несовершенна. Ну почему она, падла, не наделяет поставленного к стенке, скажем, светящимся сердцем, чтобы легче было в него попасть? А еще говорят: „Он весь так и светится..." Вранье. Ни хера не светится. Уж поверь мне, человек личность абсолютно темная. И вообще, никогда не будь первым. Первые раньше всех умирают...» А я как раз и старался высказать нечто принципиально новое первым, разумеется, зная, что буду последним человеком при этом, если позволю себе эту дерзость. И точно — всегда платился за то, что черт меня дернул. Принимали последним, если принимали. И вообще, чем красочнее было мое творчество, тем чаще меня выставляли... из выставочных залов, где в будничные дни обычно прогуливали лошадей. Конечно же там сидели сивые мерины. К тому же слепые, но получающие зарплату за зрячих. Конечно, могли прослезиться хотя бы, сволочи и черствые люди. Или время не приспело еще, черт бы его взял, не пришло. Немудрено, говорил я себе, настоящее положено хорошо выдерживать. А посему, как сказал один поляк, «тем, кто обгоняет своих современников, приходится дожидаться их в очень некомфортабельных местах». Гусь ты мой лапчатый, утешал я себя, твои коллеги, такие же гуси, Рим однажды спасли. И что же, теперь они наилюбимейшее кушанье. Неужели и тебе не терпится стать деликатесом. Ведь съедят с потрохами... И потом, ты, видимо, очень уж выделяешься. Не стоит.

И вот тогда я и пошел в эту шарашку, то есть в художественный мясокомбинат, кстати взявший на себя повышенное обязательство выдать столько вождей на-гора, чтобы вообще кроме них никого в этом мире не было. Живописец мертвецов. Да я скорей застрелюсь, чем буду размешивать ваши краски погустей и погуще, покрупней и помясистей, богомазы вы верноподданные, курвы и холуи с размягчением МОСХа, тут же с ходу, не дожидаясь приказа, перекроившие усы на брови. ВХУТЕМАСЛЕНЫЕ, да к вам и за версту нельзя приблизиться — сразу стошнит, не то что закатать рукава и писать иконы. Но ведь именно иконы у нас сегодня самый КАРИКАТУРНЫЙ жанр, почему бы тебе его не сделать еще более карикатурным? И я вошел в эту клоаку, невероятным усилием воли подавляя подступившие к горлу спазмы. Но главная причина — чтобы не выделяться. Особенно на фоне наших бессребреников, всех героев до одного, только и ждущих часа, чтобы рвануть отсюда.

Теперь в моей визитной карточке для посвященных значилось — шизо с манией естественного величия, и друзья, и товарищи, и партия, и правительство немножко поуспокоились. Никаких выделений, разве что на анализ. По-моему, я нашел себя. Не считая того, что и меня нашли. Как говорится, коль суждено — само откопается, если так не отыщется. Было бы что находить и где.

Дурдом — избиение изнутри. В знаменитую клинику я попал сразу. Полагая, что у меня на воле была слишком сладкая жизнь, во мне первым делом стали убивать сахар, вводя столько инсулина, что шоки, не раздумывая, полетели в мое латаное-перелатаное сердце, глуша его такой бомбардировкой, какая и Дрездену не снилась, да и Хиросиме тоже. Во мне явно меняли фундамент. Будто паровые молоты вбивали в мерзлый грунт, никак не желавший оттаять, тупорылые, неподатливые сваи. Или мой мозг кто-то спутал с бетоном, уже на века застывшим. Или вообще они исключали всяческий мозг... Правда, я не успел им о сердечных недугах своих поведать. Может, мое сердце и остановилось. Немудрено, оно у меня любопытное. Постояв с минуту-другую, явно интересуясь, а что же дальше? — сердце мое вдруг застучало им, что я жив. В нашем мире даже сердце стучит на своего владельца.

Ныне в дурдомах не сидят Наполеоны и прочие выдающиеся личности. Правда, был тут один Ганди, но он почему-то называл себя Индирой. Но попадаются вполне интеллигентные люди. Самых интеллигентных и уже потому опасных именуют здесь «буйными» и помещают соответственно в свое отделение, отделяя их от прочих умалишенных, преимущественно ходоков в Мавзолей пожаловаться или писателей стен, писем, если в них присутствуют лозунги, а также авторов устных своих излияний. И тех и других здесь именуют «не так опасные, как говнистые». Все эти лезущие на стену ведут себя здесь спокойно. И считают эту свою отсидку или отлежку перекуром перед новыми штурмами неприступной стены. Им бы Бастилии брать, неугомонным...

Набрасывая портреты наших рыловоротов, я показывал ходокам их дорогих адресатов, и они тут же пытались вскочить со своих туго перетянутых кроватей и, даже усмиренные, визжали и плакали, хохоча и крича. Именно иконокарикатура – истинно любимый нашим народом жанр, как, впрочем, и не менее любимое зрелище, когда их любимых художников сечь начинают.

Привязанный и привинченный к полу (может, оттого я и не лезу в высшие сферы и, может, поэтому у меня боязнь высоты, иногда я даже боюсь говорить на возвышенные темы), я и тут их писал, Лукичей, то есть Членов ПОЛИПБЮРО – основную продукцию нашего художественного комбината (интересно, а Гойя рисовал инквизиторов или нет?), да и мыслимо ли Шоссе Энтузиастов без их «широка страна моя родная» физиономий. Рисовал с фотографий уже отцензурированных, проверенных и одобренных, где ни один волосок государственной тайны, разумеется, не упал. Рисовал, увеличивая их до размеров живописных и внушительных, умудряясь пролезть между Сциллой-Харибдой, но уже не мифической, а настоящей. Здесь требуют портретного сходства и возвышенности, а также молодого задора в глазах, даже когда эти самые глаза заплывшие, микроскопические, старческие и, надо полагать, всевидящие. Конечно, щель в полу и та выразительнее, но что делать, и я рисую им человеческий взгляд. Раскрываю, так сказать, им на мир глаза. Халтурить я не мог и считал, что художник всюду должен оставаться художником, во всем, везде и всегда оставаясь самим собой. Пусть все спасаются, а таланту суждено остаться даже в такой нелепости, когда он вынужден облагораживать своих давителей. Поначалу, пока не плюнет на свой инстинкт самосохранения и не полезет на рожон, и тогда плата уже будет другая и более привычная, нежели та, что шла на алкоголь, дезинфицирующий душу. Да что там, в отличие от родящей женщины, наши муки начинаются потом.

Лукичи

Как-то прочитал я знаменитую книгу изгнанника и разделил его мечту создать Альбом Жертв, как, впрочем, и Альбом Палачей. Но, дядя, это же технически невыполнимо, подумал я тогда, все материалы в сейфе одной и той же власти. Конечно, явить миру наших дорогих убийц — неплохая идея, глядишь, и жертв поубавится, хотя вряд ли: приноровились работать, как актеры, при свете юпитеров и общественного мнения. Но, исходя из рацпредложения моего коллеги, убежавшего от соблазна его осуществить на Запад, как художник я сделал бы вполне любопытную штуку. Я даже вижу уже ее решение. Более того, я даже предвижу ее отдачу с незамедлительным и всесокрушающим взрывом всех устоявшихся стереотипов, с выходом подспудной энергии всеочистительного смеха. Да что говорить, эта штука на всю катушку потянет, если, конечно, не расстреляют сгоряча. Но, как говорится, дальше Сибири не сошлют и глубже иглы укола не сделают. Главное — дали б только закончить, а уж какой там будет втык — наплевать.

Итак, берем обложку древнего, хрестоматийного и хорошо известного издания некрасовской поэмы «Кому коммунизм, а кому нет» (у него она называлась «Кому на Руси жить хорошо»). Открываем ее — и тут же в глаза бросаются крупноформатные физиономии Лукичей. В каждом глазу сквозь сало выглядывает она — Партия. «И сурово брови мы нахмурим». Иначе они убегут назад в прическу, все-то расстояние между ними в палец шириной. Глянец берем натуральный. Оплыв естественный. Ракурс привычный. Щеки видны со спины. Переверни, и это уже будут не щеки, а то, во что заглядывают в таможне, но только с бровями (я уже говорил где-то однажды: «Все хорошо, товарищ Ленин, но отчего у тебя сталинские усы на лоб полезли?»). Далее — торс, то есть шея, тоже находка, но уже не просто художественного комбината, а еще и мясокомбината. Потому что наш художественный мясокомбинат, как бы там ни было, а специализировался на изображении пусть тухлого, но не настолько натуралистичного тела. Все же тонны и тонны высококачественных румян худо-бедно, а прикрывали его явный распад. И, может быть, даже давно не сдерживаемый душок. Что-что, а елей и мавзолеи у нас достойны подражания. Я не хочу тем самым сказать, что у матушки-земли, не так родной, как любимой, при виде наших вождей не текут слюнки. Еще как текут. Не палку, а любой их указательный палец воткни в землю — и такой урожай попрет, что и девать-то его будет некуда. Индии опять же можно будет помочь. У них от малочисленности все коровы священны (у нас же только свиньи). И Америку угостить ответно. Жирная птица, прилетевшая к нашему столу. И почему она такая совершенная, если назначение ее быть только пищей? Простой народ, пришедший к власти, такой простой, что дальше некуда... Ну почему он так примитивен? Боже, сколько в мире загадок!

...Дальше — форматом поменьше члены ЦК. Тоже впечатляет. Тоже рыла будь здоров. Потом на них смотрящие их впередсмотрящие. Со штатом холуев. Эти, соответственно, идут шириной помельче. Но наглости — хоть отбавляй. А формат все уменьшается. Это еще не доросшие до оперативного простора, и потому их, с позволения сказать, лица еще не вмещаются в достойное их обрамление. В тесных рамках они видны только частично. Вот, к примеру, одна из губ Партии. Или ухо ее. Часть все унюхивающего ее носа...

А формат все уменьшается. Вот она, их градация. Следующие идут еще меньшим объемом, хотя и у них ряшки тоже широкоформатные (во, отъелись пролетарии!). Это демагоги, уже набившие языком миллионы и миллионы километров, как пилоты, налетавшие миллионы километров пустого неба, как дровосеки, напилившие миллионы кубометров и без того умирающего леса. Далее идут языки держащие, вернее, предержащие эту власть снизу. Это главный подкласс. Эти языки высунуты из парадных вицпиджаков с обязательным знаком отличия. Черепа почти не видны, в данном случае они просто чехлы, футляры их, вечно высунутых и покрытых красной испариной, как орденами. Далее — крепость, опора — практики, исполнители, каратели. Цепные псы этой власти, чьи морды, как правило, не выставляются напоказ. Да они их и не высовывают. Но должен же народ знать своих давителей, родных и любимых. Теоретики в секрете, а уж практики подавно. И получается, что святые духи орудуют по ночам. Нет, их надобно показать полномордно, яркорыльно под номерами анфас и в профиль.

Еще мельче следующий холуйский пояс — народные депутаты. «Слуги народа». Этого народа. И того, что повыше. Здесь также рвение вполне успешно заменяет интеллект. И вообще боюсь, что в этом Альбоме его не будет.

Еще помельче — холуи покрупнее. Ведь чем ниже, тем надо быть активней. Тут мы видим писателей-академиков и академиков не писателей, академиков-художников и просто академиков и членов-корреспондентов, собственных корреспондентов газет, таких собственных, что и лица-то никакого нет и не предвидится. Да было бы нелепо его ожидать, тем более что члены и не обязаны его иметь. Толкутся секретари и театроведы, режиссеры давно отрежиссированные, не так народные, как заслуженные. Лезет нахрапом еще какой-то низом пахнущий люд. Порхает гарем балеринок, даже попы здесь — христопродавцы, с ложкой, как у Некрасова. Ну, это еще не просто высокооплачиваемые шлюхи. Эти хоть как-то отрабатывают свой паек холуйский. А уж потом, умельчаясь, согнувшись в три погибели, следующий полезет пояс, который за свой паек еще не так запоет. Этим надо еще до бутерброда добраться, что называется, выкладываясь изо всех силенок. Это уже начинается шушера — парткомы, профкомы, номенклатура и прочая советская дура в галунах, как картошка в мундире. В отличие от борзописцев с нумерованными перьями этот народ еще в народе. Тут и пенсионеры союзного значения, и почетные, не имеющие ровно никакого значения. Староиспеченные и новопоявившиеся активисты, как бы удостоенные штампа на ляжку, чтобы войти в уже не общую баню, а также получить хоть крошку с барского стола, где уже коммунизм давно построен. Этот пояс больше смахивает на очередь, далеко уходящую, пока не сольется в единое месиво точек. Последние страницы будут походить сначала на мышиный, а потом мушиный помет...

Вот такой Альбом народу понравится, а то черт-те что привык обожать.

А пока я рисовал Лукичей в полный рост с еще большим размахом и рвением, ибо лечили меня хорошо, так, по крайней мере, им казалось, моим экзекуторам, разглядывавшим мой недружеский шарж и обещавшим сделать из меня дружеский фарш, если я не исправлюсь. Грустный, я засмеюсь последним, хотя я и понимал, что неизлечимых здесь приканчивают. Короче, чем чаще ходили по мои ягодицы, тем больше они румянились на портретах наших вождей. Надо отдать должное моему заду — он невероятно фотогеничен. И даже здесь — на Западе — я иногда замечаю, но тут же отворачиваюсь, когда из непотребных и безобидных русалок на картинах наших художников нет-нет, а выглянет какой-нибудь Лукич по привычке, наглый, и бровью не поведет... Да что художники, когда подавляющее большинство больших писателей наших с вышибально-въездными документами, этими волчьими билетами освобождения, и без них, чьи художества явно потускнели без отечественного воздуха и которые его создают по возможности уже здесь, первое, что я сделал, сюда приехав, — это купил кондиционер, так вот, большинство наших больших, среднебольших, большесредних и малосредних писателей еще и переписывается с Лукичами — клоунами моими дорогими, что уже смехотворно, будто сами они не смешат, непосредственные по-плебейски, что на диких скоростях проскакивают свой крематорий, но уже тыкают пальцем в стену, где их похоронить. Да, да, переписываются, каждый раз обращаясь к ним индивидуально или коллективно, но с уважением, к тому же односторонним. Поводов для такой переписки много. Каждый день обязательно кому-то всаживают иглу под совершенно незагорелую кожу. При этом даже не помазав ее эфиром. Это, видимо, потому, чтобы мы, не дай бог, не походили на каких-нибудь помазанников.

Нашли кому писать! Запорожцы, вы ж теперь за Дунаем. И почему бы вам матом не покрыть ненаглядных?! Я не герой и то жонглировал выраженьем их надкостюмным, что всегда без штанишек, и если не сняли еще мои художества — все Шоссе Энтузиастов с энтузиазмом хохочет, сам видел, когда в смирительной рубашечке своей проезжал. А вас, развязанных, то есть вполне осмелевших, сколько! Да калькулятор сломается — сколько уже понаехало и понаплыло, а также поналетело коммунально-творческих, из двустволки рисовально-писательных союзов, с непременным поголовьем талантов. Уже давно за черную сотню перевалило. Снова можно сойти с ума — сколько коллег из тех, кто пишет свои картины на русском языке и отряхает прах со своих ног тут же в зале, если он только прибывший. Так сказать, преображаясь прямо на глазах. Если в России он рисовал только Членов Полипбюро (в данном случае без дураков надлежаще и до потери пульса серьезно), то ныне он их, естественно, уже не пишет, и не потому, что не хочет, а потому, что на Западе при всей здешней свободе просто неприлично рисовать какие бы то ни было члены, независимо от их партийного звучания. Да и не отличается свежестью и новизной подобное откровение, чтобы их выставлять напоказ. Но, фотограф по натуре, он не может сразу избавиться от портретного сходства. Даже цветы у него получаются толстыми и красными, вялыми и оголенными и, я бы сказал, неспрятанными. Нет, чем глубже в земле такие цветы, тем лучше. Мы, конечно, не вправе требовать от него сиюминутной метаморфозы, так как знаем, на чем он всю жизнь набивал себе руку до судороги и глаз до синяка. Не святых же писал этот иконописец с присущей ему святостью перед сильными мира сего и вот, наконец, дорвавшийся до мира этого, где вольному воля и где художник, понятно, на вольных хлебах, потому что служители муз не служат. А посему, отливая крупным крупом и изяществом копыт, дорогие завсегдатаи всяких выставок не должны судить его строго. Здесь же не суд, черт возьми, а выставка. И сама по себе причина и повод собраться. Между прочим, если глянуть на все подобные галереи с сугубо анатомической точки зрения, то почему-то на них зачастую преобладают ну все части зрительского тела, кроме... глаз. В основном здесь беседуют, как мы сейчас. Как бы подчеркивая, что творения наших художников под бульдозерами более заметны. Может, есть смысл и здесь — на вольном безлампасно-пампасном Западе спешно выйти на какой-нибудь пустырь, точно так же заброшенный, и что есть мочи крикнуть: «Дави нас бульдозером!», как в той жизни, что была до шмона, после которого ничего не осталось. Все отобрали, как и положено перед посадкой. В данном случае — в самолет, когда голый, как снова родившись, идешь улетать навсегда, новорожденный, чуть ли не пенсионного возраста.

— Куда ж вы меня выгоняете, я же еще не кончил шедевра (вернее, не начинал)... До чего же огромный замысел, что во мне одном не вместился. До чего же мощная задумка, еще не явившись, пугает. Какая вера в твои возможности...

Видимо, они знали, что наказывают меня куда страшней, чем я уже был наказан. Насадка на кол, вернее, на шприц медицинский, этот современный кол, вероятнее всего была ничем иным, как только легким почесыванием. Так чешут затылок перед тем, как принять более кардинальное решение. Явно они уготавливали мне более страшное. Я это чувствовал всеми своими отбитыми потрохами. И догадывался всеми своими, никогда не вравшими, подозрениями (голову свою я держал про запас, как правую руку боксер на случай решающего удара, когда может спасти только нокаут, когда на много раундов тебя не хватит). Отвинченный от пола, а также отвязанный от кровати (казалось бы, теперь-то и можно размахнуться), в мгновение ока я был спешно выдворен за пределы дома родного и желтого, где над входом никогда не стареет «Добро пожаловать!». Безусловно, они знали про мой замысел-умысел, хотя я не имел обыкновения делиться ни с кем, уже хотя бы потому, что был суеверен. Вот так расскажешь — и украдут. Сколько раз так бывало. Композиторы еще более суеверны, они обкладывают стены одеялами, а рояль закутывают войлоком, чтоб не орал вдохновенно. Нам же, художникам кисти, слова и прочего резца-кирки-отбойного молотка (в зависимости от впечатлительности зрителя-читателя), просто не с руки творить под одеялом — не тот темперамент, да и размах не тот. Не говоря уже, что гласность — первейшее условие демократичности творчества, тем более настоящего.

— Куда ж вы меня выгоняете?

— Сам увидишь, — отвечали мне мои вышибалы.

— Куда ж вы меня выгоняете, — кричал я, — если здесь в России я куда более свободен от России, нежели там, где мне от нее никогда не избавиться. Потому что там россиянину избавиться от России — да американцу легче высадиться на Луне, к тому же она почти вся приехала и уже меня обступила. Иными словами, я видел наш вернисаж наперед. Но набежали спасатели меня, утопающего в патриотизме, и я был снова скручен по рукам и ногам. И как же сразу стало легко на душе. Все твое в тебе так отчетливо ощутилось, так рельефно выступая наружу, что если глянуть в зеркало — ну вылитый Прометей, только чуть смахивающий на Геркулеса, все схватывающего на лету. Не то что здесь, где все до меня так трудно доходит...

— Скорей всего, почта не та, — пытаюсь его успокоить, — я тоже с претензией к постофису своему. Голуби, мать ваша крыса! — недвусмысленно им заявляю, — я, человек коммуникабельный, — не могу и дня прожить без поступлений почтовых. Чеки скорой помощи и рукописи назад — пропадают. Я понимаю — голубиная, какой с нее спрос, ни скорости, ни надежности (при таком-то прожорливом клюве!), но тем не менее хоть птичью, но совесть пора поиметь. Я им, разумеется, не сообщаю, что в Занзибаре почта еще отвратительней и намного хуже. Молчу и о том, что в детстве меня моя бабушка вечно почтой стращала: «Будешь вести себя плохо — на почту отведу, встанешь с высунутым языком там, где марки наклеивают, а также конверты слюнявят...» Ну и, естественно, не заикаюсь, что хватаюсь, как утопающий, за телефон — дорогую мою соломинку.

— Сава, дорогой, как поживаешь? — звоню в Израиль (Сава поехал туда работать евреем).

— И жизнь пикасса и жизнь пикассо! — отвечает Сава по-русски и без акцента.

— Здравствуй, старик ты мой родной! Приветствую тебя из Нью-Йорка... Как ты там без меня, учитель ты мой дорогой?

А он мне: «Левушка, ну что я тебе плохого сделал?»

Ну, Польша, она не Россия. В Польшу звоню:

— Анжей, дружище!

— Матка Боска Ченстоховска! Ты что же, совсем охренел?

— Анжей, — слегка перебиваю его, — папу могут испольшевать!..

Вильям, выпьем виски!

— ...Дальше меня повезли в столицу нашей родины Вашингтон, еще не зная зачем, — продолжал свою грустную повесть Даня, — может быть, на допрос общественного мнения, хотя допросы общественного мнения, да еще с пристрастием, бывают только у нас. И когда отгремели фанфары и отзвучали приветствия, а также замолкли речи, торжественные и многословные, многообещающие и ничего не дающие, и когда искусственное освещение сменилось обычным и будничным, меня потянуло назад — в Рим, хотя, конечно, он сегодня в Нью-Йорке. Но меня потянуло в старый и древний, где я ходил гоголем, перед тем как сюда приехать. И такая тоска меня охватила, что даже московский дурдом показался мне домом. А тут еще каждый меня приветствовавший и жавший мне руку, поздравляя, скорей всего, думал, что я уже приглашен если не в Белый Дом, то просто в приличный, а посему постеснялся предложить мне что-нибудь поскромней. В результате я оказался на скамейке, кем-то уже обжитой. На ней валялась кипа старых газет, где обо мне между прочих тоже сообщили и даже дали портрет и еще чуть примятый рулон туалетной бумаги «Джентл» (очень даже нежной), но чтобы она понадобилась, мне кажется, надо что-нибудь пожевать. Как-то сразу стемнело. Шли с работы черные люди. И я решил пока не думать о пище, вернее, думать, что она мне не нравится здесь, напоминая по вкусу детское кормление, когда ребенок еще не понимает ни как он ест, ни что он ест и вообще ест ли он это или ему делают клизму наоборот. Скорей всего, у него ощущение, что не успел он родиться, а его почему-то уже наказывают. Пища вкусом нища, успокаивал я себя, бестолково забелкована, а иначе почему у большинства здешнего человечества сплошь заросшие жиром лбы, вот-вот обрушатся, как горный обвал, сминая хрупкое переносье. И шагают они по образцу и подобию своему, отдуваясь всем своим пищеварением. Некоторые, правда, копошатся в мусорных баках, видимо, чтоб не готовить дома. Здесь же на скамейке я познакомился с бродягой-профессором, которому надоело преподавать. Вскоре появился философ. Присел и поэт. Потом появились и другие интеллектуалы, пославшие куда подальше свое былое благополучие и без лишних пузырей пошедшие на дно. Очень любопытный народ. Я его еще увижу в Сентрал-парке в Нью-Йорке. Разумеется, по мнению респектабельных граждан, это опустившиеся люди, никак не обременяющие себя заботой о внешнем виде своего отечества, всегда и везде подчеркивающего свое процветание. Но после их смерти у них зачастую остаются довольно-таки внушительные капиталы. Значит, дело здесь не в нищете. А в чем? Что-то есть в них нашенское, исконно российское, неожиданное и далекое от логики, когда не своя рубашка ближе к телу, а с чужого плеча арестантский пиджак. Когда не свой воротник подпирает, а чужая петля, явно кому-то другому предназначенная. И шарахнулся он из общего стада, и душе его стало неслыханно хорошо. По-моему, это и есть настоящие человеки. «А?» — спрашиваю кого-то здешнего (английский я выучил в дурдоме), который, боясь попасть в какую-нибудь историю, воровато мимо спешил. «Нет!» — отвечает. Он считает человеками подавляющее большинство, подавляющее нас своим большинством в любой стране, кто знает точно свои права, но никто не хочет знать о своих обязанностях. Кто при виде крюка от люстры все еще вешает на него люстру, и не потому, что этот крюк его самого не выдержит. Но надо отдать должное этому обществу, как и всей этой стране, насколько нас держали там, настолько здесь никто не удерживает. Уже хотя бы за это, Боже, храни Америку, где флаг над твоим домом (если он есть у тебя), а мой дом — моя крепость, как будто ты еще в средневековом замке живешь, опоясанный рвом неприступным. Где-то конфронтации, пакты, правительства и прочие противостояния, а ты селись где-нибудь подальше, укрепляй свой дом — свою крепость. Делай из него свою страну в своей стране и смотри бейсбол. Правда, в случае какой-нибудь заварушки и вероятности попадания какой-нибудь штуковины будет меняться молекулярная структура поражаемого объекта, и тогда шансы выйти из кризиса невредимым могут свестись к нулю, опять-таки там — в центральных городах. И тогда прервется передача матча со стадиона «Янки»... Плевать. Смотри что-нибудь другое.

Наверняка какой-нибудь вид спорта приспособят под бомбоубежище. Главное, ты выбрал место правильно, владеешь необходимыми навыками и достиг полного самообеспечения, а значит, уцелел, да еще с комфортом. Ты же и так никогда не полагался на власть — сам вооружен до зубов и отстреливался, даже когда можно было и не отстреливаться вовсе. Главное — тейк ит изи! — не бери в голову (было б куда) и не волнуйся (было б чем). Вот она, несокрушимая логика американской глубинки, куда я бросился в экстазе узнавания и откуда тут же сбежал, правда, я никогда не был поклонником американского образа жизни. Другое дело Арье Иванович Шпрехензидойчев — еще один мой коллега: «Понимаешь, приезжаю в Израиль и первое, что делаю, — это шпагат на еврейском дерьме...» Довольно-таки болезненная комбинация, особенно для сиониста.

Совершенно опустела аллея. Давно разошлись спать мои собеседники, к тому же прекрасные, говорящие на всех языках... Но вот промелькнула чья-то тень человеческая. Природа, видимо, что-то хотела сказать, но раздумала или забыла. И опять пришла ко мне развеселая тоска, а веселье при этом где-то в углу грустило, будто они поменялись местами. И пошли сучить ее сморщенные коленки, а сама старушка в пачке балетной была. Прошел старик, невероятно похожий на Шекспира, явно собираясь прилечь. А может, это и был Шекспир, когда свобода — все может случиться. И с полки не надо брать. — Вильям, выпьем виски! — мы точно решим сейчас — быть или не быть (это он спугнул балерину-старушку): одна бутыль шотландского скотча — и всем сомненьям будет поставлена точка. Одна бутыль — и вот я уже читаю тебя на твоем родном языке, английском и древнем, а вот если ты засосешь хоть полбанки нашей отравы — будешь ли ты в состоянии вообще говорить? Вот парадокс — Шекспир — и лыка не вяжет... А впрочем, кто его ныне вяжет — захлопнул я томик Шекспира и принялся за «Мартель», беря в руки уже французского автора. У него даже мычание — золото.

Стал накрапывать дождь. А потом навалился нахрапом, стал проливаться на землю, проваливаться на глазах. У мертвецов они, наверно, сплошь заплаканы, подумал я, потому что рядом кладбище плыло. Утонувшее солнце выжимало из себя последние капли. Это там — над Манхэттеном — оно было в самом зените. Это там отвесные стены высотного города исправно обрушивали его вниз, отчего все вокруг плавало в плавленых асфальтовых, и тоже красных, подтеках. Солнце брызгало из-под колес проезжавших автомашин и липло к подошвам. Будто пойманное в ловушку, металось оно меж людей и стен, не умея подняться чуть выше. Так и оставалось в стеклянном аквариуме, пока не вспыхнули фонари.

Привет, Новый Свет! Ничто под Луною не ново, вот разве что Луна стала потолком Америки, подтверждая ее высоту, — именно там, как на крыше, флаг ее звездно-полосатый.

Удивительно, пожалуй,
удивительно, но факт —
в арестантскую пижаму одет
американский флаг.

Но это — глядя из России.

Новая Герника

Талант попадает в цель, которую никто поразить не может, а гений — в цель, которую никто не видит.

Древняя мудрость

— И вот я — тут! — говорит Даня.

И мы выпили за тех, кто там. И еще за Австралию. Именно туда поехал наш друг один (сначала один, а потом, возможно, и семью вызовет). Не успел прилететь, а уже пишет и нам в самых первых строках сообщает: «Австралия — страна своеобразная. 12 миллионов населения, а университетов по три на город. Скоро без высшего образования и в мусорщики принимать не будут. Насчет населения — не скажу, что это только аборигены, чьи родственники съели Кука, сейчас они питаются куда скромней. А съели они его потому, что кукис — по-английски — печенье, и ели они его, по-видимому, на десерт. Вот если бы он был Кукиш — наверняка остался бы жив. Сейчас туземцы, можно сказать, безопасны, но вдруг ни с того ни с сего выскочит на трех ногах и сшибет какой-нибудь сумчатый. А поэтому я вечерами не езжу. Тут ведь не поедешь — и не выпьешь (за компанию, разумеется) — все живут поодаль друг от друга в трех-четырех часах езды. Едешь назад и абсолютно трезвеешь. Прежде чем отдать это письмо в публикацию как главу будущей книги, я вас всех зову и обнимаю. Ваш Юраня».

— Все, дальше ехать некуда, — говорит Даня, — одна Антарктида осталась.

— А вот и ленинградцы — дети мои! — откуда ни возьмись вдруг появился Джамбул, где-то пропивший свою домбру, хотя народ тут толпился в основном столичный и ленинградцы еще не пришли — они и здесь не желают быть под Москвой. Именно на Западе у них обострилось чувство неприязни к столице нашей родины — Москве, и даже не так к Москве, как к самим москвичам, будто сами москвичи не подмосковные люди. Вся Россия была Подмосковьем. Подвиг помалкивания в красную тряпочку — да в СССР все в этом смысле города-герои. Но Самиздат все же родился в Москве. И когда сегодня патриоты городов, сплошь заэсэсэренных и покинутых, начинают доказывать, что именно их город самый главный по количеству Гомеров на душу населения, мне от души смешно. Особенно смешит комбинация слов «покинул» и «патриот». Так, в нашем зароссийстве ныне выясняется, что вся литература в наилучшем ее исполнении дело рук одних ленинградцев, хотя самый почитаемый там — москвич Андрей Платонов. Вся живопись, выставленная взашей, — тоже их рук, включая все эти «Петербурги» имени Толстикова, ныне Романова, но не того, при котором был Достоевский (смельчали Романовы, да и Достоевские — тоже) — а учитель Михаила Шемякина — москвич Михаил Шварцман. И вообще, до чего у нас любят ягодицы носами-атлантами подпирать, и не только тиранов и тиранчиков или придворных поэтов — дворовые тоже сюда годятся. Открываешь очередной наш листок, что на гвоздь просится по примеру распятия – тоже страдает, вот и думаешь – и куда бы его повесить, и читаешь: «Кто был никем, тот стал тут всем», – но потом недоумеваешь: «Что случилось с американцами (или там с французами, шведами, немцами, испанцами, а также финнами и новозеландцами) – ведь мы же тут, а шастают мимо, не замечают, а ведь мы где-то читали, что это вроде бы цивилизованные нации. А Норвегия, так та вообще чуть ли не первая страна в мире по количеству читающих душ. Это как же понять, господа неандертальцы?!»

– Да ну их на...

– «Новый Американец»? – спрашивает Бах.

– Это очень близко – хотел подальше. И разлил по последней, – какая разница – одним больше, одним меньше?

И действительно, какое это имеет значение? Ну какое имеет значение, что и как они пишут? Все пишут запоем. И лишь тот, кто в запое, – не пишет. Все пишут. Почему бы им не писать, как все. Другое дело – писать лучше. Или лучше совсем не писать, чем писать, как все. Человека жаль, когда он подневольный. Кто бы он ни был, а жаль. Но вот он сбегает, все лучшее свое в кандалах оставив. Тем более следует его пожалеть. Давайте за всех их, несчастных, выпьем (хотя убежавшего грех жалеть – убежавший уже свободен, он сам уже должен несчастных жалеть). И за вон того подтянутого, что стоит на своем...

– Такой принципиальный?

– Я не о принципе, а о хвосте. Кстати, кто он, вот он в легком танце пошел. Я давно за ним наблюдаю...

– Из Ансамбля Песни и Пляски имени святого Витта, – говорит Юз Алешковский – Моцарт русской фени, вынимая из своей заначки ром (здесь он крепкий, как жидкий гром), которого, естественно, не хватило, чтобы выпить за всех несчастных еще. Вообще-то ром надо пить не быстро, как в бистро, а с ромовой бабой (с детства обожаю ромовых баб).

– А при чем здесь бистро? – спрашивают друзья.

– Понимаете, парижские бистро от казацкого «быстро!» – наши вечно торопятся, даже в Париже. Вот если бы тысячи евреев хлынули во Францию, как, скажем, в Нью-Йорк, тогда бы эти кафе назывались «Бикицер».

— А вот и я, Педичка! — воскликнула какая-то бабенка из «Русской мысли» (она уже катилась квадратом, которому обломали углы).

— Это который по тоннелям ходит? — спросил Лоуренс, он же Валера. — Кстати, ты читал «Между собакой и волком», не знаешь, кого он имел в виду?

— Да это не он, это Саша Соколов имел в виду.

— Между прочим, вам уже нолито, — заботливо говорит почтенный литератор и обращается к нашему другу Лимонову: — Это лучшее, что вообще написано о Чонкине. Поздравляю, лучше Вас о Чонкине никто не писал.

Закусили, чем бог послал.

— Да это не он, а Володя Войнович о Чонкине лучше всех написал. До него человечество вообще ничего о Чонкине не знало, так больше не могло продолжаться. И тогда он сел и его сотворил. Я помню, как он рожал героя, я тогда еще жил в Москве. А Эдик у нас по другой части классик, — говорю.

— А Суслов — писатель? — не унимался Лоуренс-Валера. — Как вам Суслов?

— Как Брежнев, — говорим мы, жуя.

— Суслов — писатель с одним сусловием, чтобы его не принимали всерьез, — говорит Бах, — он шутник.

— А с народом не шутят, — говорит Ефеня — богатырь наш Попович, — один у нас пошутил, так смеху было — полные штаны, когда ему юмор его оторвали.

— А вот и поэтесса — «Я увся ув стихах». Как говорят в народе — ни кожи ни рожи. И стихов — тоже.

— Между прочим, с ее фамилией ее только могила исправит, — говорит Бах. А Моцарт-Алешковский добавляет:

— Мандавошек всегда тянуло на Лобное место, другое дело, зачем их танками давить. — И тут же обращает наше внимание: — А вот еще одна — с чемоданом стихов.

— Поэтесса что мать-героиня, если только не делает аборты, — замечаю я.

— Как «Мать» Горького? — спрашивает Казя.

— Как Ниловна? — хочет уточнить Ефеня, думая, что она египтянка.

— Да русская она вроде, — успокаивают его друзья, явно начитавшиеся Горького.

Спустя минут двадцать появилась следующая, но уже с кошелкой непроданных книжек. Здесь их и на фудстемпы издавать наловчились. Если можно с проститутками расплачиваться этими продуктовыми талонами, то почему нельзя на них издаваться? Например, автор «Антилолиты» А. Туровский делает и то и другое только на них.

— Бедняга, никого не вдохновляет, потому сама и пишет, — сострадает ей Казя, уже готовый пожертвовать своей юностью (но не беспокойтесь — мы этого не допустим).

— А может, она Байрон в юбке, — предполагает другой.

— В шотландской, — добавляет третий.

— А что, запросто может американским классиком стать — у них с поэтами туго. Бродский у них национальный поэт. Что бы они делали, если б он не приехал?

— Она уже напечаталась по-английски, запросто может стать.

— Хижиной дядюшки Тома, — говорит Даня. Сегодня он почему-то грустит.

— А вот и соавторы! — говорит Бах. — Между прочим, пишут через океан — один здесь, другой — там.

— Ты хочешь сказать, одна нога здесь, другая там? — спрашиваю.

— Как ты догадался? — говорит Бах.

— Да очень просто, пишут-то обычно не левой ногой, а Европа у нас справа.

— А может, они телепаты, — заметил почтенный литератор, — или встречаются на нейтральной почве где-нибудь в океане, посередке...

— И пишут в четыре ноги? — спрашивает Даня у почтенного.

— Да нет, в океане пишет другой, — говорит Бах, — скоро выплывет, тогда и почитаем.

— Сейчас многие стали соавторами, — говорит Лоуренс Кусачкин, — собираются человек по десять и пишут коллективные письма, потом сбрасываются на марку и шлют.

— Мы говорим о соавторах творческих и хоть чуть одаренных, — говорит ему наш почтенный литератор, — поровну делящих ответственность между собой.

— Не поровну, — говорю, — Синявскому дали больше, чем Даниэлю.

— ...И которые своих читателей, можно сказать, наполовину режут, — как ни в чем не бывало продолжал почтенный литератор, явно игнорируя мою реплику.

— И гонорары, — вставил Кусачкин.

— Их разделить невозможно, — говорю.

— Почему?

— Они микроскопические, а на микроскоп ни у кого нет денег. Да им и не нужно — они родные братья, в отличие от всех двоюродных, двубортных, двумастных, двурушных, двуличных, двудонных и так далее двойных и парных. Между прочим, ОБЩЕСТВО ПИШУЩИХ НЕ В ОДИНОЧКУ (ОПНО — сокращенно) готовит Манифест, где заключительные строки будут такими: ОДИНОЧНЫЙ АВТОР, ПУСТЬ ДАЖЕ ПИШУЩИЙ ЗА ДВОИХ, ДА ЕГО В ОДИНОЧКУ ПОСАДИТЬ МАЛО, ЭТО ЖЕ ОНАНИСТ, МАСТУРБИРУЮЩИЙ НА БУМАГУ, ТОЛЬКО ВДВОЕМ ЕЕ И МОЖНО ОПЛОДОТВОРИТЬ...

— Бедная все выдержит, что только на нее не извергали, — вздыхает Даня.

— Одна голова хорошо, а две еще лучше — не зря же наш великий народ это выдумал, — говорит Ефеня, молчун и ныряльщик.

— Одна голова хороша, а вторая еще хуже, — нехотя огрызается Даня, — так зачастую и бывает у двухголовых тянитолкаев, близнецов, пар, почти супружеских, к тому же плодовитых, как кролики. «Ни дня без дрочки!» (слегка перефразировал он Олешу).

— И потом, на одного читателя по два писателя — это уж слишком, — поддерживает Даню Падло Нерудов, — тем более что читателей — раз-два и обчелся, а писателей хоть пруд пруди.

— А народ все валит и валит, — замечает Бах.

Вместо того чтобы рассасываться — посетителей прибывало. Они шли и шли. Их было уже не счесть. И все, как один, – двухголовые. Многоглавая гидра соавторов постепенно вползала и в без того тесное помещение, громко названное «Галереей Прекрасного». Спертый воздух, но даже его не хватало. День стоял у открытых дверей, не решаясь войти, а потому еще было темно, хоть и лампы вовсю светили. Не продохнуть. Не разглядеть. Не расслышать. Не понять. Все толпились, оттесняя задом картины, зачем-то висящие ни к селу ни к городу, невпопад и не к месту. И почему эмиграция здесь, тем более творческая, друг с другом и друг на друга пишущая, непременно должна встречаться под ними, а старая – без них? С каких это пор искусство, нас возвышающее, стало лишь поводом почесать языки? И мы решили пойти на Славянский базар. Там как раз была выставка, но уже нашего товарища – художника Авоськина, только-только приехавшего. Купля-продажа нам не помешает. Попрошайничество (оно здесь прямо в храме, а не при входе в него) – тем более: каждый из нас, как Бог, подаст. И в России у церквей юродивые клянчат, как здесь респектабельные просят. Нет, ничего нам не помешает насладиться его картинами.

Потерпи, Авоськин, мы уже идем. Мы с тобой, друг. Мы тебя не бросим.

Но здесь было еще многолюдней, не человечнее, а именно многотолпней. Здесь человек растворялся в толпе привычно и по-российски.

– Да здесь еще многоглавей, если не сказать соавторней, – заметил Даня.

– Мальчики, жмите сюда! Сейчас вино принесут, – кричала нам чья-то добрая душа, которая оказалась Юлей Гном, имевшей обыкновение бывать на трех-четырех выставках одновременно. Легко сказать – жмите. Люди – не педали, нажимая на них, далеко не уедешь. Ну никакой возможности высвободить хоть одну свою конечность, явно чувствующую себя сиротой. Одно и остается – плыть в потоке, авось вынесет к Авоськину.

– А вот этот человек, между прочим, в Ленина Владимира Ильича стрелял, – сказала нам Юля и стала энергично проталкиваться к какому-то на ладан дышащему старцу. Не пойти ли и нам узнать – почему он промахнулся?

— Ты главное, Даня, ближнего своего возлюби, — говорю, — а то ты, по-моему, уже не в себе. Представь, что это твоя рубашка ближе к телу... несвежая.

Наконец мы приблизились. Попали. Пришли.

Шелестел тут же распроданной одеждой Славянский базар с вернисажем нашего друга-товарища, чьи картины были почему-то сплошь проткнуты и порезаны. Частично заштопаны, но не до конца. Обуглены, но не дотла. Замазаны и чем-то залиты. Какие-то сюжеты с трудом, но можно было разобрать, если бы из них не торчали ошмотья каких-то квитанций, накладных, подорожных и прочих багажных бумажек, удостоверяющих, что эти сюжеты приехали, доставлены и сохранены. Бедные холсты, они конечно же вопили, кричали и продолжали молить о пощаде. Самые скромные из них буквально упрашивали не обращать на них никакого внимания. Несчастные, им было нечем прикрыться. Несколько дам упали в обморок, как бы дополняя ужасающую картину вандализма советских таможенников, с которыми Авоськин, разумеется, должен поделиться успехом. Даже просто повешенные мешковины напоминали пикассий распад. Говорят, неистовый Пабло написал свою «Гернику» еще до того, как она была разрушена, как бы предчувствуя ее разрушение. И предчувствие не обмануло художника. Надо отдать должное и Авоськину — он тоже смотрел вдаль.

Что и говорить — «Новая Герника» взывала к совести зрителей, пивших дешевое вино, по такому случаю бесплатное и кислое. А вокруг бегал Завалишин и кричал: «Гениально!», а раз он кричит, то, значит, это действительно так. Более того, мы тоже так считаем, и пусть кто-нибудь попробует возразить.

— Завалишину русского искусствоведения такое не часто приходится видеть, — замечает Бах, — и его можно понять.

— А почему только русского, да Вечнославу Клавдиевичу уже сейчас можно быть Завалишиным всего искусствоведения в целом, — говорит Даня.

Сам художник ходил, нервно треща пальцами, и повторял многократно: «Видите, что они сделали с моими гениальными работами?!» Молодец Авоськин, а как держится!

— Не хорони находку! Не вздумай по-иному творить, Авоськин! — напутствовали мы его и конечно же поздравляли. Мы внушали ему: Гернику восстановили — и стала Герника обычной — все все равно идут смотреть ее разрушенной. Восстанови Авоськина — и будет Авоськин, как все. Типичный мазилка, кому и дом не доверишь покрасить. А так попробуй докажи, что ты не гений!

Авоськин был полностью с нами согласен и хитро, как бы самому себе, улыбался, постепенно рассасываясь в толпе, ибо мало иметь талант, надо, чтобы его еще заметили. Казалось бы, парадокс: как же можно слона не заметить? В том-то и фокус — не замечают. Слишком большой. Бегут по нему, едва ль его от земли отличая, потому талант и волнуется, как слон при виде мышей. И это понятно — общественное мнение всегда принадлежало большинству. Вот и сейчас Бесстыжев-Рюмкин демонстративно примерял штаны, вместо того чтобы проникнуться болью и горечью нашего поруганного искусства.

— И как же тебе не стыдно, зритель? — говорим мы ему, запыхавшемуся от бегства сюда — за штанами, уже кем-то просиженными. Всю вселенную, негодяй, проехал и так ее не увидел, пока вот в эти штаны не вцепился. Вот только сейчас и начал оглядываться, сукин сын наш российский, Рюмкин-Фрумкин и еще Бесстыжев.

Но вернемся к Авоськину. При всей любви своей к парному молоку («парно» — наше русское «перно») и парному катанию (наше русское «порно») — короче, при всей любви к парно, к перно и к порно, я думаю, он пробьется, он молодец, наш Авоськин. По-моему, он нашел себя. И Даня пожал ему руку и опять отпустил в толпу, удивляясь его завидному умению в ней исчезнуть.

— Я думаю, он не пропадет в этом мире, — говорю.

— Что-нибудь одно — либо художник, либо его картины. Здесь не Россия, где то и другое одновременно пропадает, — заметил Даня. И улыбнулся своей никогда не грустневшей улыбкой.

Поодаль продавали что-то поношенное, а также сувениры. Соавторы и прочие андрогины неразлучно покупали одинаковые штаны — попрочнее для работы сидя и полегче для отдыха, и каждые две штанины символизировали неразрывность их усилий. В грудь и в спину упирались чьи-то дыхания с разговором и без.

— Ну одолжи мне свой экзистанс...

— Да я скорей жену одолжу, чем свою пишущую — на ней я всегда работаю (потом он то же самое скажет о компьютере), — прошмыгнул в толпе еще один наш писатель. За ним поспешала его жена, несшая его пишущую и явно чем-то пышущую машинку — холеная и оберегаемая, она действительно выглядела привлекательней.

Стена

— А ведь и впрямь загнивает Запад, когда мусорщики бастуют. В Нью-Йорке это так очевидно. Ты не находишь? — спросил меня Даня.

Но я уже слышал голос другой.

— На одном суку сидели — один сокол Ленин, другой сокол — тоже... Ну точь-в-точь как мы. Ну и хау ар ю? (где, как не в тюрьме, учить языки?!) — куда ж ты пропал — ни слуху ни духу? Небось, процветаете все вы там в дорогих пансионах и ездите, бесценные, в дорогих автомашинах с не менее дорогим гаражом, а сам ты, крылатый, спишь в дорогом ангаре под звездами, и сосущий отзвук высоты тебе в окна, как поцелуй. Там ведь дома — сплошь дерзость инженерная. И на каждом этаже этой дерзости люди живут. И это в полном смысле этого слова выше такого привычного и мещанского понятия, как дом. Небоскребы, они предтеча нашего космического проживания там, на небе. А ведь, сознайся, хорошо жить на высоте. Даже падать духом нельзя — высоко. А потому всегда себя убеждаешь — выше нос над уровнем моря... голов человеческих. Поднял и держи. И чуингам, наверное, жуешь, как все, чтобы не забывать — человек тоже жвачное существо. А по небу плывет Большая Медведица очень, и где-то под хвостом ее во глубине российской сидят два кореша на одной наре и кувыркаются в небе родного языка: «Вот сейчас врежу тебе по кумполу — из ширинки своей выглядывать будешь...» А второй сидит в майке, пахнущей кошками, он в ней, может, человек сорок похоронил, и отвечает: «Вот сейчас возьму тебя за ногу и об стену тупой башкой, чтоб не мучился...» И так далее. И плюют друг на друга, чтоб не было пыльно в камере, а, напротив, было свежо. Все же худо-бедно, а ты исправляешь ошибку мадам Судьбы, здесь эти тети сами вечно несчастны.

— Да все о'кей, но никто не знает, куда я пропал или где уж я там пропадаю. Может быть, я еще не приехал, а только лечу невесомо и нахожусь в середине межреберной шара земного, между стран и наречий, континентов и прочих там антарктид, хоть и южных, но северных очень. Между властью одной и другой, как между кресел, где в небе без пошлин торгуют, никаких там налогов и прочих поборов — летишь абсолютно ничей. Конечно, я только еду еще. А может, опешили — неужто уже приехал?! — и не могут прийти в себя.

— Ну а соотечественники? — спрашивает меня собеседник мой старый.

— Ну какие могут быть соотечественники, если у меня отечества отродясь не бывало.

— Это здесь они были твои соотечественники, а там они — иностранцы чужие. А иностранцы, так и летевшие к тебе стремглав, куда же они подевались? — И сам же себе отвечает: — Это здесь, в России, они были твои соотечественники будущие, а там ты отвязан и ходишь, как все, такой же, как все, ординарный, обычный, хоть и очень на них не похожий. Это дома ты был сенсацией, дорогой. А может, и вправду ты еще не приехал. Не ступил, торжественно ногу подняв, перед тем как ее опустить на этот сверкающий берег — всех обездоленных мира приют (сколько их каждодневно туда прибывает!), — и провисла нога твоя в небе, том самом, о котором ты говоришь. Обожди, все еще будет о'кей. Как говорят ваши американцы: единственно постоянная вещь на свете — это непрерывные изменения. Ты еще, конечно, никуда не вступил, не крестился, не причащался и громогласно не обнародовал свое кредо...

— С пылу, с жару, с угару, а также с дороги — обычно в баню идут, а не в партии вступают, тем более российские, где каждый первым делом свою собственную советскую власть организовать хочет. Да их тут — как болонок у миллионерш, и, по всей вероятности, они уже пошли туда, куда я только их послать собирался.

— Ну до чего же ты некоммуникабельный! — где-то за тридевять веков и земель он вздумал мной возмущаться. — И что ты всем не кричишь о своем прилете, а также не шепчешь в интимных кругах, неповоротливый и вообще не от мира сего чудак! Разве ж так можно, брат?!

— Один мой знакомый волшебник мне как-то признался — ну все могу, ну любое чудо, но только на уровне головы. Понимаешь, у него радикулит нагибаться. И у меня с позвоночником нелады в этом смысле, и от рукопожатий частых и ритуальных — руки потеют, и вообще я умею смешить, но отнюдь не себя.

— Ну, ты не падай носом! Главное поверить, что ты уже приехал. Другое дело — спасся ли до конца? Одна страна, другая, третья... В конечном счете Земля кругла: не там тормознешь — опять у старых корыт (с парашей) окажешься, будто никуда и не уезжал, беглец несчастный (бегство ведь тоже один из видов туризма), будто не видел мир во всем его многообразии, разнообразии, безобразии и однообразии. И не вытягивал ноги свои соответственно росту высокому в достойном его помещении, в мире худо-бедно, а без давящих потолков с осадками чьих-то вельможных задниц, при этом не без удовольствия потирая их там, где привязь была. Как и на шее (отсюда у нашего брата и ненависть к галстукам)... Четвертая страна, пятая, шестая... И все-то им безразлично, и на все они кладут, и где же их госбезопасность?

— Как где — в Москве, все на той же Лубянке.

Конечно, в тюрьме всегда преувеличивают, но доля, и немалая, правды здесь есть. Запад желает защищаться лежа.

— Сколько стран я увидел, в стольких я и пытался тебя найти. «Да где же ты, наконец?» — восклицал я на нашем варварском русском (в Риме все варвары, кроме них), потому что шарахались площади Марков святых, и несвятых шарахались тоже. Где ты, брат мой – сосед, догадался б сюда приволочь нашу стену. Не могу разговаривать я без нее. Со стеной я намного способней. Как же нужен сосед мне за толстой стеной. Да и русский язык без стены – не язык. Неоткуда ему тут оттолкнуться, до чего же тяжел он своим пережитым. Без стены его с места не стронешь, без стены, что древнее прошедших веков...

– Да ее не упрешь, – отвечает будто из воздуха друг мой, будто есть он и нет его в то же время. Будто тоже сюда прилетел и сидеть одновременно там остался. Как разъятая моя половина, приросшая к другой стороне стены, – да будь ты свободен от всех и всего. Художник обязан быть вольным, как крик уже улетевший. Не зря же Земля их, черт побери, родит. Птенчик, вылупившийся из тюрьмы – куда б долбануть своим клювом. Хватит долбать, ты уже пробился на волю. Уже распалась твоя колыбель, для тебя-то уж точно. Вылез – чирикать учись. Горлом, как пальцами, щелкать рулады. Или там петь, как поют окрест. Или там верещать, как другие умеют. Это со всеми бывает – косеют от свежего света. Только-только родившись, света хлебнут и косеют. Это пройдет. И потом, наш советский дятел, долбающий бетонные столбы и не получающий при этом сотрясение мозга, да ему же семечки просто – лес, каким бы глухим он ни был, в том смысле, конечно, отпусти птицу в лес, она всегда туда смотрела. Ты лучше скажи, ну и как там химеры на знаменитом соборе, где камень что воск от улыбки нездешней, – вот-вот оживут, если дольше смотреть...

– Это не здесь, – говорю, – но все равно представь, что Политбюро с Прилип Президиумом на стену полезло, от злобы или на праздник какой – на каждый зубец кремлевский по члену, вот это химеры! Вот это собор! Правда, не парижской – московской в бога душу матери (и ее бы туда на зубец за таких-то сынов). Нет, наши рыла еще никто не переплюнул, уж ты мне поверь. Да сам убедись – опустись наконец ты на грешную землю, вполне достаточно она грешна, да и где ты на самом-то деле есть? Надо же, как отчетливо говорим, так воочию, а слышимость-то какая!

– Нету меня. Был, да сплыл. Прекратился. Исчез.

— Да бог с тобой, что же я сам с собой разговариваю, как с посторонним, к тому же глухим — так перекрикиваться, это ж надо! Да и разве я сам себе посторонний, ведь столько лет себя знаю. И не мог я сидеть по обе стороны сразу, будто шишка какой, кому по привычке не одну, а две одиночки дают. Не мог я один в двух камерах быть, то правым, то левым виском прислоняться — с двух сторон сразу. И слово застрявшее из железобетона выуживать — тоже с двух сторон. А то и ногтем выцарапывать — с той и другой стороны. Это не заживо похороненным хорошо перестукиваться — у них гробы деревянные. Или здесь сквозь небоскребы через весь океан...

— Да ты уж пробился. Тебе хорошо, — опять как из воздуха выдохнул он и на сей раз исчез навсегда.

Церквушка плакала недолго
По отрубам-отрубям голов,
Слов возвышенных балаболка,
Балалайка колоколов.

— Он ушел, — говорю я Дане, — его отпели. Он от нас далеко. Это мы оставили их, а не они нас. Мы далеко, а они еще дальше ушли. Там на безродине родиной были они. Там на бесхлебье они были хлебом. И еще Жар-птица к тебе прилетала и садилась на твоей чернильницы край, а ведь какие силки ей только не ставили и как ловили за хвост — «Разрешите, товарищ-птица, пожать вам лапку, да не бойтесь — не оторвем!» Но если гусь свинье не товарищ, то и Жар-птица им тоже не друг. Неуловимая, далеко ей сюда прилетать. Да и что ей тут делать?

Однорукий бандит

Отрезал родину, как язык?

— Приехал и начал быть кем попало, всем, кем угодно, но только не самим собой. Кем только не был я в этой новой своей, кем только не работал, а она оставалась несолнечной.

Кстати, у тебя с какой стороны обращается солнце? — спрашивает Даня.

— С обычной.

— А у меня с совершенно другой стороны. Что только не делал, а согреть ее вечно не хватало средств, хотя я не гнушался ничем, будь то ансамбль песни-пляски и шекспировской драмы при какой-то синагоге, где я за копейки ставил представительное, а также кошерное гостеприимство и где обрезанные танцевали легче, чем необрезанные, а пели так тонко и пронзительно, будто их еще и кастрировали заодно. Или педикюрня-клуб для домашних собак (лучше бы я мыл бездомных), где я постригал этих томных сук, капризных и злых, как их хозяйки. Суки человеческие, они намекали тоже, задирая хвосты. Но сначала они нос задирали. Однажды, вспомнив, что я обожаю птиц, я появился в одном из самых дорогих и престижных их брачных салонов (должен заметить, люди снюхиваются куда быстрей) и спросил: «А как насчет колибри, тоже птички, но уже невелички настолько, что она вообще не помышляет о любви, потому и не существует в природе учреждений, где они бы могли выяснить свои отношения?» «Но мы можем открыть, если Вы пожелаете заняться этой проблемой». Но мне всегда хотелось большого — и я стал работать у коварных слонов. Коварство их заключалось в том, что каждый раз после чистки, которую я им сотворял изнутри, перед выходом на манеж или просто на улицу, куда всегда стремятся животные, они всякий раз меня подводили и наваливали такое количество своего нечистого веса прямо посередине того места, где находились, что от них оставался один лишь хобот. Видимо, я недостаточно накручивал им хвост или, вернее, под хвостом. Короче — одна работа была интересней другой. Но странно — чем больше я ей отдавался, тем меньше мне за нее платили. Например, когда я поднимал парализованных старух с горшка, я не требовал почасовой оплаты, ибо понимал, что старушки любят посидеть, а раз любят, то и сидят часами. Так вот тогда мне платили почасно, правда мало. Но когда я, художник божьей милостью, гордец и эстет, заикнулся о почасовой оплате в одном шоу-бизнесе, где я должен был три раза в час изображать игрушечного дядю Сэма перед настоящей толпой разъяренных и совсем не игрушечных иранцев, скандировавших: «Смерть Америке и ее дяде — тоже!», грозивших оторвать ему гениталии, — стоило мне только намекнуть об этом, как меня тут же попросили вон. Видимо, в данном случае я показался им недостаточно патриотичен. Был я и супером. А что, звучит — суперписатель! Вот писатель-супер уже не лезет ни в какие ворота, напротив, стоит в воротах нищий, жалкий починщик унитазов. Был я и черно-в-глазах-рабочим, когда сам владелец стоит над душой и хочет, чтобы ты поспевал за его жадностью. Это, простите, какой уже у нас век на дворе? Да разве ж мыслимо, чтоб эта гнида с непонятным разрезом глаз так эксплуатировала человека, да еще такого талантливого?! И вот тогда-то я и решил попытать счастья. И повязав ненавистный мне галстук, как в особо приличествующий момент, и постирав свои брюки с последней двадцаткой (тоже постиранная, она своей влажностью напоминала купальщицу Ренуара, старикуся очень их обожал), и разменяв ее, лапушку, на квотеры, — тронул заветный рычаг, почему-то вспомнив Архимеда, которому вечно не хватало точки опоры, чтобы перевернуть весь мир («Вейз мир! — воскликнул бы мой дедушка, — разве он еще не перевернут?!»). Но не будем отвлекаться на самом спурте. Иногда и бандит вдруг отваливает тебе приличную сумму. В данном случае однорукий. Ты спросишь — а почему не двурукий? Конечно, и у двурукого при желании можно отнять, но кто тогда поставит ему памятник? Кто после этого будет считать его национальным героем и воровать его могильную плиту-надгробье в приступе величайшего поклонения, если он, идя тебе навстречу, вдруг спасует и отдаст награбленное, как однорукий в казино? Да восторженные почитатели гангстера, которые с удовольствием бы присутствовали при его разбое, если бы он им только разрешил, разорвали бы тебя в клочья, посмей ты вот так обойтись с ним, как с его одноруким коллегой, в кои-то веки поднявшим свою единственную, но всесильную длань, как бы сдаваясь на милость победителя (никакой тебе милости, бандюга!), отдавая тебе должное в виде кругленькой, пухленькой и, я бы даже сказал, аппетитненькой суммы. Видит бог, я должен был выиграть... чтобы снова все проиграть. Они меня обчистили — профессионалы. Ограбили, раздели, отняв все до единого цента посреди бела дня и у всех на виду. Роботы бездуховные, они плевали на мою повышенную эмоциональность и легкую возбудимость, на мое неумение вовремя остановиться. Циники бесстрастные, они похерили и мое уже созревшее желание улететь отсюда как можно скорее, тем более что всю-то я вселенную еще не проехал и на Америке свет клином еще не сошелся. И у меня по-прежнему проблема — какую страну оседлать, если считать, что оседлость штука серьезная. Другое дело, каково нам, соколикам, в краю непуганых птичек и уже напуганных хищников. Каково нам, воробышкам стреляным, все это видеть. И, помолчав, добавил — в люто-валютном цвете.

Бог ты мой, и кому ныне проигрывают поэты — бездушным автоматам, рядом с которыми бандит с автоматом и тот человек, — ближе некуда принимал я его неудачу. Несчастный, не ты, а судьба твоя — отчаянный игрок. И, мне кажется, вопреки всем твоим ожиданиям, она проиграла. Как, впрочем, и моя не в выигрыше. Не исключено, что они сестры. У большинства поэтов они близнецы. Хотя большинства поэтов и не бывает. Они всегда в меньшинстве, видимо для удобства их постижения. Еду как-то в московском троллейбусе, как всегда тесном, и вдруг кто-то шепчет, что моему лицу доверяет, и, так и быть, что-то в руку мою сует, а сам, на всякий случай, на ближайшей остановке выходит. Разворачиваю листок папиросной бумаги. Читаю. Что-то знакомое очень. Бог ты мой, так это же я хожу по рукам.

В воздухе тем временем нарастал непонятный и едва уловимый шелест. Не думаю, чтобы это был природы осенний стриптиз, обычно она роняет свои одежды без шума. Что-то явно терлось о воздух, хрупкий, чешуйчатый и прозрачный, вперемежку с дождем. Не иначе где-то стая летучих мышей перекрыла сквозные потоки и тучей пошла, суетясь всей армадой своих перепончатых крыльев. Мерзкие твари, липкие, как банкноты в жадных руках... А может, это непромокаемый скрип бегущих под всяческой пленкой людей?..

— Старина, это деньги улетают от нищих, — говорит Даня, — у нашего брата они как звонкая пыль.

Встреча в пустыне

Одиссей Моисеевич стоял у окна совершенно раздетый и пытался задернуть занавеску, но не мог — на себя загляделся.

— Ничего еще выгляжу. Молодец! — похвалил он себя по щечке. — Даже помолодел. И глаза стали больше — побольше теперь попадется их на глаза. Боже, ну почему меня женщины так вдохновляют! Вот только нос располнел, крылья его почему-то еще выше простерлись, будто куда-то собрался лететь, да и брови орлами, тоже взлетают. Вот только взгляд отчего-то испуган. Одиссей Моисеевич, уж не сделал ли ты чего-то такого, отчего твоя совесть окосевшим зайчишкой глядит. А ну-ка, проказник, признайся! Ну, почему у тебя прыгают щеки? Ну скажи, скажи — почему? Ну да ладно, не хочешь — не надо. И что ты уже задвигал ушами? И что ты белками заворочал уже? Что — и спросить нельзя. Что-то очень уж нервным ты у нас в Америке стал... Хорошо, хорошо, успокойся. Не волнуйся уже, тебе говорят! Тебе доктора не велят волноваться. У тебя уже возраст, можно сказать, фронтовой. И еще они тебе не советуют пить, чтоб у них столько макес было, сколько они за советы свои берут. Одик, да ты закурчавел слегка! Одик, да ты вылитый Пушкин!

И тут он провел по своей голове рукой, и ладонь, как холодный утюг, прошлась по голой и гладкой и совсем не похожей на ту — в окне. И тогда он понял, что это не он на себя так пристально смотрит, а кто-то другой на него завороженно и со страхом глядит. И он закричал. И опустело окно.

Обессилевший, он едва добрался до кресла и тут же заснул.

И приснилась ему земля его настоящая, звавшая его неумолчно потресканным от иссохшести ртом. Дымилась от зноя расщелина вечно зовущего и сотрясалась от этого зова пустыня, где Одиссей Моисеевич дрожал как осиновый лист. Жажда, неумолимая, и никакого оазиса впереди. И еще пески одолевали его. Он оглядывается по сторонам и видит человека, тоже дрожащего и так же ползущего, как и он, изнывая от жажды, песков и любви к родине.

— Вот, наконец, я и приполз к тебе, родина-земля моя обетованная, самый главный напиток моей души. И не я один — вон кто-то еще до тебя доползает. Сейчас посмотрим — родственник или грязный араб?

— Брат мой, кто ты? — спросил Одиссей Моисеевич, едва пересохшим ворочая языком.

— А ты? — в ответ он услышал. — Скажи сначала, кто ты?

— Я — Одиссей сын Моисея.

— А как твоя фамилия?

— Поц вонючий, и что ты посреди песков допросы с пристрастьем устраиваешь. В пустыне не обязательно ее говорить. Не иначе ты наш бывший дирижеришка, заставлявший нас петь нелюбимые наши песни. И всегда недолюбливавший нас, потому что мы поем их безо всякой души. Стукач, капельдудка, ты же и маму родную продашь, если не то петь будет. Или забыл, как на нее доносил, когда она тебе, ублюдку, не ту колыбельную пела... Значит, и ты эмигрировал, член КПСС обрезанный. Сейчас ты у меня запоешь, тухес с бакенбардами...

И Одиссей Моисеевич заставляет его петь все песни всех советских композиторов, какие были, есть и будут, какие он никогда не слышал, потому что всегда пел, не слушая, что поет, под его дирижерскую палочку, только и делая, что косясь на нее пугливо, когда пел из-под палки и плакал, а все думали — и как же он проникновенно поет, как чувствует и понимает их советскую душу, хоть и еврей.

И полились они, протяжные, как вой койота в техасской пустыне, куда еще только поедет Одиссей Моисеевич, наконец-то вырвавшись из объятий матери-родины (их только две на земле, которые так сильно сыновей своих держат).

— Давай, давай, пой громче, подголосок советский! — подбадривал он бывшего своего дирижера, но петь громче тому явно влажности не хватало. Многословные и тягомотные, сколько же ее на них надо. А про себя подумал – и так сойдет. Вон у него даже задница ссохлась, а ведь раньше мог ею весь хор наш прикрыть. Очень много в нее кремлевских пайков помещалось. – Пой, Одиссей Моисеевич не изверг, но ты у него еще не так запоешь!

На песни слетелись стервятники и сбежались шакалы. Небо почернело от прожорливых клювов, а песок увлажнился вонючей слюной.

– А ну, заткнись! – приказал Одиссей Моисеевич, но тот уж увлекся.

Вокруг оживали и оживали всякие твари ползучие, и вот они уже образуют свой круг.

– А ну, прекрати! – последним голосом шепчет Одиссей Моисеевич, но тот начинает петь еще громче узкоплечим своим голоском.

Вот ведь сволочь, чтоб родить ему ежа против шерсти! – возмущается Одиссей Моисеевич, а твари ползут и ползут, и круг уже замкнутым стал, как граница. Последние, считаные капли холодного пота выступают на челе несчастного Одиссея Моисеевича, и он теряет сознание.

Но вот в пустыне слышится грозный и всепроникающий танковый скрежет, и Одиссей Моисеевич приходит в себя. И действительно, вдали, поднимая клубы песка, движется нечто, громко отфыркиваясь и густо дымя. Сизый дым застилает глаза Одиссею Моисеевичу, но он видит, это идет вода. Это в море воду танкеры возят, здесь же в пустыне это жидкое-жидкое золото на танках везут. И вот он наконец выползает из-за ближайшего бархана, медленно разворачивается и лихо тормозит. Открывается люк, и водовоз вылезает: «Шлемазл, и что ты тут делаешь? Куда и зачем ползешь? Или ты еще не встал на ноги?»

– А-а-а, – стонет Одиссей Моисеевич, но потом собирает последние крохи своего здоровья и сжимает их в кулачок одного-единственного слова: «Япитьхочу!»

– Биг дил! – говорит танкист-водовоз. – Тоже мне проблэм! Вот только выну шланг, и пей сколько хочешь. А кто это рядом с тобой?

И Одиссей Моисеевич ему объясняет, какая гнида с ним рядом ползет.

— Сухой ему в зубы, а не влаги живительной, — говорит танкист с водовоза спасительного, — пусть его Москва с Арафатом поит...

— Нет, братухес, — говорит Одиссей Моисеевич, гуманист и страдалец, — дай ему воду — врагу моему, а то у него крови не будет, а я хочу, чтоб лилась его кровь...

Писец Леты

— Говорят, души умерших поднимаются на три метра вверх от земли. Потому и закапывают мертвецов не глубже...

— От Бога на три метра вверх, от Бога... Должен же человек хоть чем-то отличаться...

Из разговоров на высокие темы

Не прибили муху. Она обиделась и улетела. Сел комар. Стал пить кровь. Увлекся. Тут его и прихлопнули. И взяли его за белы рученьки и грязны ноженьки и осторожненько понесли...

— Кого?

— Да не важно, тем более имени его не помню. Так, пустяки, жизненные наблюдения, — говорю.

— Э-э, да это кладбище! — удивился Бах — и не заметили, как к кладбищу подошли.

— А что, здесь как раз и останавливается жизнь, чтобы нам на нее поглядеть, прежде чем Харон погрузит...

— В Лету без билету? — спрашивает Юз.

— Да вот она, лишь чуть копни — и течет. Разумеется, заплатить надо, вон сколько у него *пахаронных* контор!

И действительно, вокруг суетились перевозчики и копатели, трупоносы и гробовщики. Рядом земля осыпалась в вечность. И на чем только держались надгробья, как пни — корешки человеческие, торчащие из праха былых и могучих стволов, но таких хилых рядом с мощными торсами тысячелетних деревьев, что живут не спеша.

— Плита на плите. Памятник на памятнике. Имя на имени... Да скоро стоя хоронить будут, — говорит Даня. — Вот по этой самой причине мы и не умрем... — И я вижу, как улыбка, что лучник, натягивает кожу на рогатке его лица.

— И я не загнусь, — подошел к нам кладбищенский писатель надгробий, чьи ошибки невозможно исправить даже зубилом. Но, по-моему, он даже горд, что неграмотен на века. Невежество бессмертно. Тем более здесь, где свобода нецензурного самовыражения и где каждый вправе бросить свой камень в читателя — живого или мертвого, предварительно написав на нем что-то.

«Загнешься, — думаю, — у каждого свой регламент с раскосой косой. Врежет под самые твои говорильные устройства — и ляжешь от собственных слов отдохнуть. Если уж златоусты умирают, то графоманы тем паче дохнуть должны».

На что плачущий буквами говорит, что он бессмертен не потому, что избрал немнущийся материал и твердый, а потому, что он вообще в гробу видал смерть. Фактура в данном случае тут ни при чем. Тяжелая индустрия бумажных кирпичей на нашу голову в отличие от Ветхого Завета — тоже бетон. И вообще, при чем здесь писательство? И его он тоже видел в гробу. А самих писателей — тем более. Они, по его мнению, и гладкого камня не заслужили, не то что мраморного, да еще им надписанного, которое они по ночам пытаются переписать на свой лад, мучительно вспоминая все те эпитеты, недополученные при жизни. Я бы вообще прикнопливал им белый лист и корявую надпись от руки: «Здесь лежит то, что умерло не родившись. Можете проверить — ничего стоящего не написал! Поплачьте над его могилой, люди добрые!» Нет, я просто бессмертен в силу своей живучести, ибо я самая козявистая козявка, самая что ни есть божья тварь, необычайно находчивая своим умением приспособляться. Ведь что я придумал, хитрец, снова в детство впадать перед самым-самым ее приходом. Только скуластенькая в дверь, а я ей: гу-гу! И слюни пускаю. Я снова-здорово дитятя и все начинаю сначала. Главное вовремя...

— Слюнявчик надеть, — подсказываю.

— Совершенно верно, — отвечает писец Леты, — и тут я думаю, не открою Америку, если добавлю — дурак вечен. Он всюду вечен, а уж в Америке — самой богатой и самой передовой стране, естественно, самый богатый, самый передовой и самый вечный дурак...

И с ним было трудно не согласиться.

И тут мы увидели Юру Мамлеева, тоже кладбищенского писателя, выходящего из какого-то склепа. Он повел себя нелюдимо и явно старался нас избежать.

— Человеческая свалка, а смотри, как здесь многолюдно! — говорит Бах. — Вон кто-то еще из-под земли вырастает, типично потусторонний и, от солнца отмахиваясь, что-то бормочет. — Прислушались — точно несусветное.

— Э-э, да мы попали на писательское кладбище! — говорю.

И действительно, вскоре нас окружили писатели с того света.

Однажды Генрих Худяков

Однажды Генрих Худяков
Прилег,
Устав от ходоков,
И сон пришел и был таков:
Он вдруг возносится на небо,
Так высоко еще он не был,
Находит облако — за ним обретают гении.
От волнения у Генриха сперло в груди.
Просовывает голову в облако Генрих —
Ни души вокруг —
Он один.

— Что, абсолютно один и никого вокруг? — интересуемся мы.

— Абсолютно, — как на духу признается Худяков, — один-единственный я и никаких гениев больше.

— Старик, иди домой и немедленно доспи — ты просто недоподнялся!

И тут невольно возник всегда щекотавший самолюбие наше вопрос: и кто же из нас, таких единственных в своем роде и неповторимых вроде, самый, черт побери, значительный, неповторимый и вообще первый? Или, как сказал покойный поэт Ян Сатуновский: «Все мы гении, и вторых среди нас нет». Это потом нас разложат по ранжиру, рангу и в прочую прокрустовую величину воткнут и каждому укажут его место. И каждому трудно будет противиться подобному произволу. Это только Бродскому повезло, не захотевшему лежать в ногах у Эзры Паунда, который, между прочим, тоже не фунт изюма, пришлось на и без того тесном венецианском кладбище потеснить кого-то из соотечественников (Дягилева или Стравинского — не помню кого: это еще только будет).

Одаренному коню в зубы не смотрят

— Ну что ты никак не можешь осесть, — говорю я Дане, видя его всегда на пределе.

— Оседает гора, перед тем как обрушиться. Я — неостановим. Как там — «поэзия — езда в незнаемое», я же езду всегда превращал в поэзию. Вот и акула не может не двигаться, но она хищник, а я интеллигент. Вот и птица не может не летать. Скорей всего, я интеллигентная птица. Даже в неволе переезд из одной клетки в другую и тот доставлял удовольствие, все же какое-то разнообразие было. Еду и чувствую, что живу. Останавливаюсь — и кладбищем пахнет. Да, — вдруг живо приободрился он, — я тут походя договорился с одним «тарелочником», что кружат неподалеку. Берут недорого. Правда, нет запасной спецодежды, но ничего, можно и так полететь, потеплее одевшись. Любопытные они существа, и ничто человеческое им не чуждо. И *ведут* себя независимо, как министры, когда президент в отлучке. Давай улетим! Бежать так бежать! Единственно, что меня смущает немного, — это отсутствие на их борту хоть какого-нибудь пола, и не в смысле чтоб мне провалиться на месте. Есть ли вообще у них хоть какой-нибудь, пусть даже слабый, пол? Именно на него я уронился однажды и подняться никак не могу. И еще — а вдруг и там такие же невкусные и отвратительные торты, только и пригодные, чтобы ими друг в друга швыряться или просто надевать их друг другу на физиономии, как это любят делать американцы? А вдруг и там бесцветные протеиновые кубики, глотая которые здесь кричат: «Делишес!», ведь изобилие отвратительной еды меня ну никак не впечатляет? В этом смысле я по-черному ностальгирую. И не только по черному хлебу, как там ностальгировал по черной икре, ее Россия почему-то только на Запад метала. А вдруг и там такое же телевидение, где обязательно надо видеть то, чем мы пользуемся не глядя? В этом смысле телевидение здесь двуперстно-кишечное и многоанальное. И вообще, есть ли у них хай сосаете, а если и есть, то у кого? И вообще, кто у них ху из ху? Вот мы всегда про глушь забываем, а там дурак первобытен. И, сравнивая столицы с этой не менее цивилизованной глухоманью, мы тем не менее восклицаем: «Жизнь фантастична при всей ее прозаичности!» Так давай же сравнивать до конца. И потом, я, видимо, монархист, — говорит он, немного меня озадачив.

— То есть как? Ты же был такой тираноборец, чуть ли не Прометей.

— Мне кажется, иерархическая лестница, ставшая эскалатором, поднимает наверх не то или не всегда то, что следует, тем более если оно само всплывает. Особенно это заметно, когда высоко всплывшее срывается с высоты и шмякается нам под ноги. У меня такое ощущение, что город бомбят хулиганы, ставшие на время ассенизаторами...

— Ну и что, сейчас просто усовершенствовали всплыв, — говорю, — скоро вообще будут космические лифты.

— По мне, лучше унитазы-катапульты. Какая мне разница — там меньшинство идиотов правило мной, а здесь большинство мне свою тупость диктует.

— Значит, ты тоже считаешь, что человека надобно сдерживать?

— Безусловно, — отвечает Даня.

— Но кому из людей дано право сдерживать человека, если человека надобно сдерживать? Да, демократию растаскивают кому не лень, но смотри, демократия не проигрывает, даже когда проигрывают демократы, — пытаюсь его убедить.

— Она не проигрывает, потому что давно уже проиграла, — не сдается Даня, новоявленный монархист, — или ты считаешь, что, кто бы ни был во фраке — уже джентельмен, но фраки-то зачастую напялены поверх шкур. Дубленые на них еще надевают дубленки. Пора бы уже увидеть и под манишкой, кто есть кто. Просто удивительно, до чего же здесь любят бандитов, как обожают их отпускать из тюрем, что сами по себе места развлечения, если в них до ста четырех лет доживают. Что же происходит в этом мире, если за самый элементарный жест человеческого понимания или просто протянутую, не с ножом, руку отливают медаль и благодарят всей нацией. Преступная безнаказанность всяческих преступлений и беззащитный обыватель еще беззащитнее, но зато либерал. Нет, я монархист, наверно. Демократия — это когда правят тысячи, да пусть даже сотни всех цветов и оттенков так или иначе загримированной черни. А так — один, и если он не дурак, как в России, можно уговорить, наставить на путь истинный. Одному куда вероятней понять, что к чему, чем всей этой своре, так и прущей наверх. Нет, определенно, я монархист.

— Но ты же всегда говорил, что в конце двадцатого века, в его конце концов, монархи — типичный атавизм, а тираны, они не только в Тиране, людоеды в короне даже в Африке есть. Да тут раньше со смеху умрешь, прежде чем будешь съеден, глядя на нынешних королей. Правда, в Италии ты сказал что-то про безоблачное небо. И я тогда тебе возразил, что не над Италией, а над всей Испанией безоблачное небо — обычно так говорят, когда собираются бить коммунистов. Так, по крайней мере, поступил Франко. И ты воскликнул: «А почему бы и здесь не произнести эту магическую фразу? Ведь и здесь „коми“ жуть как обнаглели!». И отправился в Грецию, как Байрон, с той лишь разницей, что не погиб.

— Смешно, конечно, видеть, как Франко ходил королем, но, согласись, ныне в Испании самый демократичный король в мире, умница, меломан, сразу же пришедший на мою выставку и купивший несколько моих пейзажей. У власти должен стоять интеллигент и книголюб, хотя власть, конечно, мясницкое дело.

— Ну когда, кому и где хоть одна нация доверяла? — спрашиваю.

— Ну, если фотогеничное лицо, почему бы и нет? Я понимаю: любая профессия откладывает свой отпечаток, у которого не спросишь — а было ль вначале лицо? Ну посмотри, кто ныне повсюду у власти — сплошные «жил-был у бабушки серенький козлик»... Я не о нашем коллективном руководстве, что там осталось бровью поднимать полстраны, а прочим, что уже неподъемно, — остальные полстраны поднять попытаться. Я, так сказать, о надеждах цивилизации. Ну посмотри на них, ну какие тут могут быть надежды! Марат — друг народа, Мюрат — враг Марата, Хаджи Мурат — герой Толстого, Толстой — зеркало революции. Альдо Моро убили в момент — мементо мори. В папу палят, будто земля еще недостаточно круглая сирота. Белый дом совсем не белый, вернее, белый, но не совсем, да ему и необязательно быть белым, на фоне сплошь черного Вашингтона он и так заметен. Белая надежда человечества, по-моему, она уже черная безнадежность. Кто-то спасает свою шкуру, кто тонкую, кто толстую, но бегут они в одном направлении. Мне иногда кажется, что Россия хочет сама от себя убежать. Конечно, в сравнении с ней Америка — рай, но в сравнении с той, какой должна быть, — еще хуже России. Конечно, за дареную клячу положено говорить спасибо, но одаренному коню в зубы не смотрят. Слушай, давай улетим. Кто я — Вечный Жид с невероятно дорогой квартирой в Нью-Йорке, где я еще должен платить за то, что я здесь. И почему я еще здесь, и что мне здесь делать? Сколько мне лет — минус половина потерянных, да если б вы знали где! — говорю я им, прямо с рожденья очутившимся в своей тарелке. — Еще б спасибо сказали, что не целиком потерял. А вы, собственно, кто такие? — спрашиваю их с пристрастием, как таможенник на границе. «Из Семнадцатого благополучия», — отвечают, лупоглазо светясь. Это когда дальше некуда? «Нет, у нас много благополучий...» Ну, тогда — идет. «Что?» О'кей, я согласен. И главный их единственным волоском причесался. У этих лысых он вместо антенны. И так молитвенно на меня глянул, будто я то самое блюдо для их тарелки. Будто и впрямь я невиданный фрукт.

— Из тюрьмы в беспредельность, — говорю, — да поживи хоть на свободе, где жизнь заполнена до предела жаждой жить и сроком умирать и хотя мимолетна, но что-то в ней есть.

— Да какая это свобода, которую надо в сейфах хранить, да ее с несвободой только и можно сравнить, рядом с которой она и представляется нам свободной. Вот так и хлеб с голодухи запахнет тортом, а укусишь — все та же мякина.

— Я думаю: вот Англия только покончит с ирландскими беспорядками и тут же возьмется за Америку — бывшую свою колонию, — пытаюсь я его удержать. Но разве его удержишь.

И я вспомнил еще одного добра молодца, великого и столь же безвестного ваятеля, из года в год лепившего свою Венеру и понесшего ее, наконец-то законченную, на суд, ничего в Венерах не смыслящий, но оступившегося и упавшего вместе с творением своим на крутой лестнице своего чердака. Рассыпались в прах все его надежды, но он повернулся и, даже не выругавшись, пошел начинать все сначала. Бог ты мой, сколько их уходило в себя, того самого, за которым бездна. Вот и этот уже над дымной стоит.

Тишина. Только хруст жующих травку челюстей. Где-то пасутся безобидные твари, того и гляди — забьют каблучками. Какой-то боксер поднимает на нас заплывшие надбровьем глаза, герой-гладиатор этого бара. И вот уже голос его пролился на стойку: «Бью не глядя — не могу видеть кровь. Белоручка я, потому и прогнали с ринга...» А я пью не глядя, не могу ее видеть, — говорит Даня и про себя отмечает: запретные темы — и здесь они есть.

Где-то черепные впадины колоколов наполнились пламенем звона. Вмиг похудевшим виском запульсировал благовест. Еще немного — и все своей кровью окрасит. По ком они надрываются? На что намекают? И, разгладив лоб, на котором в древности вечно что-нибудь рисовали и ныне, бывает, что-то хотят сказать, весь отчетливо засветился догадкой — садятся.

— Это за мной прилетели ангелы, — сказал Даня и быстро допил свой стакан.

В это время на швейный район Нью-Йорка, куда с нетерпеньем эмиганток российских ждут (лаотянки, таитянки, пуэрториканки, мексиканки, китаянки и негритянки уже давно не шьют за копейки, слезясь и потея в этой Патагонии посреди Нью-Йорка), — напал вдруг какой-то мор. А на Брайтон-Бич, где одесская мова уже напрочь забыла английскую речь и где советские фильмы как у себя дома, — ураган налетел, взбаламутив Атлантический и доселе приличный. Это в Тихом привычно гуляют торнадо где надо и где не надо, цунами, спасибо, что не над нами, боры, кладущие на всех с прибором, и смерчи, все крупней, а не мельче, сплошь Клариссы и Клары (тоже не без кораллов). А здесь разве что хищник какой заплывет (будто своих у нас не хватает) и челюсть его на экране раз в сто увеличат. И тишина. И никаких происшествий. И вдруг налетела свора стихий, будто с якорной цепи сорвалась.

Гигантский штопор искал в океане бутылку и вхолостую прокручивал его до самого дна. Пьянчуга, и впрямь ему океан по колено. Настырный вполнеба волчок разбазаривал воду и воздух, качаясь то влево, то вправо, пока что-то там не нашел, не нащупал в пучине взбешенной и уже тогда всей массой, весь набычившись напоследок и посинев от натуги, вдруг выстрелил пробкой, уйдя в прозвеневшую даль, вмиг отбежавшую дальше себя. И что уж схватил он, так и осталось впотьмах. А когда развиднелось — сверху полоска звенела вовсю.

О Дане потом говорили долго: «И всю-то жизнь он плавал в своих эмпиреях и даже на суше тонул...» Поправим — скользил. «Да всюду он плавал». Это точно — везде он купался. В отличие от сыра в масле, он далеко заплыл. «Говорят, его так и не нашли». Да где вам его увидеть! Один Ефеня и плакал, пловец. И кто-то еще навзрыд и бесплатно, но что нам стоит профессионала нанять, тем более он наш друг и бывший коллега. И пришел наш собрат и срыдал, как на арфе сыграл, и вообще поработал. И что удивительно — денег не взял.

— Да что вы, ребята, мы были в одном союзе. Друзья, прекрасен наш союз... один недостаток — советский...

Сказал и снова пошел в свои синагоги рыдать. А ведь тоже был когда-то талантлив, а ныне плакальщик — клоун наоборот. Как историк — назад провидец. Как мы вернулись к себе — не домой, на одну из стрит нашего абсолютно не нашего Манхэттена — столицы нашего не нашего Нью-Йорка, тоже столицы, но уже всего нашего не нашего мира, где голод порождает отчаяние и покорность, а сытость — полнейшее равнодушие, равное удушью от жира взбесившегося, правда, тогда возникает Великая Сексуальная Революция, ничего общего с Великой Октябрьской не имеющая, но так же победно ступающая. И при взгляде на нее у меня возникла идея: наш гордый и подопытный народ, который боится, что нищету и ту отнимут, а взамен, как всегда, ничего не дадут, вот уже семьдесят с лишним лет (и каких еще лишних!) — кричит, вопит и ратует не от хорошей жизни всем своим фасадом и выхлопом за полную победу своего нечего жрать во всем мире.

Не пора ли и от хорошей жизни, а точнее, сытой (хотя и не принято от сытой жизни вопить, кричать и ратовать) — наконец-то отверзнуть уста и разъять очеса и провозгласить в виде лозунга их же призыв: СОМКНЕМСЯ И СПЛОТИМСЯ ВОКРУГ НАШЕЙ РОДНОЙ И НЕНАГЛЯДНОЙ ПАРТИИ И САМОГО ЛЮБИМОГО В МИРЕ ПРАВИТЕЛЬСТВА... ДА ТАК, ЧТОБ И МОКРОГО МЕСТА ОТ НИХ НЕ ОСТАЛОСЬ! А также в виде здравицы: ХРЕН ВАМ В ЗУБЫ, ТОВАРИЩИ, И В ГЛАНДЫ, ДО ПОЛНОЙ И ОКОНЧАТЕЛЬНОЙ ПОБЕДЫ УЖЕ НАШИХ ОРГАНОВ, А НЕ ВАШИХ!

Нет, пора и на сытый желудок призвать к патриотизму. И потом, я думаю, и Одиссей Моисеевич повернет свое оружие против бывших своих. Ему лавры генерала Власова спать всегда не давали.

— А помнишь, как мы свое читали из-под полы? — спрашиваю Баха.

— Гоголевской шинели?

— Нет, Феликса Эдмундовича, она была подлинней, потому что набивались душные залы и открытые стадионы. А какая была акустика! — сразу подхватывали наши дорогие и враждебные голоса, а какая была отдача — сразу у всех на устах...

— А сейчас?

— А сейчас Интернет, — сказал, как написал на заборе всемирном, где каждый Добчинский кричит: «Вот он я!», потому что ему мало читать в синагоге, как Евтушенке... Или в русской церкви Аксенова-Меерсона, где когда-то привечали гостей из России — чтецов-декламаторов своих еще не опубликованных произведений. Один только Наш Моцарт русской фени почему-то стеснялся там выступать. А вот Бетховен тяжеловесного слога... этот... как его — надо же — забыл фамилию — не стеснялся, что очень даже походило на проповедь гнусавого пономаря. Все начинали клевать носом, пока их не будил какой-нибудь алчный попяра с шапкой по кругу, позже торговавший водкой — доллар за стопку, до чего же черствый к высокой словесности человек. А уж как нас всех туда агитировал Леня Комогор, тоже недавно ушедший. Добрейшей души человек (это о нем Солженицын в своем «ГУЛАГе» упоминает). Кстати, ты не помнишь, кто у нас Стравинский?

— Все Стравинские у нас под псевдонимом, так удобнее стравливать, — уточняет Бах, — попрятались, как зайцы, будто их отстреливают. Спасибо, что еще не прячется наш Вячик.

— Да нет, уже спрятался — умер, ушел с головой в безвестность. Жаль старика. Бог ты мой, сколько же наших ушло! Вот и Бродский умер, и Ельцин ему на могилу венок прислал из каких-то очень странных роз (их, конечно, тут же украли), очень уж они походили на женские гениталии, как бы намекая, что это не он когда-то на Бродского положил. Еще вчера моя книга была таким увесистым томом, полная живых и здоровых друзей и врагов, а сейчас как тоненькая брошюрка, если говорить об ушедших, — жалуюсь я Баху, сотворившему этой книге очень близкую к ее телу рубаху.

— Вчера еще с ним говорил...

— Старик, смерть ведь тоже обожает экспромты, такие же молниеносные, как стихи. Мы всю жизнь с ней соревнуемся. Иногда она отступает, признавая наше превосходство, разводит руками и как бы говорит: «Я – пас!» Но однажды, после стольких попыток, даже бездарность одерживает победу.

...А вот и наши ветераны, — говорит какой-то наш новый коллега (их каждый день голов по десять прибывает в наш полк!) и промокает ладонь для дружеского рукопожатия. Но ветераны гордо проходят мимо – большой инвалид малой войны, а рядом с ним, как всегда, прихрамывал малый инвалид большой войны. Однажды он наступил на что-то и забарабанил на землю, как дождь. Одно и утешало, что это была родная земля.

«Ну оступился товарищ, с кем не бывает? – справедливо рассудил доктор. – Не хоронить же его за это?!» Сшили. В честь отечественной медицины он взял фамилию Сшиллер.

Другой эскулап другого нашего ветерана рассудил иначе: «Чем лучше мы относимся к животным, тем они вкусней». И, кажется, отъел ему что-то.

Прошли – и стало совестно за свою абсолютно не хромающую походку, еще гордую осанку и вполне презентабельный вид. Может, чалму надеть, чтоб подумали, что голова разбита?

– Как ты думаешь, куда они топают? – спрашивает Бах, а потом добавляет: – Как садомазохисты.

– А вон под ту вывеску: «УДАЛЕНИЕ КОЖИ И ОБЩИЙ МАССАЖ».

Эпилог

Он стоял перед зеркалом и не узнавал своего тела. Вместо кое-как, но все же сложенного мужчины стоял абсолютно развалившийся старик.

— Наверное, не то съел, — подумал Сосивовчик, — пора на диету. А с другой стороны, мне худеть нет смысла — станет скелет проступать, а мне никак нельзя, чтоб его обнаружили. Мне необходимо как можно тщательнее его скрывать. В моем положении бдительность превыше всего. Какое, однако, назойливое наваждение — не хочет уходить. «Пшел вон!» — говорит он сам себе и сам себя слушать не хочет. «Кому говорю — пшел вон!» — отошел он на шаг, но наваждение стояло как вкопанное. Двинулся влево — стоит, вправо — все равно остается на месте. Еще на шаг отошел — продолжает в глаза смотреть ему нагло.

— Пшел вон! Я кому говорю?! Па-ше-л-л-л в-о-о-о-н!..

— Ну что ты разорался? — говорит ему зеркало — Я мою твое окно. Я такой же эмигрант, как ты. Я подрабатываю, понимаешь, я мою тебе окно нелегально. Мне эс-эс-сай перестанут давать, если узнают, что я мою тебе окно. Я согласился, потому что мне кешем заплатят твои соседи. Им твое окно как бельмо на глазу, оно на весь квартал уже год чернеет. Вот и сбросились, чтоб его помыть...

Я становлюсь мнительным, как Одиссей Моисеевич. Он тоже у окна совершает свой туалет, зеркало купить не может. Я-то, понятно — из-за суеверия — а вдруг разобьется, а он, атеист, почему не покупает?

Иосиф Владимирович Леонидик-Спартанский (как бы Сосо и Вовчик в то же время, а покороче — Сосивовчик) эвакуировался из СССР налегке. И вообще он был легок на помине.

На вопрос, кем он раньше работал, слегка заикаясь, ответил: «Смотрителем в мемориальной тюрьме...»

А где бы хотел работать: «Смотрителем в Музее восковых фигур мадам Тиссо», но с некоторых пор он стал избегать паблисити, поэтому он там работать не может.

— Почему?

— Дело в том, что я был всегда засекречен. И тут я не хочу быть у всех на виду. Я понимаю, что посетители музея куда охотнее глазели бы на меня, нежели на фигуры, да еще восковые. Я бы сказал им: «Смотрите, смотрите, я не растаю. На меня всю жизнь смотрели и не видели человека, потому что очень загадочный я человек, если не сказать больше, но больше, чем в анкете, я хрен вам скажу...»

И он обратил внимание, как невдалеке скорострельно помочилась собака. Еще он увидел, как подростки-негры весело грабили вполне серьезного человека. Бедняга помалкивал, но все равно был избит. На белом лице кровоподтеки как-то заметней. И вообще вызывающе выглядит кровь на белом лице, — содрогнулся тогда Сосивовчик, — но джентельмен утерся и вновь заспешил, абсолютно игнорируя его сочувствие. Надо же, и это — в Центральном Парке?!

Бежал из борделя знакомый художник-моменталист, недавно сбежавший из МОСХа и уже не могущий жить без свободы передвижения в Париж, а также черных попок упругих, иначе вернулся бы — очень даже тоскует. Выбрав скамейку помалолюдней, сел, поелозив задом, как бы обтирая ее, и, едва отдышавшись, крикнул: «КТО ХОЧЕТ ПОРТРЕТ?»

Хасиды все в черном спешили скорей в свой район (было бы лучше, если б в баню они спешили).

Где-то надрывно кричала совершенно непевчая птица. И громко разговаривал совершенно неумный человек.

Куда-то летели пожарные, как на пожар (за пивом они тоже громко ревут — про себя он отметил).

Потом «амбуланс» разорался еще на десяток улиц, тоже очень тревожа слух, от этих децибелов давно уже немузыкальный (а ведь когда-то на рояле играл). И, наконец, сирена, уже полицейская, замкнула весь этот кортеж. И снова воцарилась относительная тишина — непременный спутник благополучия. В этом смысле на кладбище самые счастливые люди лежат, если живыми заранее там раскупают места...

А Сосивовчик, эдакий внук без бабушки, сосунок (это сколько ж галлонов он высосал! — с ума сойти — тоже про себя он отметил), мирно лежал на траве. Но недолго ему лежать на траве оставалось. Человек, продавший свой скелет государству, которое, в свою очередь, перепродало его в среднюю школу, где наглядность превыше всего, кость от кости рабоче-крестьянского и первого в мире отечества, душой и телом, а также каркасом ему принадлежащий, копейка народная, которая Родине рубль бережет, — не может вот так, развалившись, лежать на чужой траве, нестриженой, плохо пахнущей и вообще не нашей. Бедняга и пикнуть, икнуть и пролиться в штаны с перепугу как следует не успел, как был назад водворен — выкран бережно и спрятан тихо. И теперь-то уж точно мы можем сказать — попался голубчик и родины сукин сын. Распусти их, так все ненаглядные пособники разбегутся, а уж пособия наглядные — само собой.

Варись спокойно, дорогой товарищ, в собственном соку, свой краденый скелет вываривай. Никуда не денешься — будешь как миленький в школьном классе стоять.

И будут в тебя указкой шпынять и говорить: «А вот этот сосивовчик, между прочим, был за границей, вполне можно сказать, что он загранично-отечественный скелет!» И челюсть схватят железкой для пущей сохранности торса и еще чтоб в вечном хохоте своем оставалась.

Исчез. И на улице стало как будто веселее. Параднее стало: один парад за другим вдруг пошел. *Парадуемся* и мы с горя, хотя здесь, конечно, не так стучат барабаны, как мы привыкли. Не говоря уже, что не зеленеют от маршей согнанные в кучу оркестры, хоть медь щекастая и гремит без устали и тоже не лопается в столько труб надуваемый шар бравурного марша, когда так и хочется зашагать в ногу — в любую, пусть даже протезную, когда ликует народ и веселится, вот-вот заплачет. И действительно, только заиграл оркестр свой бодрый марш чуть помедленней — и стал этот марш оборонный сразу же похоронным. И поплыли слеза к слезе демонстранты весело. И затряслась земля — это, видимо, безносые в сырой земле хохочут...

— Пусть он там посоветует их степи назвать нашими прериями, — сказал Одиссей Моисеевич, узнав про похищение Сосивовчика, — может, тогда урожай будет, а то ведь абсолютно нечего есть моим бедным родственникам, необдуманно оставшимся и конечно же жалеющим (так им и надо, идиотам!). А уж какие были волшебники по части добыть себе пропитание там, где не каждый млекопитающийся питается молоком. Пишут: «Одик, не поверишь — чай без лимона пьем...» И где — в солнечной Грузии!

Исчез. И вот уже ряды сомкнулись — кому не лень, всяк забыл Сосивовчика. Кроме нас, конечно. Мы его никогда не забудем, ведь он первая ласточка, самая первая, что вынула кость свою из всеобщего их каркаса. Он первый вор своего костяка, в, казалось бы, прочной их пирамиде, составлявшего каркас всего государства. И, может быть, даже разрушение всей этой гигантской империи зла именно с него началось. Это за ним побежали другие уворованные скелеты, с потрохами купленные когда-то. За ним побежали тысячи тысяч, унося свои ноги. Не винтики — ребра, пересчитывая которые и держалась советская власть. И когда это поняли там и попытались спастись, вернув Сосивовчика, — было уже поздно.

Шереметьево. Очередной эмигрант без опаски всходит на трап. Оглядывается напоследок и видит, как без грома и треска, буднично и закономерно, привычно и неторжественно разваливается Советский Союз, но он все равно улетает.

Песня нищих, прикарманивших пустоту

Стихотворения, поэма

В моем отечестве я редкостный автор, первая моя книга «Мета» вышла в 1964 году, вторая — «Стиходром» — появилась семь лет спустя. Как давно это было — еще в прошлом тысячелетии!

В профиль эта фраза бронзовеет на глазах и напоминает ушедшего классика, упрямо писавшего до скончания века.

Песня нищих, прикарманивших пустоту,
Ту, рядом с которой космос еще более пуст,
Там ничего не слетает с уст,
До того там слова невесомы,
Как бы ни были невеселы,
Песня нищих, у которых в карманах свищет,
И не только в поисках пищи,
Там рыщет не ветер, а волк,
Чья песня на вой похожа,
Оглашающий белый свет:
И чего у нас только нет!
И чего у нас только нет,
(следует очень длинный список
отсутствующих предметов)
И это в стране
На одной из богатейших планет,
Ничего у нас нет, понимаете,
Ничего, кроме гордости,
За то, что ничего у нас нет абсолютно,
Гордость — наша валюта
И мы заявляем это прилюдно,
И шлем как привет —
И чего у нас только нет.

* * *

Поэт он лев, а значит прав,
Всей своей сутью из-под спуда,
Да вся поэзия — удачный сплав
Двух-трёх глаголов в радиусе чуда.

* * *

Когда проказа схватит за —
Не три глаза, не три глаза,
Когда жизни счет идет на минуты —
Не так страшен черт,
Как его малюты.

* * *

Манекены лучше нас одеты,
Несправедливость, не сравнимая ни с чем,
Он одерживает победы,
Наш соперник манекен.

* * *

Эшафот — трибуна трибунала,
Где высшей меры вечно мало.

* * *

Столб смерча.
Профинчен океан,
Прокручен и приподнят.
Столб смерча,
А по краям —
Чуть оступись —
И преисподня.
Гуляет бора с ласковым названием,
С собой побольше прихватив воды,
Дров наломает,
А под занавес
Полберега снесет, так пол-беды.
На дно упали стайки рыб,
Как ложка на дно стакана,
Лишь киты косяками нетонущих глыб,
По спинам небо стекало.

Пастернак

Поэма

Каждый четверг к восьми часам утра
На Казанском вокзале, не самом столичном,
Но в центре Москвы,
Еще только спросонья влезающей в домашние тапки,
За платформой электричек, идущих на Куровскую,
К стоящему «столыпину», на котором написано
«почтовый»,
Везут этапы.
Вдали видна голубятня, тоже когда-то почтовых
голубей,
Водокачка еще со времен паровозов,
За которой сразу же развлетвленье подъездных путей.
Щелкают капканами стрелки.
И грозно кричит в рожок подающий вагоны.
Не спеша набирают ход электрички,
Опоздавшими злорадно любуясь,
А конвой торгует женщинами тридцать рублей
за любую.
Зеки глотают деньги на нитку,
Нанижут,
К зубу привяжут и судорожно глотнут,
Так надежнее — кровные к телу ближе.
Дрогнут зеки.
Прохладно тут.
Одежда их внесезонна, но в каждой загашник.
Одет кто в чем,
С обязательным сидорком за плечом.
Обувь их без подошв — шмон не любит загадок,
Опять же ближе к ступне им будет окраина,
Вот только мороз залютует,
Делая вид, что лижет, пес голодный,
Он тоже служит в охране.
Неважные вести — их грузят в «почтовый».
Неспешные вести — дойдут ли?

Конечно дойдут,
Им всего-ничего потребуется, чтобы
В доходяг превратиться вдруг.
А пока их огибает вокзал суетливый рядом.
Руки, небось, сплошь в наколках и мокрых делах,
Порешить бы их всех разом и была не была.
А кто-то их примет за почтальонов.
Удивится — сколько почтальонов у нас!
И только очень внимательный глазом
Не смажет по их глазам воспаленным
И выделит их из рваного сброда,
Видимо, у него наметанный глаз.
Глубоко запрятавшие свою обреченность
(ее вместе с ними да в глубь страны)
Стоят и ноги их, будто стебли черные,
Растут из кованного горшка тюрьмы.

Нет, не с этого вокзала наведывался я к старику.
С прилизанного и чистого, где пассажиров не так стерегут,
С более западного к Пастернаку ездил
(денег на такси не хватало если).

Свистят электрички, будто соловушки в клетке.
Так в какой околоток, вам, сударь, загон?
В Переделкино, до третьей отметки, третья зона,
Она лучшая из всех ваших проклятых зон,
Там живет Пастернак меж далекой Европой и близкой
Сибирью,
В зоне, назовем ее так, между Нобелевской премией
и секирой.
И тогда от станции через кладбище прямиком,
Шагом быстрым, а то и бегом.
Три сосны на косогоре.
Это здесь он окажется вскоре.

Другое дело, если едешь к нему на такси и говоришь:
«Гони, но не слишком тряси!»

И тогда проезжаешь веселое место,
Как все здесь, красивое,
Где чуть ли не ногами резину месят
И делают презервативы.
Колпак цензуры, незаметный и тем не менее зрячий,
Всем братьям-писателям, у кого губа не дура,
Этот намек, едва ли прозрачный.

Шелест гравия на повороте.
Здесь таксист замедляет ход.
Нехотя раступаются старые ели.
Слева у магазинчика поселковый люд,
А по правую сторону дом Пастернака.
А вот и он копошится на участке своем и, завидев, рукою
машет.
Видавшая виды кепка, на все сезоны одна,
И глаз усталая голубизна.
Что и говорить – неважно выглядят у нас поэты.
А ты что хотел – чтоб он был в мундире
при эполетах,
И чтоб фанфары вокруг и бронзовый профиль в небе
качался?
Да спасибо, что без кляпа во рту
И еще не четвертован на части
На красной площади газетных полос,
Опозоренный до седых волос.
Все это будет потом,
А пока не запечь ли нам для начала быка,
Аппетит, прямо скажем, волчий,
Воспаленно уже видит воочью
И серебрянные плошки с икрой,
И лотки с заливною рыбой,
Куриный галантир и с шампанским ведро,
И возглас: «Смотрите, кто прибыл!»
Далее хрустальная менажница,
В ней паштет, прикрытый черной испанской
маслиной.

Да ничего подобного.
Был скромный обед
С гороховым супом в суповнице длинной.
Очень скромно жил Пастернак,
А главное — незащищенно.
Вот если б кремлевская здесь от Кремля стена,
С бойницей, изнутри закопченной,
И с малой ротой пусть неважных стрелков
(поэты и сами стрельнуть не промах).
И вообще, кто охраняет у нас стариков,
Не в дурдомах, а когда они дома?

Да Боже упаси, никаких охран.
Поэт свободен, и дом его храм.
Другое дело — немного счастья,
По части счастья всегда недобор,
А впрочем, оно не делимо на части,
Его или много, или не видишь в упор.
И я представил кладовщика,
Чья от счастья лоснится щека.
Интересно, какая у него поза,
Когда он кидает нам счастья горсть?
Наверно, так Пастернак несет свою прозу:
— Вот мое счастье, дорогой мой гость!
Знал ли он, что убьет его счастье?
Разумеется, знал, но отчасти.
Тогда почему не сжег или не закопал?
— Шила в мешке не спрячешь.
Это точно — ищейки у нас нюхом зрячи.
Только-только замысел начнет закипать
И что же прикажете, его закопать?
Да земли не хватит.
И я представил, как с лопатой идут на кратер.

Сирен завывание.
Кислородная маска к лицу.
Жизнь — не хроническое заболевание.
Хроника жизни подходит к концу.

— Боря, Боря, Ну хоть что-нибудь скажи...
Когда-то он ею прекрасно был болен,
Любимой сестрой была ему жизнь.

— Вы знаете три «М» буддистов?
— Нет, просветите.
— «Мозг для того, чтобы фиксировать мертвое.
Любой опыт уже мертв.
Мудрость в неизвестности...
Я бы добавил — в стихийности...
(Это мое убежденье кричало: стихийное — всегда начало.)
— Это сказал Заратустра?
— Нет, простой буддийский монах,
Но такой же шустрый и в таких же красных штанах.
Тот самый даос,
Что пришел на самую высь Тибета
И крикнул что есть мочи богам:
— Ниспошлите мне кайф!
И было услышано это.
Он даже был удивлен слегка,
Когда вино ему ниспослали боги.
Добрый человек, он его разбавил.
Хотел, чтоб досталось на всех.
— Дурак ты убогий! — сказали боги, —
Кто же вино разбавляет?!
Ты совершил величайший грех.
Теперь ты всю жизнь будешь пить свою бормотуху.
И не видать тебе кайфа,
Как ушей своих, лопоухий.
— Что это? — спросил Пастернак.
— Да так, — отвечал я капризно, —
Если хотите, моя притча об альтруизме.
Далее будут строки
Какой-нибудь тибетской частушки, типа:
Я назло богам не вредный, я и строен и поджар.
Хвост трубой стоит передний,
Да и задний не поджат.
— Не пойдет, — сказал Пастернак.

Конечно, не пойдет.
Спросят: «Это что еще за монах, да еще,
Как Буденный, в красных штанах?
И как у него могут стоять два хвоста в одно и то же время?»...
Какой-нибудь попросят убрать.
Я возмущусь, и тогда они спросят:
«А чего ты, собственно, хочешь, брат?»
А посему я сей замысел подарил французам,
Будучи под впечатлением их коньяка.
С тех пор мы, собственно, вместе живем
И дружим и нашу дружбу ничем не разлить пока.
– Это где же вы теперь живете?
– В МГУ многоспальном.
Правда, в отличие от французов,
Я живу нелегально.
Однажды по местному радио
Я читал студентам стихи
(я их, между прочим, и без прописки пишу).
Написанные с пылу с жару,
Видимо, были стихи неплохи,
Если вместо милиции – французы на меня набежали.
Знакомимся и тут же дружим и пьем.
Напрягаются, но понимают.
Немного мучаются, но секут,
А это, согласитесь,
Немало в нашем социалистическом тут,
Где всего один актовый зал,
Но много тысяч актовых комнат,
Разделенных наполовину и разбитых на блоки,
Зоны и этажи, где черт-те чем учащихся кормят
И где вообще охраняема жизнь.
Специально подобранные старые девы
Там вершат свое гнусное дело, наши советские бонны...
– А откуда французы-то?
– Из Сорбонны.
– А что они делают тут?
– Стажируются, наших классиков изучают,
Наши классики, видимо, что-то там излучают,

Помимо того, что имеют какой-то метрический вес.
Рыжий Фрио — на Маяковском (наверное, коммунист),
На Достоевском жгучий Луи Мартинес,
А другой Луи — на Толстом и далее — вниз.
Кого-то еще изучает четвертый, с кем-то на пару,
Но эти трое просто отличные парни.
Может, и тот ничего — наших классиков зритель...
И оживился старик:
— Всех четверых везите.

Но привез я к нему одного,
Да и тот оказался американцем,
Он тогда только-только окончил Гарвард,
Я это заметил по платиновому кольцу на пальце,
Хотя какой из меня антиквар.
Оно ему было к лицу,
Это дополнение к кругосветке — тоже кольцу.
И я поймал себя на мысли,
Что вечно не туда поступаю.
Счастливец, он объехал весь мир,
Только в Китай не впускают.
Да черт с ним — с Китаем,
Хочешь к Пастернаку скатаем?!

Боль, и еще одна сверх.
Неотлучно врачам ассистирует смерть.
Вся в белом, она, как всегда, находится рядом,
Всегда преждевременная и нарядная,
Как девочка еще несмышленая и неопытная,
Но спешащая жить.

Развратная сука — от нетерпения вся дрожит.
Лезет в постель, изнывая от дрожи.
Человек умирает — всегда умирать молодым,
А она с ним на ты, будто тысячу лет уже прожил.

Висит на волоске еще тяжелая жизнь.
На одном волоске дрожит.

Сосунок-Земля,
Млечный Путь еще на губах не обсох,
А вешать уже научилась.

... — Вот послушайте еще кусок,
По-моему, получилось...

Проза, мертвые души пишут ее,
Как бы подчеркивая, что «Мертвые души» — поэма.
И я подумал: его поэзии она по колено.
Старости переломный,
А посему очень хрупкий возраст,
Уж не замаливать ли собрался грехи?
Проза поэта, какая, к чертям,
Это проза, проза поэта — это пожилые стихи.
Первая фраза всему закоперщик,
Но самое лучшее приходит под самый конец.
Он так думает,
А по мне, все лучшее остается за первым,
Самым первым листиком,
Начинающим твой венец,
Когда сама бесспорность кричала,
Стихийное — всегда начало.
И это главный поэтов резон,
Как молодость — самый плодотворный сезон,
Где в порядке вещей считалось,
Чтобы вся их жизнь в нее целиком умещалась.
Странные порядки творятся на небесном Олимпе.
Кажется, и мы в это дело влипли.
Краткость — медсестра таланта со смертельной инъекцией
в ручке галантной,
Следящая тайком, чтобы поэт не стал стариком.

И с силою, какою гнут оглобли,
или наоборот — птенцом в горсти:
— Молодость, молодость,
Замах крыльев у тебя огромный, а нечего тебе нести...

Но тут за меня заступился Ливанов –
Великий актер трагедийного плана,
Обожавший не только анапесты
И прочий шелк словесных струй:
– Борис, не предавай его анафеме,
ты сам приговорен к костру...

Слово, везде оно слово,
А в России поступок.
Свободное слово,
Оно свободно,
Если автор сидит в закутке.
Даже лирика здесь паскуда,
Сбежавшая из вендиспансера налегке.

Ему легко писалось с его орлиным-то зреньем.
Вот так крестьянин свою проходит межу.
Но его попросили спуститься на землю.
– Спускайтесь на землю, вас уже ждут.

На привокзальной тумбе
Для доморощенных объявлений
Среди десятков продаж и обменов халуп подороже,
Где обычно народа скопленье,
От руки написанная записка:
«Умер великий поэт. Похороны по этой дороге...»

Три сосны над его могилой,
Будто он заблудился в трех соснах.
Врет намек – он достаточно пожил в лесу этом гиблом,
Знал, что делал и едва ли жалел,
Да и жалеть было поздно.

Память, она с камнем за пазухой.
Государственная знает когда и к кому запаздывать.
Нет, никакого зла она на него не держит.
Нет ему памятника, всего лишь стела от влаги бежевая.
И там, где печалится его профиль,

Мрамор лопнул у самого глаза,
Образуя что-то вроде ложбины,
Куда конечно же сразу и сбежались поплакать дожди.
Дитя до старости, баловень,
А вечно плачет глазница пустая,
Будто зацепилась душа
Где-то там за небесный шлагбаум,
Где родина делает вид, что тебя отпускает.

Эпилог

Аукцион «Кристи».
Торговцы и менялы.
Письма Пастернака
С безусловной энергетикой оригинала.
Навсегда ускользающий почерк красив
Судьбы курсив:
– Но спасибо тебе за все бесконечное! Спасибо. Спасибо. Спасибо?..
Время происходящего – Вечность.
Место – Россия.
Или нет,
Это еще Грузия,
Принявшая его по-дружески.
– Я хожу по Тифлису не так, как ходил по нему в прошлые свои наезды,
И гляжу на него не такими глазами, как смотрел на него, наверно, недавно Митя.
Я приехал сейчас не восхищаться, не вдохновляться, не произносить речи и пировать.
Я приехал молчать и скрываться, провожаемый общественным проклятием...

«Но вот я утром вновь пишу тебе, радость и любовь моя, без надежды на то, что это письмо предупредит меня и я не прилечу (какие глаголы пошли, благодаря авиации) раньше...»

Цена лота 19 000–28 000 долларов.

— Моя болезнь сейчас в полном разгаре. Я страшно ослаб. Отзывы сердца на любое ничтожное движение страшно болезненны и мгновенны.

Единственно, что доступно сравнительно без боли, — это лежать плашмя на спине.

Но поведение окружающих таково, что они, по-видимому, верят в мое выздоровление.

Я не вижу паники кругом. Но все очень больно.

Лялечка моя милая, всю жизнь я доставляю тебе огорчения!..

Сколько стоят его мучения,
А также информация, что схвачен за глотку,
Но глотка еще цела?

16 000—23 000 цена лота.
Стартовая цена.

* * *

Я чужбину не выбираю —
она везде не родина вторая,
географии крайний случай,
она самой судьбы умнее...
Так вам сразу и отдала Россия
своих лучших,
их она и сама
убивать умеет.

Так что такое счастье?
Уже здесь
в Нью-Йорке
мне кто-то сказал, что оно в почве.
Его только надо уметь реализовать.
Добрая душа, он даже поделился со мной секретом.
И еще советом меня одарил:
— Да брось ты поэзию и спустись на землю!
Нет ничего дороже родной земли.

Не важно где она, чья она и сколько стоит.
Она твоя, ты же на ней рожден.
Ты не представляешь,
какое это счастье торговать родимой,
даже если ты только-только приехал сюда...
И заплакал — так искренен был.
Я, конечно, догадывался,
что на земле есть счастье,
но не совсем был точен — оно в земле.

* * *

— Из чего твой панцирь, черепаха?
Я спросил и получил ответ:
— Он из пережитого мной страха,
И брони надежней в мире нет[1].

---

[1] «Мой отец, никогда не отрекавшийся от народа, к которому принадлежал, всю жизнь преодолевал племенную узость. Преодолевал настолько, что с полным правом считал себя русским писателем». Борис Пастернак... Как еврей Вася, — добавим, — успешно уводивший жён своих близких друзей, в частности у Николая Заболоцкого, воспевавший её, как эталон верности, что, безусловно, обидно, такой символ опорочил, и прославившийся, пожалуй, самым трагическим по своей судьбе романом «Жизнь и судьба», изъятие которого и убило несчастного на пороге своей всемирной славы. Там, как нельзя кстати, прозвучала и моя, слегка переиначенная, и до него широко известная «Черепаха», как всегда безымянная и анонимная, с вечным цензурным клеймом, скиталица. Не повезло ей и с Юрием Домбровским, взявшим её эпиграфом к своему роману «Хранитель древности», а позже попытавшимся всунуть ее и в свою «Лавку древностей». Её вымарывали из рассказов и пьес, выкидывали из докладов, её запрещали цитировать артистам разговорных жанров, за неё карали на партийных собраниях, писали фельетоны типа «Халиф на час», пока она случайно не появилась на обложке радиожурнала «Кругозор» в несколько миллионов экземпляров и, совсем не черепашьими шагами, вошла в мою книгу стихов «Стиходром». Позже она появилась в книге израильского посла, бывшего известинца, и в программной статье художника Ильи Кабакова, Ефим Эткинд в Париже включил её в свой сборник «Русская эпиграмма», за что я ему бесконечно благодарен. Перевранная, она вышла и в Москве, тоже в «Антологии русской сатиры», с представлением какого-то Фрумкина, считавшего, что я её написал в Америке и не посмел бы написать в Москве, конечно же боясь за свою жизнь. Жалкий карлик, он и меня под свою лилипутскую мерку задвинул. Короче, книга вышла в совершенно беспомощном и бездарном издании, настолько

* * *

Мы в любви отнюдь не робкие,
Сколько ее под шестым ребром!
В нас такую любовь воспитали к родине,
Что женщинам только остатки скребем.

* * *

Во множестве стран,
Как бы это не было трудным,
Трусам
Платят за страх.
И чего еще надо трусам?

* * *

Провидцы, мудрые мученики,
Дымы бород...
А вот историку лучше,
Он пророк наоборот.

непрофессиональном, что её противно было брать в руки, и мне несказанно жаль десяти долларов, которые я потратил на её приобретение. Лучше всех сказал о моей «Черепахе» Яков Хелемский: «Однако больше всего о Халифе мне сказало его четверостишие, ставшее известным задолго до того, как Василий Гроссман тоже процитировал его в своем романе. Я слышал эти строки от многих:

— Из чего твой панцирь, черепаха?

Я спросил и получил ответ:

— Он из накопившегося страха (правильнее — он из пережитого мной страха),

Ничего прочнее в мире нет.

Сергей Довлатов, познакомившийся с ним в Штатах, охарактеризовал его кратко: «Помесь тореадора и быка». Но в другой довлатовской записи читаем: «В этом человеке сочетаются величественность и беззащитность».

Беззащитность, о которой писал Довлатов, помнится, компенсировалась у Халифа внешней вальяжностью, маскировалась апломбом. Но вот прорвалось подлинное состояние души. Строфа-метафора ярко запечатлела гнетущую ауру тоталитарных лет. Одно такое поэтическое высказывание способно возместить все прежние авторские невзгоды».

* * *

Слава ищущим и нашедшим,
Будь то Пигмалион,
Творящий галатей,
Или придумавший себе ж на шею
Гильотину Гильотен.

* * *

Мой стих — бездомная строка.
Узнаю — моя рука.
Гуляет по свету — не оглянется,
Он знает — написать еще могу.
Никому краснеть не придется,
Кто усыновит мою строку.

* * *

Человек понятен без анатомий —
Смерть поднимается вверх
По течению крови.

* * *

Некрасивый, как Эзоп,
Как любые роды,
Искажен молчаньем рот,
Слово ищет брода.

Он всегда подводит рот,
Главный слова выдох,
Когда слово ищет брод,
Когда ищет выход.

Немоте припас гримас
Жест глухонемого.
Проворачивание громад
Ищет брода слово.

Будет, будет красота
В свой черед красива,
Как после Страшного Суда
Первородной сила.

Птице помогает зоб,
Но едва ль красивый,
Бьет волнения озноб,
Главный здесь краситель.

Еще несхожий с легкой дрожью,
Когда виден результат,
Так возвышающий над ложью,
Что пугается художник,
Как облаков аэростат.

Но он уймет барабаны дрожи
В обескровленных руках,
Непривычный,
Непохожий
И растерянный слегка.

Муки творчества,
Ну какие же это муки,
Когда Слово, а вернее,
Его Высочество,
Наконец-то
Выпадает в руки.

* * *

Космонавт,
Как ангел падший,
А может, и не космонавт,
А может быть, и не ангел даже,
Ангел все же не в штанах,
И конечно же не в шляпе,
Замаскированной под картуз,

То ли дворник,
То ли яппи,
То ли двойка,
То ли туз,
Но явно кто-то приземлился,
(слава Богу, не фугас).
Посидел и снова взвился
И тут же из виду погас.

* * *

Пляж. Лежбище. Туши. Тело душит.

* * *

Как известно, лес изводят на бумагу.
Бумагу – на писателей,
Их тоже лес.
Благо этих хоть не вырубают,
Хотя отдельные случаи есть.

* * *

В жаркой Кесарии
Потеет над словом писец.
Пера касание
Шкуры
Или сердец.
На то и апостол,
Чтоб от себя добавить,
Не всегда укладываясь в строку.
История, похожая на байку,
Посапывает на боку.
Жена,
Покрытая шерстью...

Библия – бортжурнал
Космических пришельцев,

Еще не переписанный по-домашнему,
На Земле, вечно чем-то дымящейся.

Мужество,
Ладно в латы закованное.
Куда натужнее мучиться,
Заземленным,
Как в землю закопанным.
С высочайших высот приниженным,
Становясь земным на кресте.
...Но пока кто-то молвит: «Вижу»,
Пустыня, саванна, степь...
Пригодная для гольфа,
Что с размахом игра,
И лысая вдруг Голгофа,
Еще не проклятая гора.

Звезды над шерстью...
Библия – бортжурнал
Космических пришельцев.

Упадать на Землю страшно,
Она кажется еще мертвее...
Так начинались страсти
По космическому Матфею.

* * *

Нет у слова столиц,
Ничего нет у слова.
Ни Ватерлоо,
Ни Аустерлиц,
Одна условность.
И еще цензура – костолом и сволочь,
Она всегда на пути твоем.
Ты имеешь власть над словом,
Ее же власть над словарем.

* * *

Живой гербарий над цветами,
Распятьем птицы крестят высь.
И воздух — свежести цитата,
Небрежно брошенная вниз.
Он там вверху, а здесь пожиже.
И цвета жухлого травы,
Задымленный, свое поживший
И что-то ждущий за труды.

* * *

Уходим с криком или без,
Разворошив тоску, как угли.
Чем тише смерть,
Тем громче лес,
Как будто сирота он круглый,
Взывает к небу,
Сучья заломив...
Ни на грош не верю в этот миф.

Театр скорби,
Где на сцене гроб
И лент муаровых чернеет финиш,
Куда бежим мы запыхаться чтоб,
Где тысячи цветов, когда остынешь,
Он сталкивает в землю их поток,
И плачет рот, на мой похожий,
И это посильнее скорби тысяч толп.
В трагической застывшей позе.

Уходим с криком или без,
Человек не умирает весь.

* * *

Дух носился над водою божий,
Как заблудившийся матрос,
Похоже,

То был не дух, а альбатрос.
А может быть, беззвучная покамест,
Еще не оперенная стократ,
Белеющая, будто лоб над камнем,
Над бездной мечется строка,
Над вспененною бездной океана,
То приближаясь, то отпрянув,
Пока не попадет на острие пера...
Пора, родимая, пора.

«Мертвец идет»

А вот и сам виновник торжества,
С присущей данному моменту грустью,
Которой на его лице не густо,
Поскольку очень бледное лицо.

Мертвец идет.
Нет выхода, а только вход.

На что уходит жизнь — последние минуты,
Пластинки на руках его чуть гнуты,
Ремни победно стянуты,
От старости скрипят,
Спеленут он от головы до пят,
Одно лицо свободно от завязки,
Но и оно как стянуто ремнем,
Замерзшее от ожиданья смерти?
Сейчас он самый белый человек
На белом свете,
Истинно виновник торжества,
Сейчас восторжествует справедливость,
В конце которой будет он казнен.
Рожки двух электродов — чем не жертвенный козел,
При полной ясности ума и добром здравии,
Под медной шапочкой
(ее заботливо поправили, явно веря, что она ему идет)...

Душа надела шлем — готовится в полет.

* * *

Куда с энтузиазмом прет народ.
И ты не увлечен, а увлекаем,
Куда бежит страны нарост?
На зрелище, он ждет его веками.
Он в Бога верит, губошлеп,
В судьбу свою, что не спешит с подарком,
Молись, молись, глядишь, и Бог пошлет
Куда-нибудь подальше.

* * *

Медь или бронза, гипс или гранит,
Любой материал твою осанку сохранит,
Охватывая, как питон.
И тем не менее легко накинут, как пальто,
Не жмет подмышки, сшитый впору,
А как раскованную сохраняет позу!
Поэт придворный,
А памятник себе воздвиг нерукотворный.

Другое дело свинец или олово
Для желудка голого.
Ваянье памятника изнутри,
Излюбленный и древний способ,
На который ныне смотрят косо.
Смертник
Слова принял натощак,
Но что мы знаем о таких вещах?

* * *

В одежде старой входит Ной,
Непрезентабельный и допотопный.
Когда потоп всему виной.
Не до того, чтоб нравиться потомкам.

* * *

Его зовут жертвенным,
Олимпийским,
Божественным,
Бывает он еще и священным,
Но спроси под ним привычно разлегшуюся чашу,
Что она знает о нем?
Факел, неспешно сгорающий,
Тоже ничего о нем не расскажет.
Полюбопытствуй у дважды остывшего,
Этот точно знает, что такое огонь,
Никогда не оставляющий улики,
Полюбопытствуй до того, как будет развеяна
Его дотла сгоревшая улыбка.

* * *

Зачем искать сравненья, мучиться?
Не Кремль, глядящийся с рублей,
Места, засиженные Мухиной,
Эмблема родины моей.
И надо всем шлагбаум с трауром полос
И еще исхлестанная белизна берез.

* * *

Дельфос – брат,
Не местный грек,
Непорочный,
Будто Абель,
Или нет, скорей, как ангел,
Кому не ведом смертный грех,
Ангел с крыльями в гараже,
Если не на аэродроме,
Где его персональный джет,
Тоже мал и очень скромен,
Он из всех подручных средств

Выбирает только крылья,
Оставляющие в небе след,
Схожий чуть с молочной пылью.
И летит, как Арион Кифаред – певец настырный,
И садится в наш район
В своей тунике застиранной.
Кстати, он совсем не грек
И прилетает на игле.

* * *

Ты как религия, живопись,
Кто бог, а кто без лица.
Или до конца уж выразись,
Или выродись до конца.

Рай

Центральный парк,
Только без влюбленных пар.
Сверху грозди.
Снизу грузди
И старухи с молодою грудью,
Очень качественной пока,
Облокачиваются на облака.
Возлежат себе Далилы,
Что ни пазуха, то клад.
Силиконовой долины,
Где-то рядом здесь домкрат.

* * *

А вот и бык, что волок Европу,
Она была покорна, как раба.
При таких-то шарах,
Что увидел мельком я сбоку,
И такие рога!

* * *

Наган.
Главное, чтоб не попал песок.
Его барабан
На шесть персон.

* * *

По своим делам летела пуля.
Спасибо, что не встретился я ей,
Как с неба подмигнули,
Как смилостивились: «Старей!»

Смерть в Венеции

В Венеции похороны веселее.
Плывешь в гондоле на вечное поселение.
И гондольер здесь поющий Харон,
И красота обступает со всех сторон.

Не то что в Греции вверх по Стиксу,
Где капля света — одна лишь
Харона фикса.
А вода черна, как резина
Обволакивает не спеша...
— Ну и скоро ль Элизиум?
Не выдерживает душа.
— Вода здесь устроена так, — отвечает Харон,
Что надо грести несколько вечностей кряду,
Здесь всюду Лета — река похорон,
Насколько хватает взгляда.

Она еще над ним не колдовала,
Почти не отличима в массе...
Смерть в Венеции, с ее карнавалами,
Непременно должна быть в маске.

* * *

Как бы ни был день хорош,
Но уходит прочь.
Чернотой твоих волос
Наступает ночь.
Темноты последней прядь,
Тающей, как воск.
И приходит день опять
В золоте волос.
Явно ты секрет таишь.
— Здесь секрета нет,
Просто волосы мои
Очень любят свет.

Юмор

Вообще-то юмор —
Оружие безопасное и сугубо цивильное,
Но отец Бомарше умер,
Когда сын читал ему что-то севильское,
А ведь это было не самое в литературе убийственное.
Если бы это было самое убийственное,
К тому же уже написанное,
И не обязательно Бомарше,
Папа бы не родился вообще.

И все равно осторожно с этим топором,
Пьер-Огюстен-Карон.

Кожа

Очень терпкий у русалки
Привкус моря на губах.
Вот только рыбные чешуйки
Остаются на руках.

У лягушек, пусть царевен,
С кожей тоже нелады.

Цвет ее, как куст сирени,
Чуть завядший без воды.

И пупыристый, и странный,
И не гладкий, как атлас,
Кожи слой у Несмеяны,
Прямо скажем — не потряс.

У мегер, у страхолюдин,
У кикимор — всех подряд.
Кожа тоже гусь на блюде,
Ни в какой не лезет ряд.

— Здесь нельзя быть демократом, —
Кто-то сверху говорит,
Очень внятно, будто рядом
Микрофон его стоит.

И добавил, мудр и древен,
Дегустатор разных кож:
— Не бывает у царевен,
Чтоб от кожи била дрожь.

Это чаще у простушек
И с косою Василис,
Ну и прочих там пастушек,
Тех, с которыми шалишь.

Это в юности, как в сказке,
Сходят Золушки с карет,
Чтоб потом обрюзгшей Саскией
Не слезать с твоих колен.

* * *

Великий Зверь, что основал «Телемский орден»
Считал, что каждый человек — звезда
(три шестерки явно тут подсуетились, а впрочем, он и сам был суетлив всегда).

Великий Зверь, чье имя Кроули,
Был черту брат, наверное, по крови.
Он верил людям, черт его дери,
Коль ты светило — выпускай свой свет на волю,
Он должен, видимо, как шапка быть на воре,
Заметен всюду и всегда,
Раз каждый человек звезда.
Тут главное нужна во всем чрезмерность...
А что, попробуем, а вдруг он прав,
Свет предпочтительней, чем мерзость,
Огонь прекраснее, чем прах.

* * *

Семьдесят два земных и долгих года —
Это всего лишь один космический день,
Одна лишь снежинка из самой высокой погоды,
Что тут же растает, лишь только ресницей задень.
Там пенсии нет — нескончаемый возраст,
Какой же петух им такое пропел?!
Но падают звезды, вжигаясь в наш воздух,
И тут им Земля хоть какой-то предел.

Улыбка

Улыбается до кости
Тело спартанца —
Враг настигнут,
Он сумел с ним сквитаться.
Не то что у горы Машук
Любимец муз, стрелявший, как школяр —
Шут, развлекающий в себе короля.
Против истины не погрешу,
Он вообще тогда не стрелял —
Шут, развлекающий в себе короля.
Он только молвил: «К барьеру прошу!»
Ну зачем дуэль ему, на кой она ляд?
А иначе не может шут,
Развлекающий в себе короля.

ЦДЛ

Жарок костер,
Как тысяча шуб.
За милую душу сейчас спалят.
Улыбается шут,
Развлекающий в себе короля.

Висельник ловит себя – высоко вишу,
Перед тем как уйти строкой за поля –
Широко улыбается шут,
Развлекающий в себе короля.

* * *

Так остро смерть свою чуют звери,
Так боль ребенка пронзает мать,
Так Бог рождается от силы веры,
Так и не успев ее понять.

Седьмое небо

Послесловие

Украинец съездил по турпутевке в Испанию. Вернулся, рассказывает про корриду:

— Ну, арена така гарна, на трыбунах — испански чоловикы, вси таки гарни, спокийни, испанские жинки — гарни, спокийни, выпустили быка на арену — гарный такый бык, спокийный, тореадор вышел — гарный, спокийный... И тут тореадор достал комуняцький флаг — и вси як з ума посходили!!!

Как в России в 1917-м, стране с ее непреложным мифом, что, покинув ее, ничего не напишешь. Да хрен тебе в зубы, матушка. Бунин, Гоголь, Набоков, Бродский и ваш покорный слуга давно доказали, что писать можно без родины, которая только мешала писать.

1977 год, я покинул Россию с вызовом, который мне устроил Юрий Домбровский, отсидевший четверть века в советских лагерях, заклиная меня уехать, потому что я, по его мнению, и дня в них не выдержу (кстати, и ему памятник не мешает). Помимо родины исторической мне по пути предложили еще пару родин (неизвестно, сколько их надобно иметь, чтобы не чувствовать себя круглой, как Земля, сиротой?). Уезжая навсегда, я прожил семь месяцев в неповторимой Италии, где ни разу не видел чернобрового негра и его негритянки с задом, который даже для немца великоват, где у папы римского головной убор накрахмален, бел и очень высок, как у заправского повара, но если у повара он на случай, если вдруг его волосы встанут дыбом от им же приготовленных блюд, то благообразному и набожному папе он-то зачем? И тем не менее я и сегодня ностальгирую по этой необыкновенной стране, живя в Нью-Йорке, самом знаменитом, шумном и грязном городе мира, где мне уже семьдесят семь и я уже седьмой раз попадаю на 7 West на седьмой этаж самого здесь знаменитого госпиталя «Маунт Синай», где излюбленный напиток «севен ап», опять же седьмое небо, куда сбегаются все скоростные лифты, обычно берущие по семь семитов и по субботам стоящие как вкопанные на каждом этаже, чтобы они, не дай бог, не перетрудились, нажимая на нужную кнопку, чего в субботу делать никак нельзя, и мне донельзя любопытно — а вдруг в одну из суббот на них ни с того ни с сего свалятся семь мешков случайных банковских денег, неужто даже пальцем не пошевелят? Сейчас в них поднимаются Натан Альцгеймер и Абрам Паркинсон, и почему не Кафка с его предсмертными словами: «Доктор, дайте мне смерть — иначе вы убийца».

Первое апреля день смеха и день рождения Иуды Искариота, сына Рувима-Симона из колена Данова (или Иссахарова) и его жены Цибореи из Иерусалима, чье имя переводится как восхваление Господа. Безусловно, это самый смешной розыгрыш, как, собственно, любая религия. Ею может стать культ любой, даже посредственной личности. Как нация, давшая миру стольких величайших композиторов и философов, в одночасье стала скопищем фанатичной толпы в неистовом пароксизме орущей осанну своему фюреру и поражающая мир своими зверствами? Можно ли себе вживе представить Бетховена, который второй раз глохнет от ее крика и вскидывает свою руку в приветствии и тоже кричит: «Хайль!»?

Лев Халиф

Содержание

Лев Халиф

ЦДЛ

Ответственный редактор *Д.О. Хвостова*

Художественный редактор *Е.Ю. Шурлапова*

Технический редактор *Н.В. Травкина*

Ответственный корректор *Т.В. Соловьева*

Подписано в печать 18.01.2017.
Формат 84×108 1/32. Бумага типографская. Гарнитура «Петербург».
Печать офсетная. Усл. печ. л. 28,56. Уч.-изд. л. 26,65.
Тираж 2 000 экз. Заказ №К-141.

ООО «Центрполиграф»
111024, Москва, 1-я ул. Энтузиастов, 15
E-MAIL: CNPOL@CNPOL.RU

WWW.CENTRPOLIGRAF.RU

Отпечатано в АО «ИПК «Чувашия»
428019, г. Чебоксары, пр. И. Яковлева, 13